Cornelia Funke ist mit weltweit über 15 Millionen verkauften Büchern die international erfolgreichste und bekannteste deutsche Kinderbuch-autorin. Heute lebt sie in Los Angeles, Kalifornien, doch ihre Karriere als Autorin und Illustratorin begann in Hamburg. Nach einer Ausbildung zur Diplom-Pädagogin und einem anschließenden Grafikstudium arbeitete sie als freischaffende Kinderbuchillustratorin. Da ihr die Geschichten, die sie bebilderte, nicht immer gefielen, fing sie selbst an zu schreiben. Zu ihren großen Erfolgen zählen *Drachenreiter*, die Reihe *Die Wilden Hühner* und *Herr der Diebe*, der sich zudem erstmals international durchsetzte. Mit der *Tintenwelt*-Trilogie stürmte sie weltweit die Bestsellerlisten.

Cornelia Funke

Tintenblut

Mit Vignetten der Autorin

Oetinger Taschenbuch

Außerdem bei Oetinger Taschenbuch erschienen:

Tintenherz (Bd. 1)
Tintentod (Bd. 3)
Die Wilden Hühner (Band 1)
Die Wilden Hühner auf Klassenfahrt (Band 2)
Die Wilden Hühner – Fuchsalarm (Band 3)
Die Wilden Hühner und das Glück der Erde (Band 4)
Die Wilden Hühner und die Liebe (Band 5)
Die Wilden Hühner und das Leben (Band 6)
Greta und Eule, Hundesitter
Herr der Diebe
Kleiner Werwolf
Lilli und Flosse
Zottelkralle
Zwei wilde kleine Hexen

6. Auflage 2017

Titelbild: Cornelia Funke
Umschlaggestaltung: Cornelia Funke und Martina Petersen
Druck: CPI books GmbH, Birkstraße 10, 25917 Leck, Deutschland
ISBN 978-3-8415-0013-7

www.oetinger-taschenbuch.de

Für Brendan Fraser,
dessen Stimme das Herz dieses Buches ist.
Thanks for inspiration and enchantment.
Mo hätte mein Schreibzimmer nicht betreten ohne dich –
und diese Geschichte wäre
nie erzählt worden.

Für Rainer Strecker,
Zauberzunge und Staubfinger zugleich.
Jedes Wort in diesem Buch wartet schon sehnsüchtig
darauf, von ihm gelesen zu werden.

Und
natürlich, wie fast immer, last, but for sure not least,
für Anna, wunderwunderbare Anna,
die sich bei vielen Spaziergängen diese Geschichte
erzählen ließ, mich bestärkte und beriet und
mich verstehen ließ, was gut und
noch zu verbessern war.
(Ich hoffe sehr, dass die Geschichte von Meggie
und Farid nun nicht mehr zu kurz kommt.)

Wüsste ich,
woher die Gedichte kommen,
ich würde dorthin gehen.

Michael Longley

Maßgeschneiderte Worte

Zeile für Zeile
Meine eigene Wüste
Zeile für Zeile
Mein Paradies
Marie Luise Kaschnitz, Ein Gedicht

Es dämmerte und Orpheus war immer noch nicht da.

Farids Herz schlug schneller, wie immer, wenn der Tag ihn mit der Dunkelheit allein ließ. Verfluchter Käsekopf! Wo blieb er nur? In den Bäumen verstummten schon die Vögel, wie erstickt von der aufziehenden Nacht, und die nahen Berge färbten sich schwarz, als hätte die untergehende Sonne sie versengt. Bald würde die ganze Welt so kohlrabenschwarz sein, selbst das Gras unter Farids nackten Füßen, und die Geister würden zu flüstern beginnen. Farid kannte nur einen Ort, an dem er sich vor ihnen sicher fühlte: dicht hinter Staubfinger, so dicht, dass er seine Wärme spürte. Staubfinger fürchtete die Nacht nicht, er liebte sie.

»Na, hörst du sie schon wieder?«, fragte er, als Farid sich an ihn drängte. »Wie oft soll ich es dir noch sagen? In dieser Welt gibt es keine Geister. Einer der wenigen Vorzüge, die sie hat.«

Gegen eine Steineiche gelehnt, so stand er da und blickte die einsame Straße hinauf. Weiter oben beschien eine Laterne den zersprungenen Asphalt, dort, wo die Häuser sich vor den dunklen Bergen duckten, kaum ein Dutzend, eng beisammenstehend, als fürchteten sie die Nacht ebenso wie Farid. Das Haus, in dem der

Käsekopf wohnte, war das erste an der Straße. Hinter einem der Fenster brannte Licht. Seit mehr als einer Stunde starrte Staubfinger es nun schon an. Farid hatte oft versucht, ebenso reglos dazustehen, aber seine Glieder wollten einfach nicht so lange stillhalten.

»Ich geh jetzt hin und seh nach, wo er bleibt!«

»Tust du nicht!« Staubfingers Gesicht blieb ausdruckslos wie immer, doch seine Stimme verriet ihn. Farid hörte die Ungeduld heraus ... und die Hoffnung, die einfach nicht sterben wollte, obwohl sie schon so oft enttäuscht worden war. »Du bist sicher, dass er ›Freitag‹ gesagt hat?«

»Ja! Und heute ist doch Freitag, oder?«

Staubfinger nickte nur und strich sich das schulterlange Haar aus dem Gesicht. Farid hatte versucht, das seine ebenso lang wachsen zu lassen, aber es lockte und kräuselte sich so widerspenstig, dass er es sich schließlich mit dem Messer wieder kurz geschoren hatte.

»›Freitag unterhalb des Dorfes, vier Uhr‹, das waren seine Worte. Während sein Köter mich angeknurrt hat, als hätte er auf nichts mehr Appetit als auf einen knackigen braunen Jungen!« Der Wind fuhr Farid unter den dünnen Pullover und er rieb sich fröstelnd die Arme. Ein schönes warmes Feuer, ja, das hätte ihm jetzt gefallen, aber bei dem Wind würde Staubfinger ihn nicht mal ein Streichholz anzünden lassen. Vier Uhr ... Mit einem leisen Fluch blickte Farid zum Himmel hinauf. Dass es längst später war, wusste er auch ohne Uhr. »Ich sag dir, er lässt uns extra warten, der aufgeblasene Dummkopf!«

Staubfingers schmaler Mund verzog sich zu einem Lächeln. Es fiel Farid immer leichter, ihn zum Lächeln zu bringen. Vielleicht hatte er deshalb versprochen, ihn mitzunehmen, falls der Käsekopf ihn tatsächlich zurückbrachte. Zurück in seine Welt, erschaffen aus Papier und Druckerschwärze und den Worten eines alten Mannes.

Ach was!, dachte Farid. Warum soll ausgerechnet dieser Orpheus schaffen, was all den anderen nicht gelungen ist? So viele hatten es versucht ... der Stotterer, der Goldblick, die Rabenzunge ... Betrüger, die ihr Geld genommen hatten ...

Hinter Orpheus' Fenster erlosch das Licht und Staubfinger richtete sich abrupt auf. Eine Tür schlug zu. Schritte drangen durch die Dunkelheit, hastige, unregelmäßige Schritte. Dann erschien Orpheus im Licht der einsamen Laterne – der Käsekopf, wie Farid ihn heimlich getauft hatte, seiner blassen Haut wegen und weil er in der Sonne schwitzte wie ein Stück Käse. Kurzatmig kam er die steil abfallende Straße herunter, neben sich seinen Höllenhund, hässlich wie eine Hyäne. Als er Staubfinger am Straßenrand entdeckte, blieb er stehen und winkte ihm mit breitem Lächeln zu.

Farid griff nach Staubfingers Arm. »Sieh dir das dumme Grinsen an. Falsch wie Katzengold!«, flüsterte er ihm zu. »Wie kannst du ihm nur trauen!«

»Wer sagt denn, dass ich ihm traue? Was ist los mit dir? Du bist ja so zappelig. Willst du vielleicht doch lieber hierbleiben? Autos, laufende Bilder, Musik aus der Dose, Licht, das die Nacht vertreibt –« Staubfinger stieg über die kniehohe Mauer, die den Straßenrand säumte. »All das gefällt dir doch. Du wirst dich langweilen, dort, wo ich hinwill.«

Was redete er da? Als ob er nicht genau wusste, dass Farid sich nur eines wünschte: bei ihm zu bleiben. Ärgerlich wollte er ihm antworten, doch ein Knacken, scharf, als hätten Stiefel einen Zweig zertreten, ließ ihn herumfahren.

Auch Staubfinger hatte es gehört. Er war stehen geblieben und lauschte. Aber zwischen den Bäumen war nichts zu entdecken, nur die Zweige bewegten sich im Wind, und ein Nachtfalter, bleich wie ein Geist, flatterte Farid ins Gesicht.

»Entschuldigt! Es ist etwas später geworden!«, rief Orpheus ihnen entgegen.

Farid konnte immer noch nicht fassen, dass eine solche Stimme aus diesem Mund kommen konnte. Sie hatten von dieser Stimme gehört, in einigen Dörfern, und Staubfinger hatte sich sogleich auf die Suche gemacht, doch erst vor knapp einer Woche hatten sie Orpheus gefunden, in einer Bücherei, Märchen vorlesend für ein paar Kinder, von denen offenbar keins den Zwerg bemerkte, der plötzlich hinter einem der Regale voll zerlesener Bücher hervorschlüpfte. Aber Staubfinger hatte ihn gesehen, hatte Orpheus abgepasst, als er gerade wieder in sein Auto steigen wollte, und ihm schließlich das Buch gezeigt, das Buch, das Farid schon häufiger verflucht hatte als jeden anderen Gegenstand.

»O ja, dieses Buch kenne ich!«, hatte Orpheus gehaucht. »Und dich –«, hatte er fast andächtig hinzugesetzt und Staubfinger angesehen, als wollte er ihm die Narben von den Wangen starren, »– dich kenne ich auch. Du bist das Beste darin. Staubfinger! Der Feuertänzer! Wer hat dich nur hierher gelesen, in diese trübsinnigste aller Geschichten? Sag nichts! Du willst zurück, nicht wahr, aber du findest die Tür nicht, die Tür zwischen den Buchstaben! Das macht nichts. Ich kann dir eine neue zimmern, aus maßgeschneiderten Worten! Für einen Freundschaftspreis – falls du tatsächlich der bist, für den ich dich halte!«

Freundschaftspreis! Von wegen. Nahezu all ihr Geld hatten sie ihm versprechen müssen, um dann auch noch stundenlang auf ihn zu warten, an diesem gottverlassenen Ort, an diesem windigen Abend, der nach Geistern roch.

»Hast du den Marder dabei?« Orpheus richtete die Taschenlampe auf Staubfingers Rucksack. »Du weißt, mein Hund mag ihn nicht.«

»Nein, der besorgt sich gerade etwas zu fressen.« Staubfingers Blick wanderte zu dem Buch, das unter Orpheus' Arm klemmte. »Was ist? Bist du ... fertig?«

»Natürlich!« Der Höllenhund bleckte die Zähne und starrte Farid an. »Die Wörter waren zuerst etwas störrisch. Vielleicht, weil ich so aufgeregt war. Wie ich dir schon bei unserer ersten Begegnung sagte: Dieses Buch –«, Orpheus strich mit den Fingern über den Bund, »– war mein Lieblingsbuch, als ich ein Kind war. Mit elf habe ich es zum letzten Mal gesehen. Es wurde gestohlen aus der schäbigen Bücherei, aus der ich es immer wieder auslieh. Ich war zum Stehlen leider zu feige gewesen, aber ich habe das Buch nie vergessen. Es hat mich für alle Zeit gelehrt, dass man mit Worten dieser Welt so leicht entkommen kann! Dass man Freunde zwischen den Seiten findet, wunderbare Freunde! Freunde wie dich, Feuerspucker, Riesen, Feen ...! Weißt du, wie sehr ich um dich geweint habe, als ich von deinem Tod las? Aber du lebst und alles wird gut werden! Du wirst die Geschichte neu erzählen –«

»Ich?«, unterbrach Staubfinger mit spöttischem Lächeln. »Nein, glaub mir, das tun ganz andere.«

»Nun ja, vielleicht!« Orpheus räusperte sich, als sei es ihm peinlich, so viel von seinen Gefühlen offenbart zu haben. »Wie dem auch sei, es ist zu ärgerlich, dass ich nicht mit dir gehen kann«, sagte er, während er mit seinem seltsam unbeholfenen Gang auf die Mauer am Straßenrand zusteuerte. »Der Vorleser muss bleiben, das ist die eiserne Regel. Ich habe alles versucht, um selbst in ein Buch zu schlüpfen, aber es geht einfach nicht.« Mit einem Seufzer blieb er stehen, schob die Hand unter die schlecht sitzende Jacke und zog ein Blatt Papier hervor. »Also – hier ist, was du bestellt hast«, sagte er zu Staubfinger. »Wunderbare Wörter, nur für dich, eine Straße aus Wörtern, die dich geradewegs zurückführen wird. Hier, lies!«

Zögernd nahm Staubfinger das Blatt entgegen. Feine, schräg stehende Buchstaben bedeckten es, verschlungen wie Nähgarn. Staubfinger fuhr mit dem Finger an den Wörtern entlang, als müsste er jedes einzelne seinen Augen erst zeigen, während Orpheus ihn beobachtete wie ein Schuljunge, der auf seine Note wartet.

Als Staubfinger endlich wieder den Kopf hob, klang seine Stimme überrascht. »Du schreibst sehr gut! Wunderschöne Worte ...«

Der Käsekopf wurde so rot, als hätte ihm jemand Maulbeersaft ins Gesicht geschüttet. »Es freut mich, dass es dir gefällt!«

»Ja, es gefällt mir sehr! Alles so, wie ich es dir beschrieben habe. Es klingt nur ein bisschen besser.«

Mit verlegenem Lächeln nahm Orpheus Staubfinger das Blatt wieder aus der Hand. »Ich kann nicht versprechen, dass die Tageszeit die gleiche sein wird«, sagte er mit gedämpfter Stimme. »Die Gesetze meiner Kunst sind schwer zu ergründen, doch glaub mir, keiner weiß mehr über sie als ich! Beispielsweise sollte man ein Buch nur ändern oder fortspinnen, indem man Wörter benutzt, die darin schon zu finden sind. Bei zu viel fremden Wörtern passiert gar nichts oder etwas, das man nicht beabsichtigt hat! Vielleicht ist es anders, wenn man selbst der Autor ...«

»Um aller Feen willen, in dir stecken ja mehr Wörter als in einer ganzen Bibliothek!«, unterbrach Staubfinger ihn ungeduldig. »Wie wäre es, wenn du jetzt einfach liest?«

Orpheus verstummte so abrupt, als hätte er seine Zunge verschluckt. »Sicher«, sagte er mit leicht gekränkter Stimme. »Du wirst sehen. Mit meiner Hilfe wird das Buch dich wieder aufnehmen wie einen verlorenen Sohn. Es wird dich aufsaugen wie Papier die Tinte!«

Staubfinger nickte nur und blickte die verlassene Straße hinauf. Farid spürte, wie gern er dem Käsekopf glauben wollte – und wie viel Angst er davor hatte, erneut enttäuscht zu werden.

»Was ist mit mir?« Farid trat dicht an seine Seite. »Er hat auch etwas über mich geschrieben, oder? Hast du nachgesehen?«

Orpheus warf ihm einen wenig wohlwollenden Blick zu. »Mein Gott!«, sagte er spöttisch zu Staubfinger. »Der Junge scheint ja wirklich sehr an dir zu hängen! Wo hast du ihn aufgelesen? Irgendwo am Straßenrand?«

»Nicht ganz«, antwortete Staubfinger. »Ihn hat derselbe Mann aus seiner Geschichte gepflückt, der auch mir diesen Gefallen tat.«

»Dieser … Zauberzunge?« Orpheus sprach den Namen so abfällig aus, als könnte er nicht glauben, dass irgendjemand ihn verdiente.

»Ja. So heißt er. Woher weißt du das?« Staubfingers Überraschung war nicht zu überhören.

Der Höllenhund beschnupperte Farids nackte Zehen – und Orpheus zuckte die Schultern. »Früher oder später hört man von jedem, der den Buchstaben das Atmen beibringen kann.«

»Ach ja?« Staubfingers Stimme klang ungläubig, aber er fragte nicht weiter nach. Er starrte nur auf das Blatt, das mit Orpheus' feinen Buchstaben bedeckt war.

Der Käsekopf aber blickte immer noch Farid an. »Aus welchem Buch stammst du?«, fragte er. »Und warum willst du nicht in deine eigene Geschichte zurück statt in die seine, in der du nichts zu suchen hast?«

»Was geht dich das an?«, erwiderte Farid feindselig. Der Käsekopf gefiel ihm immer weniger. Er war zu neugierig – und viel zu schlau.

Staubfinger aber lachte nur leise. »Seine eigene Geschichte? Nein, nach der hat Farid nicht die Spur von Heimweh. Der Junge wechselt die Geschichten wie eine Schlange die Haut.« Farid hörte in seiner Stimme fast so etwas wie Bewunderung.

»So, tut er das?« Orpheus musterte Farid erneut auf so herablassende Weise, dass er ihm am liebsten gegen die plumpen Knie getreten hätte, wäre da nicht der Höllenhund gewesen, der ihn immer noch mit hungrigen Augen anstierte. »Nun, gut«, sagte Orpheus, während er sich auf der Mauer niederließ. »Ich warne dich trotzdem! Dich zurückzulesen ist eine Kleinigkeit, aber der Junge hat in der Geschichte nichts zu suchen! Ich darf seinen Namen nicht nennen. Es ist nur die Rede von einem Jungen, wie du gesehen hast, ich kann nicht garantieren, dass das funktioniert. Und selbst wenn, wird er vermutlich nichts als Verwirrung stiften. Vielleicht bringt er dir sogar Unglück!«

Wovon redete der verfluchte Kerl? Farid sah Staubfinger an. Bitte!, dachte er. O bitte! Hör nicht auf ihn! Nimm mich mit.

Staubfinger erwiderte seinen Blick. Und lächelte. »Unglück?«, sagte er, und seiner Stimme hörte man an, dass niemand ihm etwas über das Unglück erzählen musste. »Unsinn. Der Junge bringt mir Glück. Außerdem ist er ein ziemlich guter Feuerspucker. Er kommt mit mir. Und das hier auch.« Bevor Orpheus verstand, was gemeint war, griff Staubfinger nach dem Buch, das der Käsekopf neben sich auf die Mauer gelegt hatte. »Das brauchst du ja wohl nicht mehr, und ich werde wesentlich ruhiger schlafen, wenn es in meinem Besitz ist.«

»Aber …« Entgeistert sah Orpheus ihn an. »Ich hab dir doch gesagt, es ist mein Lieblingsbuch! Ich würde es wirklich gern behalten.«

»Nun, ich auch«, erwiderte Staubfinger nur und reichte das Buch Farid. »Hier. Pass gut darauf auf.«

Farid drückte es gegen die Brust und nickte. »Gwin«, sagte er. »Wir müssen Gwin noch rufen.« Aber als er etwas trockenes Brot aus der Hosentasche zog und Gwins Namen rufen wollte, presste Staubfinger ihm die Hand auf den Mund.

»Gwin bleibt hier!«, sagte er. Hätte er erklärt, er wollte seinen rechten Arm zurücklassen, Farid hätte ihn nicht ungläubiger angesehen. »Was starrst du mich so an? Wir fangen uns drüben einen anderen Marder, einen, der weniger bissig ist.«

»Nun, wenigstens bist du, was das betrifft, vernünftig«, sagte Orpheus.

Wovon redete er?

Aber Staubfinger wich Farids fragendem Blick aus. »Nun fang schon endlich an zu lesen!«, fuhr er Orpheus an. »Oder sollen wir hier noch stehen, wenn die Sonne aufgeht?«

Orpheus blickte ihn einen Moment lang an, als wollte er noch etwas sagen. Doch dann räusperte er sich. »Ja«, sagte er. »Ja, du hast recht. Zehn Jahre in der falschen Geschichte sind eine lange Zeit. Lesen wir.«

Wörter.

Wörter füllten die Nacht wie der Duft unsichtbarer Blüten.

Maßgeschneiderte Wörter, geschöpft aus dem Buch, das Farid fest umklammert hielt, und zusammengefügt von Orpheus' teigblassen Händen zu neuem Sinn. Von einer anderen Welt sprachen sie, von einer Welt voller Wunder und Schrecken. Und Farid lauschte und vergaß die Zeit. Er spürte nicht einmal mehr, dass es so etwas überhaupt gab. Es gab nur noch Orpheus' Stimme, die so gar nicht zu dem Mund passen wollte, aus dem sie kam. Sie ließ alles verschwinden, die löchrige Straße und die ärmlichen Häuser an ihrem Ende, die Laterne, die Mauer, auf der Orpheus saß, ja, selbst den Mond über den schwarzen Bäumen. Und die Luft roch plötzlich fremd und süß …

Er kann es, dachte Farid, er kann es tatsächlich, während Orpheus' Stimme ihn blind und taub machte für alles, was nicht aus Buchstaben bestand. Als der Käsekopf plötzlich schwieg, sah er sich verwirrt um, schwindlig vom Wohlklang der Wörter. Wieso waren die Häuser noch da und die Laterne, rostig von Wind und Regen? Auch Orpheus war noch da und sein Höllenhund.

Nur einer war fort. Staubfinger.

Farid aber stand immer noch auf derselben verlassenen Straße. In der falschen Welt.

Katzengold

> So ein Bösewicht wie Joe musste sich ja – das war ihnen ganz klar – dem Teufel verschrieben haben, und es könnte doch allzu verhängnisvoll werden, sich mit einer solchen Macht in einen Kampf einzulassen.
> *Mark Twain, Die Abenteuer des Tom Sawyer*

»Nein!« Farid hörte das Entsetzen in seiner eigenen Stimme. »Nein! Was hast du getan? Wo ist er?«

Orpheus erhob sich umständlich von der Mauer, das verfluchte Blatt immer noch in der Hand, und lächelte. »Zu Hause. Wo sonst?«

»Und? Was ist mit mir? Lies weiter! Nun lies schon!« Alles verschwamm hinter dem Schleier seiner Tränen. Er war allein, wieder allein, so wie er es immer gewesen war, bevor er Staubfinger gefunden hatte. Farid begann zu zittern, so sehr, dass er gar nicht merkte, wie Orpheus ihm das Buch aus den Händen zog.

»Und erneut ist es bewiesen!«, hörte er ihn murmeln. »Ich trage meinen Namen zu Recht. Ich bin der Meister *aller* Worte, der geschriebenen wie der gesprochenen. Keiner kann sich messen mit mir.«

»Der Meister? Was redest du da?« Farid schrie so laut, dass selbst der Höllenhund sich duckte. »Wenn du so viel von deinem Handwerk verstehst, wieso bin ich dann noch hier? Los, lies noch mal! Und gib mir das Buch zurück!« Er griff danach, aber Orpheus wich mit erstaunlicher Geschmeidigkeit zurück.

»Das Buch? Warum sollte ich es dir geben? Du kannst doch vermutlich nicht mal lesen. Ich verrate dir etwas! Hätte ich gewollt, dass du mit ihm gehst, dann wärst du jetzt dort, aber du hast nichts in seiner Geschichte zu suchen, deshalb habe ich die Sätze über dich einfach nicht gelesen. Verstanden? Und jetzt mach, dass du fortkommst, bevor ich dir meinen Hund auf den Hals hetze. Jungen wie du haben ihn mit Steinen beworfen, als er ein Welpe war, seither jagt er deinesgleichen zu gern!«

»Du Sohn eines Hundes! Du Lügner! Betrüger!« Farids Stimme überschlug sich. Hatte er es nicht gewusst? Hatte er es Staubfinger nicht gesagt? Falsch wie Katzengold war der Käsekopf. Etwas drängte sich zwischen seinen Beinen hindurch, pelzig und rundnasig, mit winzigen Hörnern zwischen den Ohren. Der Marder. Er ist fort, Gwin!, dachte Farid. Staubfinger ist fort. Wir werden ihn nie wieder sehen!

Der Höllenhund senkte den klobigen Kopf und machte zögernd einen Schritt auf den Marder zu, aber Gwin entblößte die nadelspitzen Zähne, und der riesige Hund zog verblüfft die Nase zurück.

Seine Angst machte Farid Mut. »Gib es mir, na los!« Er stieß Orpheus die magere Faust vor die Brust. »Das Papier und das Buch! Oder ich schlitz dich auf wie einen Karpfen. Ja, das tue ich!« Dass er schluchzen musste, ließ die Sätze nicht halb so eindrucksvoll klingen, wie er es beabsichtigt hatte.

Orpheus tätschelte seinem Hund den Kopf, während er sich das Buch in den Hosenbund schob. »Oh, jetzt fürchten wir uns aber, nicht wahr, Cerberus?«

Gwin presste sich an Farids Beine. Sein Schwanz zuckte beunruhigt hin und her. Farid dachte, der Hund sei der Grund, selbst dann noch, als der Marder auf die Straße sprang und zwischen den Bäumen auf der anderen Seite verschwand. Blind und taub!, dachte er später immer wieder. Blind und taub, Farid.

Orpheus aber lächelte, wie jemand, der etwas mehr weiß als sein Gegenüber. »Weißt du, mein junger Freund«, sagte er. »Ich habe wirklich einen Höllenschreck bekommen, als Staubfinger das Buch zurückverlangte. Zum Glück hat er es dir gegeben, sonst hätte ich nichts für ihn tun können. Es war schwer genug, meinen Auftraggebern auszureden, ihn einfach umzubringen, aber sie mussten es mir versprechen. Nur unter der Bedingung habe ich den Köder gespielt ... den Köder für das Buch, denn darum geht es hier, falls du das noch nicht begriffen hast. Es geht nur um das Buch, um nichts sonst. Ja, sie haben versprochen, Staubfinger kein Haar zu krümmen, aber von dir war leider nie die Rede.«

Bevor Farid begriff, wovon der Käsekopf sprach, spürte er das Messer an seinem Hals – scharf wie Schilfgras und kälter als der Dunst zwischen den Bäumen.

»Na, wen haben wir denn da?«, raunte ihm eine nie vergessene Stimme ins Ohr. »Hab ich dich nicht zuletzt bei Zauberzunge gesehen? Angeblich hast du Staubfinger trotzdem geholfen, ihm das Buch zu stehlen, nicht wahr? Tja, du bist schon ein nettes Bürschchen.« Das Messer schnitt Farid in die Haut und Pfefferminzatem strich ihm übers Gesicht. Hätte er Basta nicht an seiner Stimme erkannt, dann an seinem Atem. Sein Messer und ein paar Blätter Minze – Basta hatte beides immer dabei. Er kaute die Blätter und spuckte einem die Reste vor die Füße. Gefährlich wie ein tollwütiger Hund war er und nicht allzu klug, aber wie kam er hierher? Wie hatte er sie gefunden?

»Na, was hältst du von meinem neuen Messer?«, schnurrte er

Farid ins Ohr. »Ich hätte den Feuerfresser ja zu gern auch damit bekannt gemacht, aber Orpheus hier hat eine Schwäche für ihn. Was soll's, ich werde Staubfinger schon wiederfinden. Ihn und Zauberzunge und seine Hexentochter. Sie werden alle bezahlen …«

»Wofür?«, stieß Farid hervor. »Dafür, dass sie dich vor dem Schatten gerettet haben?«

Aber Basta presste ihm das Messer nur noch fester gegen den Hals. »Gerettet? Unglück haben sie mir gebracht, nichts als Unglück!«

»Um Himmels willen, steck das Messer weg!«, fuhr Orpheus mit angeekelter Stimme dazwischen. »Er ist bloß ein Junge. Lass ihn laufen. Ich habe das Buch, wie abgemacht, also –«

»Laufen lassen?« Basta lachte auf, aber das Lachen blieb ihm im Halse stecken. Ein Fauchen drang hinter ihnen aus dem Wald und der Höllenhund legte die Ohren an. Basta fuhr herum. »Was, zum Teufel? Verdammter Idiot! Was hast du da aus dem Buch kriechen lassen?«

Farid wollte es nicht wissen. Er spürte nur, wie Basta für einen Moment den Griff lockerte. Das reichte. Er biss ihn so fest in die Hand, dass er Blut schmeckte.

Basta schrie auf und ließ das Messer fallen.

Farid riss die Ellbogen zurück, stieß sie ihm gegen die hagere Brust – und rannte. Die Mauer am Straßenrand hatte er ganz vergessen. Er stolperte darüber und fiel so heftig auf die Knie, dass er nach Atem rang. Als er sich aufraffte, sah er das Papier auf dem Asphalt liegen, das Blatt Papier, das Staubfinger fortgebracht hatte. Der Wind musste es auf die Straße getrieben haben. Mit fliegenden Fingern griff er danach. *Deshalb habe ich die Sätze über dich einfach nicht gelesen. Verstanden?*, höhnte Orpheus' Stimme in seinem Kopf. Farid presste das Blatt gegen die Brust und rannte weiter, über die Straße, auf die Bäume zu, die dunkel auf der anderen Seite warteten. Hinter ihm knurrte und bellte der Höllenhund, dann jaulte er auf. Wieder fauchte etwas, so wild, dass Farid nur noch schneller lief. Orpheus schrie auf, die Angst ließ seine Stimme schrill und hässlich werden. Basta fluchte, und dann war da wieder das Fauchen, wild wie das der großen Katzen, die es in Farids alter Welt gegeben hatte.

Nicht umsehen!, dachte er. Lauft, lauft!, befahl er seinen Beinen. Lasst die Katze den Höllenhund fressen, sie soll sie alle fressen, Basta und den Käsekopf dazu, nur lauft! Das welke Laub, das zwischen den Bäumen lag, war feucht und dämpfte das Geräusch seiner Schritte, aber es war glitschig und ließ ihn ausrutschen an dem steil abfallenden Hang. Verzweifelt suchte er Halt an einem Baumstamm, presste sich zitternd dagegen und lauschte in die Nacht. Was, wenn Basta ihn keuchen hörte?

Ein Schluchzen entrang sich seiner Brust. Er presste sich die Hände auf den Mund. Das Buch, Basta hatte das Buch! Hatte er nicht darauf aufpassen sollen – und wie sollte er Staubfinger nun jemals wiederfinden? Farid strich über das Blatt mit Orpheus' Worten, das er immer noch gegen die Brust presste. Feucht und schmutzig war es – und seine ganze Hoffnung.

»Heee, du kleiner bissiger Bastard!« Bastas Stimme drang durch die stille Nacht. »Lauf nur, ich krieg dich doch, hörst du? Dich, den Feuerfresser, Zauberzunge und seine feine Tochter und den alten Mann, der die verfluchten Worte geschrieben hat! Ich werd euch alle töten. Einen nach dem anderen! So wie ich gerade das Biest aufgeschlitzt habe, das aus dem Buch gekommen ist.«

Farid wagte kaum zu atmen. Weiter!, dachte er. Los! Lauf weiter. Basta kann dich nicht sehen! Zitternd tastete er nach dem nächsten Baumstamm, suchte nach Halt und dankte dem Wind dafür, dass er über ihm an den Blättern riss und seine Schritte mit seinem Rauschen übertönte. *Wie oft soll ich es dir noch sagen? In dieser Welt gibt es keine Geister. Einer der wenigen Vorzüge, die sie hat.* Er hörte Staubfingers Stimme, als ginge er hinter ihm. Immer wieder wiederholte Farid sich die Worte, während die Tränen ihm übers Gesicht liefen und Dornen ihm die Füße zerschnitten. Es gibt keine Geister, gibt keine Geister!

Ein Zweig schlug ihm ins Gesicht, so heftig, dass er fast aufschrie. Folgten sie ihm? Er konnte nichts hören, nur den Wind. Wieder rutschte er aus, stolperte den Abhang hinunter. Nesseln verbrannten ihm die Beine, Kletten verfingen sich in seinem Haar. Und etwas sprang ihn an, pelzig und warm, stieß ihm die Nase ins Gesicht. »Gwin?« Farid tastete über den kleinen Kopf. Ja, da waren sie, die winzigen Hörner. Er presste das Gesicht gegen das weiche Marderfell. »Basta ist zurück, Gwin!«, flüsterte er. »Und er hat das Buch! Was, wenn Orpheus ihn nun hinüberliest? Irgendwann geht er bestimmt zurück, das denkst du doch auch, oder? Wie sollen wir Staubfinger jetzt nur vor ihm warnen?«

Zweimal noch stieß er auf die Straße, die sich den Berg hinunterwand, aber Farid wagte nicht, ihr zu folgen, schlug sich lieber weiter durch das stachlige Unterholz. Bald schmerzte jeder Atemzug, aber er blieb nicht stehen. Erst als die ersten Sonnenstrahlen sich durch die Bäume tasteten und Basta immer noch nicht hinter ihm aufgetaucht war, wusste Farid, dass er entkommen war.

Was nun?, dachte er, während er keuchend im trockenen Gras lag. Was nun? Und plötzlich erinnerte er sich an eine andere

Stimme, die Stimme, die ihn in diese Welt gebracht hatte. Zauberzunge. Natürlich. Nur er konnte ihm jetzt helfen, er oder seine Tochter. Meggie. Bei der Bücherfresserin wohnten sie jetzt, Farid war mit Staubfinger einmal dort gewesen. Es war ein langer Weg, vor allem mit zerschnittenen Füßen. Aber er musste vor Basta dort sein …

Staubfingers Heimkehr

»Was ist das«, sagte der Leopard, »was so ausnehmend dunkel und doch so voller kleiner Lichtstücke ist?«
Rudyard Kipling, Wie der Leopard zu seinen Flecken kam

Für einen Moment schien es Staubfinger, als wäre er nie fort gewesen – als hätte er nur schlecht geträumt, die Erinnerung daran ein schaler Geschmack auf der Zunge, ein Schatten auf dem Herzen, nichts weiter … Alles war plötzlich wieder da, die Geräusche, so vertraut und nie vergessen, die Gerüche, die Stämme der Bäume, gescheckt vom Morgenlicht, die Schatten der Blätter auf seinem Gesicht. Einige färbten sich bunt, wie sie es in der anderen Welt getan hatten, auch hier nahte der Herbst, aber die Luft war immer noch mild. Sie roch nach überreifen Beeren, nach welkenden Blüten, tausend und mehr, deren Duft die Sinne betäubte – wachsblasse Blüten, leuchtend im Schatten der Bäume, blaue Sterne an hauchdünnen Stängeln, so zart, dass er seine Schritte zügelte, um sie nicht zu zertreten. Steineichen, Platanen, Tulpenbäume um ihn her … wie sie in den Himmel griffen! Er hatte fast vergessen, wie groß ein Baum sein konnte, wie breit und hoch sein Stamm, die Krone so ausladend, dass eine ganze Schar von Reitern darunter Schutz finden konnte. Die Wälder in der anderen Welt waren so jung. Sie hatten ihm immer das Gefühl gegeben, alt zu sein, so furchtbar alt, dass die Jahre ihn wie Ruß bedeckten. Hier war er wieder jung, kaum älter als die Pilze zwischen den Wurzeln, kaum größer als Disteln und Nesseln.

Aber wo war der Junge?

Suchend blickte Staubfinger sich um, rief seinen Namen, immer wieder. »Farid!« Der Name war ihm in den letzten Monaten fast so vertraut geworden wie der eigene. Aber niemand antwortete. Nur seine eigene Stimme hallte zwischen den Bäumen wider.

Also war es doch geschehen. Der Junge war dort geblieben. Was würde er nun anfangen, so ganz allein? Nun, was wohl?, dachte Staubfinger, während er sich ein letztes Mal vergebens umsah. Er wird besser zurechtkommen, als du es dort jemals zustande gebracht hast. Den Lärm, die Schnelligkeit, das Menschengedränge, das alles liebt er doch. Außerdem hast du ihm genug beigebracht, er spielt mit dem Feuer schon fast so geschickt wie du. Ja, der Junge würde bestens zurechtkommen. Dennoch, für einen Moment welkte die Freude in Staubfingers Brust wie eine der Blüten zu seinen Füßen, und das Morgenlicht, das ihn eben noch willkommen geheißen hatte, schien fahl und leblos. Die andere Welt hatte ihn erneut betrogen. Ja, sie hatte ihn tatsächlich freigelassen nach all den vielen Jahren, doch sie hatte das Einzige behalten, woran er dort drüben sein Herz gehängt hatte …

Nun, und was lernst du wieder mal daraus?, dachte er, während er sich ins taufeuchte Gras kniete. Behalte dein Herz besser für dich, Staubfinger. Er hob ein Blatt auf, das rot wie Feuer im dunklen Moos leuchtete. Solche Blätter hatte es in der anderen Welt nicht gegeben, oder? Was war nur los mit ihm? Ärgerlich richtete er sich wieder auf. He, Staubfinger! Du bist zurück! Zurück!, fuhr er sich an. Vergiss den Jungen, ja, er ist verloren gegangen, aber dafür hast du deine Welt zurück, eine ganze Welt. Du hast sie zurück. Glaub es! Glaub es endlich!

Wenn das nur nicht so schwer gewesen wäre. Es war so viel

leichter, ans Unglück zu glauben als ans Glück. Jede Blume musste er anfassen, jeden Baum betasten, die Erde zwischen den Fingern zerreiben und den ersten Mückenstich auf der Haut spüren, bis er es endlich glaubte.

Ja, er war zurück. Er war tatsächlich zurück. Endlich. Und plötzlich stieg ihm das Glück zu Kopf wie ein Glas schwerer Wein. Selbst der Gedanke an Farid konnte es nicht länger trüben. Der Alptraum, der zehn Jahre gedauert hatte, war vorbei. Wie leicht er sich fühlte, leicht wie eins der Blätter, die wie Gold von den Bäumen regneten.

Glücklich.

Erinnre dich, Staubfinger, so fühlt es sich an. Das Glück.

Orpheus hatte ihn tatsächlich an genau den Ort gelesen, den er ihm beschrieben hatte. Dort war der Tümpel, schimmernd zwischen grauweißen Steinen, umrahmt von blühendem Oleander, und nur wenige Schritte entfernt vom Ufer stand die Platane, an der die Feuerelfen nisteten. Ihre Nester schienen noch dichter an dem hellen Stamm zu kleben, als sie es in seiner Erinnerung getan hatten. Ein ungeübteres Auge hätte sie für Bienennester gehalten, aber sie waren kleiner und etwas heller, fast so hell wie die Rinde, die sich von dem hohen Stamm schälte.

Staubfinger blickte sich um und atmete erneut die Luft, die er zehn Jahre lang vermisst hatte. Fast vergessene Düfte mischten sich mit solchen, die auch die andere Welt kannte. Die Bäume am Rand des Tümpels hatte man dort ebenso finden können, auch wenn sie kleiner und so viel jünger gewesen waren: Eukalyptus und Erle streckten Zweige übers Wasser, als wollten sie sich die Blätter kühlen. Staubfinger bahnte sich vorsichtig einen Weg hindurch, bis er am Ufer stand. Eine Schildkröte machte sich gemächlich davon, als sein Schatten auf ihren Panzer fiel. Auf einem Stein ließ eine Kröte die Zunge vorschnellen und verschlang eine Feuerelfe. In Schwärmen schwirrten sie über dem Wasser – mit ihrem feinen Gesumm, das immer so zornig klang.

Es wurde Zeit, sie zu bestehlen.

Staubfinger kniete sich auf einen der feuchten Steine. Hinter ihm raschelte es, und für einen Moment ertappte er sich dabei, dass er nach Farids dunklem Haar und Gwins gehörntem Kopf Ausschau hielt, aber es war nur eine Eidechse, die sich aus den Blättern schob und auf einen der Steine kroch, um sich dort in die herbstliche Sonne zu legen. »Dummkopf!«, murmelte er, während er sich vorbeugte. »Vergiss den Jungen, und was den Marder betrifft, der vermisst dich sicherlich nicht. Außerdem hattest du gute Gründe, ihn zurückzulassen. Die allerbesten.«

Sein Spiegelbild zitterte auf dem dunklen Wasser. Das Gesicht war noch das alte. Die Narben waren immer noch da, natürlich, aber es war wenigstens kein neuer Schaden entstanden, keine eingedrückte Nase, kein steifes Bein wie bei Cockerell, alles war an seinem Platz. Sogar seine Stimme hatte er noch ... dieser Orpheus schien sein Handwerk wirklich zu verstehen.

Staubfinger beugte sich tiefer über das Wasser. Wo waren sie? Ob sie ihn vergessen hatten? Die blauen Feen vergaßen jedes Gesicht, oft schon nach Minuten. Wie war das bei ihnen? Zehn Jahre waren eine lange Zeit, aber zählten sie die Jahre?

Das Wasser bewegte sich und sein Spiegelbild mischte sich mit einem anderen Gesicht. Unkenaugen blickten ihn an aus einem fast menschlichen Antlitz, das lange Haar trieb im Wasser wie Gras, ebenso grün und fein. Staubfinger zog die Hand aus dem kühlen Wasser, und eine andere streckte sich heraus, schmal und fein, fast wie die eines Kindes, bedeckt mit so winzigen Schuppen, dass man sie kaum sah. Ein feuchter Finger, kühl wie das Wasser, aus dem er aufgetaucht war, berührte sein Gesicht, fuhr an den Narben entlang.

»Ja, mein Gesicht ist unvergesslich, nicht wahr?« Staubfinger sprach so leise, dass seine Stimme kaum mehr als ein Flüstern war. Nixen mögen keine lauten Stimmen. »Du erinnerst dich also an die Narben. Erinnerst du dich auch an das, was ich immer von euch erbeten habe, wenn ich herkam?«

Die Unkenaugen blickten ihn an, Gold und Schwarz, dann verschwand die Nixe, versank, als wäre sie nichts als ein Trugbild gewesen. Ein paar Augenblicke später tauchten gleich drei von ihnen in dem dunklen Wasser auf. Schultern blass wie Lilienblätter schimmerten unter der Oberfläche, Fischschwänze, bunt geschuppt wie Barschbäuche, wanden sich, kaum sichtbar, in der Tiefe.

Die winzigen Mücken, die über dem Wasser tanzten, zerstachen Staubfinger Gesicht und Arme, als hätten sie nur auf ihn gewartet, aber er spürte es kaum. Die Nixen hatten ihn nicht vergessen, weder sein Gesicht noch das, was er von ihnen brauchte, um das Feuer zu rufen.

Sie streckten ihre Hände aus dem Wasser. Winzige Luftbläschen stiegen an die Oberfläche und brachten ihr Lachen mit, lautlos wie alles an ihnen. Sie nahmen seine Hände zwischen ihre, strichen ihm über die Arme, übers Gesicht und den nackten Hals, bis seine Haut fast so kühl war wie die ihre, bedeckt mit demselben feinen Schlick, der ihre Schuppen schützte.

Ebenso plötzlich, wie sie gekommen waren, verschwanden sie auch wieder. Ihre Gesichter versanken im Dunkel des Teiches, und

Staubfinger hätte wie jedes Mal geglaubt, er habe sie nur geträumt, wäre da nicht die Kühle auf seiner Haut gewesen, der Schimmer auf seinen Händen und Armen.

»Danke!«, flüsterte er, obwohl nur noch sein eigenes Spiegelbild auf dem Wasser zitterte, dann richtete er sich auf, schob sich durch die Oleanderbüsche am Ufer und schritt so lautlos wie möglich auf den Feuerbaum zu. Wäre Farid hier gewesen, er wäre vor Aufregung wie ein Fohlen durch das feuchte Gras gesprungen …

Spinnweben, feucht vom Tau, klebten an Staubfingers Kleidern, als er vor der Platane stehen blieb. Die untersten Nester hingen so tief, dass er bequem in eins der Einfluglöcher greifen konnte. Zornig schwirrten ihm die ersten Elfen entgegen, als er die von den Nixen benetzten Finger hineinschob, aber er besänftigte sie mit einem leisen Summen. Traf man den richtigen Ton, dann wurde ihr aufgeregtes Schwirren schon bald ein taumelnder Flug, ihr eigenes Summen und Schimpfen schläfrig, bis sie sich auf seinen Armen niederließen, mit ihren winzigen heißen Körpern, die ihm die Haut verbrannten. Auch wenn das noch so schmerzte, er durfte nicht zurückzucken, durfte sie nicht fortscheuchen, musste die Finger noch etwas tiefer hineinstecken in das Nest, bis er dort fand, was er suchte: ihren feurigen Honig. Bienen stachen, Feuerelfen brannten einem Löcher in die Haut, wenn die Nixen sie nicht vorher berührt hatten. Und selbst mit diesem Schutz war es ratsam, nicht zu gierig zu sein, wenn man sie bestahl. Nahm man zu viel, dann flogen sie einem ins Gesicht, verbrannten Haut und Haar und ließen den Räuber nicht ziehen, bevor er sich vor Schmerz zu Füßen ihres Baumes krümmte.

Aber Staubfinger war niemals so gierig, dass er sie verärgerte. Nur einen winzigen Klumpen klaubte er aus dem Nest, kaum größer als sein Daumennagel, mehr brauchte er fürs Erste nicht. Er summte weiter mit leiser Stimme, während er seine klebrige Beute in ein Blatt wickelte.

Die Feuerelfen wurden munter, sobald er aufhörte zu summen. Immer schneller umschwirrten sie ihn, schneller und schneller, während ihre Stimmen anschwollen wie zorniges Hummelgebrumm. Dennoch griffen sie ihn nicht an. Man durfte sie nicht ansehen, musste tun, als bemerkte man sie gar nicht, während man sich umwandte, ohne Hast, und davonging, langsam, ganz langsam.

Sie schwirrten Staubfinger noch eine ganze Weile nach, doch schließlich blieben sie zurück, und er folgte dem schmalen Bach, der dem Tümpel der Nixen entsprang und sich langsam zwischen Weiden, Erlen und schilfigem Gras davonschlängelte.

Er wusste, wohin der Bach ihn führen würde: hinaus aus dem Weglosen Wald, in dem man kaum je seinesgleichen begegnete, nach Norden, dorthin, wo der Wald den Menschen gehörte, wo sein Holz ihren Äxten so schnell zum Opfer fiel, dass die Bäume meist starben, bevor ihre Krone auch nur *einem* Reiter hätte Schutz bieten können. Der Bach würde ihn führen, durch das sich langsam weitende Tal, zwischen Hügeln hindurch, die kein Mensch je betreten hatte, weil dort Riesen und Bären hausten und Geschöpfe, denen noch niemand einen Namen gegeben hatte. Irgendwann würde an den Hängen die erste Köhlerhütte auftauchen, der erste kahle Fleck im dichten Grün, und Staubfinger würde nicht nur die Feen und Nixen wiedersehen, sondern hoffentlich auch ein paar lang vermisste Menschen.

Er duckte sich, als zwischen zwei fernen Bäumen ein schläfriger Wolf auftauchte. Reglos wartete er, bis die graue Schnauze wieder verschwunden war. Ja, Bären und Wölfe – er musste es wieder lernen, auf ihre Schritte zu lauschen, zu spüren, dass sie in der Nähe waren, bevor sie ihn sahen, nicht zu vergessen die großen wilden Katzen, gescheckt wie Baumstämme im Sonnenlicht, und die Schlangen, grün wie das Laub, in dem sie sich so gern versteckten. Sie ließen sich von den Ästen herab, lautloser, als seine Hand ein Blatt von der Schulter wischen konnte. Zum Glück blieben die Riesen meist auf ihren Hügeln, dort, wohin nicht einmal er sich traute. Nur im Winter stiegen sie manchmal herab. Doch es gab noch andere Geschöpfe, Wesen, die nicht so sanft wie die Nixen waren und nicht durch ein Summen zu besänftigen wie die Feuerelfen. Meist blieben sie unsichtbar, gut verborgen zwischen Holz und Grün, aber gefährlich nichtsdestotrotz: Borkenmänner, Lochgreifer, Schwarze Alben, Nachtmahre … Einige von ihnen trauten sich bisweilen bis zu den Hütten der Köhler.

»Also, etwas mehr Vorsicht!«, flüsterte Staubfinger. »Du willst doch nicht, dass dein erster Tag zu Hause auch dein letzter ist.«

Der Rausch über seine Rückkehr verflog langsam und ließ ihn wieder klarer denken. Das Glück aber blieb, weich und warm in seinem Herzen, wie der Flaum eines jungen Vogels.

An einem Bach zog er die Kleider aus, wusch sich den Nixenschlick vom Körper, den Ruß der Feuerelfen und den Schmutz der anderen Welt. Dann schlüpfte er in die Kleider, die er zehn Jahre lang nicht getragen hatte. Er hatte sie sorgsam gepflegt, aber ein paar Mottenlöcher waren doch in dem schwarzen Stoff, und die Ärmel waren schon zerschlissen gewesen, als er sie für die andere Welt ablegte. Schwarz und rot war alles, die Farben der Feuerspucker, so wie die Seiltänzer sich in das Blau des Himmels kleideten. Er strich über den rauen Stoff, streifte sich das Wams mit den weiten Ärmeln über und warf sich den dunklen Umhang über die Schultern. Zum Glück passte noch alles, es war ein teurer Spaß, sich neue Kleider schneidern zu lassen, selbst wenn man es wie die Spielleute hielt und dem Schneider die alten Kleider überließ, damit er sie neu zusammenstückelte.

Als es dämmerte, hielt er Ausschau nach einem sicheren Schlafplatz. Schließlich stieg er auf eine umgestürzte Korkeiche, deren Wurzelballen so hoch in die Luft ragte, dass er sich gut zum Schlafen eignete. Wie ein Wall aus Erde war er und krallte sich dennoch weiter in den Boden, als wollte er das Leben einfach nicht loslassen. Die Krone des gestürzten Baumes hatte frisch ausgetrieben, obwohl sie nicht länger in den Himmel griff, sondern in die Erde. Behände balancierte Staubfinger den mächtigen Stamm hinauf, krallte die Finger in die raue Rinde.

Als er oben zwischen den Wurzeln stand, die sich in die Luft streckten, als könnten sie auch dort Nahrung finden, flogen schimpfend ein paar Feen auf, die offenbar gerade nach Baumaterial für ihre Nester gesucht hatten. Natürlich, es wurde Herbst und damit Zeit für einen etwas wetterfesteren Schlafplatz. Die blauen Feen gaben sich nicht sonderlich viel Mühe mit den Nestern, die sie im Frühling bauten, doch sobald das erste Blatt sich bunt färbte, begannen sie, sie auszubessern und zu polstern, mit Tierhaaren und Vogelfedern, flochten zusätzliche Gräser und Zweige in die Wände und dichteten sie ab mit Moos und Feenspucke.

Zwei der winzigen blauen Dinger flatterten nicht davon, als sie ihn sahen. Begierig starrten sie auf sein fuchsblondes Haar, während das Abendlicht, das durch die Baumkronen fiel, ihre Flügel rot färbte.

»Ach ja, natürlich!« Staubfinger lachte leise. »Ihr wollt etwas von meinem Haar, für eure Nester.« Mit dem Messer schnitt er eine Strähne ab. Mit käferfeinen Händen griff die eine Fee zu und flatterte hastig mit dem Haarbüschel davon. Die andere, so winzig, dass sie wohl gerade erst aus ihrem perlmuttweißen Ei geschlüpft war, folgte ihr. Er hatte sie vermisst, die frechen blauen Dinger, so sehr vermisst.

Unter ihm hielt die Nacht Einzug zwischen den Bäumen, auch wenn über ihm die untergehende Sonne die Wipfel noch so rot färbte wie Sauerampfer in einer Sommerwiese. Bald würden die Feen in ihren Nestern schlafen, die Mäuse und Kaninchen in ihren Höhlen, den Eidechsen würde die Kühle der Nacht die Glieder steif machen; und die Jäger würden sich bereit machen, ihre Augen gelbe Lichter in der schwarzen Nacht. Nun, hoffen wir, dass sie keinen Appetit auf einen Feuerspucker haben, dachte Staubfinger, während er die Beine auf dem umgestürzten Stamm ausstreckte. Er stieß das Messer neben sich in die brüchige Rinde, zog sich den Umhang, den er zehn Jahre nicht getragen hatte, um die Schultern und starrte zu den immer dunkler werdenden Blättern hinauf. Eine Eule schwang sich aus einer Steineiche und glitt davon, kaum mehr als ein Schatten zwischen den Zweigen. Ein Baum wisperte im Schlaf, als der Tag verlosch, Worte, die kein Menschenohr verstand.

Staubfinger schloss die Augen und lauschte.

Er war wieder zu Hause.

Zauberzunges Tochter

Gab es doch nur eine Welt, die von anderen
Welten träumte?
Philip Pullman, Das magische Messer

Meggie hasste es, mit Mo zu streiten. Alles in ihr zitterte danach, und nichts konnte sie trösten, nicht die Umarmungen ihrer Mutter, nicht die Lakritzschnecken, die Elinor ihr zusteckte, wenn sie ihre lauten Stimmen bis in die Bibliothek gehört hatte, nicht Darius, der in solchen Fällen an die wundersame Wirkung heißer, honiggesüßter Milch glaubte.

Nichts.

Diesmal war es besonders schlimm gewesen, denn Mo war eigentlich nur zu ihr gekommen, um sich zu verabschieden. Ein neuer Auftrag wartete, ein paar kranke Bücher, zu alt und kostbar, um sie ihm zu schicken. Früher wäre Meggie mit ihm gefahren, aber diesmal hatte sie beschlossen, bei Elinor und ihrer Mutter zu bleiben.

Warum war er auch ausgerechnet in ihr Zimmer gekommen, als sie wieder in den Notizbüchern gelesen hatte?

Wegen dieser Bücher hatten sie in letzter Zeit oft gestritten, obwohl Mo das Streiten ebenso hasste wie sie. Meist verschwand er danach in der Werkstatt, die Elinor hinter dem Haus für ihn hatte bauen lassen, und Meggie ging ihm irgendwann nach, wenn sie es nicht mehr aushielt, wütend auf ihn zu sein. Er hob nie den Kopf, wenn sie durch die Tür schlüpfte, und Meggie setzte sich wortlos neben ihn, auf den Stuhl, der dort immer auf sie wartete, und sah ihm bei der Arbeit zu, wie sie es schon getan hatte, als sie noch nicht einmal hatte lesen können. Sie liebte es, seinen Händen dabei zuzusehen, wenn sie ein Buch von seinem zerschlissenen Kleid befreiten, fleckige Seiten voneinander lösten, die Fäden durchtrennten, die einen beschädigten Buchblock hielten, oder altes, unbeschriebenes Hadernpapier einweichten, um damit ein zerfressenes Blatt zu flicken. Es dauerte nie lange, bis Mo sich umdrehte und sie irgendetwas fragte: ob ihr die Farbe, die er für einen Leinenbezug gewählt hatte, gefiel, ob sie nicht auch dächte, dass der Papierbrei, den er zum Flicken angerührt hatte, etwas zu dunkel geraten wäre. Das war Mos Art, Entschuldigung zu sagen: Lass uns nicht mehr streiten, Meggie, lass uns vergessen, was wir gesagt haben …

Aber heute ging das nicht. Weil er nicht in seiner Werkstatt verschwunden, sondern fortgefahren war, zu irgendeinem Sammler, um dessen gedruckten Schätzen das Leben zu verlängern. Diesmal würde er nicht zu ihr kommen und ihr als Versöhnungsgeschenk ein Buch bringen, entdeckt in irgendeinem Antiquariat, oder ein Lesezeichen, verziert mit Eichelhäherfedern, die er in Elinors Garten gefunden hatte …

Warum hatte sie nicht in einem anderen Buch lesen können, als er in ihr Zimmer gekommen war?

»Himmel, Meggie, du hast ja nichts anderes mehr im Kopf als diese Notizbücher!«, hatte er sie angefahren, wie jedes Mal, wenn er sie in den letzten Monaten so in ihrem Zimmer gefunden hatte – auf dem Teppich liegend, taub und blind für alles, was um sie herum vorging, die Augen festgesaugt an den Buchstaben, mit denen sie aufgezeichnet hatte, was Resa ihr erzählt hatte – über das, was sie ›dort‹ erlebt hatte, wie Mo es mit bitterer Stimme nannte.

Dort.

Tintenwelt hatte Meggie den Ort genannt, von dem Mo so abfällig und ihre Mutter manchmal mit Sehnsucht sprach ... *Tintenwelt* nach dem Buch, das von diesem Ort erzählte: *Tintenherz.* Das Buch war fort, aber die Erinnerungen ihrer Mutter waren so lebendig, als wäre kein Tag vergangen, seit sie dort gewesen war – in jener Welt aus Papier und Druckerschwärze, in der es Feen und Fürsten gab, Nixen, Feuerelfen und Bäume, die in den Himmel zu wachsen schienen.

Unzählige Tage und Nächte hatte Meggie neben Resa gesessen und aufgeschrieben, was ihre Mutter mit den Fingern erzählte. Ihre Stimme hatte Resa in der Tintenwelt gelassen, und so erzählte sie ihrer Tochter entweder mit Stift und Papier oder mit den Händen von jenen Jahren – den schrecklichen Wunderjahren, wie sie sie nannte. Manchmal zeichnete sie auch, was sie mit ihren Augen gesehen, aber mit ihrer Zunge nicht länger beschreiben konnte: Feen, Vögel, fremdartige Blüten, mit ein paar Strichen aufs Papier gebannt und doch so echt, dass Meggie fast glaubte, sie selbst gesehen zu haben.

Zunächst hatte Mo die Notizbücher, in denen Meggie Resas Erinnerungen festhielt, selbst gebunden, eines schöner als das andere. Doch irgendwann hatte Meggie bemerkt, wie besorgt er sie beobachtete, wenn sie in ihnen blätterte, ganz versunken in die Bilder und Worte. Natürlich verstand sie sein Unbehagen, schließlich hatte er seine Frau für viele Jahre an diese Welt aus Buchstaben und Papier verloren. Wie sollte es ihm da gefallen, dass seine Tochter kaum noch an etwas anderes dachte? Ja, Meggie verstand Mo sehr gut, und trotzdem konnte sie nicht tun, was er verlangte – die Notizbücher fortschließen und die Tintenwelt für eine Weile vergessen.

Vielleicht wäre ihre Sehnsucht nicht ganz so groß gewesen, wären all die Feen und Kobolde noch da gewesen, all die fremdartigen Geschöpfe, die sie mitgebracht hatten aus Capricorns verfluchtem Dorf. Doch es lebte nicht eines mehr in Elinors Garten. Die leeren Feennester klebten immer noch an den Bäumen, auch die Höhlen gab es noch, die die Kobolde gegraben hatten, aber ihre Bewohner waren verschwunden. Zuerst hatte Elinor geglaubt, sie wären fortgelaufen, gestohlen worden, was auch immer – doch dann hatten sie die Asche gefunden. Fein wie Staub hatte sie das Gras im Garten bedeckt, graue Asche, ebenso grau wie der Schatten, aus dem Elinors fremdartige Gäste einst hervorgegangen waren. Und Meggie hatte begriffen, dass es wohl doch keine Rückkehr vom Tod gab, auch nicht für Geschöpfe, die nur aus Worten erschaffen worden waren.

Elinor jedoch hatte sich mit diesem Gedanken nicht abfinden können. Trotzig und voll Verzweiflung war sie noch einmal zurück in Capricorns Dorf gefahren – um dort leere Gassen vorzufinden, niedergebrannte Häuser und nicht ein einziges atmendes Wesen. »Weißt du, Elinor«, hatte Mo gesagt, als sie mit verweintem Gesicht zurückkam, »ich hatte so etwas befürchtet. Ich konnte nie so recht glauben, dass es Worte gibt, die Tote zurückholen. Und außerdem – wenn du ehrlich bist –, sie passten nicht in diese Welt.« »Das tue ich auch nicht!«, hatte Elinor darauf nur erwidert.

In den Wochen danach hatte Meggie so manches Mal, wenn sie abends noch einmal in die Bibliothek schlich, um sich ein Buch zu holen, ein Schluchzen aus Elinors Zimmer gehört. Viele Monate waren seither verstrichen, fast ein Jahr schon lebten sie nun alle zusammen in dem großen Haus, und Meggie hatte das Gefühl, dass es Elinor gefiel, nicht länger allein mit ihren Büchern zu leben. Sie hatte ihnen die schönsten Zimmer überlassen. (Elinors Sammlung alter Schulbücher und ein paar Dichter, die bei ihr in Ungnade gefallen waren, hatten dafür auf dem Dachboden Quartier beziehen müssen.) Von Meggies Fenster aus blickte man auf schneegesäumte Berge, und vom Schlafzimmer ihrer Eltern sah man den See, dessen schimmerndes Wasser die Feen so oft dazu verlockt hatte hinunterzuflattern.

Noch nie war Mo so einfach fortgefahren. Ohne ein Wort des Abschieds. Ohne Versöhnung …

Vielleicht sollte ich nach unten gehen und Darius in der Bibliothek helfen!, dachte Meggie, während sie dasaß und sich die Tränen vom Gesicht wischte. Sie weinte nie, während sie mit Mo stritt, die Tränen kamen immer erst später … Und wenn er ihre verweinten Augen zu Gesicht bekam, blickte er jedes Mal furchtbar schuldbewusst drein.

Bestimmt hatten wieder alle gehört, dass sie sich gestritten hatten! Darius hatte vermutlich schon die Honigmilch aufgesetzt, und Elinor würde zu schimpfen beginnen, sobald sie den Kopf durch die Küchentür steckte, auf Mo und die Männer im Allgemeinen. Nein, besser, sie blieb in ihrem Zimmer.

Ach, Mo. Er hatte ihr das Notizbuch, in dem sie las, aus der Hand gerissen und es mitgenommen. Ausgerechnet das Buch, in dem sie Ideen für eigene Geschichten gesammelt hatte, Anfänge, aus denen nie mehr geworden war, erste Wörter, durchgestrichene Sätze, all ihre vergeblichen Versuche … Wie konnte er es ihr einfach wegnehmen? Sie wollte nicht, dass Mo darin las, dass er sah, wie vergeblich sie versuchte, die Wörter aneinanderzufügen, die ihr beim Lesen so leicht und machtvoll über die Zunge kamen. Ja, Meggie konnte aufschreiben, was ihre Mutter berichtete, sie konnte Seiten um Seiten mit dem füllen, was Resa ihr beschrieb. Doch sobald sie versuchte, daraus etwas Neues zu spinnen, eine Geschichte, die ihr eigenes Leben hatte, fiel ihr einfach nichts ein. Die Wörter schienen aus ihrem Kopf zu verschwinden – wie Schneeflocken, von denen nichts bleibt als ein feuchter Fleck auf der Haut, sobald man die Hand nach ihnen ausstreckt.

Jemand klopfte an Meggies Tür.

»Herein!«, schniefte sie und suchte in ihren Hosentaschen nach einem der altmodischen Taschentücher, die Elinor ihr geschenkt hatte. (»Sie haben meiner Schwester gehört. Ihr Name begann mit einem M wie deiner. Es ist unten in die Ecke gestickt, siehst du? Ich dachte, besser du hast sie, als dass die Motten sie fressen.«)

Ihre Mutter steckte den Kopf durch die Tür.

Meggie versuchte ein Lächeln, aber es misslang kläglich.

»Kann ich reinkommen?« Resas Finger malten die Wörter schneller in die Luft, als Darius sie über die Lippen brachte, und Meggie nickte. Sie beherrschte die Zeichensprache ihrer Mutter inzwischen fast ebenso selbstverständlich wie die Buchstaben des Alphabets – besser als Mo und Darius und viel besser als Elinor, die oft, wenn Resas Finger ihr zu schnell sprachen, verzweifelt nach Meggie rief.

Resa schloss die Tür hinter sich und setzte sich zu ihr auf das Fensterbrett. Meggie nannte ihre Mutter stets beim Vornamen, vielleicht, weil sie zehn Jahre lang keine Mutter gehabt hatte, vielleicht aber auch aus demselben unerfindlichen Grund, aus dem ihr Vater für sie immer nur Mo gewesen war.

Meggie erkannte das Notizbuch sofort, das Resa ihr in den Schoß legte. Es war dasselbe, das Mo ihr fortgenommen hatte. »Es lag vor deiner Tür«, sagten die Hände ihrer Mutter.

Meggie strich über den gemusterten Einband. Mo hatte es also zurückgebracht. Warum war er nicht hereingekommen? Weil er noch zu wütend gewesen war oder weil es ihm leidgetan hatte?

»Er will, dass ich die Notizbücher auf den Dachboden bringe. Wenigstens für eine Weile.« Meggie fühlte sich plötzlich so klein. Und gleichzeitig so alt. »›Vielleicht sollte ich mich in einen Glasmann verwandeln‹, hat er gesagt, ›oder mir die Haut blau färben, denn meine Tochter und meine Frau sehnen sich ja offenbar mehr nach Feen und Glasmännern als nach mir.‹«

Resa lächelte und strich ihr mit dem Zeigefinger über die Nase.

»Ja, ich weiß, natürlich glaubt er das nicht wirklich! Aber er wird jedes Mal so wütend, wenn er mich mit den Notizbüchern sieht ...«

Resa blickte durch das offene Fenster in den Garten hinaus. Elinors Garten war so groß, dass man keinen Anfang und kein Ende sah, nur hohe Bäume und Rhododendronbüsche, die so alt waren, dass sie Elinors Haus wie ein immergrüner Wald umstanden. Direkt unter Meggies Fenster lag ein Stück Rasen, begrenzt von einem schmalen Kiesweg. Am Rand stand eine Bank. Meggie erinnerte sich noch gut an die Nacht, in der sie darauf gesessen und Staubfinger beim Feuerspucken zugesehen hatte.

Den Rasen hatte Elinors ständig mürrischer Gärtner erst am Nachmittag von welkem Laub befreit. In der Mitte sah man immer noch die kahle Stelle, an der Capricorns Männer Elinors schönste Bücher verbrannt hatten. Der Gärtner versuchte immer wieder, Elinor zu überreden, die Stelle zu bepflanzen oder neuen Rasen zu säen, doch Elinor schüttelte jedes Mal nur energisch den Kopf. »Seit wann sät man Rasen auf ein Grab?«, hatte sie ihn angefahren, als er das letzte Mal gefragt hatte, und ihn angewiesen, auch die Schafgarbe stehen zu lassen, die seit dem Feuer so üppig am Rand der schwarz gebrannten Erde spross, als wollte sie mit ihren flachen Schirmblüten an die Nacht erinnern, in der Elinors gedruckte Kinder von den Flammen verschlungen worden waren.

Die Sonne ging hinter den nahen Bergen unter, so rot, als wollte auch sie an das längst verloschene Feuer erinnern, und ein kühler Wind strich von draußen herein, der Resa schaudern ließ.

Meggie schloss das Fenster. Der Wind trieb ein paar welke Rosenblätter gegen die Scheibe. Blassgelb und durchscheinend blieben sie an dem Glas kleben. »Ich will doch gar nicht mit ihm streiten«, flüsterte sie, »ich hab mich früher nie mit Mo gestritten, na ja, fast nie ...«

»Vielleicht hat er ja recht.« Ihre Mutter strich sich das Haar zurück. Es war ebenso lang wie das von Meggie, aber dunkler, als wäre ein Schatten darauf gefallen. Meist steckte Resa es mit einer Spange zusammen. Auch Meggie trug ihr Haar inzwischen oft auf diese Weise, und manchmal, wenn sie sich in dem Spiegel an ihrem Schrank betrachtete, schien es, als blickte ihr nicht sie selbst, sondern ein jüngeres Abbild ihrer Mutter entgegen. »Ein Jahr noch, dann wächst sie dir über den Kopf«, sagte Mo manchmal, wenn er Resa ärgern wollte, und Darius mit seinen kurzsichtigen Augen war es schon so manches Mal passiert, dass er Meggie mit ihrer Mutter verwechselte.

Resa fuhr mit dem Zeigefinger über die Fensterscheibe, als zeichnete sie die Rosenblätter nach, die daran klebten. Dann begannen ihre Hände wieder zu sprechen, zögernd, wie auch Lippen es manchmal tun: »Ich verstehe deinen Vater, Meggie«, sagten sie, »manchmal denke ich auch, dass wir zwei zu oft über diese andere

Welt reden. Ich verstehe selbst nicht, warum ich immer wieder davon anfange. Und ständig erzähle ich dir von dem, was schön war, statt von den anderen Dingen: dem Eingesperrtsein, Mortolas Strafen, wie mir die Knie und Hände schmerzten von der Arbeit, so sehr, dass ich nicht schlafen konnte ... all die Grausamkeiten, die ich dort gesehen habe ... Hab ich dir je von der Magd erzählt, die vor Angst starb, weil ein Nachtmahr sich in unsere Kammer gestohlen hatte?«

»Ja, hast du!« Meggie rückte ganz dicht an ihre Seite, aber die Hände ihrer Mutter schwiegen. Sie waren immer noch rau von all den Jahren, in denen sie eine Magd gewesen war, erst Mortolas und dann Capricorns Magd. »Du hast mir alles erzählt«, sagte Meggie, »auch die schlimmen Sachen, aber Mo will das nicht glauben!«

»Weil er spürt, dass wir trotzdem immer nur von dem Wunderbaren träumen. Als ob ich davon viel gehabt hätte.« Resa schüttelte den Kopf. Wieder schwiegen ihre Finger eine ganze Weile, bevor sie sie weitersprechen ließ. »Ich musste mir die Zeit zusammenstehlen, Sekunden, Minuten, manchmal eine ganze kostbare Stunde, wenn wir hinaus in den Wald durften, um für Mortola Pflanzen zu sammeln, die sie für ihre schwarzen Tränke brauchte.«

»Aber da waren auch die Jahre, in denen du frei warst! Die Jahre, in denen du dich verkleidet und als Schreiber auf den Märkten gearbeitet hast.« Verkleidet als Mann ... Meggie hatte sich nichts öfter ausgemalt als dieses Bild: ihre Mutter, das Haar kurz, im dunklen Kittel eines Schreibers, an den Fingern Tinte und die schönste Handschrift, die sich in der Tintenwelt finden ließ. So hatte Resa es ihr erzählt. So hatte sie sich ihr Brot verdient, in einer Welt, die Frauen das nicht leicht machte. Meggie hätte die Geschichte gleich noch einmal hören mögen, auch wenn sie ein trauriges Ende hatte, denn danach hatten die schlimmen Jahre begonnen. Doch waren nicht auch in denen wunderbare Dinge geschehen? Wie das große Fest auf der Burg des Speckfürsten, zu dem Mortola auch ihre Mägde mitgenommen hatte, das Fest, auf dem Resa den Speckfürsten gesehen hatte, den Schwarzen Prinzen und seinen Bären und den Gaukler auf dem Seil, Wolkentänzer …

Resa jedoch war nicht gekommen, um all das erneut zu erzählen. Sie schwieg. Und als ihre Finger doch wieder sprachen, taten sie es langsamer als sonst. »Vergiss die Tintenwelt, Meggie«, sagten sie. »Lass sie uns zusammen vergessen, wenigstens für eine Weile. Für deinen Vater … und für dich selbst. Sonst bist du irgendwann blind für die Schönheit, die dich hier umgibt.« Und wieder blickte sie nach draußen, in die aufziehende Dämmerung. »Ich habe dir eh alles erzählt«, sagten ihre Hände. »Alles, wonach du gefragt hast.«

Ja, das hatte sie. Und Meggie hatte ihr viele Fragen gestellt, tausend und noch mal tausend: Hast du jemals einen der Riesen gesehen? Welche Kleider hast du getragen? Wie sah die Festung im Wald aus, auf die Mortola dich gebracht hat, und dieser Fürst, von dem du redest, der Speckfürst, war seine Burg groß und prächtig wie die Nachtburg? Erzähl mir von seinem Sohn, von Cosimo dem Schönen, und vom Natternkopf und seinen Gepanzerten. War in seiner Burg wirklich alles aus Silber? Wie groß ist der Bär, den der Schwarze Prinz immer bei sich hat, und was ist mit den Bäumen, können sie wirklich sprechen? Was ist mit der alten Frau, die alle die Nessel nennen? Kann sie tatsächlich fliegen?

Resa hatte all die Fragen beantwortet, so gut sie es vermochte, aber selbst aus tausend Antworten fügen sich nicht zehn Jahre zusammen, und einige Fragen hatte Meggie nie gestellt. Nach Staubfinger zum Beispiel hatte sie nie gefragt. Aber Resa hatte trotzdem von ihm erzählt: dass jeder in der Tintenwelt seinen Namen kannte, auch noch viele Jahre, nachdem er verschwunden war, dass man ihn den Feuertänzer nannte und Resa ihn deshalb sofort erkannt hatte, als sie ihm in dieser Welt zum ersten Mal begegnet war …

Es gab noch eine Frage, die Meggie nicht stellte, obwohl sie ihr oft durch den Kopf ging, denn Resa hätte sie nicht beantworten können: Wie ging es Fenoglio, dem Verfasser des Buches, das erst ihre Mutter und schließlich sogar seinen Schöpfer zwischen seine Seiten gesogen hatte?

Mehr als ein Jahr war nun schon vergangen, seit Meggies Stimme Fenoglio mit seinen eigenen Worten umsponnen hatte – bis er zwischen ihnen verschwunden war, als hätten sie ihn verdaut. Manchmal sah Meggie sein faltiges Gesicht im Traum, aber sie wusste nie, ob es glücklich oder traurig dreinblickte. Allerdings war das bei Fenoglios Schildkrötengesicht nie leicht festzustellen gewesen. Eines Nachts, als sie aus einem dieser Träume hochgeschreckt war und nicht wieder hatte einschlafen können, hatte sie angefangen, eine Geschichte zu Papier zu bringen, in der Fenoglio versuchte, sich wieder nach Hause zu schreiben zu seinen Enkeln und in das Dorf, in dem Meggie ihn zum ersten Mal getroffen hatte. Aber sie war nicht über die ersten drei Sätze hinausgekommen, wie bei all den anderen Geschichten, die sie begonnen hatte.

Meggie blätterte in dem Notizbuch, das Mo ihr fortgenommen hatte – und klappte es wieder zu.

Resa legte ihr die Hand unters Kinn und sah ihr ins Gesicht. »Sei ihm nicht böse.«

»Ich bin ihm nie lange böse! Und das weiß er. Wie lange wird er fort sein?«

»Zehn Tage, vielleicht länger.«

Zehn Tage! Meggie blickte zu dem Regal neben ihrem Bett. Dort standen sie, säuberlich aufgereiht: die Bösen Bücher, wie sie sie inzwischen insgeheim getauft hatte, gefüllt mit Resas Geschichten, mit Glasmännern und Nixen, Feuerelfen, Nachtmahren, Weißen Frauen und all den anderen seltsamen Wesen, die ihre Mutter ihr geschildert hatte.

»Na gut. Ich werd ihn anrufen. Ich werd ihm sagen, dass er eine Kiste für sie bauen soll, wenn er wieder da ist. Aber den Schlüssel behalte ich.«

Resa gab ihr einen Kuss auf die Stirn. Dann strich sie behutsam mit der flachen Hand über das Notizbuch in Meggies Schoß. »Gibt es irgendjemanden, der schönere Bücher bindet als dein Vater?«, fragten ihre Finger.

Mit einem Lächeln schüttelte Meggie den Kopf. »Nein«, flüsterte sie. »Nicht in dieser und in keiner anderen Welt.«

Als Resa wieder hinunterging, um Darius und Elinor mit dem Abendessen zu helfen, blieb Meggie noch am Fenster sitzen, um zuzusehen, wie Elinors Garten sich mit Schatten füllte. Als ein Eichhörnchen, den buschigen Schweif gestreckt, über den Rasen huschte, musste sie an Gwin denken, Staubfingers zahmen Marder. Wie seltsam, dass sie die Sehnsucht, die sie so oft auf dem narbigen Gesicht seines Herrn gesehen hatte, inzwischen verstand.

Ja, vermutlich hatte Mo wirklich recht. Sie dachte zu viel an Staubfingers Welt, viel zu viel. Hatte sie sich nicht sogar schon ein paar Mal eine von Resas Geschichten laut vorgelesen, obwohl sie wusste, auf welch gefährliche Weise sich ihre Stimme mit den Buchstaben zusammentun konnte? Hatte sie nicht – wenn sie ganz ehrlich war, so ehrlich, wie man es selten ist – insgeheim die Hoffnung gehegt, die Wörter würden sie hinüberschlüpfen lassen? Was hätte Mo getan, hätte er von diesen Versuchen erfahren? Hätte er die Notizbücher im Garten vergraben oder in den See geworfen, wie er es ab und zu den streunenden Katzen androhte, die sich in seine Werkstatt schlichen?

Ja. Ich werd sie wegschließen!, dachte Meggie, während draußen die ersten Sterne erschienen. Sobald Mo eine neue Kiste für sie gebaut hat. Die Kiste, die Mo für ihre Lieblingsbücher gezimmert hatte, war inzwischen bis an den Rand gefüllt. Sie war rot, rot wie Klatschmohn, Mo hatte den Anstrich gerade erst ausgebessert. Die Kiste für die Notizbücher musste eine andere Farbe bekommen, am besten grün wie der Weglose Wald, den Resa ihr so oft beschrieben hatte. Trugen nicht auch die Wächter vor der Speckburg grüne Umhänge?

Eine Motte schwirrte gegen das Fenster und erinnerte Meggie an die blauhäutigen Feen und an die schönste Geschichte, die Resa ihr über Feen erzählt hatte: wie sie Staubfingers Gesicht geheilt hatten, nachdem Basta es ihm zerschnitten hatte, zum Dank dafür, dass er ihre Schwestern so oft aus den Drahtkäfigen befreit hatte, in die die Händler sie sperrten, um sie auf den Märkten als Glücksbringer zu verkaufen. Tief in den Weglosen Wald war er dafür … Schluss!

Meggie lehnte die Stirn gegen die kühle Scheibe.

Schluss.

Ich werd sie alle in Mos Arbeitszimmer bringen, dachte sie,

jetzt sofort. Und wenn er zurück ist, werd ich ihn bitten, mir ein neues Notizbuch zu binden, für Geschichten über diese Welt. Ein paar hatte sie ja schon begonnen: über Elinors Garten und ihre Bibliothek, über die Burg unten am See. Räuber hatten dort einst gehaust, Elinor hatte ihr von ihnen erzählt, auf die Art, wie sie immer Geschichten erzählte, gespickt mit so blutigen Einzelheiten, dass Darius darüber das Büchersortieren vergaß und seine Augen sich hinter den dicken Brillengläsern weiteten vor Entsetzen.

»Meggie, Abendbrot!«

Elinors Stimme hallte durch das Treppenhaus. Sie hatte eine sehr kräftige Stimme. Lauter als das Nebelhorn der Titanic, sagte Mo immer.

Meggie rutschte von der Fensterbank. »Ich komm gleich!«, rief sie den Flur hinunter.

Dann lief sie zurück in ihr Zimmer, zog die Notizbücher aus dem Regal, eins nach dem anderen, bis ihre Arme den Stapel kaum noch halten konnten, und balancierte sie über den Flur hinüber in das Zimmer, das Mo als Büro benutzte. Ursprünglich war es mal Meggies Schlafzimmer gewesen, sie hatte darin übernachtet, als sie mit Mo und Staubfinger bei Elinor abgestiegen war, doch von seinem Fenster aus hatte man nur einen Blick auf den kiesbestreuten Vorplatz des Hauses, auf Tannen, eine große Kastanie und Elinors grauen Kombi, der bei jedem Wetter dort stand, weil Elinor der Ansicht war, dass Autos, die man mit Garagen verwöhnte, nur umso schneller rosteten. Meggie aber hatte sich, als sie sich entschlossen, endgültig bei Elinor einzuziehen, ein Fenster gewünscht, durch das man in den Garten sehen konnte. Und so erledigte nun Mo, umgeben von Elinors Sammlung alter Reiseführer, seinen Papierkram dort, wo Meggie einst geschlafen hatte, damals,

als sie noch nicht in Capricorns Dorf gewesen war, als sie noch keine Mutter gehabt, als sie fast nie mit Mo gestritten hatte …

»Meggie, wo bleibst du denn?« Elinors Stimme klang ungeduldig. In letzter Zeit taten ihr oft die Glieder weh, aber sie wollte nicht zum Arzt gehen. (»Was soll ich denn da?«, war ihr einziger Kommentar. »Haben sie etwa eine Pille gegen das Alter erfunden?«)

»Bin gleich unten!«, rief Meggie, während sie die Notizbücher vorsichtig auf Mos Schreibtisch schob. Zwei Bücher rutschten von dem Stapel herunter und stießen fast die Vase mit den Herbstblumen um, die ihre Mutter vors Fenster gestellt hatte. Meggie fing sie noch gerade auf, bevor das Wasser sich auf Rechnungen und Benzinbelege ergoss. So stand sie da, die Vase noch in der Hand, die Finger klebrig vom herabrieselnden Blütenstaub, als sie die Gestalt zwischen den Bäumen sah, dort, wo der Weg von der Straße heraufkam. Ihr Herz begann so heftig zu klopfen, dass ihr die Vase erneut fast aus den Fingern rutschte.

Nun war es bewiesen: Mo hatte recht. »Meggie, nimm den Kopf aus diesen Büchern, oder du wirst bald nicht mehr unterscheiden können zwischen dem, was du dir vorstellst, und der Wirklichkeit!« Wie oft hatte er das zu ihr gesagt und jetzt geschah es. Hatte sie nicht eben noch an Staubfinger gedacht – und nun sah sie jemanden draußen in der Nacht stehen, genau wie damals, als er vor ihrem Haus gewartet hatte, reglos wie die Gestalt da draußen …

»Meggie, verdammt noch eins, wie oft soll ich denn noch rufen?« Elinor schnaufte von den vielen Stufen. »Was stehst du denn da herum wie angewurzelt? Hast du mich nicht – zum Teufel, wer ist das denn?«

»Du siehst ihn auch?« Meggie war so erleichtert, dass sie Elinor fast um den Hals gefallen wäre.

»Natürlich.«

Die Gestalt regte sich. Hastig lief sie über den hellen Kies. Sie trug keine Schuhe.

»Das ist doch dieser Junge!« Elinors Stimme klang ungläubig. »Der, der dem Streichholzfresser geholfen hat, deinem Vater das Buch zu stehlen. Na, der hat Nerven, hier aufzutauchen. Er sieht ziemlich mitgenommen aus. Glaubt er etwa, ich lass ihn herein? Womöglich ist der Streichholzfresser auch da.«

Mit besorgtem Gesicht trat Elinor näher ans Fenster, aber Meggie war schon aus der Tür. Sie sprang die Treppen hinunter und rannte durch die Eingangshalle. Ihre Mutter kam den Flur herunter, der zur Küche führte.

»Resa!«, rief Meggie ihr zu. »Farid ist hier. Farid!«

Farid

»Er war starrköpfig wie ein Maulesel,
schlau wie ein Affe und flink wie ein Hase.«
Louis Pergaud, Der Krieg der Knöpfe

Resa nahm Farid mit in die Küche und verarztete erst einmal seine Füße. Sie sahen furchtbar aus, zerschnitten und blutig. Während Resa sie säuberte und mit Pflastern bedeckte, begann Farid zu erzählen, die Zunge schwer vor Erschöpfung.

Meggie gab sich alle Mühe, ihn nicht allzu oft anzustarren. Er war immer noch etwas größer als sie – obwohl sie sehr gewachsen war, seit sie sich das letzte Mal gesehen hatten … in der Nacht, in der er sich mit Staubfinger davongemacht hatte, mit Staubfinger und dem Buch … Sie hatte sein Gesicht ebenso wenig vergessen wie den Tag, an dem Mo ihn aus seiner Geschichte gelesen hatte. *Tausendundeine Nacht*. Sie kannte keinen anderen Jungen, der so schöne Augen hatte, fast wie die eines Mädchens und ebenso schwarz wie sein Haar, das er kürzer trug als damals; es ließ ihn erwachsener aussehen. Farid. Meggie spürte, wie ihre Zunge seinen Namen kostete – und wandte schnell den Blick ab, als er den Kopf hob und sie ansah.

Auch Elinor starrte ihn unentwegt an, ohne sich dafür zu schämen, auf ebenso feindselige Weise, wie sie Staubfinger gemustert hatte, als er an ihrem Küchentisch gesessen und seinen Marder mit Brot und Schinken gefüttert hatte. Farid hatte sie gar nicht erst erlaubt, den Marder mit ins Haus zu bringen. »Wehe, er frisst auch nur einen Singvogel in meinem Garten!«, hatte sie gesagt, als der Marder über den hellen Kies davonhuschte, und die Tür hinter ihm verriegelt, als könnte Gwin verschlossene Türen ebenso leicht öffnen, wie sein Herr es getan hatte.

Farid spielte mit einem Päckchen Streichhölzer, während er erzählte.

»Sieh dir das an!«, raunte Elinor Meggie zu. »Genau wie der Streichholzfresser. Kommt es dir nicht auch so vor, als sähe er ihm schon ähnlich?«

Aber Meggie antwortete nicht. Sie wollte nicht ein Wort von dem verpassen, was Farid zu berichten hatte. Sie wollte alles hören über Staubfingers Heimkehr, über den anderen Vorleser und seinen Höllenhund, das fauchende Etwas, das vielleicht eine der großen Katzen aus dem Weglosen Wald gewesen war – und das, was Basta Farid nachgeschrien hatte: *Lauf nur, ich krieg dich doch, hörst du? Dich, den Feuerfresser, Zauberzunge und seine feine Tochter und den alten Mann, der die verfluchten Worte geschrieben hat! Ich werd euch alle töten. Einen nach dem anderen!*

Während Farid erzählte, wanderte Resas Blick immer wieder zu dem schmutzigen Blatt Papier, das er auf den Küchentisch gelegt hatte. Sie sah es an, als hätte sie Angst davor; als könnten die Worte darauf auch sie wieder hinüberziehen. Hinüber in die Tintenwelt. Als Farid Bastas geschriene Drohung wiederholte, schlang sie ihre Arme um Meggie und drückte sie an sich. Darius aber, der die ganze Zeit über schweigend neben Elinor gesessen hatte, verbarg sein Gesicht in den Händen.

Farid verlor nicht viele Worte darüber, wie er bis zu Elinors Haus gekommen war auf seinen bloßen, blutigen Füßen. Auf Meggies Fragen murmelte er nur etwas von einem Lastwagen, der ihn mitgenommen habe. Er beendete seinen Bericht sehr abrupt, als wären ihm plötzlich die Wörter ausgegangen, und als er schwieg, wurde es sehr still in der großen Küche.

Farid hatte einen unsichtbaren Gast mitgebracht. Die Angst.

»Darius, setz mal neuen Kaffee auf!«, befahl Elinor, während sie mit finsterer Miene den gedeckten Abendbrottisch musterte, den keiner beachtete. »Der hier ist kalt wie Eis.«

Darius machte sich auf der Stelle an die Arbeit, eilfertig wie ein bebrilltes Eichhörnchen, während Elinor Farid mit so eisigem Blick betrachtete, als wäre er höchstpersönlich schuld an den schlechten Nachrichten, die er überbracht hatte. Meggie konnte sich noch gut daran erinnern, wie einschüchternd dieser Blick früher auf sie gewirkt hatte. »Die Frau mit den Kieselaugen«, so hatte sie Elinor damals heimlich getauft. Manchmal passte der Name immer noch.

»Was für eine feine Geschichte!«, stieß Elinor hervor, während Resa Darius zu Hilfe kam. Farids Bericht hatte ihn ganz offenbar so nervös gemacht, dass er es nicht fertigbrachte, die richtige Menge Kaffeepulver abzumessen. Als Resa ihm sanft den Messlöffel aus der Hand nahm, hatte er gerade zum dritten Mal damit begonnen, die gefüllten Löffel zu zählen, die er in die Filtertüte schaufelte.

»Basta ist also zurück, mit einem nagelneuen Messer und dem Mund voller Pfefferminzblätter, vermute ich mal. Verflucht noch eins!« Elinor fluchte sehr gern, wenn sie besorgt oder verärgert war. »Als ob es nicht reicht, dass ich jede dritte Nacht schweißgebadet wach werde, weil ich sein hässliches Gesicht im Traum gesehen habe, von seinem Messer ganz zu schweigen. Aber versuchen wir, ruhig zu bleiben! Es ist doch so: Basta weiß zwar, wo *ich* wohne, aber offenbar sucht er nur nach euch und nicht nach mir. Also müsstet ihr hier eigentlich sicher wie in Abrahams Schoß sein. Schließlich wird er kaum wissen, dass ihr bei mir eingezogen seid, oder?« Triumphierend, als sei ihr mit dieser Feststellung der alles rettende Gedanke gekommen, sah sie Resa und Meggie an.

Doch Meggie sorgte dafür, dass sich Elinors Gesicht auf der Stelle wieder verfinsterte. »Farid wusste es doch auch«, stellte sie fest.

»Stimmt!«, knurrte Elinor, während ihr Blick sich erneut auf Farid richtete. »Du wusstest es auch. Woher?«

Ihre Stimme klang so scharf, dass Farid unwillkürlich den Kopf einzog. »Eine alte Frau hat es uns erzählt«, antwortete er mit unsicherer Stimme. »Wir waren noch mal in Capricorns Dorf. Nachdem die Feen, die Staubfinger mitgenommen hatte, einfach zu Asche geworden waren. Er wollte sehen, ob es den anderen ähnlich ergangen ist. Das ganze Dorf war leer, keine Menschenseele, nicht mal ein streunender Hund. Nur Asche, überall Asche. Also haben wir versucht, im Nachbardorf zu erfahren, was genau passiert war, und ... na ja, da haben wir es gehört, dass eine dicke Frau dort etwas von toten Feen gestammelt hat und dass ihr zum Glück wenigstens nicht die Menschen weggestorben seien, die jetzt bei ihr wohnten ...«

Elinor senkte zerknirscht den Blick und sammelte mit dem Finger ein paar Krümel von ihrem Teller. »Verdammt«, murmelte sie. »Ja. Vielleicht hab ich etwas zu viel erzählt in dem Laden, von dem aus ich euch angerufen habe. Ich war so durcheinander, nachdem ich aus dem leeren Dorf kam! Kann ich ahnen, dass diese Klatschweiber ausgerechnet dem Streichholzfresser von mir erzählen? Seit wann reden alte Frauen überhaupt mit so einem?«

Oder mit einem wie Basta, setzte Meggie in Gedanken hinzu.

Farid aber zuckte nur die Schultern und begann, mit seinen verpflasterten Füßen in Elinors Küche auf und ab zu humpeln. »Staubfinger hat sich sowieso gedacht, dass ihr alle hier seid«, sagte er. »Einmal waren wir sogar hier, weil er nachsehen wollte, ob es ihr gut geht.« Er wies mit dem Kopf in Resas Richtung.

Elinor schnaubte verächtlich. »Ach, wollte er das? Wie nett von ihm.« Sie hatte Staubfinger noch nie gemocht, und die Tatsache, dass er Mo das Buch gestohlen hatte, bevor er verschwunden war, hatte ihre Abneigung nicht gerade vermindert. Resa jedoch lächelte bei Farids Worten, auch wenn sie versuchte, es vor Elinor zu verbergen. Meggie erinnerte sich noch genau an den Morgen, an dem Darius ihrer Mutter das seltsame kleine Bündel gebracht hatte, das er vor der Haustür gefunden hatte – eine Kerze, ein paar Bleistifte und ein Päckchen Streichhölzer, verschnürt mit blau blühendem Ehrenpreis. Meggie hatte sofort gewusst, von wem das stammte. Und Resa auch.

»Nun!«, sagte Elinor, während sie mit dem Griff ihres Messers auf dem Teller herumtrommelte. »Ich bin wirklich froh, dass der Streichholzfresser wieder dort ist, wo er hingehört. Wenn ich mir vorstelle, dass er nachts um mein Haus herumgeschlichen ist! Nur schade, dass er Basta nicht gleich mitgenommen hat.«

Basta – als Elinor den Namen aussprach, erhob Resa sich abrupt von ihrem Stuhl, lief hinaus auf den Flur und kam mit dem Telefon zurück. Auffordernd hielt sie es Meggie hin und begann, mit der anderen Hand so aufgeregt zu gestikulieren, dass selbst Meggie Mühe hatte, die Zeichen, die sie in die Luft malte, zu lesen. Doch schließlich verstand sie.

Sie sollte Mo anrufen. Natürlich.

Es dauerte endlos lange, bis er ans Telefon ging. Vermutlich war er bei der Arbeit gewesen. Wenn Mo unterwegs war, arbeitete er immer bis spät in die Nacht, um schnell wieder nach Hause zu kommen.

»Meggie?« Seine Stimme klang verwundert. Vielleicht dachte er, sie riefe wegen ihres Streits an, aber wen interessierte jetzt noch ihr dummer Streit?

Es dauerte eine ganze Weile, bis er aus ihren hastig hervorgestammelten Worten schlau wurde. »Langsam, Meggie!«, sagte er immer wieder. »Langsam.« Aber das war leichter gesagt als getan, wenn das Herz einem bis zum Hals schlug und Basta vielleicht schon vorn an Elinors Gartentor wartete. Meggie wagte nicht einmal, den Gedanken zu Ende zu denken.

Mo dagegen blieb seltsam ruhig – fast, als hätte er erwartet, dass die Vergangenheit sie doch noch einmal einholen würde. »Geschichten haben nie ein Ende, Meggie«, hatte er mal zu ihr gesagt, »auch wenn uns die Bücher das gern vorgaukeln. Die Geschichten gehen immer weiter, sie enden ebenso wenig mit der letzten Seite, wie sie mit der ersten beginnen.«

»Hat Elinor die Alarmanlage eingeschaltet?«, fragte er.

»Ja.«

»Hat sie der Polizei Bescheid gesagt?«

»Nein. Sie sagt, die glauben ihr sowieso nicht.«

»Sie soll sie trotzdem anrufen. Und sie soll ihnen eine Beschreibung von Basta geben. Ihr könnt ihn doch noch beschreiben, oder?«

Was für eine Frage! Meggie hatte versucht, Bastas Gesicht zu vergessen, aber es würde wohl für den Rest ihres Lebens klar wie ein Foto in ihrem Gedächtnis haften.

»Pass auf, Meggie!« Vielleicht war Mo doch nicht ganz so gelassen, wie er tat. Seine Stimme klang anders als sonst. »Ich werde noch heute Nacht zurückfahren. Sag das Elinor und deiner Mutter. Spätestens morgen früh steh ich wieder vor der Tür. Verriegelt alles und haltet die Fenster geschlossen, verstanden?«

Meggie nickte – und vergaß, dass Mo das durchs Telefon nicht sehen konnte.

»Meggie?«

»Ja, verstanden.« Sie versuchte, gefasst zu klingen, mutig. Auch wenn sie sich nicht danach fühlte. Sie hatte Angst, solche Angst.

»Bis morgen, Meggie!«

Sie hörte es seiner Stimme an: Er würde auf der Stelle losfahren. Und plötzlich, als sie die nächtliche Straße vor sich sah, die lange Straße zurück, kam ihr ein neuer, schrecklicher Gedanke.

»Was ist mit dir?«, stieß sie hervor. »Mo! Was ist, wenn Basta dir irgendwo auflauert?« Aber ihr Vater hatte schon aufgelegt.

Elinor beschloss, Farid dort unterzubringen, wo auch schon Staubfinger geschlafen hatte: in der Kammer unterm Dach, wo sich Bücherkisten so hoch um das schmale Bettgestell stapelten, dass jeder, der darauf schlief, sicherlich träumte, von bedrucktem Papier erschlagen zu werden. Meggie bekam den Auftrag, Farid den Weg zu zeigen. Als sie ihm eine gute Nacht wünschte, nickte er nur abwesend. Er sah sehr verloren aus, wie er so dasaß auf dem schmalen Bett, fast so verloren wie an dem Tag, an dem Mo ihn in Capricorns Kirche gelesen hatte, einen mageren Jungen ohne Namen mit einem Turban auf dem schwarzen Haar.

Elinor prüfte in dieser Nacht noch mehrmals, ob die Alarmanlage auch wirklich eingeschaltet war, bevor sie schlafen ging. Darius aber holte sich die Schrotflinte, mit der Elinor manchmal in die Luft schoss, wenn sie eine wildernde Katze unter einem der Vogelnester in ihrem Garten erwischte. Bekleidet mit dem viel zu großen, orangefarbenen Morgenmantel, den Elinor ihm zum letzten Weihnachtsfest geschenkt hatte, setzte Darius sich in den Sessel in der Eingangshalle, die Flinte auf dem Schoß, und starrte mit entschlossener Miene die Eingangstür an. Doch als Elinor zum zweiten Mal nach der Alarmanlage sah, schlief er bereits tief und fest.

Meggie ging noch lange nicht schlafen. Sie blickte auf die Regale, in denen ihre Notizbücher gestanden hatten, strich über die leeren Borde und kniete sich schließlich vor die rot lackierte Kiste, die Mo ihr vor langer Zeit für ihre Lieblingsbücher gebaut hatte. Seit Monaten hatte sie sie nicht mehr geöffnet. Kein einziges Buch passte mehr hinein, und um sie auf Reisen mitzunehmen, war sie inzwischen zu schwer geworden. Für neue Lieblingsbücher hatte Elinor ihr deshalb den Bücherschrank geschenkt. Gleich neben Meggies Bett stand er, mit verglasten Türen und Schnitzereien, die sich über das dunkle Holz rankten, als hätte es nicht vergessen, dass es einst lebendig gewesen war. Auch die Borde hinter dem Glas waren schon wieder gut gefüllt, schließlich schenkte inzwischen nicht nur Mo Meggie Bücher, sondern auch Resa und Elinor. Selbst Darius brachte ihr ab und zu eines. Die alten Freunde aber, die Bücherfreunde, die Meggie schon besessen hatte, bevor sie bei Elinor eingezogen waren, bewohnten weiter die Kiste, und als sie den schweren Deckel öffnete, war es ihr, als drängten ihr fast vergessene Stimmen entgegen, als blickten sie vertraute Gesichter an. Wie zerlesen sie alle waren … »Ist es nicht seltsam, wie viel dicker ein Buch wird, wenn man es mehrmals liest?«, hatte Mo gefragt, als sie sich an Meggies letztem Geburtstag noch einmal jedes ihrer altvertrauten Bücher angesehen hatten. »Als würde jedes Mal etwas zwischen den Seiten kleben bleiben. Gefühle, Gedanken, Geräusche, Gerüche … Und wenn du dann nach vielen Jahren wieder in dem Buch blätterst, entdeckst du dich selbst darin, etwas jünger, etwas anders, als hätte das Buch dich aufbewahrt, wie eine gepresste Blüte, fremd und vertraut zugleich.«

Etwas jünger, ja. Meggie nahm eins der zuoberst liegenden Bücher heraus und blätterte darin. Mindestens ein Dutzend Mal hatte sie es gelesen. Da war die Szene, die sie mit acht am meisten geliebt hatte, und das da hatte sie mit zehn angestrichen, mit einem roten Stift, weil sie es so wunderschön fand. Sie fuhr mit dem Finger über die krumme Linie – keine Resa hatte es damals gegeben, keine Elinor, keinen Darius, nur Mo … keine Sehnsucht nach blauen Feen, keine Erinnerung an ein narbiges Gesicht, einen Marder mit Hörnern und einen Jungen, der stets barfuß ging, keine an Basta und sein Messer. Eine andere Meggie hatte in dem Buch gelesen, so anders … und zwischen seinen Seiten würde sie bleiben, aufbewahrt wie ein Andenken.

Mit einem Seufzer schlug Meggie das Buch wieder zu und legte es zurück zu den anderen. Nebenan hörte sie ihre Mutter auf und ab gehen. Musste sie ebenso wie Meggie immer wieder an die Drohung denken, die Basta Farid nachgeschrien hatte? Ich sollte zu ihr gehen, dachte Meggie. Zusammen ist die Angst vielleicht nur halb so schlimm. Doch Resas Schritte verstummten, als sie sich gerade aufrichtete, und es wurde still nebenan, still wie der Schlaf. Vielleicht war Schlafen keine schlechte Idee. Mo würde gewiss nicht eher zurück sein, nur weil Meggie wach blieb und auf ihn wartete. Wenn sie ihn wenigstens hätte anrufen können, aber er vergaß ja immer, sein Handy einzuschalten.

Meggie schloss den Deckel ihrer Bücherkiste so sacht, als könnte das Geräusch Resa wieder aufwecken, und blies die Kerzen aus, die sie jeden Abend anzündete, obwohl Elinor es ihr immer wieder verbot. Als sie sich gerade das T-Shirt über den Kopf zog, klopfte es an ihrer Tür – leise, ganz leise. Sie öffnete im Glauben, ihre Mutter stünde vor der Tür, weil sie doch nicht schlafen konnte, aber es war Farid – Farid, der scharlachrot anlief, als er sah, dass sie nur ein Unterhemd trug. Er stammelte eine Entschuldigung, und bevor Meggie etwas erwidern konnte, humpelte er wieder davon auf seinen verpflasterten Füßen. Sie vergaß fast, sich das T-Shirt wieder überzustreifen, bevor sie ihm nachlief.

»Was ist?«, flüsterte sie besorgt, während sie ihn zurück zu ihrem Zimmer winkte. »Hast du unten etwas gehört?«

Doch Farid schüttelte den Kopf. Er hielt das Blatt Papier in der Hand, Staubfingers Rückfahrkarte, wie Elinor es bissig getauft hatte. Zögernd folgte er Meggie in ihr Zimmer. Er sah sich um darin wie jemand, der sich unwohl fühlt in geschlossenen Räumen. Vermutlich hatte er, seit er so spurlos mit Staubfinger verschwunden war, die meisten Tage und Nächte unter freiem Himmel zugebracht.

»Entschuldige!«, stammelte er, während er seine Zehen anstarrte. Zwei von Resas Pflastern lösten sich schon. »Es ist schon sehr spät, aber –« Zum ersten Mal sah er Meggie in die Augen und wurde rot dabei. »Orpheus sagt, er hat nicht alles gelesen«, fuhr er mit zögernder Stimme fort. »Er hat die Wörter, die auch mich hinübergebracht hätten, einfach weggelassen. Absichtlich hat er das getan, aber ich muss Staubfinger doch warnen, und deshalb …«

»Deshalb was?« Meggie schob ihm den Stuhl hin, der an ihrem Schreibtisch stand, und setzte sich selbst auf die Fensterbank. Farid nahm ebenso zögernd auf dem Stuhl Platz, wie er in ihr Zimmer getreten war.

»Du musst mich auch hinüberlesen, bitte!« Wieder hielt er ihr das schmutzige Papier hin, mit einem so flehenden Ausdruck in seinen schwarzen Augen, dass Meggie nicht wusste, wo sie hinsehen sollte. Was für lange dichte Wimpern er hatte, ihre waren nicht halb so schön. »Bitte! Du kannst es bestimmt!«, stammelte er. »Damals ... in der Nacht in Capricorns Dorf ... ich erinnre mich genau – da hattest du doch auch nicht mehr als so ein Blatt!«

Damals in Capricorns Dorf. Meggie bekam immer noch Herzklopfen, wenn sie an die Nacht dachte, von der Farid sprach: die Nacht, in der sie den Schatten herbeigelesen und ihn Capricorn dann doch nicht hatte töten lassen können – bis Mo es für sie getan hatte.

»Orpheus hat die Worte geschrieben, er hat es selbst gesagt! Er hat sie nur nicht gelesen, aber sie sind hier, auf dem Papier! Natürlich steht mein Name nicht da, sonst würde es nicht funktionieren.« Farid sprach immer hastiger. »Orpheus sagt, das ist das Geheimnis: Man darf möglichst nur Wörter benutzen, die auch in dem Buch vorkommen, dessen Geschichte man ändern will.«

»Das hat er gesagt?« Meggie stockte das Herz, als wäre es über Farids Worte gestolpert. *Man darf möglichst nur Wörter benutzen, die auch in dem Buch vorkommen* ... Hatte sie deshalb nichts, aber auch gar nichts aus Resas Geschichten herauslesen können, weil sie Wörter verwendet hatte, die es in *Tintenherz* nicht gab? Oder lag es doch nur daran, dass sie nicht genug vom Schreiben verstand?

»Ja. Orpheus bildet sich eine Menge darauf ein, wie er lesen kann.« Farid spuckte den Namen aus wie einen Pflaumenkern.

»Dabei kann er es nicht halb so gut wie du oder dein Vater, wenn du mich fragst.«

Mag sein, dachte Meggie, aber er hat Staubfinger zurückgelesen. Und er hat selbst die Worte dafür geschrieben. Weder Mo noch ich hätten das gekonnt. Sie nahm Farid das Blatt mit Orpheus' Zeilen aus der Hand. Die Schrift war schwer zu entziffern, aber es war eine schöne Handschrift, seltsam verschlungen und sehr eigenwillig.

»An welcher Stelle genau ist Staubfinger verschwunden?«

Farid zuckte die Schultern. »Ich weiß nicht«, murmelte er zerknirscht.

Natürlich, das hatte sie vergessen: Er konnte nicht lesen. Meggie zog mit dem Finger den ersten Satz nach: *Staubfinger kehrte an einem Tag zurück, der nach Beeren und Pilzen roch.*

Nachdenklich ließ sie das Blatt sinken. »Es geht nicht«, sagte sie. »Wir haben ja nicht mal das Buch. Wie soll es ohne Buch gehen?«

»Aber Orpheus hat es auch nicht benutzt! Staubfinger hat ihm das Buch abgenommen, bevor er den Zettel da las!« Farid schob den Stuhl zurück und trat neben sie. Seine Nähe machte Meggie beklommen, sie wollte nicht wissen, warum.

»Das kann nicht sein!«, murmelte sie.

Aber Staubfinger war fort. Ein paar handgeschriebene Sätze hatten ihm die Tür zwischen den Buchstaben geöffnet, an der Mo so vergeblich gerüttelt hatte. Und nicht Fenoglio, der Verfasser des Buches, hatte die Sätze geschrieben, sondern ein Fremder ... Ein Fremder mit einem seltsamen Namen. Orpheus.

Meggie wusste mehr als die meisten Menschen über das, was hinter den Worten wartete. Sie hatte selbst schon Türen geöffnet, hatte atmende Wesen aus gelblich verfärbten Seiten gelockt – und erlebt, wie ihr Vater den Jungen, der nun neben ihr stand, aus einem arabischen Märchen gelesen hatte. Dieser Orpheus jedoch schien mehr, viel mehr zu wissen als sie, selbst mehr als Mo, den Farid immer noch Zauberzunge nannte ... und plötzlich hatte Meggie Angst vor den Worten auf dem schmutzigen Blatt Papier. Sie legte es auf ihren Schreibtisch, als hätte sie sich daran verbrannt.

»Bitte! Versuch es wenigstens!« Farids Stimme klang fast flehend. »Was, wenn Orpheus Basta doch schon hinübergelesen hat? Staubfinger muss erfahren, dass die beiden unter einer Decke stecken! Er denkt doch, dass er nun in seiner Welt sicher vor Basta ist!«

Meggie starrte immer noch auf Orpheus' Worte. Sie klangen schön, betörend schön. Meggie spürte, wie ihre Zunge sie schmecken wollte. Es fehlte nicht viel und sie hätte begonnen, sie vorzulesen. Erschrocken presste sie die Hand vor den Mund.

Orpheus.

Natürlich kannte sie den Namen und die Geschichte, die ihn umgab wie ein Geflecht aus Blüten und Dornen. Elinor hatte ihr das Buch gegeben, das sie am schönsten erzählte.

Dich, o Orpheus, beweinten voll Schmerz die Vögel, des Wildes Scharen, der starrende Fels und dich der Wald, der gefolgt so Oft deinem Lied. Der Baum legt ab seine Blätter und trauert Kahlen Hauptes um dich.

Fragend sah sie Farid an. »Wie alt ist er?«

»Orpheus?« Farid zuckte die Schultern. »Zwanzig, fünfundzwanzig, was weiß ich? Es ist schwer zu sagen. Er hat ein richtiges Kindergesicht.«

So jung. Die Wörter auf dem Papier klangen nicht nach einem jungen Mann. Sie klangen, als wüssten sie von vielen Dingen.

»Bitte!« Farid sah sie immer noch an. »Du versuchst es, ja?«

Meggie blickte nach draußen. Sie musste an die leeren Feennester denken, an die verschwundenen Glasmänner und an etwas, das Staubfinger zu ihr gesagt hatte, vor langer Zeit: *Manchmal, wenn man frühmorgens zum Brunnen ging, um sich zu waschen, schwirrten diese winzigen Feen über dem Wasser, kaum größer als eure Libellen und blau wie Veilchenblüten. Sehr freundlich waren sie nicht, aber nachts schimmerten sie wie Glühwürmchen.*

»Gut«, sagte sie, und es war fast, als antwortete jemand anders Farid. »Gut, ich versuch es. Aber erst müssen deine Füße besser werden. Die Welt, von der meine Mutter erzählt, ist keine, in der man fußlahm sein sollte.«

»Unsinn, mit meinen Füßen ist alles in Ordnung!« Farid ging auf dem weichen Teppich auf und ab, als könnte er es auf die Art beweisen. »Meinetwegen kannst du es jetzt gleich versuchen!«

Doch Meggie schüttelte den Kopf. »Nein!«, sagte sie entschieden. »Ich muss erst lernen, es fließend zu lesen. Bei der Handschrift ist das nicht leicht, außerdem ist sie verschmiert an manchen Stellen, also werde ich es wohl abschreiben. Dieser Orpheus hat nicht gelogen. Er hat etwas über dich geschrieben, aber ich bin noch nicht sicher, dass es reicht. Außerdem ...«, sie versuchte, ganz beiläufig zu klingen, als sie weitersprach, »... wenn ich es versuche, will ich mitkommen.«

»Was?«

»Ja! Warum nicht?« Meggie konnte nicht verhindern, dass ihre Stimme verriet, wie sehr sie sein entsetzter Blick kränkte.

Farid antwortete nicht.

Verstand er denn nicht, dass sie es auch sehen wollte, all das, wovon Staubfinger und ihre Mutter erzählt hatten, die Stimme weich vor Sehnsucht: die Feenschwärme überm Gras, die Bäume, so hoch, dass man glaubte, die Wolken würden sich in ihren Ästen verfangen, den Wald ohne Weg, die Spielleute, die Burg des Speckfürsten und die Silbertürme der Nachtburg, den Markt in Ombra, das Feuer, das tanzen konnte, die Tümpel, flüsternd, mit Nixengesichtern, die herausblickten ...

Nein, Farid verstand das nicht. Er hatte sie wohl noch nie gefühlt, die Sehnsucht nach einer ganz anderen Welt, ebenso wenig wie das Heimweh, das Staubfinger das Herz zerrissen hatte. Farid wollte nur eins: Er wollte zu Staubfinger, um ihn zu warnen vor Bastas Messer und um wieder bei ihm zu sein. Er war Staubfingers Schatten. Das war die Rolle, die er spielen wollte, egal in welcher Geschichte.

»Vergiss es! Du kannst nicht mit!« Ohne sie anzusehen, humpelte er zu dem Stuhl zurück, den Meggie ihm hingeschoben hatte, setzte sich und pflückte die Pflaster von seinen Zehen, die Resa so mühsam darauf geklebt hatte. »Niemand kann sich selbst in ein Buch hineinlesen. Nicht einmal Orpheus kann das! Er hat es Staubfinger selbst erzählt: Er hat es etliche Male versucht, aber es geht einfach nicht.«

»Ach ja?« Meggie versuchte, selbstsicherer zu klingen, als sie sich fühlte. »Du hast selbst gesagt, dass ich besser lese als er. Vielleicht kann ich es doch!« Wenn ich schon nicht so schreiben kann wie er, fügte sie in Gedanken hinzu.

Farid warf ihr einen beunruhigten Blick zu, während er die Pflaster in seine Hosentasche schob. »Aber es ist gefährlich dort«, sagte er. »Besonders für ein M...« Er sprach das Wort nicht aus.

Stattdessen begann er, angestrengt seine blutigen Zehen zu mustern.

Dummkopf. Meggie schmeckte ihren Ärger wie einen bitteren Geschmack auf der Zunge. Was bildete er sich ein? Vermutlich wusste sie mehr über die Welt, in die sie ihn lesen sollte, als er. »Ich weiß, dass es gefährlich ist«, sagte sie gereizt. »Und ich komme entweder mit oder ich lese nicht. Überleg es dir. Und jetzt lass mich allein. Ich muss nachdenken.«

Farid warf einen letzten Blick auf das Blatt mit Orpheus' Worten, bevor er zur Tür ging. »Wann willst du es versuchen?«, fragte er, bevor er wieder auf den Flur hinaustrat. »Morgen?«

»Vielleicht«, antwortete Meggie nur.

Dann schloss sie die Tür hinter ihm und sie war mit Orpheus' Buchstaben allein.

Das Gasthaus der Spielleute

»Danke«, sagte Lucy, öffnete die Schachtel und nahm ein Streichholz heraus. »Alle aufpassen!«, rief sie. Laut schallte ihre Stimme. »AUFGEPASST! AUF NIMMERWIEDERSEHEN, SCHLECHTE ERINNERUNGEN!«
Philip Ridley, Dakota Pink

Zwei ganze Tage brauchte Staubfinger, um den Weglosen Wald hinter sich zu lassen. Er stieß nur auf wenige Menschen, ein paar Köhler, schwarz von Ruß, einen zerlumpten Wilderer, zwei Kaninchen über der Schulter und den Hunger aufs Gesicht geschrieben, und eine Schar fürstlicher Jagdaufseher, bis an die Zähne bewaffnet, die vermutlich nach irgendeinem armen Teufel suchten, der für seine Kinder ein Reh geschossen hatte. Keiner von ihnen bekam Staubfinger zu Gesicht. Er wusste, wie man sich unsichtbar machte, und erst in der zweiten Nacht, als er in den nahen Hügeln ein Rudel Wölfe heulen hörte, riskierte er es, das Feuer zu rufen.

Das Feuer. So anders in dieser Welt als in der anderen. Wie gut es tun würde, endlich wieder seine knisternde Stimme zu hören. Und ihm antworten zu können. Staubfinger sammelte etwas von dem trockenen Holz, das, überwuchert von Wachsblumen und Thymian, überall zwischen den Bäumen lag, wickelte den Honig, den er den Elfen gestohlen hatte, aus den Blättern, die ihn feucht und geschmeidig hielten, und schob sich ein winziges Klümpchen in den Mund. Welche Angst er gehabt hatte, als er den Honig zum ersten Mal gekostet hatte! Angst, seine kostbare Beute würde ihm die Zunge verbrennen, so dauerhaft, dass er seine Stimme verlieren würde. Aber seine Sorge war umsonst gewesen. Der Honig brannte auf der Zunge wie glühende Kohle, doch der Schmerz verging, und wenn man ihn lang genug ertrug, konnte man danach mit dem Feuer sprechen, auch wenn man nur eine Menschenzunge hatte. Fünf, sechs Monate, manchmal fast ein Jahr, so lange wirkte ein winziges Bröckchen. Nur ein leises Flüstern in der Sprache der Flammen, ein Schnippen der Finger und die Funken brachen knisternd hervor aus trockenem und feuchtem Holz, ja selbst aus Stein.

Zunächst leckte das Feuer zögernder als früher aus den Ästen – als hätte es den Klang seiner Stimme vergessen, als könnte es nicht recht glauben, dass er zurück war. Doch dann begann es zu flüstern und ihn willkommen zu heißen, immer ausgelassener, bis er die wild hervorzüngelnden Flammen zügeln musste, ihr Knistern nachahmend, bis das Feuer sich duckte wie eine wilde Katze, die sich schnurrend niederkauerte, wenn man ihr nur behutsam genug übers Fell strich.

Während das Feuer das Holz fraß und sein Schein die Wölfe fernhielt, musste Staubfinger erneut an den Jungen denken. Er konnte die Nächte nicht zählen, in denen er Farid hatte beschreiben müssen, wie das Feuer sprach, ihm, der nur stumme und recht mürrische Flammen kannte. »Nun sieh einer an!«, murmelte er, während er sich die Finger an der schläfrigen Glut wärmte. »Du vermisst ihn ja immer noch!« Und er war froh, dass wenigstens der Marder noch bei dem Jungen war und ihm beistand gegen die Geister, die er überall sah.

Ja, Staubfinger vermisste Farid. Aber es gab andere, die er zehn

Jahre lang vermisst hatte, so sehr, dass sein Herz immer noch wund war von all der Sehnsucht. Ihretwegen wurde sein Schritt immer ungeduldiger, mit jeder Stunde, die er sich dem Rand des Waldes näherte und dem, was dahinter wartete – der Menschenwelt. Ja, nicht nur die Sehnsucht nach Feen, Glasleuten und Nixen hatte ihn in der anderen Welt gequält. Es gab auch einige Menschen, die er vermisst hatte, nicht viele, aber die wenigen umso mehr.

Wie sehr er versucht hatte, sie zu vergessen, seit er halb verhungert vor Zauberzunges Tür gestanden und der ihm erklärt hatte, dass es kein Zurück für ihn geben würde … Ja, damals hatte er begriffen, dass er wählen musste. Vergiss sie, Staubfinger! Wie oft hatte er sich das gesagt. Oder es wird dich verrückt machen, dass du sie alle verloren hast. Aber sein Herz hatte einfach nicht gehorcht. Erinnerungen, so süß und so bitter … sie hatten ihn aufgefressen in all den Jahren und ernährt zugleich. Bis sie irgendwann begonnen hatten zu verblassen, undeutlich wurden, verschwammen, nichts als ein Schmerz, den man rasch fortschob, weil er einem das Herz zerschnitt. Denn was half es, sich an etwas zu erinnern, das verloren war?

Besser, du erinnerst dich auch jetzt nicht!, sagte Staubfinger sich, während die Bäume um ihn her jünger wurden und das Blätterdach über ihm immer lichter. Zehn Jahre sind eine lange Zeit, da kann so mancher verloren gehen. Immer öfter tauchten Köhlerhütten zwischen den Bäumen auf, aber Staubfinger ließ sich nicht sehen bei den Schwarzen Männern. Die Menschen außerhalb des Waldes sprachen abfällig von ihnen, weil die Köhler tiefer im Wald lebten, als die meisten sich je hineintrauten. Handwerker, Bauern, Händler und Fürsten, sie alle brauchten die Holzkohle, aber sie sahen die, die sie für sie brannten, nicht gern in ihren Städten und

Dörfern. Staubfinger gefielen die Köhler, sie wussten fast ebenso viel über den Wald wie er, auch wenn sie sich jeden Tag aufs Neue die Bäume zu Feinden machten. Oft genug hatte er mit an ihren Feuern gesessen und ihren Geschichten gelauscht, doch nach all den Jahren wollte er andere Geschichten hören, Geschichten über das, was außerhalb des Waldes passiert war, und solche hörte man nur an einem Ort: in einem der Gasthäuser, die entlang der Straße standen.

Staubfinger hatte ein ganz bestimmtes zum Ziel. Es lag am Nordrand des Waldes, gleich dort, wo die Straße zwischen den Bäumen auftauchte und begann, sich die Hügel hinaufzuwinden, vorbei an ein paar einsam gelegenen Höfen, bis sie das Stadttor von Ombra erreichte, des Ortes, auf dessen Dächer die Burg des Speckfürsten ihren Schatten warf.

Die Gasthäuser, die außerhalb von Orten am Straßenrand lagen, waren immer schon ein Treffpunkt der Spielleute gewesen. Dort ließen sie sich anheuern von reichen Händlern, Kaufleuten und Handwerkern, für Hochzeiten und Begräbnisse, für Feste, die die sichere Rückkehr eines Reisenden oder die Geburt eines Kindes feierten. Gegen ein paar Münzen lieferten die Spielleute Musik, derbe Späße und Kunststücke, Ablenkung von großem und kleinem Kummer, und wenn Staubfinger erfahren wollte, was sich in all den Jahren getan hatte, in denen er fort gewesen war, dann fragte er am besten das Bunte Volk. Die Spielleute waren die Zeitung dieser Welt. Niemand wusste besser, was in ihr vorging, als die, die nirgends heimisch waren.

Wer weiß?, dachte Staubfinger, während er die letzten Bäume hinter sich ließ. Wenn ich Glück habe, treffe ich vielleicht sogar alte Bekannte.

Die Straße war schlammig und bedeckt mit Pfützen. Wagenräder hatten tiefe Spuren hineingegraben und die Hufabdrücke von Stieren und Pferden waren mit Regenwasser gefüllt. Um diese Jahreszeit regnete es manchmal tagelang, so wie gestern, als er froh gewesen war, unter den Bäumen zu sein, wo die Blätter den Regen auffingen, bevor er ihn bis auf die Haut durchnässte. Die Nacht war kalt gewesen, seine Kleider waren klamm, trotz des Feuers, neben dem er geschlafen hatte, und es war gut, dass der Himmel heute klar war bis auf ein paar Wolkenfetzen, die über den Hügeln trieben.

Zum Glück hatte er in seinen alten Kleidern noch ein paar Münzen gefunden. Für einige Teller Suppe würden sie hoffentlich reichen. Staubfinger hatte nichts mitgebracht aus der anderen Welt. Was hätte er hier anfangen sollen mit dem bedruckten Papier, mit dem man dort bezahlte – hier, wo nur Gold, Silber und klingendes Kupfer zählten, wenn möglich mit dem Kopf des passenden Fürsten darauf? Sobald die Münzen aufgebraucht waren, würde er sich wohl einen Marktplatz suchen müssen, in Ombra oder sonst wo.

Das Gasthaus, das sein Ziel war, hatte sich nicht sonderlich verändert in den letzten Jahren, weder zum Guten noch zum Schlechten. Es war immer noch genauso schäbig mit seinen wenigen Fenstern, die kaum mehr als Löcher in den grauen Steinmauern waren. In der Welt, die ihn bis vor drei Tagen beherbergt hatte, wäre vermutlich kein Gast je über eine so schmutzige Schwelle getreten, aber hier war das Gasthaus der letzte Unterschlupf vor dem Wald, die letzte Chance auf ein warmes Essen und einen Platz zum Schlafen, der nicht feucht war vom Tau oder vom Regen … Und ein paar Läuse und Wanzen bekommt man als neue Weggefährten gratis dazu!, dachte Staubfinger, während er die Tür aufstieß.

In dem Raum dahinter war es so dunkel, dass er seine Augen erst an das Zwielicht gewöhnen musste. Die andere Welt hatte sie ihm verdorben, mit all ihrem Licht und dem Geflimmer, das dort selbst die Nacht zum Tag machte. Sie hatte seine Augen daran gewöhnt, dass alles klar erkennbar, dass Licht etwas Ein- und Ausschaltbares war, beliebig verfügbar. Doch nun mussten sie wieder zurechtkommen in einer Welt des Zwielichts und der Schatten, der langen Nächte, schwarz wie verkohltes Holz, in Häusern, in denen man die Sonne aussperrte, weil sie oft allzu heiß hineinschien.

Das Einzige, was im Inneren des Gasthauses Licht spendete, waren die wenigen Sonnenstrahlen, die durch die Fensterlöcher fielen. Der Staub tanzte darin wie ein Schwarm winziger Feen. Im Kamin brannte ein Feuer unter einem zerbeulten schwarzen Kessel. Der Geruch, der daraus emporstieg, war selbst für Staubfingers leeren Magen nicht sonderlich verlockend, doch das überraschte ihn nicht. In diesem Gasthaus hatte es noch nie einen Wirt gegeben, der sich aufs Kochen verstand. Ein Mädchen, kaum älter als zehn Jahre, stand neben dem Kessel und rührte mit einem Stock um, was immer da kochte. Vielleicht dreißig Gäste hockten auf den grob getischlerten Bänken im Dunkeln, rauchend, murmelnd, trinkend.

Staubfinger schlenderte zu einem leeren Platz und setzte sich. Unauffällig sah er sich um nach einem Gesicht, das ihm bekannt vorkam, nach einem Paar bunter Hosen, wie sie nur Spielleute trugen. Ein Lautenspieler saß gleich beim Fenster, er verhandelte mit einem Mann, der sehr viel besser gekleidet war als er, vermutlich ein reicher Kaufmann. Natürlich, kein armer Bauer konnte sich leisten, einen Gaukler anzuwerben. Wenn ein Bauer Musik auf seiner Hochzeit wollte, musste er schon selbst zur Fiedel greifen. Selbst die zwei Pfeifer, die am Fenster saßen, hätte er nicht bezahlen können. Am Tisch neben ihnen stritt sich lautstark eine Gruppe Schauspieler, vermutlich um die beste Rolle in einem neuen Stück. Der eine trug noch die Maske, hinter der er sich auf den Marktplätzen verbarg. Fremd wie ein Kobold saß er zwischen den anderen, aber ob mit oder ohne Maske – sie waren alle Fremde, ob sie sangen oder tanzten, derbe Geschichten auf einer hölzernen Bühne spielten oder Feuer spuckten. Dasselbe galt für die, die mit ihnen zogen – reisende Bader, Knochenflicker, Steinschneider, Wunderheiler, denen die Gaukler die Kundschaft herbeilockten.

Alte Gesichter, junge Gesichter, glückliche und unglückliche, es fand sich von allem etwas in dem rauchverhangenen Raum, aber keines kam Staubfinger bekannt vor. Auch er wurde gemustert, er spürte es, aber das war er gewohnt. Sein narbiges Gesicht zog überall Blicke auf sich, und die Kleider, die er trug, taten ein Übriges – die Tracht der Feuerspucker, schwarz wie Ruß, rot wie die Flammen, die andere fürchteten, und mit denen er spielte. Für einen Moment fühlte er sich seltsam fremd in all dem einst vertrauten Treiben, als klebte die andere Welt noch deutlich sichtbar an ihm, all die Jahre, die endlos langen Jahre, die vergangen waren, seit Zauberzunge ihn aus seiner Geschichte gepflückt und ihm sein Leben gestohlen hatte, unabsichtlich, so wie man einer Schnecke im Vorübergehen das Haus zertrat.

»Sieh mich mal an!«

Eine Hand legte sich ihm schwer auf die Schulter und ein Mann beugte sich über ihn und starrte ihm ins Gesicht. Sein Haar war grau, das Gesicht rund und bartlos, und er stand so unsicher auf den Beinen, dass Staubfinger für einen Augenblick dachte, der andere sei betrunken. »Na, wenn ich das Gesicht nicht kenne!«, stieß er nun ungläubig hervor, während er ihn so fest an der Schulter packte, als wollte er prüfen, ob Staubfinger auch wirklich aus Fleisch und Blut war. »Wo kommst du denn her, alter Feuerfresser, geradewegs aus dem Reich der Toten? Was ist passiert, haben die Feen dich wieder zum Leben erweckt? Sie waren ja schon immer ganz vernarrt in dich, die kleinen blauen Teufel.«

Ein paar Männer drehten sich zu ihnen um, aber der Lärm in dem stickigen dunklen Raum war so groß, dass nicht viele beachteten, was um sie her vorging.

»Wolkentänzer!« Staubfinger richtete sich auf und umarmte den anderen. »Wie geht es dir?«

»Ah! Dachte schon, du hast mich vergessen!« Wolkentänzer grinste breit und entblößte große gelbe Zähne.

O nein, Staubfinger hatte ihn nicht vergessen – auch wenn er es versucht hatte, wie mit den anderen, die er vermisst hatte. Wolkentänzer – der beste Seiltänzer, der je zwischen den Dächern herumspaziert war. Staubfinger hatte ihn sofort erkannt, trotz des grau gewordenen Haars und des linken Beins, das er so seltsam steif zur Seite spreizte.

»Komm mit. Das müssen wir feiern. Man trifft nicht jeden Tag einen toten Freund wieder.« Ungeduldig zog er Staubfinger mit sich, zu einer Bank unter einem der Fenster, auf die von draußen etwas Sonnenlicht fiel. Dann winkte er dem Mädchen, das immer noch in dem Kessel rührte, und bestellte zwei Becher Wein bei ihr. Das kleine Ding starrte einen Moment lang fasziniert auf Staubfingers Narben, dann huschte es davon, zum Tresen, hinter dem ein fetter Mann stand und mit trübem Blick seine Gäste beobachtete.

»Du siehst gut aus!«, stellte Wolkentänzer fest. »Gut genährt, kein graues Haar, kaum ein Loch in den Kleidern. Selbst deine Zähne scheinst du alle noch zu haben. Wo bist du gewesen? Vielleicht sollte ich mich auch auf den Weg dorthin machen, es scheint sich dort gut leben zu lassen.«

»Vergiss es. Hier ist es besser.« Staubfinger strich sich das Haar aus der Stirn und sah sich um. »Genug von mir. Wie ist es dir ergangen? Du kannst dir Wein leisten, aber dein Haar ist grau, und dein linkes Bein …«

»Ja, das Bein.«

Das Mädchen brachte den Wein. Während Wolkentänzer in seinem Beutel nach der passenden Münze suchte, starrte es Staubfinger erneut so neugierig an, dass er die Fingerspitzen aneinander rieb und ein paar Feuerworte wisperte. Er streckte den Zeigefinger, lächelte ihr zu und blies sacht über die Fingerkuppe. Eine winzige Flamme, zu schwach, um damit ein Feuer zu zünden, doch gerade leuchtend genug, um sich in den Augen des Mädchens zu spiegeln, züngelte auf seinem Nagel und spuckte Goldfunken auf den schmutzigen Tisch. Das Kind stand da wie verzaubert, bis Staubfinger die Flamme ausblies und seinen Finger in den Becher Wein tunkte, den Wolkentänzer ihm hinschob.

»Aha, du spielst also immer noch gern mit dem Feuer«, sagte Wolkentänzer, während das Mädchen dem fetten Wirt einen besorgten Blick zuwarf und hastig zu dem Kessel zurückkehrte. »Nun, mit meinen Spielen ist es leider schon lange vorbei.«

»Was ist passiert?«

»Bin vom Seil gefallen, bin kein Wolkentänzer mehr. Ein Händler, dem ich wohl die Kundschaft zu sehr ablenkte, hat einen Kohlkopf nach mir geworfen. Kann noch froh sein, dass ich auf dem

Stand eines Tuchhändlers landete. So hab ich mir nur das Bein und ein paar Rippen, aber nicht den Hals gebrochen.«

Staubfinger sah ihn nachdenklich an. »Wovon lebst du, seit du nicht mehr auf dein Seil kannst?«

Wolkentänzer zuckte die Schultern. »Du glaubst es vielleicht nicht, aber ich bin immer noch recht gut zu Fuß. Sogar reiten kann ich mit dem Bein – wenn sich gerade ein Pferd findet. Ich verdien mir mein Brot als Bote, auch wenn ich immer noch gern bei den Spielleuten hocke, mir ihre Geschichten anhör und mit ihnen am Feuer sitze. Aber ernähren tun mich nun die Buchstaben, obwohl ich immer noch nicht lesen kann. Drohbriefe, Bettelbriefe, Liebesbriefe, Kaufverträge, Testamente, ich überbring alles, was auf ein Stück Pergament oder Papier passt. Auch gesprochene Worte, vertraulich in mein Ohr geraunt, trag ich zuverlässig von Ort zu Ort. Ich leb nicht schlecht davon, auch wenn ich wahrlich nicht der schnellste Bote bin, den man für Geld bekommen kann. Doch bei mir weiß jeder, dass der Brief, den ich überbringe, auch wirklich nur bei dem landet, für den er bestimmt ist. So was ist schwer zu finden.«

Das glaubte Staubfinger gern. *Für ein paar Goldstücke kann man selbst Fürstenpost lesen.* So hatte es schon zu seiner Zeit geheißen. Man musste nur jemanden kennen, der sich aufs Fälschen gebrochener Siegel verstand. »Und die anderen?« Staubfinger musterte die Pfeifer beim Fenster. »Was treiben die so?«

Wolkentänzer nahm einen Schluck Wein und verzog das Gesicht. »Pfui Teufel. Ich hätte Honig dazu verlangen sollen. Die anderen, tja –« Er rieb sich das steife Bein. »Einige sind tot, andere einfach verschwunden, so wie du. Dahinten, gleich hinter dem Bauern, der so trübsinnig in seinen Becher starrt«, er wies mit dem Kopf zum Tresen, »lehnt unser alter Freund, der Rußvogel, das Lachen aufs Gesicht tätowiert und der schlechteste Feuerspucker weit und breit, obwohl er immer noch eifrig versucht, dich zu kopieren, und verzweifelt nach dem Grund sucht, warum das Feuer für dich lieber tanzt als für ihn.«

»Er wird es nie herausfinden.« Staubfinger sah unauffällig zu dem anderen Feuerspucker hinüber. Soweit er sich erinnerte, konnte der Rußvogel recht anständig mit brennenden Fackeln jonglieren, aber das Feuer tanzte nicht mit ihm. Er war wie ein hoffnungslos Liebender, den das Mädchen seiner Wahl immer wieder verschmähte. Vor langer Zeit hatte Staubfinger ihm etwas Feuerhonig überlassen, weil er ihm leidgetan hatte in seinem hilflosen Bemühen, doch selbst damit hatte der Rußvogel nicht verstanden, was die Flammen ihm sagten.

»Angeblich arbeitet er inzwischen mit den Pülverchen der Alchemisten«, raunte Wolkentänzer über den Tisch, »ein teurer Spaß, wenn du mich fragst. Das Feuer beißt ihn so oft, dass seine Hände und Arme schon ganz rot sind. Nur an sein Gesicht lässt er es nicht heran. Bevor er auftritt, schmiert er es ein, bis es glänzt wie eine Speckschwarte.«

»Trinkt er immer noch nach jeder Vorstellung?«

»Nach der Vorstellung, vor der Vorstellung, aber er ist trotzdem immer noch ein hübscher Kerl, oder?«

Ja, das war er, mit seinem freundlichen, immer lachenden Gesicht. Der Rußvogel war einer der Gaukler, die von den Blicken anderer lebten, von Gelächter und Beifall und davon, dass man stehen blieb, um sie anzustarren. Auch jetzt unterhielt er alle, die mit ihm am Tresen lehnten. Staubfinger kehrte ihm den Rücken zu, er wollte die alte Bewunderung und den Neid in den Augen des anderen nicht sehen. Der Rußvogel gehörte nicht zu denen, die er vermisst hatte.

»Glaub nicht, die Zeiten seien leichter geworden für das Bunte Volk«, raunte der Wolkentänzer über den Tisch. »Seit Cosimos Tod lässt der Speckfürst unsereins nur noch an Festtagen auf die Märkte und auf die Burg höchstens, wenn sein Enkel lautstark nach Gauklern verlangt. Kein sehr nettes Kerlchen, kommandiert schon jetzt die Diener herum und droht ihnen mit Peitsche und Pranger, aber er liebt das Bunte Volk.«

»Cosimo der Schöne ist tot?« Staubfinger verschluckte sich fast an dem sauren Wein.

»Ja.« Wolkentänzer beugte sich über den Tisch, als sei es nicht anständig, über Tod und Unglück allzu laut zu sprechen. »Er zog vor kaum einem Jahr aus, schön wie ein Engel, um seinen fürstlichen Mut zu beweisen und die Brandstifter auszumerzen, die damals im Wald hausten. Du erinnerst dich vielleicht noch an ihren Anführer, Capricorn?«

Staubfinger musste lächeln. »O ja, an den erinnre ich mich«, sagte er leise.

»Er verschwand etwa zur selben Zeit wie du, aber die Bande machte munter weiter. Der Brandfuchs wurde ihr neuer Anführer. Kein Dorf, kein Hof auf dieser Seite des Waldes war vor ihnen sicher. Also zog Cosimo aus, um dem Spuk ein Ende zu machen. Er räucherte die ganze Bande aus, aber er selbst kam auch nicht zurück, und seither nennt man seinen Vater, der so gern aß, dass man drei Dörfer von seinem Frühstück hätte ernähren können, auch den Fürsten der Seufzer. Denn das ist das Einzige, was der Speckfürst noch tut.«

Staubfinger streckte die Finger in den Staub, der über ihm in der Sonne tanzte. »Der Fürst der Seufzer!«, murmelte er. »So, so. Und was treibt der hochwohlgeborene Herr auf der anderen Seite des Waldes?«

»Der Natternkopf?« Wolkentänzer blickte sich unbehaglich um. »Tja, der ist leider nicht tot. Hält sich immer noch für den Herrn der Welt, lässt jeden Bauern blenden, den seine Jagdaufseher mit einem Karnickel im Wald erwischen, macht zu Sklaven, wer seine Steuern nicht bezahlt, und lässt sie in der Erde nach Silber graben, bis sie Blut spucken. Die Galgen vor seiner Burg sind immer belegt, und am liebsten hat er es, wenn dort ein paar bunte Hosen baumeln. Trotzdem spricht kaum einer schlecht über ihn, denn seine Spitzel sind zahlreicher als die Bettwanzen in diesem Gasthaus und er bezahlt sie gut. Den Tod aber«, fügte der Wolkentänzer leise hinzu, »kann man nicht bestechen, und der Natternkopf wird alt. Es heißt, in letzter Zeit habe er große Angst vor den Weißen Frauen und dem Sterben, solche Angst, dass er nachts auf den Knien liegt und heult wie ein geprügelter Hund. Seine Köche kochen ihm angeblich jeden Morgen einen Pudding aus Kälberblut, weil das jung halten soll, und unter seinem Kissen, sagt man, liegt der Fingerknochen eines Gehenkten, zum Schutz gegen die Weißen Frauen. Vier Mal hat er in den letzten sieben Jahren geheiratet. Seine Frauen werden immer jünger, und trotzdem hat ihm keine das geschenkt, was er sich am sehnlichsten wünscht.«

»Der Natternkopf hat noch immer keinen Sohn?«

Wolkentänzer schüttelte den Kopf. »Nein, aber sein Enkel wird uns trotzdem irgendwann regieren, denn der alte Fuchs hat eine seiner Töchter mit Cosimo dem Schönen verheiratet – Violante, die alle nur die Hässliche nennen – und die bekam einen Sohn von ihm, bevor er loszog, um zu sterben. Man sagt, ihr Vater hätte sie dem Speckfürsten als Braut für seinen Sohn schmackhaft gemacht, indem er Violante eine kostbare Handschrift zur Mitgift gab – und dazu noch den besten Buchmaler seines Hofes. Ja, für beschriebenes Papier konnte sich der Speckfürst einst ebenso begeistern wie für gutes Essen, aber nun schimmeln seine kostbaren Bücher vor sich hin! Nichts interessiert ihn mehr, am wenigsten seine Untertanen. Manche flüstern, genau so hätte der Natternkopf es geplant. Er selbst hätte dafür gesorgt, dass sein Schwiegersohn niemals von Capricorns Festung zurückkehrt, damit sein Enkel nach dem Tod des Speckfürsten den Thron besteigen kann.«

»Vermutlich flüstert man richtig.« Staubfinger musterte die Männer, die sich in dem stickigen Raum drängten. Herumziehende Händler, Bader, Handwerksgesellen, Spielmänner mit geflickten Ärmeln. Einer hatte einen Kobold dabei, der mit unglücklichem Gesicht neben ihm auf dem Fußboden hockte. Viele sahen so aus, als wüssten sie nicht, wovon sie den Wein bezahlen sollten, den sie tranken. Glückliche Gesichter, frei von Sorge, Krankheit, Missgunst, waren wenige zu entdecken. Hatte er etwas anderes erwartet? Hatte er gehofft, dass das Unglück sich davongeschlichen hatte, während er fort gewesen war? Nein. Zurückzukehren – das war alles, was er erhofft hatte, zehn Jahre lang – nicht ins Paradies, nur nach Hause. Will nicht auch der Fisch nur zurück ins Wasser, selbst wenn dort schon die Barsche auf ihn warten?

Ein Betrunkener taumelte gegen den Tisch und stieß fast den sauren Wein um. Staubfinger griff nach dem Krug. »Was ist mit Capricorns Männern, dem Brandfuchs und all den anderen? Sind die alle tot?«

»Träumst du?« Der Wolkentänzer lachte bitter. »Jeder Brandstifter, der Cosimos Angriff entkam, wurde auf der Nachtburg mit offenen Armen empfangen. Den Brandfuchs hat der Natternkopf zu seinem Herold gemacht, und auch der Pfeifer, Capricorns alter Spielmann, singt jetzt seine finsteren Lieder auf der Burg mit den Silbertürmen. Samt und Seide trägt er und hat die Taschen voll Gold.«

»Den Pfeifer gibt es auch noch?« Staubfinger fuhr sich mit der Hand übers Gesicht. »Himmel, hast du denn gar nichts Nettes zu erzählen? Irgendetwas, das mich so richtig froh stimmt, wieder hier zu sein?«

Wolkentänzer lachte, so laut, dass der Rußvogel sich umdrehte und zu ihnen herübersah. »Die beste Neuigkeit ist die, dass du zurück bist!«, sagte er. »Wir haben dich vermisst, Meister des Feuers! Die Feen sollen nachts seufzen, während sie tanzen, seit du uns so treulos verlassen hast, und der Schwarze Prinz erzählt seinem Bären vorm Schlafengehen immer noch von dir.«

»Den Prinzen gibt es auch noch? Gut.« Staubfinger nahm erleichtert einen Schluck Wein, obwohl er wirklich abscheulich schmeckte. Er hatte nicht gewagt, nach dem Prinzen zu fragen, aus Angst, von ihm Ähnliches wie über Cosimo zu erfahren.

»Oh, ja, es geht ihm bestens!« Wolkentänzer sprach lauter, als sich am Tisch neben ihnen zwei Händler zu streiten begannen. »Immer noch derselbe pechschwarze Kerl, schnell mit der Zunge, noch schneller mit dem Messer und nie ohne seinen Bären unterwegs.«

Staubfinger lächelte. Ja, das war wahrlich eine gute Nachricht. Der Schwarze Prinz ... Bärenzähmer, Messerwerfer ... rieb sich das Herz vermutlich immer noch wund an der Welt. Staubfinger kannte ihn, seit sie beide Kinder gewesen waren, elternlos, heimatlos. Mit elf Jahren hatten sie zusammen am Pranger gestanden, drüben, auf der anderen Seite des Waldes, wo sie beide geboren waren, und hatten danach zwei Tage nach verfaultem Gemüse gestunken.

Der Wolkentänzer musterte sein Gesicht. »Nun?«, fragte er. »Wann stellst du endlich *die* Frage, die du stellen wolltest, seit ich dir auf die Schulter geklopft habe? Frag! Bevor ich zu betrunken bin, um dir zu antworten.«

Staubfinger konnte es nicht verhindern, er musste lächeln. Wolkentänzer hatte schon immer viel von der Kunst verstanden, anderen ins Herz zu blicken, auch wenn man es seinem runden Gesicht nicht ansah. »Also gut. Was soll's. Wie geht es ihr?«

»Na, endlich!« Wolkentänzer lächelte so selbstzufrieden, dass er zwei Zahnlücken entblößte. »Zuerst einmal ... Sie ist immer noch wunderschön. Lebt jetzt in einem Haus, singt nicht mehr, tanzt nicht mehr, trägt keine bunten Röcke, und ihr Haar steckt sie hoch wie eine Bauersfrau. Sie bestellt ein Stück Land drüben auf dem Hügel hinter der Burg, baut Kräuter an für die Bader. Sogar die Nessel kauft bei ihr. Sie lebt mal gut, mal schlecht davon und zieht ihre Kinder groß.«

Staubfinger versuchte, gleichgültig dreinzublicken, aber an Wolkentänzers Lächeln sah er, dass es ihm nicht gelang. »Was ist mit dem Gewürzhändler, der immer um sie herumstrich?«

»Was soll mit dem sein? Er ist vor Jahren fortgezogen, lebt vermutlich in einem großen Haus am Meer und wird mit jedem Sack Pfeffer, den seine Schiffe heranschaffen, reicher.«

»Dann hat sie ihn nicht geheiratet?«

»Nein. Sie hat einen anderen genommen.«

»Einen anderen ...?« Staubfinger versuchte erneut, gleichgültig zu klingen. Wieder vergebens.

Wolkentänzer genoss es eine Weile, ihn zappeln zu lassen, dann sprach er weiter: »Ja, einen anderen. Armer Hund, ist bald gestorben, aber sie hat ein Kind von ihm, einen Jungen.«

Staubfinger schwieg und lauschte seinem eigenen klopfenden Herzen. Dummes Ding. »Was ist mit den Mädchen?«

»Oh, die Mädchen. Ja ... wer mag bloß deren Vater gewesen sein?« Wolkentänzer lächelte wieder, wie ein kleiner Junge, dem ein böser Streich geglückt war. »Brianna ist schon genauso schön wie ihre Mutter. Obwohl sie deine Haarfarbe geerbt hat.«

»Und Rosanna, die jüngere?«

Ihr Haar war schwarz wie das ihrer Mutter.

Das Lächeln auf Wolkentänzers Gesicht erstarb, als hätte Staubfinger es fortgewischt. »Die Kleine ist schon lange tot«, sagte er leise. »Ein Fieber. Zwei Winter nachdem du fort warst. Es sind viele dran gestorben. Nicht mal die Nessel konnte ihnen helfen.«

Staubfinger malte mit dem Zeigefinger, klebrig vom Wein, schimmernd feuchte Linien auf den Tisch. Verloren. In zehn Jahren konnte einiges verloren gehen. Einen Moment lang versuchte er verzweifelt, sich an Rosannas Gesicht zu erinnern, so ein kleines Gesicht, aber es verschwamm, als hätte er sich zu lange bemüht, es zu vergessen.

Wolkentänzer schwieg eine ganze Weile mit ihm, inmitten von all dem Lärm. Dann erhob er sich schließlich umständlich. Es war nicht leicht, von der niedrigen Bank aufzustehen mit einem steifen Bein. »Ich muss los, mein Freund«, sagte er. »Hab noch drei Briefe abzugeben, zwei davon oben in Ombra. Ich will vor Dunkelheit am Tor sein, sonst machen die Wachen sich wieder einen Spaß daraus, mich nicht hineinzulassen.«

Staubfinger zog immer noch Linien auf den dunklen Tisch.

Zwei Winter nachdem du fort warst – die Worte brannten in seinem Kopf wie Nesseln. »Wo haben die anderen gerade ihre Zelte aufgeschlagen?«

»Gleich vor der Stadtmauer von Ombra. Der liebe Enkel unseres Fürsten feiert bald Geburtstag. Jeder Gaukler und Spielmann ist an diesem Tag auf der Burg willkommen.«

Staubfinger nickte, ohne den Kopf zu heben. »Mal sehen. Vielleicht werd ich mich auch dort sehen lassen.« Abrupt erhob er sich von der harten Bank. Das Mädchen am Kamin blickte zu ihnen herüber. Etwa so alt wie sie wäre seine jüngere Tochter jetzt gewesen, hätte das Fieber sie nicht geholt. Gemeinsam mit Wolkentänzer drängte er sich an den voll besetzten Bänken und Stühlen vorbei zur Tür. Draußen war es immer noch schön, ein sonniger Herbsttag, in buntes Laub gekleidet wie ein Gaukler.

»Komm doch mit nach Ombra!« Wolkentänzer legte ihm die Hand auf die Schulter. »Mein Pferd trägt auch zwei und ein Quartier findet sich dort immer.«

Aber Staubfinger schüttelte den Kopf.

»Später«, sagte er und blickte die schlammige Straße hinunter. »Jetzt ist es erst einmal Zeit für mich, einen Besuch zu machen.«

Meggies Entscheidung

> Noch schillerte die Idee unwirklich wie eine Seifenblase, und Lyra wagte nicht, sie zu genau zu betrachten, damit sie nicht zerplatzte. Aber sie war mit solchen Ideen vertraut, und so ließ sie sie schillern und sah weg und dachte an etwas anderes.
> *Philip Pullman, Der goldene Kompass*

Mo kam zurück, als sie alle gerade beim Frühstück saßen, und Resa küsste ihn, als wäre er Wochen fort gewesen. Auch Meggie umarmte ihn heftiger als sonst, erleichtert, dass er heil zurückgekommen war, doch sie vermied es, ihm allzu direkt in die Augen zu sehen. Mo kannte sie zu gut. Er hätte ihr das schlechte Gewissen sofort angesehen. Und Meggie hatte ein sehr schlechtes Gewissen.

Der Grund war das Blatt Papier, das oben in ihrem Zimmer zwischen den Schulsachen steckte, dicht beschrieben, in ihrer Handschrift, aber mit den Worten eines anderen. Meggie hatte Stunden gebraucht, um Orpheus' Worte abzuschreiben. Jedes Mal, wenn sie sich verschrieben hatte, hatte sie von vorn angefangen, aus Sorge, schon ein einziger Fehler könnte alles verderben. Nur drei Wörter hatte sie eingefügt – dort, wo von einem Jungen die Rede war, in den Sätzen, die Orpheus nicht gelesen hatte. *Und ein Mädchen* hatte Meggie hinzugesetzt. Drei unscheinbare, ganz alltägliche Wörter, so alltäglich, dass sie mit großer Wahrscheinlichkeit irgendwo auf den Seiten von *Tintenherz* zu finden waren. Prüfen konnte Meggie das nicht, denn das einzige Exemplar des Buches, das sie dafür gebraucht hätte, besaß nun Basta. Basta ... schon der Klang seines Namens erinnerte Meggie an schwarze Tage und schwarze Nächte, schwarz von Angst.

Mo hatte ihr ein Versöhnungsgeschenk mitgebracht, wie immer, wenn sie sich gestritten hatten: ein kleines Notizbuch, von ihm selbst gebunden, gerade groß genug für die Jackentasche, mit einem Einband aus marmoriertem Papier. Mo wusste, wie sehr Meggie solche Papiere liebte, sie war neun Jahre alt gewesen, als er ihr beigebracht hatte, sie selbst einzufärben. Das schlechte Gewissen biss ihr ins Herz, als er ihr das Buch auf den Teller legte, und für einen Moment wollte sie ihm alles erzählen, so wie sie es immer getan hatte. Doch ein Blick von Farid hielt sie zurück. Nicht, Meggie!, sagte sein Blick, er wird dich nicht gehen lassen, niemals. Und so schwieg sie, gab Mo einen Kuss, flüsterte »Danke« und schwieg, mit hastig gesenktem Kopf, die Zunge schwer von den Wörtern, die sie nicht gesagt hatte.

Zum Glück fiel ihr bedrücktes Gesicht niemandem auf. Auch die anderen waren immer noch besorgt wegen der Neuigkeiten über Basta. Elinor war zur Polizei gegangen, wie Mo es ihr geraten hatte, aber der Besuch hatte ihre Stimmung alles andere als verbessert.

»Genau wie ich es vorhergesagt habe«, schimpfte sie, während sie den Käse mit ihrem Messer bearbeitete, als wäre er schuld an all dem Ärger. »Kein Wort haben sie mir geglaubt, diese Hohlköpfe. Ein paar Schafe in Uniform hätten mir besser zugehört. Ihr wisst, ich mag keine Hunde, aber vielleicht sollte ich mir doch welche anschaffen ... ein paar riesige schwarze Bestien, die Basta zerreißen, sobald er sich über mein Gartentor schwingt. Dobstermänner, ja. Dobstermänner! Sind das nicht diese Hunde, die Menschen fressen?«

»Du meinst Dobermänner.« Mo zwinkerte Meggie über den Tisch hinweg zu.

Es brach ihr das Herz. Er zwinkerte ihr zu, seiner hinterhältigen Tochter, die plante fortzugehen, an einen Ort, an den er ihr vermutlich nicht würde folgen können. Vielleicht würde ihre Mutter sie verstehen, aber Mo? Nein. Mo nicht. Niemals.

Meggie biss sich so fest auf die Lippen, dass es schmerzte, während Elinor aufgeregt weitersprach: »Ich könnte auch einen Wächter anheuern. So etwas gibt es doch, oder? Einen mit einer Pistole, ach was, bis an die Zähne bewaffnet soll er sein, Messer, Gewehre, was immer, und so groß, dass Basta schon bei seinem Anblick das schwarze Herz stehen bleibt! Wie hört sich das an?«

Meggie sah, wie mühsam Mo sich das Lachen verkniff. »Wie sich das anhört? Als hättest du zu viele Krimis gelesen, Elinor.«

»Nun, ich *habe* viele Krimis gelesen«, erwiderte sie gekränkt. »Sie sind sehr lehrreich, wenn man gewöhnlich nicht allzu oft mit Verbrechern zu tun hat. Außerdem kann ich Bastas Messer an deiner Kehle nicht vergessen.«

»Das habe ich auch nicht, glaub mir.« Meggie sah, wie seine Hand zu seinem Hals wanderte, als fühlte er die scharfe Schneide für einen Moment erneut auf der Haut. »Trotzdem, ich denke, ihr macht euch umsonst Sorgen. Ich hatte auf der Fahrt reichlich Zeit nachzudenken, und ich kann nicht glauben, dass Basta sich auf den weiten Weg hierher macht, nur um sich zu rächen. Rächen wofür? Dafür, dass wir ihn vor Capricorns Schatten gerettet haben? Nein. Er hat sich längst zurücklesen lassen. Zurück in das Buch. Basta war von unserer Welt nicht halb so begeistert wie Capricorn. Einiges an ihr hat ihn sehr nervös gemacht.«

Und damit strich er sich Marmelade auf sein Käsebrot. Elinor beobachtete es, wie immer, mit Abscheu, und Mo ignorierte ihren missbilligenden Blick. Wie immer.

»Und was ist mit den Drohungen, die er dem Jungen nachgeschrien hat?«

»Na, er war wütend, dass er ihm entwischt ist, was sonst? Ich muss dir doch nicht erklären, was Basta so alles von sich gibt, wenn er wütend ist. Ich bin nur erstaunt, dass er tatsächlich klug genug war herauszufinden, dass Staubfinger das Buch hat. Und wo er diesen Orpheus gefunden hat, wüsste ich auch gern. Er scheint auf jeden Fall vom Lesen wesentlich mehr zu verstehen als ich.«

»Unsinn!« Elinors Stimme klang ärgerlich, aber auch erleichtert. »Die Einzige, die davon ebenso viel versteht, ist deine Tochter.«

Mo lächelte Meggie zu und drückte noch eine Scheibe Käse auf die Marmelade. »Sehr schmeichelhaft, danke. Aber wie auch immer – unser messerverliebter Freund Basta ist fort! Und er hat das verdammte Buch hoffentlich mitgenommen, damit die Geschichte für alle Zeiten ein Ende hat. Elinor braucht nicht mehr zusammenzuzucken, wenn es nachts im Garten raschelt, und Darius muss nicht mehr von Bastas Messer träumen – was bedeutet, dass Farid uns eigentlich eine sehr gute Nachricht gebracht hat! Ich hoffe, ihr habt euch schon ausreichend bei ihm bedankt!«

Farid lächelte verlegen, als Mo ihm mit der Kaffeetasse zuprostete, aber Meggie sah die Sorge in seinen schwarzen Augen. Wenn Mo recht hatte, dann war Basta jetzt dort, wo Staubfinger war. Und sie alle glaubten nur zu gerne, dass Mo recht hatte. Darius und Elinor war die Erleichterung von den Gesichtern abzulesen, und Resa schlang Mo die Arme um den Hals und lächelte, als sei alles wieder gut.

Elinor begann, Mo über die Bücher auszufragen, die er Meggies Anrufs wegen so schmählich im Stich gelassen hatte. Und Darius versuchte, Resa das System zu erläutern, nach dem er Elinors Bibliothek neu zu sortieren gedachte. Farid aber blickte auf seinen leeren Teller. Und sah auf dem weißen Porzellan vermutlich Bastas Messer schon an Staubfingers Kehle.

Basta. Der Name steckte Meggie wie ein Kiesel im Hals. Und sie konnte immer nur eines denken: Wenn Mo recht hatte, war Basta jetzt dort, wo auch sie bald sein wollte. In der Tintenwelt.

In dieser Nacht schon wollte sie es versuchen, wollte sich mit ihrer eigenen Stimme und Orpheus' Worten einen Weg bahnen durch das Buchstabendickicht, hinein in den Weglosen Wald. Farid hatte sie gedrängt, nicht länger zu warten. Er war ganz verrückt vor Sorge um Staubfinger. Und Mos Worte hatten daran sicher nichts geändert. »Bitte, Meggie!« Immer wieder hatte er sie angefleht. »Bitte, lies!«

Meggie blickte zu Mo hinüber. Er flüsterte Resa etwas zu und sie lachte. Nur wenn sie lachte, hörte man ihre Stimme. Mo schlang den Arm um sie und suchte Meggie mit seinem Blick. Wenn ihr Bett morgen früh leer war, würde er nicht mehr so sorglos aussehen, wie er es jetzt gerade tat. Würde er wütend sein oder einfach nur traurig? Resa lachte, als er ihr und Elinor das Entsetzen des Sammlers vorspielte, dessen Bücher er nach Meggies Anruf so schmählich im Stich gelassen hatte, und auch Meggie musste lachen, als er die Stimme des Ärmsten nachahmte. Offenbar war sein Auftraggeber sehr dick und kurzatmig gewesen.

Nur Elinor lachte nicht. »Ich denke nicht, dass das lustig ist, Mortimer«, bemerkte sie spitz. »Ich hätte dich vermutlich erschossen, wenn du dich einfach davongemacht und meine armen Bücher krank und fleckig zurückgelassen hättest.«

»Ja, vermutlich.« Mo warf Meggie einen verschwörerischen Blick zu, so wie er es jedes Mal tat, wenn Elinor ihm oder Meggie Vorträge über die richtige Behandlung von Büchern oder die Regeln in ihrer Bibliothek hielt.

Ach, Mo, wenn du wüsstest, dachte Meggie, wenn du wüsstest, und hatte das Gefühl, dass er ihr im nächsten Augenblick ihr Geheimnis von der Stirn ablesen würde. Abrupt schob sie ihren Stuhl zurück, murmelte etwas wie »Hab keinen Hunger« und lief in Elinors Bibliothek. Wohin sonst? Immer, wenn sie ihren eigenen Gedanken entkommen wollte, suchte sie Hilfe bei den Büchern. Irgendeines würde sich schon finden, das sie ablenkte, bis es endlich Abend war und alle schlafen gingen, ahnungslos ...

Es war Elinors Bibliothek nicht anzusehen, dass dort vor kaum mehr als einem Jahr nur ein toter roter Hahn vor leeren Regalen gehangen hatte, während ihre schönsten Bücher draußen auf dem Rasen brannten. Das Glas, in das Elinor etwas von der Asche gefüllt hatte, stand immer noch neben ihrem Bett.

Meggie strich mit dem Zeigefinger über die Buchrücken. Wie Tasten eines Klaviers reihten sie sich nun wieder in den Regalen. Einige Borde waren noch leer, doch Elinor und Darius waren unermüdlich unterwegs, um die verlorenen Schätze durch neue, ebenso wundervolle Bücher zu ersetzen.

Orpheus – wo war die Geschichte von Orpheus?

Meggie trat an das Regal, in dem Griechen und Römer ihre Geschichten flüsterten, als die Bibliothekstür sich hinter ihr öffnete und Mo hereintrat.

»Resa sagt, du hast das Blatt, das Farid mitgebracht hat, in deinem Zimmer. Zeigst du es mir?« Er versuchte, so unbedarft zu klingen, als fragte er nach dem Wetter, aber er hatte sich noch nie gut verstellen können. Mo verstand davon ebenso wenig wie vom Lügen.

»Warum?« Meggie lehnte sich gegen Elinors Bücher, als könnten sie ihr den Rücken stärken.

»Warum? Weil ich neugierig bin. Hast du das vergessen? Außerdem –«, er betrachtete die Buchrücken, als könnte er dort die richtigen Worte finden, »– außerdem glaube ich, es wäre besser, das Blatt zu verbrennen.«

»Verbrennen?« Meggie sah ihn ungläubig an. »Warum das?«

»Ja, ich weiß, es klingt, als sähe ich Gespenster.« Er zog ein Buch aus dem Regal, schlug es auf und blätterte mit abwesender Miene darin. »Aber dieses Blatt, Meggie ... es kommt mir vor wie eine offene Tür, eine Tür, die wir besser für alle Zeit schließen sollten. Bevor Farid auch noch versucht, in dieser verdammten Geschichte zu verschwinden.«

»Und?« Meggie konnte es nicht verhindern, ihre Stimme klang kühl. Als spräche sie mit einem Fremden. »Warum verstehst du das nicht? Er will doch nur zu Staubfinger! Um ihn vor Basta zu warnen.«

Mo schlug das Buch zu, das er herausgezogen hatte, und stellte es zurück an seinen Platz. »Das sagt er. Aber was, wenn Staubfinger ihn gar nicht mitnehmen wollte, wenn er ihn extra zurückgelassen hat? Würde dich das wundern?«

Nein. Nein, das würde es nicht. Meggie schwieg. Es war so still zwischen den Büchern, so furchtbar still zwischen all den Worten.

»Ich weiß, Meggie«, sagte Mo schließlich mit leiser Stimme.

»Ich weiß, dass du denkst, die Welt, die dieses Buch beschreibt, sei wesentlich aufregender als diese. Ich kenne das Gefühl. Ich habe mir selbst oft genug vorgestellt, in einem meiner Lieblingsbücher zu stecken. Aber wir beide wissen, dass es sich ganz anders anfühlt, wenn aus dem Vorstellen Wirklichkeit wird. Du denkst, diese Tintenwelt sei wie verzaubert, eine Welt voller Wunder, aber glaub mir, ich habe vieles von deiner Mutter über diese Welt erfahren, das dir gar nicht gefallen würde. Sie ist grausam und gefährlich, voller Dunkelheit und Gewalt, regiert von Stärke, Meggie, nicht von Recht.«

Er sah sie an, suchte in ihrem Gesicht nach dem Einverständnis, das er früher immer dort gefunden hatte, aber diesmal fand er es nicht.

»Farid kommt aus so einer Welt«, sagte Meggie. »Und er hat sich nicht ausgesucht, in dieser Geschichte zu stecken. Du hast ihn hergeholt.«

Sie bereute ihre Worte im selben Moment. Mo wandte sich ab, als hätte sie ihn geschlagen. »Na gut. Da hast du natürlich recht«, sagte er, während er zur Tür zurückging. »Und ich will mich nicht schon wieder mit dir streiten. Aber ich will auch nicht, dass dieses Blatt in deinem Zimmer liegt. Gib es Farid zurück. Wer weiß. Sonst sitzt womöglich morgen früh ein Riese auf deinem Bett.« Er versuchte, sie zum Lachen zu bringen, natürlich. Er ertrug es nicht, dass sie schon wieder so miteinander sprachen. Wie bedrückt er aussah. Und wie müde.

»Du weißt genau, dass so etwas nicht passieren kann«, sagte Meggie. »Warum machst du dir immer solche Sorgen? Nichts kommt einfach aus den Buchstaben, solange man es nicht ruft. Keiner weiß das besser als du!«

Er hatte die Hand immer noch auf der Klinke.

»Ja«, sagte er. »Ja, da hast du wohl recht. Aber weißt du was? Manchmal würde ich gern alle Bücher dieser Welt mit einem Schloss versehen. Und was dieses ganz spezielle Buch betrifft … inzwischen wäre ich froh, wenn Capricorn das letzte Exemplar damals auch verbrannt hätte. Es klebt Unglück an diesem Buch, Meggie, nichts als Unglück. Auch wenn du mir das nicht glauben willst.«

Dann zog er die Bibliothekstür hinter sich zu.

Meggie stand reglos, bis seine Schritte verklangen. Sie trat an eins der Fenster, das hinaus auf den Garten wies, aber als Mo schließlich den Weg herunterkam, der zu seiner Werkstatt führte, blickte er nicht zum Haus herüber. Resa war bei ihm. Sie hatte den Arm um seine Schulter gelegt, und ihre andere Hand malte Worte, doch Meggie konnte nicht erkennen, welche. Sprachen sie über sie?

Manchmal war es ein seltsames Gefühl, plötzlich nicht mehr nur einen Vater zu haben, sondern Eltern, die miteinander sprachen, ohne dass sie dabei war. Mo ging allein in die Werkstatt und Resa schlenderte zum Haus zurück. Sie winkte Meggie zu, als sie sie am Fenster stehen sah, und Meggie winkte zurück.

Ein seltsames Gefühl …

Meggie saß noch eine ganze Weile zwischen Elinors Büchern, blätterte mal in dem einen, mal in dem anderen, auf der Suche nach Sätzen, die ihre eigenen Gedanken übertönten. Doch die Buchstaben blieben Buchstaben, formten weder Bilder noch Worte, und schließlich ging Meggie hinaus in den Garten, legte sich ins Gras und blickte zur Werkstatt hinüber, hinter deren Fenstern sie Mo arbeiten sah.

Ich darf es nicht tun, dachte sie, während der Wind die Blätter von den Bäumen blies und sie mit sich riss wie buntes Spielzeug. Nein. Es geht nicht! Sie werden sich alle solche Sorgen machen, und Mo wird nie wieder ein Wort mit mir reden, nie wieder.

Ja, all das dachte Meggie, dachte es viele Male. Und wusste doch zugleich, ganz tief in ihrem Innern, dass sie sich längst entschieden hatte.

Die Spielfrau

> Ein Spielmann, der muß reisen,
> das ist ein alter Brauch,
> drum weht aus seinen Weisen
> auch stets ein Abschiedshauch.
> Ob ich einst wiederkehre?
> Allein Lieb, das weiß ich nicht,
> des Todes Hand die schwere
> viel Rosenknospen bricht.
> *Elimar von Monsterberg,*
> *Der Spielmann*

Es wurde gerade hell, als Staubfinger den Hof erreichte, den Wolkentänzer ihm beschrieben hatte. An einem Südhang lag er, umgeben von Olivenbäumen. Die Erde, hatte Wolkentänzer gesagt, war karg und steinig dort, aber die Kräuter, die Roxane anbaute, schätzten das. Das Haus stand allein, kein schützendes Dorf in der Nähe, nur eine Mauer, kaum brusthoch, und ein Tor aus Holz. In der Ferne konnte man die Dächer von Ombra sehen, die Burgtürme, hoch aufragend über den Häusern, und die Straße, die sich auf das Tor zuwand – so nah und doch zu weit, um dorthin zu flüchten, falls Wegelagerer oder Soldaten, heimkehrend aus irgendeinem Krieg, es für eine gute Idee hielten, den einsamen Hof zu plündern, nur bewohnt von einer Frau und zwei Kindern.

Vielleicht hat sie ja wenigstens einen Knecht, dachte Staubfinger, während er hinter ein paar Ginsterbüschen stehen blieb. Die Zweige verbargen ihn, aber er konnte ungehindert auf das Haus sehen.

Klein war es, wie die meisten Bauernhäuser, nicht so armselig wie viele, aber auch nicht viel besser. Das ganze Haus hätte mehr als ein Dutzend Mal in einen der Säle gepasst, in denen Roxane früher getanzt und gesungen hatte. Selbst der Natternkopf hatte sie auf seine Burg geladen, trotz seiner Verachtung für das Bunte Volk, denn damals hatte sie jeder hören und sehen wollen. Reiche Kaufleute, der Müller unten am Fluss, der Gewürzhändler, der ihr mehr als ein Jahr Geschenke gesandt hatte … so viele hatten sie zur Frau nehmen wollen, hatten sie überschüttet mit Schmuck und kostbaren Kleidern, ihr Gemächer in ihren Häusern angeboten, von denen jedes sicherlich größer war als das Haus, in dem sie nun wohnte. Aber Roxane war beim Bunten Volk geblieben, hatte nicht zu den Spielfrauen gehört, die Stimme und Körper einem Herrn verkauften für ein bisschen Sicherheit und ein festes Haus …

Irgendwann jedoch war auch sie das Herumziehen leid geworden, hatte sich ein Zuhause gewünscht, für sich und ihre Kinder, denn kein Gesetz schützte die, die auf der Straße lebten. Das Gesetz galt für das Bunte Volk ebenso wenig wie für Bettler und Wegelagerer. Wer einen Spielmann beraubte, musste keine Strafe fürchten. Wer einer Spielfrau Gewalt antat, konnte ungehindert in sein festes Haus zurückkehren, und wer einen Gaukler erschlug, musste den Henker nicht fürchten. Seiner Witwe stand als Rache nur eines zu: den Schatten des Täters zu schlagen, nichts als seinen Schatten, den die Sonne gegen die Stadtmauer warf, und für die Bestattung musste die Witwe zahlen. Ja, das Bunte Volk war Freiwild. Des Teufels Lockvögel nannte man sie, ließ sich von ihnen zum Lachen bringen, lauschte ihren Liedern und Geschichten, sah ihren Kunststücken zu – und verschloss abends Tür und Tor vor ihnen. Außerhalb der Städte und Dörfer, außerhalb der schützenden Mauern mussten sie bleiben, immer auf der Wanderschaft, beneidet um ihre Freiheit und dafür geschmäht, dass sie für Geld und Brot vielen Herren dienten.

Es gab nicht viele Spielleute, die der Straße je entkamen, der Straße und den einsamen Wegen. Aber Roxane hatte es offenbar geschafft.

Ein Stall gehörte zu dem Haus, eine Scheune, ein Backhaus, zwischen ihnen ein Hof mit einem Brunnen in der Mitte, ein Garten, umzäunt, damit Hühner und Ziegen nicht die jungen Pflanzen zerrupften, und am Hang dahinter ein Dutzend schmaler Felder. Einige waren abgeerntet, auf anderen standen die Kräuter hoch, buschig und schwer von der eigenen Saat. Der Duft, den der Wind zu Staubfinger herübertrug, ließ die Morgenluft bitter und süß zugleich schmecken.

Roxane kniete auf dem hintersten Feld, inmitten von Flachs, Beinwell und wilden Malven. Sie schien schon lange bei der Arbeit zu sein, obwohl der Frühnebel noch zwischen den nahen Bäumen hing. Ein Junge stand neben ihr, vielleicht sieben, acht Jahre alt. Roxane sprach mit ihm, lachte. Wie oft hatte Staubfinger sich ihr Gesicht ins Gedächtnis gerufen, jeden Teil davon, ihren Mund, die Augen, die Stirn mit dem hohen Haaransatz. Mit jedem Jahr war es mühsamer gewesen, mit jedem Jahr war das Bild unschärfer geworden, so verzweifelt er sich auch bemüht hatte, sich genauer zu erinnern. Die Zeit hatte ihr Gesicht verwischt, es mit Staub bedeckt.

Staubfinger machte einen Schritt vor – und zwei zurück. Dreimal schon hatte er umdrehen wollen, sich wieder davonschleichen, so lautlos, wie er gekommen war, und war doch geblieben. Ein

Wind fuhr durch die Ginsterbüsche, stieß ihn in den Rücken, als wollte er ihm Mut machen, und Staubfinger fasste sich ein Herz, schob die Zweige auseinander und schritt auf das Haus und die Felder zu.

Der Junge sah ihn zuerst und aus dem hohen Gras neben dem Stall erhob sich eine Gans und kam schnatternd und flügelschlagend auf ihn zu. Kein Bauer durfte einen Hund halten, das war den Fürsten vorbehalten, aber auch eine Gans war ein zuverlässiger Wächter – und nicht weniger Furcht einflößend. Staubfinger jedoch wusste dem aufgesperrten Schnabel auszuweichen und strich der aufgebrachten Wächterin über den weißen Hals, bis sie die Flügel zusammenlegte wie ein frisch gebügeltes Kleid und friedlich davonstakste, zurück zu ihrem Platz im Gras.

Roxane hatte sich aufgerichtet. An ihrem Kleid wischte sie sich die Erde von den Händen und sah ihn an, sah ihn nur an. Sie hatte ihr Haar tatsächlich hochgesteckt wie eine Bauersfrau, doch offenbar war es immer noch so lang und voll wie früher und ebenso schwarz, bis auf ein paar graue Strähnen. Ihr Kleid war braun wie die Erde, auf der sie gekniet hatte, nicht länger bunt wie die Röcke, die sie früher getragen hatte. Ihr Gesicht jedoch war Staubfinger immer noch so vertraut wie der Anblick des Himmels, vertrauter als sein eigenes Spiegelbild.

Der Junge griff nach der Harke, die neben ihm auf der Erde lag. Er hielt sie mit so finster entschlossener Miene, als wäre er es gewohnt, seine Mutter gegen seltsame Fremde zu beschützen. Kluger Junge, dachte Staubfinger, traut keinem, schon gar nicht so einem Narbengesicht, das plötzlich aus den Büschen auftaucht.

Was sollte er nur sagen, wenn sie ihn fragte, wo er gewesen war?

Roxane raunte dem Jungen etwas zu, und er ließ zögernd die Harke sinken, die Augen immer noch misstrauisch.

Zehn Jahre.

Er war oft lange fort gewesen, im Wald, in den Orten an der Küste, unterwegs zwischen den Dörfern, die ringsum einsam in den Hügeln lagen – wie ein Fuchs, der nur auf den Höfen der Menschen auftauchte, weil ihm der Magen knurrte. »Dein Herz ist ein Streuner«, hatte Roxane immer gesagt. Manchmal hatte er sie suchen müssen, wenn sie mit den anderen Spielleuten weitergezogen war. Eine Weile lebten sie zusammen im Wald, in einer verlassenen Köhlerhütte, dann wieder in einem Zelt, umgeben von anderen Spielleuten. Einen Winter lang hatten sie es sogar zwischen den festen Mauern von Ombra ausgehalten. Es war immer er gewesen, der weiterwollte, und als ihre erste Tochter geboren wurde und Roxane immer öfter bleiben wollte – an irgendeinem halbwegs vertrauten Ort, bei den anderen Spielfrauen, in der Nähe schützender Mauern –, war er allein fortgegangen. Aber er war stets zurückgekehrt, zu ihr und zu den Kindern, sehr zum Ärger all der reichen Männer, die um sie herumgestrichen waren, um eine ehrbare Frau aus ihr zu machen.

Was hatte sie gedacht, als er ganze zehn Jahre fortblieb? Hatte sie ihn für tot gehalten, wie Wolkentänzer? Oder hatte sie geglaubt, dass er einfach fortgegangen war, ohne ein Wort, ohne Abschied?

In Roxanes Gesicht fand er die Antwort nicht. Fassungslosigkeit sah er darauf, Zorn, vielleicht auch Liebe. Vielleicht. Sie flüsterte dem Jungen etwas zu, griff nach seiner Hand und zog ihn mit sich. Sie ging langsam, als hielte sie ihre Füße davon ab, schneller zu laufen. Er wäre zu gern auf sie zugelaufen, mit jedem Schritt eins der Jahre hinter sich lassend, aber sein Mut war aufgebraucht. Wie angewachsen stand er da und sah ihr entgegen, wie sie auf ihn zukam, nach all den Jahren, all den Jahren, für die er keine Erklärung hatte – außer einer, die sie nicht glauben würde.

Es trennten sie nicht mehr viele Schritte, als Roxane stehen blieb. Sie legte den Arm um die Schulter des Jungen, aber der schob ihn weg. Natürlich. Er wollte nicht, dass der Arm seiner Mutter ihn daran erinnerte, wie jung er noch war.

Wie sie das Kinn vorschob, so stolz. Das war das Erste, was ihm an Roxane gefallen hatte – ihr Stolz. Er musste lächeln, aber er senkte den Kopf, damit sie es nicht sah.

»Offenbar kann dir immer noch kein Tier widerstehen. Meine Gans hat bisher jeden verjagt.« Wenn Roxane sprach, war nichts Besonderes an ihrer Stimme, nichts von der Kraft und Schönheit, die sie beim Singen entfaltete.

»Ja, daran hat sich nichts geändert«, sagte er. »In all den Jahren nicht.« Und plötzlich, während er sie ansah, hatte er endlich und ganz wirklich das Gefühl, heimgekehrt zu sein. Das Gefühl war so stark, dass ihm die Knie weich wurden. Wie glücklich er war, sie wiederzusehen, so furchtbar, entsetzlich glücklich. Frag mich!, dachte er. Frag mich, wo ich war. Obwohl er nicht wusste, wie er es erklären sollte.

Aber sie sagte nur: »Es scheint dir gut gegangen zu sein, dort, wo du warst.«

»Das täuscht«, erwiderte er. »Ich bin nicht freiwillig dort geblieben.«

Roxane musterte sein Gesicht, als hätte sie vergessen, wie es aussah, und strich dem Jungen übers Haar. Es war ebenso schwarz wie ihres, aber seine Augen waren die eines anderen. Abweisend blickten sie ihn an.

Staubfinger rieb die Hände aneinander und flüsterte seinen Fingern Feuerworte zu, bis Funken zwischen ihnen hervorrieselten wie Regen. Dort, wo sie auf den steinigen Boden trafen, sprossen Blumen, rote Blumen, jedes Blütenblatt eine Flammenzunge.

Der Junge starrte sie an mit einer Mischung aus Entzücken und Furcht. Schließlich hockte er sich neben sie und streckte die Hand nach den feurigen Blüten aus.

»Vorsicht!«, warnte Staubfinger, aber es war schon zu spät. Verlegen schob der Junge sich die verbrannten Fingerspitzen in den Mund.

»Das Feuer gehorcht dir also auch noch«, sagte Roxane, und zum ersten Mal entdeckte er fast so etwas wie ein Lächeln in ihren Augen. »Du siehst hungrig aus. Komm.« Und ohne ein Wort ging sie auf das Haus zu. Der Junge starrte immer noch die Feuerblumen an.

»Ich habe gehört, du baust Kräuter an für die Heiler.« Staubfinger blieb unschlüssig in der Tür stehen.

»Ja. Selbst die Nessel kauft bei mir.«

Die Nessel, klein wie ein Moosweibchen, stets mürrisch und wortfaul wie ein Bettler, dem man die Zunge herausgeschnitten hatte. Aber es gab keine bessere Heilerin in dieser Welt.

»Wohnt sie immer noch in der alten Bärenhöhle am Waldrand?« Staubfinger schob sich zögernd durch die Tür. Sie war so niedrig, dass er den Kopf einziehen musste. Der Duft von frischem Brot stieg ihm in die Nase.

Roxane legte einen Laib auf den Tisch, holte Käse, Öl, Oliven. »Ja, aber sie ist selten dort. Sie wird immer wunderlicher, läuft im Wald umher, redet mit den Bäumen und sich selbst, sucht Pflanzen, die sie noch nicht kennt. Manchmal taucht sie wochenlang nicht auf, also kommen die Leute immer öfter zu mir. Die Nessel hat mir einiges beigebracht in den letzten Jahren.« Sie sah ihn nicht an, während sie das sagte. »Sie hat mir gezeigt, wie ich Kräuter auf den Feldern ziehen kann, die sonst nur im Wald gedeihen. Schmetterlingsklee, Schellenblatt, die roten Anemonen, aus deren Blüten die Feuerelfen ihren Honig machen.«

»Ich wusste gar nicht, dass man diese Anemonen auch zum Heilen benutzt.«

»Das tut man auch nicht. Ich habe sie gepflanzt, weil sie mich an jemanden erinnerten.« Diesmal sah sie ihn an.

Staubfinger streckte die Hand aus nach einem der Kräuterbüschel, die von der Decke hingen, und zerrieb die trockenen Knospen zwischen den Fingern: Lavendelblüten, Versteck für Vipern und hilfreich, wenn sie einen bissen. »Vermutlich wachsen die Kräuter nur hier, weil du für sie singst«, sagte er. »Haben sie das nicht früher immer gesagt: Wenn Roxane singt, blühen selbst die Steine?«

Roxane schnitt etwas von dem Brot ab, füllte Öl in eine Schale. »Ich singe nur noch für sie«, sagte sie. »Und für meinen Sohn.« Sie schob ihm das Brot hin. »Iss. Ich hab es erst gestern gebacken.« Sie kehrte ihm den Rücken zu und trat ans Feuer.

Staubfinger sah sich unauffällig um, während er ein Stück Brot in das Öl tauchte. Zwei Strohsäcke und ein paar Decken auf dem Bett, eine Bank, ein Stuhl, ein Tisch, Krüge, Körbe, Flaschen und Schalen, getrocknete Kräuterbündel unter der Decke, dicht an dicht, so wie sie auch immer in der Höhle der Nessel gehangen hatten, und eine Truhe, seltsam prächtig in dem ansonsten so kargen Raum. Staubfinger erinnerte sich noch gut an den Tuchhändler, der sie Roxane geschenkt hatte. Seine Diener hatten schwer an ihr zu tragen gehabt. Bis an den Rand war sie gefüllt gewesen mit seidenen Kleidern, perlenbestickt, die Ärmel besetzt mit Spitze. Ob sie immer noch in der Truhe lagen? Ungetragen, nutzlos für die Arbeit auf den Feldern.

»Ich bin zum ersten Mal zur Nessel gegangen, als Rosanna krank wurde.« Roxane wandte sich nicht zu ihm um, während sie sprach. »Ich wusste nichts, nicht einmal, wie man das Fieber herunterbringt. Die Nessel hat mir alles gezeigt, was sie darüber wusste, aber bei unserer Tochter hat nichts geholfen. Also bin ich mit ihr zum Schleierkauz geritten, während das Fieber stieg und stieg. Ich habe sie in den Wald gebracht, zu den Feen, aber sie haben mir nicht geholfen. Vielleicht hätten sie es für dich getan – doch du warst nicht da.«

Staubfinger sah, wie sie sich mit dem Handrücken über die Augen fuhr. »Wolkentänzer hat es mir erzählt.« Er wusste, es waren die falschen Worte, aber er fand einfach keine besseren.

Roxane nickte nur und fuhr sich erneut über die Augen. »Manche sagen, man kann die, die man liebt, auch nach dem Tod noch sehen«, sagte sie leise. »Dass sie einen besuchen, in der Nacht oder wenigstens in den Träumen, dass die Sehnsucht sie zurückruft, wenn auch nur für kurze Zeit ... Rosanna ist nicht gekommen. Ich bin zu Frauen gegangen, die behaupten, mit den Toten sprechen zu können. Ich habe Kräuter verbrannt, deren Duft sie rufen sollen, und Nächte wach gelegen, in der Hoffnung, dass sie wenigstens noch einmal zurückkommt ... Aber es ist alles gelogen. Es gibt keinen Weg zurück. Oder warst du vielleicht dort und hast ihn gefunden?«

»Bei den Toten? Nein.« Staubfinger schüttelte mit einem traurigen Lächeln den Kopf. »Nein, ganz so weit fort war ich nicht.

Aber glaub mir, ich hätte selbst dort nach einem Weg gesucht, um zu dir zurückzukommen …«

Wie lange sie ihn ansah. Niemand sonst hatte ihn je so angesehen. Und er suchte erneut nach Worten, den Worten, die erklären konnten, wo er gewesen war, doch es gab sie nicht.

»Als Rosanna starb –« Roxanes Zunge schien vor dem Wort zurückzuschrecken, als könnte es ihre Tochter noch einmal töten. »Als sie starb und ich sie in den Armen hielt, schwor ich mir etwas: Ich schwor, dass ich nie, nie wieder so hilflos sein werde, wenn der Tod sich jemanden holen will, den ich liebe. Seither habe ich viel gelernt. Vielleicht könnte ich sie heute gesund machen. Vielleicht auch nicht.«

Wieder blickte sie ihn an, und als er ihren Blick erwiderte, versuchte er nicht, seinen Schmerz zu verbergen, wie er es sonst so gern tat. »Wo hast du sie begraben?«

Sie wies mit dem Kopf nach draußen. »Hinter dem Haus. Dort, wo sie immer gespielt hat.«

Er wandte sich um, zur offenen Tür, wollte wenigstens die Erde sehen, unter der sie lag, aber Roxane hielt ihn zurück. »Wo warst du?«, flüsterte sie und lehnte die Stirn gegen seine Brust.

Er strich ihr übers Haar, über die feinen, grauen Strähnen, die sich wie Spinnenseide durch das Schwarz zogen, und vergrub sein Gesicht darin. Sie mischte immer noch Bitterorange ins Wasser, wenn sie ihr Haar wusch. Der Duft brachte so viele Erinnerungen zurück, dass ihm schwindelig wurde. »Weit fort«, sagte er. »Ich war furchtbar weit fort.« Und stand einfach nur da und hielt sie fest, konnte nicht glauben, dass sie wirklich wieder da war, nicht nur als Erinnerung, verwischt und undeutlich, sondern aus Fleisch und Blut … und ihn nicht wieder fortschickte.

Wie lange sie einfach so dastanden, er wusste es nicht.

»Was ist mit der Älteren? Wie geht es Brianna?«, fragte er irgendwann.

»Sie lebt auf der Burg, seit vier Jahren schon. Sie dient Violante, der Schwiegertochter des Fürsten, die alle die Hässliche nennen.« Sie löste sich aus seinen Armen, strich sich über das straff zurückgesteckte Haar. »Brianna singt für die Hässliche, hütet ihren verzogenen Sohn und liest ihr vor. Violante ist ganz vernarrt in Bücher, aber ihre Augen sind schlecht, deshalb kann sie nicht selbst lesen, ganz abgesehen davon, dass sie es heimlich tun muss, weil der Fürst nichts von lesenden Frauen hält.«

»Aber Brianna kann lesen?«

»Ja, meinem Sohn habe ich es auch beigebracht.«

»Wie heißt er?«

»Jehan. Nach seinem Vater.« Roxane trat an den Tisch und strich über die Blumen, die darauf standen.

»Kannte ich ihn?«

»Nein. Er hat mir diesen Hof hinterlassen – und einen Sohn. Die Brandstifter haben uns die Scheune angesteckt, er ist hineingelaufen, um die Tiere zu retten, und das Feuer hat ihn gefressen. Ist das nicht seltsam – dass man zwei Männer liebt, und den einen beschützt das Feuer, während es den anderen tötet?« Sie schwieg eine ganze Weile, bevor sie weitersprach. »Der Brandfuchs führte damals die Feuerfinger an. Unter ihm trieben sie es fast noch schlimmer als unter Capricorn. Basta und Capricorn verschwanden zur selben Zeit wie du, wusstest du das?«

»Ja, davon habe ich gehört«, murmelte er – und konnte den Blick nicht von ihr wenden. Wie schön sie war. So wunderschön. Es tat fast weh, sie anzusehen. Als sie erneut auf ihn zutrat, erinnerte ihn jede Bewegung an den Tag, an dem er sie zum ersten Mal hatte tanzen sehen.

»Die Feen haben ihre Sache wirklich gut gemacht«, sagte sie leise, während sie ihm übers Gesicht strich. »Wüsste ich's nicht besser, ich würde denken, jemand hätte dir die Narben mit einem Silberstift aufs Gesicht gemalt.«

»Das ist eine sehr nette Lüge«, erwiderte er ebenso leise. Niemand wusste besser als Roxane, woher die Narben stammten. Sie würden den Tag beide nicht vergessen, den Tag, an dem der Natternkopf ihr befohlen hatte, vor ihm zu tanzen und zu singen. Capricorn war auch dort gewesen – mit Basta und all den anderen Feuerfingern, und Basta hatte Roxane angestarrt wie ein Kater einen schmackhaften Vogel. Nachgestellt hatte er ihr, Tag für Tag, hatte ihr Gold und Schmuck versprochen, sie bedroht und ihr geschmeichelt, und als sie ihn trotzdem abwies, immer wieder, allein und vor allen anderen, ließ Basta herumfragen, welchen Mann sie ihm vorzog. Auf dem Weg zu Roxane hatte er Staubfinger aufgelauert, mit zwei Helfern, die ihn festhielten, während Basta ihm das Gesicht zerschnitt.

»Nachdem dein Mann tot war, hast du da nicht wieder geheiratet?« Alberner Dummkopf, dachte er, bist eifersüchtig auf einen Toten.

»Nein. Der einzige Mann auf diesem Hof ist Jehan.«

Der Junge tauchte so plötzlich in der offenen Tür auf, als habe er dahinter gelauscht und nur darauf gewartet, dass endlich sein Name fiel. Wortlos schob er sich an Staubfinger vorbei und setzte sich auf die Bank.

»Die Blumen sind sogar noch größer geworden«, sagte er.

»Hast du dir die Finger an ihnen verbrannt?«

»Nur ein bisschen.«

Roxane schob ihm einen Krug mit kaltem Wasser hin. »Da, steck sie da rein. Und wenn das nicht hilft, schlag ich dir ein Ei auf. Gegen verbrannte Haut hilft nichts besser als etwas Eiweiß.«

Jehan steckte die Finger gehorsam in den Krug, den Blick immer noch auf Staubfinger. »Verbrennt er sich nie?«, fragte er seine Mutter.

Roxane musste lächeln. »Nein, nie. Das Feuer liebt ihn. Es leckt ihm die Finger und küsst ihn.«

Jehan musterte Staubfinger, als hätte Roxane ihm enthüllt, dass in seinen Adern kein Menschen-, sondern Feenblut rann.

»Vorsicht, sie zieht dich auf!«, sagte Staubfinger. »Natürlich beißt es mich.«

»Die Narben in deinem Gesicht – die sind nicht vom Feuer.«

»Nein.« Staubfinger nahm sich noch etwas von dem Brot. »Diese Violante«, sagte er, »Wolkentänzer hat mir erzählt, dass der Natternkopf ihr Vater ist. Hasst sie die Spielleute ebenso wie er?«

»Nein.« Roxane fuhr Jehan durch das schwarze Haar. »Wenn Violante etwas hasst, dann ist es ihr Vater. Sie war sieben, als er sie herschickte. Mit zwölf wurde sie mit Cosimo verheiratet, sechs Jahre später war sie Witwe. Nun sitzt sie da, in der Burg ihres Schwiegervaters, und versucht zu tun, was er durch die Trauer um seinen Sohn längst vergessen hat – sich um seine Untertanen zu kümmern. Violante hat ein Herz für die Schwachen. Bettler, Krüppel, Witwen mit hungrigen Kindern, Bauern, die die Steuern nicht bezahlen können – sie kommen alle zu ihr. Aber Violante ist eine Frau. Das bisschen Macht hat sie nur, weil jeder Angst vor ihrem Vater hat, selbst auf dieser Seite des Waldes.«

»Brianna ist gern auf der Burg.« Jehan wischte sich die nassen Finger an der Hose ab und betrachtete besorgt die geröteten Kuppen.

Roxane tauchte seine Finger zurück in das kalte Wasser. »Ja, leider«, sagte sie. »Unserer Tochter gefällt es, Violantes abgelegte Kleider zu tragen, in einem weichen Himmelbett zu schlafen und sich von feinem Volk Komplimente machen zu lassen. Aber mir gefällt es nicht und das weiß sie.«

»Mich lässt die Hässliche auch manchmal holen!« Der Stolz in Jehans Stimme war nicht zu überhören. »Damit ich mit ihrem Sohn spiele. Jacopo stört sie und Brianna beim Lesen, und sonst will niemand mit ihm spielen, weil er immer gleich losschreit, wenn man mit ihm kämpft. Und wenn er verliert, schreit er, dass er einem den Kopf abschlagen lässt.«

»Du lässt ihn mit einem Fürstenbalg spielen?« Staubfinger warf Roxane einen beunruhigten Blick zu. »Fürsten sind niemals Freunde, egal, wie alt sie sind. Hast du das vergessen? Das Gleiche gilt für ihre Töchter, erst recht, wenn sie den Natternkopf zum Vater haben.«

Roxane schob sich wortlos an ihm vorbei. »Mich musst du nicht daran erinnern, wie Fürsten sind«, sagte sie. »Deine Tochter ist fünfzehn Jahre alt, auf meinen Rat gibt sie schon lange nichts mehr, aber wer weiß, vielleicht hört sie ja auf ihren Vater, obwohl sie ihn seit zehn Jahren nicht gesehen hat. Am nächsten Sonntag lässt der Speckfürst den Geburtstag seines Enkels feiern. Geh hin, wenn du willst. Ein guter Feuerspucker ist sicher willkommen, nachdem sie all die Jahre nur dem Rußvogel zusehen konnten.« Sie blieb in der offenen Tür stehen. »Komm, Jehan!«, sagte sie. »Deine Finger sehen nicht allzu schlimm aus und es ist noch viel Arbeit zu tun.«

Der Junge gehorchte, ohne zu murren. In der Tür warf er Staubfinger noch einen letzten neugierigen Blick zu, dann sprang er davon – und Staubfinger blieb allein zurück in dem engen Haus. Er betrachtete die Töpfe neben dem Feuer, die Holzschüsseln, das Spinnrad in der Ecke und die Truhe, die von Roxanes Vergangenheit erzählte. Ja, es war ein einfaches Haus, kaum größer als eine Köhlerhütte, aber es war ein Zuhause: das, was Roxane sich immer gewünscht hatte. Sie hatte es nie gemocht, nachts nur den Himmel über sich zu haben. Selbst wenn er das Feuer für sie Blüten treiben ließ, die ihren Schlaf bewachten.

Meggie liest

Jedes einzelne Buch hat eine Seele. Die Seele dessen, der es geschrieben hat, und die Seelen derer, die es gelesen und erlebt und von ihm geträumt haben.
Carlos Ruiz Zafón, Der Schatten des Windes

Als es ganz still in Elinors Haus war und der Garten hell vom Mondlicht, zog Meggie das Kleid an, das Resa ihr genäht hatte. Es war schon einige Monate her, seit sie von ihrer Mutter hatte wissen wollen, welche Art Kleider die Frauen in der Tintenwelt trugen. »Was für Frauen?«, hatte Resa gefragt. »Bäuerinnen? Spielfrauen? Fürstentöchter? Mägde?« »Was hast du getragen?«, hatte Meggie zurückgefragt, und Resa war mit Darius in den nächsten Ort gefahren und hatte dort Stoff gekauft, einen einfachen, recht groben dunkelroten Stoff. Dann hatte sie Elinor gebeten, die alte Nähmaschine aus dem Keller zu holen. »So ein Kleid habe ich getragen, als ich als Magd auf Capricorns Festung lebte«, hatte sie erklärt, als sie Meggie das fertige Kleid über den Kopf gezogen hatte. »Für eine Bäuerin wäre es zu fein gewesen, aber für die Magd eines reichen Mannes war es gerade gut genug, und Mortola lag sehr viel daran, dass wir nur wenig schlechter gekleidet waren als die Mägde der Fürsten – auch wenn wir bloß einer Bande von Brandstiftern dienten.«

Meggie trat vor den Spiegel an ihrem Schrank und musterte sich in dem matten Glas. Sie war sich seltsam fremd. Auch in der Tintenwelt würde sie eine Fremde sein, daran konnte ein Kleid allein nichts ändern. Fremd, wie Staubfinger es hier gewesen ist, dachte sie – und erinnerte sich an das Unglück in seinen Augen. Unsinn!, dachte sie ärgerlich und strich sich das glatte Haar zurück. Ich will ja nicht zehn Jahre bleiben.

An den Ärmeln war das Kleid schon etwas knapp und auch über der Brust spannte es. »Du meine Güte, Meggie!«, hatte Elinor gesagt, als ihr zum ersten Mal auffiel, dass Meggies Brust nicht mehr flach wie ein Bucheinband war. »Jetzt ist es endgültig vorbei mit Pippi Langstrumpf, nicht wahr?«

Für Farid hatten sie nichts Passendes zum Anziehen gefunden, weder auf dem Dachboden noch in den Kleidertruhen unten im Keller, die nach Mottenkugeln und Zigarrenrauch rochen, doch Farid schien das kein Kopfzerbrechen zu bereiten. »Ach was. Wenn alles gut geht, werden wir zuerst im Wald sein«, hatte er nur gesagt, »da werden ja wohl keinen meine Hosen interessieren, und sobald wir erst mal zu einem Ort kommen, werd ich mir eben was stehlen!«

Für ihn war immer alles ganz einfach. Dass Meggie wegen Mo und Resa ein schlechtes Gewissen hatte, konnte er ebenso wenig begreifen wie ihre Sorge um passende Kleidung. »Wieso?«, hatte er nur gefragt und sie verständnislos angesehen, als sie ihm gestanden hatte, dass sie Mo und ihrer Mutter kaum in die Augen sehen konnte, seit sie sich entschlossen hatte, mit ihm zu gehen. »Du bist dreizehn! Sie würden dich doch sowieso bald verheiraten, oder?«

»Verheiraten?« Meggie hatte gespürt, wie ihr das Blut in den Kopf geschossen war. Aber warum redete sie auch über solche Dinge mit einem Jungen, der aus *Tausendundeiner Nacht* stammte, aus einer Geschichte, in der Frauen Dienerinnen oder Sklavinnen waren – oder in einem Harem lebten.

»Im Übrigen«, hatte Farid hinzugefügt und netterweise ignoriert, dass sie immer noch rot war, »hast du doch ohnehin nicht vor, allzu lange zu bleiben, oder?«

Nein, das hatte sie nicht vor. Sie wollte die Tintenwelt schmecken und riechen und fühlen, Feen und Fürsten sehen – und dann wieder nach Hause zurückkehren, zu Mo und Resa, zu Elinor und Darius. Da gab es nur eine Schwierigkeit: Vielleicht würden Orpheus' Worte sie in Staubfingers Geschichte hineinbringen, aber sicherlich nicht zurück. Zurück konnte sie nur einer schreiben – Fenoglio, der Erfinder der Welt, in die sie schlüpfen wollten, Schöpfer von Glasmännern und blauhäutigen Feen, von Staubfinger, aber auch von Basta. Ja, bei der Rückkehr konnte nur Fenoglio ihr helfen. Jedes Mal, wenn Meggie darüber nachdachte, verließ sie der Mut und sie wollte alles rückgängig machen, die drei Worte wieder herausstreichen, die sie denen von Orpheus hinzugefügt hatte: *und ein Mädchen ...*

Was, wenn sie Fenoglio nicht fand, was, wenn er gar nicht mehr in seiner eigenen Geschichte steckte? Ach was! Er muss noch dort sein!, sagte sie sich jedes Mal, wenn der Gedanke ihr das Herz schneller klopfen ließ. Er kann sich ja nicht einfach zurückschreiben, nicht ohne einen Vorleser! Aber was, wenn Fenoglio einen anderen Vorleser gefunden hatte, jemanden wie Orpheus oder Darius? Die Gabe schien nicht so einmalig zu sein, wie Mo und sie einst gedacht hatten.

Nein. Er ist noch dort! Ganz bestimmt!, dachte Meggie – und las zum hundertsten Mal den Abschiedsbrief an ihre Eltern. Sie wusste selbst nicht, warum sie dafür ausgerechnet das Papier benutzt hatte, das Mo und sie zusammen geschöpft hatten. Besänftigen würde ihn das wohl kaum.

Liebster Mo! Liebe Resa! (Meggie konnte die Worte auswendig.) *Bitte macht euch keine Sorgen. Farid muss Staubfinger finden, um ihn vor Basta zu warnen, und ich gehe mit ihm. Ich will gar nicht lange bleiben, ich will nur den Weglosen Wald sehen und den Speckfürsten, den Schönen Cosimo und vielleicht noch den Schwarzen Prinzen und seinen Bären. Ich will die Feen wiedersehen und die Glasmänner – und Fenoglio. Er wird mich zurückschreiben. Ihr wisst, dass er es kann. Macht euch keine Sorgen. Capricorn ist ja nicht mehr dort.*

Bis bald, ich küsse euch tausendmal, Meggie

PS: Ich werd dir ein Buch mitbringen, Mo, es soll wunderschöne Bücher dort geben, handgeschriebene Bücher voller Bilder, wie Elinor sie in ihren Vitrinen hat. Nur noch viel schöner. Bitte sei nicht böse.

Drei Mal hatte sie den Brief zerrissen und neu geschrieben, aber besser war er dadurch nicht geworden. Weil es keine Worte gab, die verhindern konnten, dass Mo wütend auf sie sein und Resa vor Sorge weinen würde – so wie an dem Tag, an dem sie zwei Stunden später als sonst von der Schule nach Hause gekommen war. Sie legte den Brief auf ihr Kissen – dort würden sie ihn sicherlich nicht übersehen – und trat noch einmal vor den Spiegel. Meggie, was tust du?, dachte sie. Was tust du? Aber ihr Spiegelbild gab keine Antwort.

Als sie Farid kurz nach Mitternacht in ihr Zimmer ließ, stutzte er, als er ihr Kleid sah. »Ich hab keine Schuhe, die dazu passen«, sagte sie. »Aber zum Glück ist es ziemlich lang und man sieht die Stiefel kaum, oder?«

Farid nickte nur. »Es sieht schön aus«, murmelte er verlegen.

Meggie verschloss die Tür, nachdem sie ihn in ihr Zimmer gelassen hatte, und zog den Schlüssel ab, damit man die Tür wieder aufschließen konnte. Elinor hatte einen Ersatzschlüssel, vermutlich würde sie ihn zunächst nicht finden, aber Darius würde schon wissen, wo er war. Noch einmal blickte sie zu dem Brief auf ihrem Kissen …

Farid hatte den Rucksack über der Schulter, den sie auf Elinors Dachboden gefunden hatte. »Ja, den kann er gern haben«, hatte Elinor gesagt, als Meggie sie danach gefragt hatte, »das Ding hat mal einem abscheulichen Onkel von mir gehört. Soll der Junge ruhig den stinkenden Marder hineinstecken. Der Gedanke gefällt mir.«

Der Marder! Meggies Herz tat einen Satz.

Farid wusste nicht, warum Staubfinger den Marder zurückgelassen hatte, und Meggie hatte es ihm nicht erklärt. Auch wenn sie den Grund nur allzu gut kannte. Schließlich hatte sie selbst Staubfinger von der Rolle erzählt, die der Marder in seiner Geschichte spielen sollte. Dass er sterben würde wegen Gwin, einen bösen blutigen Tod – falls das, was Fenoglio geschrieben hatte, sich erfüllte.

Aber Farid schüttelte nur bedrückt den Kopf, als sie ihn nach dem Marder fragte. »Er ist weg!«, sagte er. »Ich hatte ihn im Garten angebunden, weil die Bücherfresserin mir ständig wegen ihrer Vögel in den Ohren gelegen hat, aber er hat das Seil durchgebissen. Ich hab ihn überall gesucht, aber er ist einfach nicht aufzutreiben!«

Kluger Gwin.

»Er muss eh hierbleiben«, sagte Meggie. »Orpheus hat nichts

über ihn geschrieben. Resa wird sich um ihn kümmern. Sie mag ihn.«

Farid nickte und blickte unglücklich zum Fenster, aber er widersprach ihr nicht.

Der Weglose Wald – dorthin würden Orpheus' Worte sie bringen. Farid wusste, wohin Staubfinger sich von dort aus hatte wenden wollen: nach Ombra, wo die Burg des Speckfürsten stand. Genau dort hoffte Meggie auch Fenoglio zu finden. Er hatte ihr viel von Ombra erzählt, damals, als sie beide Capricorns Gefangene gewesen waren. »Ja, wenn ich mir einen Ort in der Tintenwelt aussuchen könnte«, hatte er Meggie eines Nachts zugeraunt, als sie nicht schlafen konnten, weil Capricorns Männer draußen wieder auf die streunenden Katzen schossen, »dann würde ich Ombra wählen. Schließlich ist der Speckfürst ein großer Bücherfreund, was man von seinem Widersacher, dem Natternkopf, nicht behaupten kann. Ja, in Ombra ließe es sich für einen Dichter sicherlich gut leben. Eine Kammer irgendwo unter dem Dach, vielleicht in der Gasse der Schuster und Sattelmacher – bei denen stinkt es nicht allzu arg –, dann einen Glasmann, der mir die Federn spitzt, ein paar Feen über meinem Bett, und durch mein Fenster könnte ich hinunter auf die Gassen sehen, auf all das bunte Leben …«

»Was nimmst du mit?« Farids Stimme schreckte Meggie aus ihren Gedanken. »Du weißt, wir sollten nicht allzu viel dabeihaben.«

»Natürlich weiß ich das.« Was glaubte er? Dass sie ein Dutzend Kleider brauchte, weil sie ein Mädchen war? Nur den alten Lederbeutel würde sie mitnehmen, den Beutel, den Mo früher, als sie noch klein war, immer auf Reisen dabeigehabt hatte. Er würde sie an ihn erinnern und hoffentlich in der Tintenwelt ebenso wenig auffallen wie ihr Kleid. Die Dinge, die sie hineingestopft hatte, würden es auf jeden Fall, wenn sie jemand zu Gesicht bekam: eine Bürste, ebenso aus verräterischem Plastik wie die Knöpfe an der Wolljacke, die sie eingepackt hatte, ein paar Bleistifte, ein Taschenmesser, ein Foto ihrer Eltern und eines von Elinor. Am längsten hatte sie darüber nachgedacht, welches Buch sie mitnehmen sollte. Ohne eins fortzugehen wäre ihr vorgekommen, als würde sie ohne Kleider aufbrechen, aber es durfte nicht schwer sein, also kam nur ein Taschenbuch infrage. »Bücher in Badekleidern«, nannte Mo sie, »schlecht gekleidet für die meisten Anlässe, aber im Urlaub eine praktische Sache.« Elinor hatte nicht ein einziges Taschenbuch in ihren Regalen stehen, aber Meggie besaß ein paar. Schließlich hatte sie sich für eines entschieden, das Resa ihr geschenkt hatte, eine Sammlung von Geschichten, die alle an dem See spielten, an dem Elinors Haus lag. Auf die Art würde sie ein kleines Stück Zuhause mitnehmen – denn das war Elinors Haus für sie geworden: ihr Zuhause. Mehr, als es je zuvor ein Ort gewesen war. Und wer weiß, vielleicht würde Fenoglio die Worte benutzen können, um sie zurückzuschreiben, zurück in *ihre* Geschichte …

Farid war ans Fenster getreten. Es stand offen und ein kühler Wind wehte ins Zimmer. Er bewegte die Vorhänge, die Resa genäht hatte, und ließ Meggie frösteln in dem ungewohnten Kleid. Die Nächte waren immer noch recht mild, aber welche Jahreszeit erwartete sie in der Tintenwelt? Vielleicht war es Winter dort …

»Ich sollte mich wenigstens von ihm verabschieden«, murmelte Farid. »Gwin!«, rief er mit leiser Stimme in die Nacht und schnalzte mit der Zunge.

Hastig zog Meggie ihn vom Fenster weg. »Lass das!«, fuhr sie ihn an. »Willst du alle aufwecken? Ich sag es dir noch mal: Es wird Gwin hier gut gehen. Wahrscheinlich hat er längst eins der Marderweibchen entdeckt, die sich hier herumtreiben. Elinor hat ständig Angst, dass sie die Nachtigall fressen, die abends vor ihrem Fenster singt.«

Farid machte ein kreuzunglückliches Gesicht, aber er trat vom Fenster zurück. »Warum lässt du es offen stehen?«, fragte er. »Was ist, wenn Basta …« Er sprach den Satz nicht zu Ende.

»Elinors Alarmanlage funktioniert auch bei offenem Fenster«, antwortete Meggie nur, während sie das Notizbuch, das Mo ihr mitgebracht hatte, in ihren Beutel schob. Es gab einen Grund, warum sie das Fenster nicht schließen wollte. Eines Nachts, in einem Hotel am Meer, unweit von Capricorns Dorf, hatte sie Mo überredet, ihr ein Gedicht vorzulesen. Von einem Mondvogel hatte es erzählt, schlafend im Wind, der nach Pfefferminz roch. Am nächsten Morgen war der Vogel gegen das Fenster ihres Hotelzimmers geflattert, und Meggie konnte nicht vergessen, wie sein kleiner Kopf immer wieder gegen das Glas geprallt war, wieder und wieder. Nein, das Fenster musste offen bleiben.

»Wir setzen uns am besten auf das Sofa, dicht nebeneinander«, sagte sie. »Und häng dir den Rucksack um.«

Farid gehorchte. Er ließ sich ebenso zögernd auf dem Sofa nieder, wie er es bei dem Stuhl getan hatte. Es war ein altes, plüschiges Ding mit Troddeln und Knöpfen in dem abgeschabten blassgrünen Stoff. »Damit du einen gemütlichen Platz zum Lesen hast«, hatte Elinor gesagt, als sie es Darius hatte in ihr Zimmer stellen lassen. Was würde sie sagen, wenn sie merkte, dass Meggie fort war? Würde Elinor es verstehen? Vermutlich wird sie fluchen!, dachte Meggie, während sie sich neben ihre Schultasche kniete. Und dann wird sie sagen: »Verdammt, warum hat das dumme Ding mich nicht mitgenommen?« Ja, das würde Elinor sagen. Meggie hatte schon jetzt Sehnsucht nach ihr, aber sie versuchte, nicht weiter an sie zu denken, nicht an Elinor, nicht an Resa und nicht an Mo. Vor allem nicht an Mo, denn sonst stellte sie sich womöglich vor, wie er dreinblicken würde, wenn er ihren Brief fand ... Nein!

Schnell griff sie in die Schultasche und zog ihr Erdkundebuch heraus. Das Blatt, das Farid mitgebracht hatte, steckte neben dem, das sie abgeschrieben hatte, doch Meggie nahm nur das Blatt mit ihrer eigenen Handschrift heraus. Farid rutschte zur Seite, als sie sich neben ihn setzte, und für einen Moment glaubte sie, so etwas wie Angst in seinen Augen zu entdecken.

»Was ist? Hast du es dir anders überlegt?«

»Nein! Es ist nur ... dir ist es doch noch nie passiert, oder?«

»Was?« Zum ersten Mal fiel Meggie auf, dass er schon Bartstoppeln hatte. Sie sahen seltsam aus in seinem jungen Gesicht.

»Na, das ... das, was Darius passiert ist.«

Ach so. Er hatte Angst, vielleicht mit einem entstellten Gesicht in Staubfingers Welt anzukommen, mit einem steifen Bein oder stumm wie Resa.

»Nein, natürlich nicht!« Meggie konnte nicht verhindern, dass ihre Stimme gekränkt klang. Obwohl – konnte sie wirklich sicher sein, dass Fenoglio unbeschädigt auf der anderen Seite angekommen war? Fenoglio, der Zinnsoldat ... sie hatte sie ja niemals wieder zu Gesicht bekommen, die, die sie zwischen die Buchstaben geschickt hatte. Nur die, die aus ihnen herausgekommen waren! Egal. Denk nicht so viel, Meggie. Lies, oder es wird dich der Mut verlassen, bevor du auch nur das erste Wort auf der Zunge spürst ...

Farid räusperte sich, als müsste er und nicht sie lesen.

Worauf wartete sie noch? Darauf, dass Mo an ihre Tür klopfte und sich wunderte, dass sie abgeschlossen hatte? Es war schon lange still nebenan. Ihre Eltern schliefen. Nicht an sie denken, Meggie! Nicht an Mo, nicht an Resa oder Elinor, nur an die Wörter ... und an den Ort, an den sie dich bringen sollen. Voller Wunder und Abenteuer.

Meggie blickte auf die Buchstaben, schwarz und schön. Sie suchte den Geschmack der ersten Silben auf ihrer Zunge, versuchte, sie sich vorzustellen, die Welt, von der die Wörter flüsterten, die Bäume, Vögel, den fremden Himmel ... Und dann, mit klopfendem Herzen, begann sie zu lesen. Ihr Herz klopfte fast ebenso heftig wie in jener Nacht, in der sie mit ihrer Stimme hatte töten sollen. Dabei war es diesmal doch so viel weniger, was sie vollbringen musste. Nur eine Tür wollte sie aufstoßen, nichts als eine Tür zwischen den Buchstaben, gerade groß genug für sie und Farid ...

Ein frischer Geruch zog ihr in die Nase, von Tausend und Abertausend Blättern. Dann verschwand alles, ihr Schreibtisch, die Lampe neben ihr und das offen stehende Fenster. Das Letzte, was Meggie sah, war Gwin, der schnuppernd auf der Fensterbank saß und sie anstarrte.

Tintenwelt

So drastisch bekamen die drei in ihrer Angst den Unterschied zu spüren zwischen einer Insel, die man sich nur vorstellt, und derselben Insel, wenn sie Wirklichkeit wird.
James M. Barrie, Peter Pan

Es war hell. Sonnenlicht sickerte durch unzählige Blätter. Schatten tanzten auf einem nahen Tümpel und ein Schwarm roter Elfen schwirrte über dem dunklen Wasser.

Ich kann es! Das war Meggies erster Gedanke, als sie spürte, dass die Wörter sie tatsächlich eingelassen hatten, dass sie nicht länger in Elinors Haus war, sondern an einem anderen, ganz anderen Ort. *Ich kann es. Mich selbst hineinlesen, mich selbst.* Ja, sie war tatsächlich zwischen die Worte geschlüpft, wie sie es so oft schon in Gedanken getan hatte. Doch sie würde nicht die Haut einer Figur überstreifen müssen, von der das Buch ihr erzählte – nein, sie selbst würde es sein, die mitspielte, sie selbst. Meggie. Nicht mal dieser Orpheus hatte das vollbracht. Staubfinger hatte er nach Hause gelesen, aber nicht sich selbst. Niemandem außer ihr war das bislang gelungen, nicht Orpheus, nicht Darius, nicht Mo.

Mo.

Meggie blickte sich um, fast, als hoffte sie, er stünde hinter ihr, so wie es immer gewesen war an fremden Orten. Aber da stand nur Farid, der sich ebenso ungläubig umsah wie sie. Das Haus von

Elinor – weit, weit fort. Ihre Eltern – fort. Und kein Weg, der zurückführte.

Die Angst stieg ganz plötzlich in Meggie empor wie schwarzes, brackiges Wasser. Sie fühlte sich verloren, so verloren, fühlte es in ihren Gliedern. Sie gehörte nicht hierher! Was hatte sie getan?

Sie starrte das Papier in ihrer Hand an, so nutzlos jetzt, ein Köder, den sie geschluckt hatte, und nun hatte Fenoglios Geschichte sie gefangen. Das Gefühl von Triumph, das sie noch eben so berauscht hatte, war verschwunden, als hätte sie es nie verspürt. Die Angst hatte es ausgelöscht, Angst, dass sie einen furchtbaren, nicht wiedergutzumachenden Fehler begangen hatte. Meggie versuchte verzweifelt, irgendein anderes Gefühl in ihrem Herzen zu finden, aber da war nichts, nicht mal Neugier auf die Welt, die sie umgab. Zurück, nur zurück! Das war alles, was sie denken konnte.

Farid aber wandte sich zu ihr um und lächelte. »Sieh dir diese Bäume an, Meggie!«, sagte er. »Sie wachsen wirklich bis in den Himmel. Schau doch!«

Er fuhr sich mit den Fingern übers Gesicht, betastete seine Nase, seinen Mund, blickte an sich hinunter, und als er feststellte, dass er offenbar ganz unbeschadet er selber war, begann er, wie eine Heuschrecke umherzuhüpfen. Er balancierte über die Baumwurzeln, die sich wie Schlangen durch das Moos wanden, das dicht und weich zwischen ihnen wuchs, sprang von einer Wurzel zur anderen – und drehte sich lachend um sich selbst, die Arme ausgestreckt, bis ihm schwindelig wurde und er gegen den nächsten Baum taumelte. Immer noch lachend presste er den Rücken gegen den Stamm, den nicht einmal fünf ausgewachsene Männer mit ausgestreckten Armen hätten umfassen können, und sah hinauf, hinauf in das Geflecht der Äste und Zweige.

»Du hast es getan, Meggie!«, rief er. »Du hast es getan! Hörst du, Käsekopf?«, rief er zwischen die Bäume. »Sie kann es! Mit deinen Worten. Das, was du tausendmal versucht hast! Sie kann es – und du nicht!« Wieder lachte er, ausgelassen wie ein kleines Kind. Bis er merkte, dass Meggie ganz still war. »Was ist mit dir?«, fragte er und wies mit erschrockener Miene auf ihren Mund. »Du hast doch nicht etwa …«

… die Stimme verloren wie ihre Mutter? Hatte sie? Die Zunge lag ihr schwer im Mund, aber die Worte kamen: »Nein. Nein, mir geht es gut.«

Farid lächelte erleichtert. Seine Unbeschwertheit beschwichtigte Meggies Angst und zum ersten Mal sah sie sich wirklich um. Sie waren in einem Tal, einem weiten, dicht bewaldeten Tal zwischen Hügeln, an deren Hängen die Bäume so eng beieinanderstanden, dass ihre Kronen ineinanderwuchsen. Kastanien und Steineichen an den Hängen, Eschen und Pappeln weiter unten, die ihre Blätter mit dem silbrigen Laub von Weiden mischten. Der Weglose Wald verdiente seinen Namen. Er schien keinen Anfang und kein Ende zu haben, wie ein grünes Meer, in dem man ebenso leicht ertrinken konnte wie in den Wellen seiner salzig nassen Namensvettern.

»Ist es nicht unglaublich? Ist es nicht unglaublich wunderbar?« Farid lachte so ausgelassen, dass ein Tier, unsichtbar zwischen all den Blättern, ärgerlich auf sie herabkeckerte. »Staubfinger hat es mir beschrieben, aber es ist noch viel schöner. Wie kann es nur so viele Arten Blätter geben? Und sieh nur all die Blüten und Beeren! Verhungern werden wir hier nicht!« Farid pflückte eine Beere, rund und blauschwarz, beschnupperte sie und schob sie in den Mund. »Ich kannte mal einen alten Mann«, sagte er, während er sich den Saft von den Lippen wischte, »der nachts am Feuer Geschichten über das Paradies erzählte. Genau so hat er es beschrieben: Teppiche aus Moos, kühle Teiche, Blüten und süße Beeren überall, Bäume, die bis in den Himmel wachsen, und über einem sprechen ihre Blätterstimmen mit dem Wind. Hörst du sie?«

Ja, Meggie hörte sie. Und sie sah Elfen, Schwärme von ihnen, winzige, rothäutige Wesen. Feuerelfen. Resa hatte ihr von ihnen erzählt. Wie Mücken schwirrten sie über einem Tümpel, in dem sich nur wenige Schritte entfernt das Laub der Bäume spiegelte. Rot blühende Büsche umgaben ihn, das Wasser war bedeckt von ihren verwelkten Blüten.

Blaue Feen entdeckte Meggie keine, doch dafür Falter, Bienen, Vögel, Spinnennetze, noch silbrig vom Tau, obwohl die Sonne schon hoch stand, Eidechsen, Kaninchen ... Es raschelte und rauschte, knisterte, kratzte, klopfte um sie her, zischte, gurrte, zirpte. Diese Welt schien zu bersten vor Leben, und doch schien sie still, ganz wunderbar still, als gäbe es keine Zeit, als klebte an keinem Augenblick ein Anfang oder ein Ende.

»Meinst du, er ist auch hier gewesen?« Farid sah sich um, so sehnsüchtig, als hoffte er, Staubfinger würde im nächsten Moment zwischen den Bäumen hervortreten. »Natürlich. Orpheus muss ihn an dieselbe Stelle gelesen haben, oder? Von dem Tümpel da hat er erzählt, von den roten Elfen und dem Baum dort hinten, dem mit der blassen Rinde, an dem man ihre Nester findet. ›Einem Bach muss man folgen‹, hat er gesagt, ›nach Norden, denn im Süden herrscht der Natternkopf, dort hängst du schneller an einem Galgen, als du deinen Namen sagen kannst.‹ Am besten seh ich mir die Sache mal von oben an!« Flink wie ein Eichhörnchen kletterte er einen jungen Baum hinauf und schwang sich, ehe Meggie es sich versah, an einer holzigen Ranke hinüber in die Krone eines Baumriesen.

»Was tust du?«, rief sie ihm nach.

»Von weiter oben sieht man immer mehr!«

Farid war kaum noch zu entdecken zwischen den Zweigen. Meggie faltete das Blatt mit Orpheus' Wörtern zusammen und schob es in ihren Beutel. Sie wollte die Buchstaben nicht mehr sehen, wie giftige Käfer kamen sie ihr vor, wie die Flasche in *Alice im Wunderland*: Trink mich! Ihre Finger stießen gegen das Notizbuch mit dem marmorierten Papier und plötzlich hatte sie Tränen in den Augen.

»›Wenn du eine Köhlerhütte entdeckst‹, hat Staubfinger gesagt, ›dann weißt du, dass du den Weglosen Wald hinter dir hast.‹« Farids Stimme drang zu ihr herunter wie die Stimme eines seltsamen Vogels. »Jedes Wort, das er gesagt hat, hab ich mir gemerkt. Ja, wenn ich will, dann bleiben die Worte an meinem Gedächtnis kleben wie Fliegen am Harz. Ich brauch kein Papier, um sie festzuhalten, o nein. ›Du musst nur die Köhler finden und die schwarzen Flecken, die sie in den Pelz des Waldes brennen, dann weißt du, die Menschenwelt ist nicht mehr fern.‹ Das hat er gesagt. ›Und folge dem Bach. Er wird dich nach Norden führen, ja, nach Norden musst du gehen, bis du irgendwann am Osthang eines Hügels, hoch über einem Fluss, die Burg des Speckfürsten liegen siehst, grau wie ein Wespennest, und um sie herum den Ort, auf dessen Marktplatz man das Feuer hoch in den Himmel spucken kann ...‹«

Meggie kniete sich zwischen die Blumen, Veilchen und violette Glockenblumen, die meisten welkten schon, aber sie dufteten immer noch, so süß, dass ihr schwindelig wurde. Eine Wespe schwirrte zwischen ihnen umher – oder sah sie nur aus wie eine

Wespe? Wie viel hatte Fenoglio seiner eigenen Wirklichkeit abgeschaut und wie viel erfunden? Alles schien so vertraut und doch fremd zugleich.

»Ist es nicht ein Glück, dass ich mir alles so genau habe beschreiben lassen?« Meggie sah Farids nackte Füße. In Schwindel erregender Höhe baumelten sie zwischen den Blättern. »Staubfinger konnte nachts oft nicht schlafen, er hatte Angst vor seinen Träumen. Ich hab ihn geweckt, wenn sie schlimm waren, und dann haben wir uns ans Feuer gesetzt und ich hab ihn ausgefragt. Darauf versteh ich mich gut. Ich bin ein Meister im Ausfragen. O ja, das bin ich.«

Meggie musste lächeln über den Stolz in seiner Stimme. Sie blickte hinauf in das Blätterdach. Die bunten Blätter mehrten sich, wie sie es auch in Elinors Garten getan hatten. Atmeten die beiden Welten im gleichen Takt? Hatten sie es vielleicht schon immer getan – oder hatten sich die beiden Geschichten erst an dem Tag untrennbar verknüpft, an dem Mo Capricorn, Basta und Staubfinger von einer in die andere hatte wechseln lassen? Die Antwort würde sie wohl nie erfahren, denn wer sollte sie wissen?

Unter einem der Büsche, dornig und schwer von dunklen Beeren, raschelte es. Wölfe und Bären, Katzen mit geflecktem Fell – von ihnen hatte Resa auch erzählt. Meggie wich unwillkürlich einen Schritt zurück, aber ihr Kleid blieb an hohen Disteln hängen, weiß von der eigenen Saat.

»Farid?«, rief sie und ärgerte sich über die Angst in ihrer Stimme. »Farid!«

Aber er schien sie nicht zu hören. Er plapperte immer noch vor sich hin, hoch oben zwischen den Zweigen, sorglos wie ein Vogel im Sonnenschein, während sie, Meggie, hier unten zwischen den Schatten steckte, Schatten, die sich bewegten, Augen hatten, knurrten ... War das eine Schlange dort? Sie befreite ihr Kleid mit einem so heftigen Ruck, dass es einen Riss bekam, stolperte weiter zurück, bis ihr Rücken an den borkigen Stamm einer Eiche stieß. Die Schlange glitt davon, so schnell, als hätte auch ihr Meggies Anblick eine Todesangst eingeflößt, doch unter dem Busch rührte sich immer noch etwas, und schließlich schob sich ein Kopf zwischen den stachligen Zweigen hervor, pelzig und rundnasig, mit winzigen Hörnern zwischen den Ohren.

»Nein!«, flüsterte Meggie. »O nein.«

Gwin starrte sie an, fast vorwurfsvoll, als gebe er ihr die Schuld dafür, dass sein Pelz voll feiner Stacheln saß.

Über ihr war Farids Stimme wieder deutlicher zu hören. Offenbar stieg er endlich herab von seinem Ausguck. »Keine Hütte, keine Burg, gar nichts!«, rief er. »Ein paar Tage wird es schon dauern, bis wir aus diesem Wald herauskommen. Aber genau so wollte Staubfinger es. Er wollte sich Zeit damit lassen. Ich glaube, er hatte fast mehr Sehnsucht nach den Bäumen und den Feen als nach seinesgleichen. Na ja, ich weiß nicht, wie es dir geht, die Bäume sind schön, sehr schön, aber ich möchte auch die Burg sehen, die anderen Spielleute und die Gepanzerten ...«

Er sprang ins Gras, hüpfte auf einem Bein durch den Teppich aus blauen Blüten – und stieß einen Freudenschrei aus, als er den Marder entdeckte. »Gwin! Ah, ich wusste, dass du mich gehört hast. Komm her, du Sohn eines Teufels und einer Schlange! Na, da wird Staubfinger aber Augen machen, dass wir ihm seinen alten Freund doch mitgebracht haben, nicht wahr?«

O ja, das wird er!, dachte Meggie. Die Knie werden ihm weich werden, so sehr wird die Angst ihm die Luft abschnüren!

Der Marder sprang Farid auf die Knie, als er sich ins Gras hockte, und leckte ihm zärtlich das Kinn. Jeden anderen biss er, selbst Staubfinger, doch bei Farid führte er sich auf wie ein junges Kätzchen.

»Scheuch ihn fort, Farid!« Meggies Stimme klang schärfer, als sie beabsichtigt hatte.

»Fortscheuchen?« Farid lachte. »Was redest du da? Hörst du das, Gwin? Was hast du ihr getan? Hast du ihr eine tote Maus auf ihre kostbaren Bücher gelegt?«

»Scheuch ihn fort, sag ich! Er kommt allein zurecht, das weißt du! Bitte!«, setzte sie hinzu, als sie sah, wie entgeistert er sie ansah.

Farid richtete sich auf, den Marder auf dem Arm. Sein Gesicht war so feindselig, wie sie es nie zuvor gesehen hatte. Gwin sprang ihm auf die Schulter und starrte Meggie an, als hätte er jedes ihrer Worte verstanden. Also gut. Dann würde sie es eben doch erzählen müssen. Aber wie?

»Staubfinger hat es dir nicht gesagt, oder?«

»Was?« Er blickte sie an, als würde er sie am liebsten schlagen.

Über ihnen fuhr der Wind durch das Blätterdach wie ein bedrohliches Flüstern.

»Wenn du Gwin nicht fortscheuchst«, sagte Meggie, auch wenn ihr jedes Wort schwerfiel, »dann wird Staubfinger es tun. Und dich wird er gleich mit fortjagen.«

Der Marder starrte sie immer noch an.

»Warum sollte er so was tun? Du magst ihn nicht, das ist alles! Du hast Staubfinger noch nie gemocht und Gwin sowieso nicht.«

»Das ist nicht wahr! Du verstehst gar nichts!« Meggies Stimme wurde laut und schrill. »Er stirbt wegen Gwin! Staubfinger stirbt, so hat Fenoglio es geschrieben! Vielleicht hat die Geschichte sich geändert, vielleicht ist das hier eine neue Geschichte und alles, was in dem Buch steht, ist nur noch ein Berg von toten Buchstaben, aber …«

Meggie hatte nicht das Herz weiterzusprechen. Farid stand da und schüttelte den Kopf, immer wieder, als steckten ihre Worte wie Nadeln darin und schmerzten.

»Er stirbt?« Seine Stimme war kaum zu hören. »Er stirbt in dem Buch?«

Wie verloren er dastand, den Marder immer noch auf der Schulter. Er musterte die Bäume ringsum so entsetzt, als hätten sie alle nichts anderes im Sinn, als Staubfinger zu töten. »Aber … wenn ich das gewusst hätte«, stammelte er, »dann hätte ich dem Käsekopf das verdammte Blatt doch zerrissen! Ich hätte doch nie zugelassen, dass er ihn zurückliest!«

Meggie sah ihn nur an. Was sollte sie auch sagen?

»Wer tötet ihn? Basta?«

Über ihnen jagten sich zwei Eichhörnchen, sie waren weiß gesprenkelt, als hätte jemand sie mit Farbe bespritzt. Der Marder wollte ihnen nach, doch Farid packte seinen Schwanz und hielt ihn fest.

»Einer von Capricorns Männern, mehr hat Fenoglio nicht geschrieben!«

»Aber die sind alle tot!«

»Das wissen wir nicht.« Meggie hätte ihn zu gern getröstet, aber sie wusste nicht wie. »Was, wenn sie hier alle noch leben? Und selbst wenn nicht – Mo und Darius haben nicht alle herausgelesen, ein paar sind bestimmt noch hier. Staubfinger will Gwin vor ihnen retten und dafür töten sie ihn. So steht es in dem Buch und Staubfinger weiß das. Deshalb hat er den Marder zurückgelassen.«

»Ja, das hat er.« Farid blickte sich um, als suchte er nach einem Ausweg, irgendeinem Weg, auf dem er den Marder zurückschicken konnte. Gwin stieß ihm die Nase gegen die Wange und Meggie sah die Tränen in Farids Augen.

»Warte hier!«, sagte er, drehte sich abrupt um und ging mit dem Marder davon. Ein paar Schritte nur, und der Wald hatte ihn verschluckt wie ein Frosch die Fliege, wie die Eule die Maus, und Meggie stand da, ganz allein – inmitten der Blumen, von denen einige auch in Elinors Garten wuchsen. Aber dies war nicht Elinors Garten. Dies war nicht einmal dieselbe Welt. Und diesmal konnte sie nicht einfach das Buch zuschlagen, um zurückzukehren: zurück in ihr Zimmer, auf das Sofa, das so sehr nach Elinor roch. Die Welt hinter den Buchstaben war groß – hatte sie das nicht immer gewusst? –, groß genug, um darin für alle Zeit verloren zu gehen ... und nur einer konnte ihr den Weg zurückschreiben: ein alter Mann, von dem Meggie nicht einmal wusste, wo er lebte in dieser Welt, die er erschaffen hatte. Sie wusste nicht einmal, *ob* er noch lebte. Konnte diese Welt leben, wenn ihr Schöpfer tot war? Warum nicht? Welches Buch hörte auf zu existieren, nur weil sein Autor starb?

Was habe ich getan?, dachte Meggie, während sie dastand und darauf wartete, dass Farid zurückkam. Mo, was hab ich nur getan? Kannst du mich nicht zurückholen?

Fort

»Ich bin aufgewacht und wusste, dass er fort war. Ich wusste sofort, dass er fort war. Wenn man jemanden liebt, dann weiß man so etwas.«
David Almond, Zeit des Mondes

Mo wusste sofort, dass Meggie fort war. Er wusste es in dem Moment, in dem er an ihre Tür klopfte und ihm nichts als Stille antwortete. Resa deckte unten in der Küche mit Elinor den Frühstückstisch. Das Klirren der Teller drang bis zu ihm herauf, aber er hörte es kaum, er stand nur da, vor der verschlossenen Tür, und lauschte seinem eigenen Herzen. Viel zu laut schlug es, viel zu schnell. »Meggie?« Er drückte die Klinke herunter, aber die Tür war verschlossen. Meggie schloss nie ab, niemals.

Sein Herz schlug, als wollte es ihn ersticken. Die Stille hinter der Tür klang schrecklich vertraut. Genau so hatte sie sich ihm schon einmal auf die Ohren gelegt, damals, als er Resas Namen gerufen hatte, wieder und wieder. Zehn Jahre hatte er auf Antwort warten müssen.

Nicht wieder. Gott, bitte, nicht wieder. Nicht Meggie.

Es schien, als hörte er das Buch hinter der Tür flüstern, Fenoglios verfluchte Geschichte. Er glaubte, die Seiten rascheln zu hören, gefräßig wie bleiche Zähne.

»Mortimer?« Elinor stand hinter ihm. »Die Eier werden kalt. Wo bleibt ihr? Himmel!« Sie sah ihm besorgt ins Gesicht, griff nach seiner Hand. »Was ist los mit dir? Du bist ja blass wie der Tod.«

»Hast du einen Ersatzschlüssel für Meggies Tür, Elinor?«

Sie begriff sofort. Ja, sie erriet ebenso wie er, was hinter der verschlossenen Tür passiert war, vermutlich in der letzten Nacht, während sie alle geschlafen hatten. Sie drückte seine Hand. Dann drehte sie sich wortlos um und hastete die Treppe hinunter. Mo aber lehnte sich gegen die verschlossene Tür, hörte, wie Elinor nach Darius rief, wie sie fluchend nach dem Schlüssel suchte, und starrte die Bücher an, die sich in Elinors Regalen reihten, den ganzen langen Flur hinunter. Resa kam die Treppe heraufgehastet, mit blassem Gesicht. Sie fragte ihn, was passiert war, ihre Hände flatterten dabei wie aufgescheuchte Vögel. Aber was sollte er antworten? Kannst du dir das nicht denken? Hast du ihr nicht oft genug davon erzählt?

Noch einmal drückte er die Klinke herunter, als könnte das irgendetwas ändern. Meggie hatte das ganze Türblatt mit Zitaten bedeckt. Wie Zauberformeln erschienen sie ihm nun, mit kindlicher Hand auf den weißen Lack geschrieben. *Bringt mich in eine andere Welt! Nun macht schon! Ich weiß, ihr könnt es. Mein Vater hat mir vorgemacht, wie.* Seltsam, dass einem das Herz nicht einfach stehen blieb, wenn es so wehtat. Doch auch vor zehn Jahren war es nicht stehen geblieben, damals, als die Buchstaben Resa verschlungen hatten.

Elinor zog ihn zur Seite, sie hielt den Schlüssel in den zitternden Fingern, schob ihn ungeduldig ins Schloss. Ärgerlich rief sie Meggies Namen – als wüsste sie nicht auch längst, dass nur eines hinter der Tür wartete: Stille, wie in jener Nacht, die Mortimer die Angst vor seiner eigenen Stimme gelehrt hatte.

Er betrat das leere Zimmer als Letzter, zögernd. Auf Meggies Kissen lag ein Brief. *Liebster Mo …* Er las nicht weiter, wollte nichts wissen von den Worten, die ihm nur das Herz zerbeißen würden. Während Resa nach dem Brief griff, sah er sich um – suchte mit den Augen nach einem anderen Blatt, dem Blatt, das der Junge mitgebracht hatte, aber es war nirgends zu entdecken. Natürlich nicht, du Dummkopf!, sagte er sich. Sie hat das Blatt mitgenommen, schließlich muss sie es in der Hand gehalten haben, als sie las. Erst Jahre später erfuhr er von Meggie, dass Orpheus' Blatt sehr wohl noch in ihrem Zimmer gewesen war, in einem Buch, wo sonst? Ihrem Erdkundebuch. Was, wenn er es gefunden hätte? Hätte er Meggie folgen können? Nein, vermutlich nicht. Für ihn hatte die Geschichte einen anderen Weg vorgesehen, einen dunkleren, schwereren Weg.

»Vielleicht ist sie ja auch nur mit dem Jungen fort! Mädchen in ihrem Alter machen so etwas. Nicht, dass ich davon etwas verstehe, aber …« Elinors Stimme klang wie von ferne zu ihm. Resa reichte ihr zur Antwort nur den Brief, der auf dem Kissen gewartet hatte.

Fort. Meggie war fort.

Er hatte keine Tochter mehr.

Würde sie wiederkommen, so wie ihre Mutter? Von irgendeiner Stimme wieder herausgefischt aus dem Meer der Worte? Und wann? Nach zehn Jahren, so wie Resa? Dann würde sie erwachsen sein und er würde sie vielleicht nicht einmal erkennen. Alles verschwamm ihm vor den Augen, Meggies Schulsachen auf dem Tisch vorm Fenster, ihre Kleider, sorgsam über die Stuhllehne gehängt, als hätte sie tatsächlich vor zurückzukehren, ihre Stofftiere gleich neben dem Bett, auch wenn sie Meggie schon seit Langem nicht mehr beim Einschlafen helfen mussten, die pelzigen Gesichter kahlgeküsst. Resa begann zu weinen, lautlos, die Hand vor den stummen Mund gepresst. Mo wollte sie trösten, aber wie, bei all der Verzweiflung in seinem Herzen?

Er drehte sich um, schob Darius zur Seite, der mit traurigem Eulenblick in der offenen Tür stand – und ging hinüber in sein Büro, wo die verfluchten Notizbücher sich immer noch zwischen seinen Belegen stapelten. Er stieß sie vom Tisch, eins nach dem anderen, als könnte er so die Worte zum Verstummen bringen, all die verfluchten Worte, die sein Kind verhext hatten, fortgelockt wie der Rattenfänger im Märchen, an einen Ort, an den er schon Resa nicht hatte folgen können. Mo war es, als träumte er erneut denselben schlimmen Traum, nur dass er diesmal nicht einmal das Buch hatte, auf dessen Seiten er nach Meggie hätte suchen können.

Wenn er sich später fragte, wie er den Rest dieses Tages überstanden hatte, ohne verrückt zu werden – er wusste es nicht mehr. Er erinnerte sich nur daran, dass er Stunden durch Elinors Garten geirrt war, als könnte er Meggie dort finden, irgendwo unter einem der alten Bäume, unter denen sie so gern gelesen hatte. Als die Dunkelheit kam und er sich auf die Suche nach Resa machte, fand er sie in Meggies Zimmer. Sie saß auf dem leeren Bett und starrte zu den drei winzigen Geschöpfen hinauf, die unter der Decke kreisten, als suchten sie dort nach der Tür, durch die sie gekommen waren. Meggie hatte das Fenster offen stehen lassen, aber sie flogen nicht hinaus, vielleicht, weil die fremde schwarze Nacht ihnen Angst machte. »Feuerelfen«, sagten Resas Hände, als er sich zu ihr setzte. »Du musst sie fortscheuchen, wenn sie sich auf deine Haut setzen, sonst verbrennen sie dich.«

Feuerelfen. Mo erinnerte sich, von ihnen gelesen zu haben. In dem Buch. Es schien nur noch das eine Buch auf der Welt zu geben.

»Warum sind es drei?«, fragte er. »Eine für Meggie, eine für den Jungen ...«

»Ich glaube, der Marder ist auch fort«, sagten Resas Hände.

Mo hätte fast aufgelacht. Armer Staubfinger, offenbar konnte er das Unglück nicht abschütteln. Aber Mo konnte kein Mitleid für ihn empfinden. Diesmal nicht. Ohne Staubfinger hätte es die Worte auf dem Blatt Papier nicht gegeben und ohne sie hätte er noch eine Tochter.

»Denkst du, es gefällt ihr wenigstens dort?«, fragte er und legte den Kopf in Resas Schoß. »Dir hat es schließlich auch gefallen, oder? Zumindest hast du ihr das immer wieder erzählt.«

»Es tut mir leid«, sagten ihre Hände. »So leid.«

Aber er hielt ihre Finger fest. »Was redest du da?«, sagte er leise. »*Ich* habe das verdammte Buch ins Haus gebracht, hast du das schon vergessen?«

Und dann schwiegen sie beide. Sahen den armen, verlorenen Elfen zu und schwiegen. Irgendwann flogen sie doch nach draußen, hinaus in die fremde Nacht. Als ihre winzigen roten Körper in all dem Schwarz verschwanden wie verglühende Funken, fragte Mo sich, ob Meggie wohl gerade durch eine ebenso schwarze Nacht irrte. Der Gedanke verfolgte ihn in dunkle Träume.

Ungebetene Besucher

»Ihr Leute mit Herz«, bemerkte er einmal, »besitzt etwas, was euch leitet, und deshalb braucht ihr nichts Böses zu tun. Ich lebe ohne Herz (...), daher muß ich sehr sorgsam sein.«
L. Frank Baum, Der Zauberer von Oz

Mit dem Tag, an dem Meggie verschwand, zog in Elinors Haus wieder die Stille ein, aber sie schmeckte anders als in den Tagen, in denen Bücher Elinors einzige Mitbewohner gewesen waren. Die Stille, die nun die Flure und Zimmer erfüllte, schmeckte nach Traurigkeit. Resa weinte viel und Mortimer schwieg, als hätten Papier und Tinte nicht nur seine Tochter, sondern mit ihr auch alle Wörter in der Welt verschlungen. Er war viel in seiner Werkstatt, aß wenig, schlief kaum – und am dritten Tag kam Darius besorgt zu Elinor, um ihr zu berichten, dass er sein Werkzeug einpackte.

Als Elinor in die Werkstatt kam, außer Atem, weil Darius sie allzu eilig hinter sich hergezerrt hatte, warf Mortimer gerade achtlos die Goldstempel in eine Kiste, die er sonst mit solcher Behutsamkeit in die Hand nahm, als wären sie aus Glas.

»Was zum Teufel tust du da?«, stellte Elinor ihn zur Rede.

»Nun, was wohl?«, fragte er zurück und begann, seine Heftlade fortzuräumen. »Ich werde mir einen anderen Beruf suchen. Ich fasse kein Buch mehr an, verflucht sollen sie sein. Sollen andere sich von ihnen Geschichten erzählen lassen und ihnen die Kleider flicken. Ich will nichts mehr von ihnen wissen.«

Als Elinor Resa zu Hilfe holen wollte, schüttelte die nur den Kopf.

»Nun gut, es ist verständlich, dass die beiden zu nichts zu gebrauchen sind!«, stellte Elinor fest, als sie sich mit Darius ein weiteres einsames Frühstück teilte. »Wie konnte Meggie ihnen das auch nur antun? Was hatte sie vor – ihren armen Eltern das Herz zu brechen? Oder wollte sie für alle Zeit beweisen, dass Bücher eine gefährliche Sache sind?«

Darius schwieg zur Antwort, so wie er es all die vergangenen traurigen Tage getan hatte.

»Um Himmels willen, alle schweigen, schweigen wie die Fische!«, fuhr Elinor ihn an. »Wir müssen etwas tun, um das dumme Ding zurückzuholen! Irgendetwas. Gott, das kann doch nicht so schwer sein. Schließlich wohnen unter diesem Dach gleich zwei Zauberzungen!«

Darius sah sie erschrocken an und verschluckte sich an seinem Tee. Er hatte seine Gabe seit so langer Zeit nicht mehr benutzt, dass sie ihm vermutlich wie ein böser Traum vorkam, an den er nicht erinnert werden wollte. »Schon gut, schon gut, du musst ja nicht lesen«, beruhigte Elinor ihn unwirsch. Gott, dieser verschreckte Eulenblick. Sie hätte ihn schütteln können. »Mortimer kann es tun! Aber was soll er lesen? Denk nach, Darius! Muss es etwas über die Tintenwelt sein oder über unsere Welt, wenn wir sie zurückholen wollen? Ach, ich bin ganz durcheinander. Vielleicht können wir etwas schreiben, etwas so in der Art wie: *Es lebte einmal eine griesgrämige, mittelalte Frau namens Elinor, die nur ihre Bücher liebte, bis eines Tages ihre Nichte mit ihrem Mann und ihrer Tochter bei ihr einzog. Elinor gefiel das, aber eines Tages brach die Tochter auf zu einer sehr, sehr dummen Reise, und Eli-*

nor schwor, dass sie all ihre Bücher hergeben würde, wenn nur das Kind zurückkäme. Sie packte sie alle in große Kisten, und als sie das letzte hineinlegte, da spazierte Meggie wieder …«

»Herrgott, guck nicht so mitleidig drein!«, fuhr sie Darius an. »Ich versuch es wenigstens! Und du sagst es doch selbst immer wieder: Mortimer ist ein Meister, er braucht nur ein paar Sätze!«

Darius rückte sich die Brille zurecht. »Ja, nur ein paar Sätze«, sagte er mit seiner sanften, unsicheren Stimme. »Aber es müssen Sätze sein, in denen eine ganze Welt beschrieben ist, Elinor. Es muss Musik aus den Wörtern kommen. Sie müssen verwoben sein miteinander, so dicht, dass die Stimme nicht hindurchfällt.«

»Ach was!«, erwiderte Elinor barsch – obwohl sie genau wusste, dass er recht hatte. Mortimer hatte es ihr einmal fast auf dieselbe Weise zu erklären versucht: das große Rätsel, warum nicht jede Geschichte zum Leben erwachte. Aber sie wollte das nicht hören, nicht jetzt. Verflucht seist du, Elinor!, dachte sie. Dreimal verflucht für all die Abende, die du damit verbracht hast, dir mit dem dummen Kind auszumalen, wie es wohl wäre, in jener anderen Welt zu leben, zwischen Feen, Kobolden und Glasmännern. Es waren viele Abende gewesen, so viele, und wie oft hatte sie Mortimer verspottet, wenn er verärgert den Kopf durch die Tür gesteckt und gefragt hatte, ob sie sich nicht ausnahmsweise mal über etwas anderes unterhalten könnten als über weglose Wälder und blauhäutige Feen.

Nun, wenigstens weiß Meggie alles, was sie wissen muss über diese Welt, dachte Elinor, während sie sich die Tränen von den Wimpern wischte. Sie weiß, dass sie sich vor dem Natternkopf und seinen Gepanzerten in Acht nehmen muss, dass sie nicht zu weit in den Wald gehen darf, weil sie sonst vermutlich gefressen, zerrissen oder zertreten wird. Und dass sie besser nicht hochsieht, wenn sie an einem Galgen vorbeikommt. Sie weiß, dass sie sich verbeugen muss, wenn ein Fürst vorbeireitet, und ihr Haar noch offen tragen darf, weil sie ja nur ein Mädchen ist … Verdammt, da waren die Tränen schon wieder! Elinor wischte sie sich mit einem Zipfel ihrer Bluse aus den Augenwinkeln, als es an der Haustür klingelte.

Noch viele Jahre später beschimpfte sie sich für die Dummheit, die sie nicht einmal durch den Spion hatte blicken lassen, bevor sie öffnete. Natürlich hatte sie angenommen, Resa oder Mortimer stünden vor der Tür. Natürlich. Dumme Elinor. Dumme, ach so dumme Elinor. Sie bemerkte ihren Irrtum erst, als sie die Tür geöffnet hatte und der Fremde vor ihr stand.

Er war nicht sehr groß und etwas zu wohlgenährt, mit blasser Haut und ebenso blassem blondem Haar. Die Augen hinter der randlosen Brille blickten leicht erstaunt, fast unschuldig wie die eines Kindes. Er öffnete den Mund, als Elinor den Kopf aus der Tür steckte, aber sie schnitt ihm das Wort ab.

»Wie kommen Sie denn hier rein?«, blaffte sie ihn an. »Das ist Privatbesitz. Haben Sie das Schild unten an der Straße nicht gesehen?«

Er war mit einem Auto da. Unverschämter Tölpel, war einfach ihre Auffahrt heraufgefahren. Elinor sah seinen Wagen neben ihrem Kombi stehen, ein staubiges, dunkelblaues Ding. Auf dem Beifahrersitz glaubte sie, einen riesigen Hund zu entdecken. Auch das noch.

»O doch, natürlich!« Das Lächeln des Fremden war so unschuldig, dass es gut in sein Kindergesicht passte. »Das Schild war weiß Gott unübersehbar, und ich entschuldige mich vielmals, Frau Loredan, für mein plötzliches und unangemeldetes Eindringen.«

Himmel, es verschlug Elinor die Sprache. Das Mondgesicht hatte eine fast ebenso schöne Stimme wie Mortimer, tief und samtig wie ein Kissen. Sie passte so wenig zu dem runden Gesicht und den Kinderaugen, dass man fast glaubte, der Fremde habe den eigentlichen Besitzer verschluckt und sich die Stimme auf diese Weise angeeignet.

»Ihre Entschuldigungen können Sie sich sparen!«, sagte Elinor barsch, nachdem sie ihre Überraschung verwunden hatte. »Verschwinden Sie einfach.« Und damit wollte sie die Tür wieder zuschlagen, doch der Fremde lächelte nur erneut (ein Lächeln, das schon nicht mehr ganz so unschuldig wirkte) und schob seinen Schuh zwischen die Tür. Einen braunen, staubigen Schuh.

»Entschuldigen Sie, Frau Loredan«, sagte er mit sanfter Stimme. »Aber ich bin wegen eines Buches hier. Eines wahrhaft einzigartigen Buches. Natürlich habe ich gehört, dass Sie über eine bemerkenswerte Bibliothek verfügen, aber ich versichere Ihnen, dieses Exemplar fehlt noch in Ihrer Sammlung.«

Elinor erkannte das Buch auf der Stelle, das er aus der hellen, zerknitterten Leinenjacke zog. Natürlich. Es war das einzige Buch, bei dessen Anblick ihr das Herz nicht seines Inhalts wegen schneller schlug oder weil es besonders schön oder wertvoll war. Nein. Dieses Buch ließ Elinors Herz nur aus einem Grund schneller schlagen: weil sie es fürchtete wie ein bissiges Tier.

»Wo haben Sie das her?« Sie gab sich die Antwort selbst, nur leider etwas zu spät. Plötzlich, ganz plötzlich kam die Erinnerung zurück an die Geschichte, die der Junge erzählt hatte. »Orpheus!«, flüsterte sie – und wollte losschreien, so laut, dass Mortimer es drüben in der Werkstatt hörte, aber bevor auch nur ein Laut über ihre Lippen kommen konnte, glitt geschwind wie eine Eidechse ein Mann hinter den Rhododendronbüschen neben der Haustür hervor und presste ihr die Hand auf den Mund.

»Na, Bücherfresserin?«, schnurrte er ihr ins Ohr. Wie oft hatte Elinor diese Stimme in ihren Träumen gehört und jedes Mal nach Atem gerungen! Auch am helllichten Tag war die Wirkung nicht weniger schlimm. Basta stieß sie unsanft ins Haus zurück. Natürlich hatte er ein Messer in der Hand. Elinor konnte sich Basta eher ohne Nase als ohne Messer vorstellen. Orpheus drehte sich um und winkte zu dem fremden Wagen hinüber. Ein Schrank von einem Mann stieg aus, ging gemächlich um den Wagen herum und öffnete die Hintertür. Eine alte Frau schob die Beine heraus und griff nach seinem Arm.

Mortola.

Ein weiterer regelmäßiger Gast in Elinors Alpträumen. Die Beine der Alten waren dick bandagiert unter den dunklen Strümpfen, und sie stützte sich auf einen Stock, während sie am Arm des Schrankmanns auf Elinors Haus zuschritt. Sie humpelte mit so grimmig entschlossener Miene in die Eingangshalle, als nähme sie das ganze Haus in Besitz, und der Blick, den sie Elinor zuwarf, war so unverhohlen feindselig, dass ihr die Knie weich wurden, auch wenn sie sich alle Mühe gab, ihre Angst zu verbergen. Tausend abscheuliche Erinnerungen stiegen in ihr hoch – Erinnerungen an einen Käfig, der nach rohem Fleisch roch, an einen Platz, erleuchtet von grellem Scheinwerferlicht, und Angst, entsetzliche Angst …

Basta schlug die Haustür hinter Mortola zu. Er hatte sich nicht verändert: dasselbe schmale Gesicht, die Augen kniff er immer noch gern zusammen, und um seinen Hals baumelte natürlich ein Amulett, Schutz gegen das Unglück, das Basta unter jeder Leiter und hinter jedem Busch witterte.

»Wo sind die anderen?«, fuhr Mortola Elinor an, während der Schrankmann sich mit dümmlicher Miene umsah. Der Anblick so vieler Bücher schien ihn maßlos zu verwundern. Vermutlich fragte er sich, was um Himmels willen mit einer solchen Menge anzufangen war.

»Die anderen? Ich weiß nicht, von wem Sie reden.« Elinor fand, dass ihre Stimme erstaunlich fest klang für eine Frau, die halb tot vor Angst war.

Mortola schob angriffslustig das kleine, runde Kinn vor. »Das weißt du sehr wohl. Ich rede von Zauberzunge und seiner Hexentochter und von der Magd, die er seine Frau nennt. Soll ich Basta ein paar von deinen Büchern anstecken lassen oder rufst du die drei freiwillig für uns?«

Basta? Basta hat Angst vor Feuer!, wollte Elinor erwidern, aber sie ließ es lieber. Es war nicht schwer, ein Streichholz an ein Buch zu halten. Selbst Basta, der das Feuer so sehr fürchtete, würde diese Kleinigkeit wohl zustande bringen, und der Schrankmann sah nicht so aus, als wäre er klug genug, sich vor irgendetwas zu fürchten. Ich muss sie einfach hinhalten!, dachte Elinor. Schließlich wissen sie ebenso wenig etwas von der Werkstatt im Garten wie von Darius.

»Elinor?«, hörte sie Darius im selben Augenblick rufen. Bevor sie antworten konnte, hatte sie erneut Bastas Hand auf dem Mund. Sie hörte, wie Darius den Flur herunterkam, in seinem immer eiligen Schritt. »Elinor?«, rief er noch einmal. Dann verstummten die Schritte ebenso abrupt wie seine Stimme.

»Überraschung!«, schnurrte Basta. »Freust du dich, Stolperzunge? Ein paar alte Freunde sind hier, um dir einen Besuch abzustatten.« Bastas linke Hand war bandagiert. Es fiel Elinor erst auf, als er die Finger von ihrem Mund nahm, und sie erinnerte sich an das fauchende Etwas, das nach Farids Bericht für Staubfinger aus der Geschichte gekommen war. Wie schade, dass es nicht mehr von unserem Messerfreund gefressen hat!, dachte sie.

»Basta!« Darius' Stimme war kaum mehr als ein Flüstern.

»Ja, Basta! Ich wäre schon viel eher gekommen, glaub mir, aber sie haben mich für eine Weile ins Gefängnis gesteckt, wegen einer Sache, die Jahre zurücklag. Kaum war Capricorn fort, da wurden sie alle mutig, all die, die vorher aus Angst den Mund nicht aufbekommen hatten. Was soll's? Letztlich haben sie mir einen Gefallen getan, denn wen haben sie eines Tages zu mir in die Zelle geschoben? Seinen richtigen Namen hab ich nie aus ihm herauslocken können, also nennen wir ihn so, wie er sich selbst getauft hat: Orpheus!« Er schlug dem Angeredeten so heftig auf den Rücken, dass er nach vorn stolperte. »Ja, der gute Orpheus!« Basta legte ihm den Arm um die Schultern. »Der Teufel meinte es wirklich gut, als er gerade ihn zu meinem Zellengenossen machte – oder sehnt sich unsere Geschichte vielleicht so sehr nach uns, dass sie ihn schickte? Wie auch immer, wir hatten eine gute Zeit, oder?«

Orpheus sah ihn nicht an. Er zupfte sich verlegen die Jacke zurecht und musterte Elinors Bücherregale.

»Teufel, seht ihn euch an!« Basta stieß ihm grob den Ellbogen in die Seite. »Wie oft hab ich ihm schon erklärt, dass man sich fürs Gefängnis nicht schämen muss, vor allem, wenn es dort so viel bequemer ist als in den Kerkern, die man bei uns zu Hause hat. Los, erzähl ihnen, wie ich von deinen unschätzbaren Gaben erfuhr. Erzähl ihnen, wie ich dich nachts erwischt habe, als du dir diesen dummen Hund aus dem Buch gelesen hast! Einen Hund liest er sich heraus! Mir würde da weiß der Teufel was Besseres einfallen.«

Basta lachte hämisch – und Orpheus rückte sich mit fahrigen Fingern die Krawatte zurecht. »Cerberus ist immer noch im Auto«, sagte er zu Mortola. »Er mag das gar nicht. Wir sollten ihn endlich hereinholen!«

Der Schrankmann wandte sich zur Tür, offenbar hatte er, was Tiere betraf, ein weiches Herz, aber Mortola winkte ihn ungeduldig zurück.

»Der Hund bleibt, wo er ist. Ich kann das Vieh nicht ausstehen!« Mit gerunzelter Stirn sah sie sich in Elinors Eingangshalle um. »Wirklich, ich habe mir dein Haus größer vorgestellt«, stellte sie mit gespielter Enttäuschung fest. »Ich dachte, du seist reich.«

»Das ist sie auch!« Basta schlang Orpheus den Arm so unsanft um den Nacken, dass ihm die Brille verrutschte. »Aber sie gibt alles für Bücher aus. Was würde sie uns wohl für das Buch bezahlen, das wir Staubfinger abgenommen haben? Was denkst du?« Er kniff Orpheus in die runden Backen. »Ja, unser Freund hier war ein netter feister Köder für den Feuerfresser. Er sieht aus wie ein Ochsenfrosch, aber nicht mal Zauberzunge gehorchen die Buchstaben besser als ihm, von Darius ganz zu schweigen. Fragt Staubfinger! Orpheus hat ihn nach Hause geschickt, als gäbe es nichts Leichteres auf der Welt! Nicht, dass der Feuerfresser –«

»Halt den Mund, Basta!«, unterbrach Mortola ihn barsch. »Du hast dich schon immer allzu gern reden hören. Also!« Ungeduldig stieß sie den Stock auf die Marmorfliesen, auf die Elinor so stolz war. »Wo sind sie? Wo sind die anderen? Ich frage nicht noch mal!«

Na los, Frau Loredan!, dachte Elinor. Lügen Sie! Schnell! Aber sie hatte noch nicht einmal den Mund geöffnet, als sie den Schlüssel im Schloss hörte. Nein! Nein, Mortimer!, flehte sie stumm. Bleib, wo du bist! Geh mit Resa zurück in die Werkstatt! Schließt euch dort ein, aber bitte, bitte, kommt nicht gerade jetzt!

Natürlich nützte ihr Flehen nicht das Geringste. Mortimer schloss die Tür auf, trat herein, den Arm um Resas Schulter – und blieb abrupt stehen, als er Orpheus sah. Ehe er ganz begriff, was vorging, hatte der Schrankmann auf einen Wink von Mortola schon die Tür hinter ihm zugeschlagen.

»Hallo, Zauberzunge!«, sagte Basta mit bedrohlich sanfter Stimme, während er sein Messer vor Mortimers Gesicht aufschnappen ließ. »Und ist das nicht unsere schöne stumme Resa? Na, bestens. Gleich zwei auf einen Schlag. Fehlt nur noch die kleine Hexe.«

Elinor sah, wie Mortimer für einen Augenblick die Augen schloss, als hoffte er, Basta und Mortola würden verschwunden sein, wenn er sie wieder öffnete. Aber natürlich war dem nicht so.

»Ruf sie!«, befahl Mortola, während ihre Augen Mo so hasserfüllt musterten, dass Elinor Angst bekam.

»Wen?«, fragte er zurück, ohne Basta aus den Augen zu lassen.

»Stell dich nicht dümmer, als du bist!«, fuhr Mortola ihn an. »Oder willst du, dass ich Basta erlaube, deiner Frau dasselbe Muster ins Gesicht zu schneiden, mit dem er den Feuerspucker verziert hat?«

Basta strich seinem Messer zärtlich mit dem Daumen über die glänzende Klinge.

»Falls du mit der Hexe meine Tochter meinst«, antwortete Mortimer mit belegter Stimme, »die ist nicht hier.«

»Ach ja?« Mortola humpelte auf ihn zu. »Sei vorsichtig. Meine

Beine schmerzen von der endlosen Fahrerei hierher, das macht mich nicht sonderlich geduldig.«

»Sie ist nicht hier!«, wiederholte Mortimer. »Meggie ist fort, mit dem Jungen, dem ihr das Buch weggenommen habt. Er hat sie gebeten, ihn zu Staubfinger zu bringen, das hat sie getan – und ist mit ihm gegangen.«

Mortola kniff ungläubig die Augen zusammen. »Unsinn!«, stieß sie hervor. »Wie soll sie das ohne das Buch angestellt haben?« Doch Elinor sah den Zweifel auf ihrem Gesicht.

Mortimer zuckte die Schultern. »Der Junge hatte ein handbeschriebenes Blatt Papier dabei, das Blatt, das angeblich Staubfinger hinübergebracht hat.«

»Aber das ist unmöglich!« Orpheus sah ihn entgeistert an. »Behaupten Sie allen Ernstes, Ihre Tochter hätte sich selbst in die Geschichte gelesen, mit meinen Worten?«

»Ach, dann sind Sie dieser Orpheus?« Der Blick, mit dem Mortimer ihn musterte, war wenig freundlich. »Ihnen habe ich es also zu verdanken, dass ich keine Tochter mehr habe.«

Orpheus rückte sich die Brille zurecht und erwiderte seinen Blick mit derselben Feindseligkeit. Dann drehte er sich abrupt zu Mortola um. »Ist das dieser Zauberzunge?«, fragte er. »Er lügt! Ich bin ganz sicher! Er lügt! Niemand kann sich selbst in eine Geschichte hineinlesen. Weder er noch seine Tochter noch sonst irgendwer. Ich habe es selbst Hunderte von Malen versucht. Es geht nicht!«

»Ja«, sagte Mortimer mit müder Stimme. »Genau das habe ich bis vor vier Tagen auch geglaubt.«

Mortola starrte ihn an. Dann gab sie Basta ein Zeichen. »Sperr sie alle in den Keller!«, befahl sie. »Und dann sucht das Mädchen. Durchsucht das ganze Haus.«

Fenoglio

»Ich übe mich ja im Erinnern, Nain«, sagte ich. »Im Schreiben und Lesen und im Erinnern.«
»Das solltest du auch!«, sagte Nain scharf. »Weißt du, was jedesmal passiert, wenn du eine Sache aufschreibst? Jedesmal, wenn du etwas einen Namen gibst? Du entziehst ihm seine Kraft.«
Kevin Crossley-Holland, Artus. Der magische Spiegel

Bei Dunkelheit war es in Ombra nicht leicht, an den Wachen vorm Stadttor vorbeizukommen, doch Fenoglio kannte sie alle. Dem grobschlächtigen Klotz, der ihm in dieser Nacht seine Lanze entgegenhielt, hatte er schon so manches Liebesgedicht verfasst – mit großem Erfolg, wie ihm berichtet worden war –, und so wie der Dummkopf aussah, würde er auch weiterhin seine Dienste brauchen.

»Aber sei vor Mitternacht zurück, Schreiberling!«, grunzte ihm der hässliche Kerl zu, bevor er ihn passieren ließ. »Dann löst mich nämlich das Frettchen ab, und der ist an deinen Gedichten nicht interessiert, obwohl sein feines Liebchen lesen kann.«

»Danke für die Warnung!«, sagte Fenoglio und schenkte dem dummen Kerl ein falsches Lächeln, während er sich an ihm vorbeischob. Als ob er nicht wüsste, dass mit dem Frettchen nicht zu spaßen war! Sein Magen schmerzte noch heute, wenn er sich daran erinnerte, wie ihm der spitznasige Kerl den Lanzenschaft in den Bauch gerammt hatte, als er versucht hatte, sich mit ein paar wohlgesetzten Worten an ihm vorbeizuschieben. Nein, das Frettchen ließ sich nicht bestechen, weder mit Gedichten noch mit anderen geschriebenen Gaben. Das Frettchen wollte Gold, und davon besaß Fenoglio nicht allzu viel, zumindest nicht genug, um es an einen Wächter der Stadttore zu verschwenden.

»Bis Mitternacht!«, schimpfte er leise, während er den steilen Pfad hinunterstolperte. »Als ob Spielleute da nicht gerade erst munter werden!«

Der Sohn seiner Wirtin trug ihm die Fackel voran. Ivo, neun Jahre alt und unersättlich neugierig auf alle Wunder seiner Welt. Er stritt jedes Mal mit seiner Schwester um die Ehre, Fenoglio die Fackel zu tragen, wenn der zu den Spielleuten ging. Fenoglio zahlte Ivos Mutter ein paar Münzen pro Woche für eine Kammer unterm Dach. Dafür wusch und kochte Minerva auch für ihn und flickte seine Kleider. Im Gegenzug erzählte Fenoglio ihren Kindern Gutenachtgeschichten und hörte sich geduldig an, was für ein sturer Klotz ihr Mann manchmal sein konnte. Ja, er hatte es gut getroffen, in der Tat.

Der Junge hüpfte immer ungeduldiger vor ihm her. Er konnte es kaum erwarten, zu den bunten Zelten zu kommen, dorthin, wo Musik und Feuerschein durch die Bäume drangen. Immer wieder sah er sich zu ihm um, vorwurfsvoll, als ließe Fenoglio sich absichtlich Zeit. Was glaubte er? Dass ein alter Mann noch so schnell wie ein Grashüpfer war?

Dort, wo der Grund so steinig war, dass nichts wachsen wollte, hatte das Bunte Volk sein Lager aufgeschlagen, hinter den Hütten der Bauern, die das Land des Speckfürsten bestellten. Seit der Fürst von Ombra ihre Späße und Lieder nicht mehr hören wollte, kamen sie seltener als früher, doch zum Glück wollte der fürstliche Enkel seinen Geburtstag nicht ohne Gaukler feiern, und so würden sie am Sonntag endlich wieder durch das Stadttor strömen: Feuerspucker und Seiltänzer, Tierbändiger und Messerwerfer, Schauspieler, Possenreißer und so mancher Spielmann, der ein Lied singen würde, das aus Fenoglios Feder stammte.

Ja, Fenoglio schrieb gern für das Bunte Volk: freche Lieder, finstere Lieder, Geschichten zum Lachen oder zum Weinen, wie er gerade Lust hatte. Mehr als ein paar Kupfermünzen ließen sich damit nicht verdienen. Spielleute hatten immer leere Taschen. Wollte er seine Worte vergolden lassen, dann musste er für den Fürsten schreiben oder für einen reichen Kaufmann. Doch wenn er die Worte tanzen und Grimassen schneiden lassen, von Bauern und Räubern erzählen wollte, vom einfachen Volk, das nicht auf Burgen hauste und aus goldenen Schalen aß, dann schrieb er für die Spielleute.

Es hatte eine Weile gedauert, bis sie ihn zwischen ihren Zelten duldeten. Erst seit immer mehr fahrende Sänger Fenoglios Lieder sangen und ihre Kinder nach seinen Geschichten fragten, schickten sie ihn nicht mehr fort. Inzwischen lud sogar ihr Anführer ihn ein, an seinem Feuer zu sitzen. So wie in dieser Nacht.

Den Schwarzen Prinzen nannten sie ihn, auch wenn in seinen Adern kein Tropfen fürstlichen Blutes rann. Der Prinz sorgte gut für seine bunten Untertanen, zweimal schon hatten sie ihn zu ihrem Anführer gewählt. Woher all das Gold kam, das er so großzügig an Kranke und Krüppel verteilte, danach fragte man wohl besser nicht, aber eins wusste Fenoglio: dass er ihn erfunden hatte.

Ja! Ja, ich habe sie alle erschaffen!, dachte er, während die Musik immer deutlicher durch die Nacht drang. Den Prinzen und den zahmen Bären, der ihm folgte wie ein Hund, den Wolkentänzer, der leider vom Seil gefallen war, und noch viele andere, sogar die beiden Fürsten, die glaubten, dass sie die Regeln dieser Welt machten. Nicht all seine Geschöpfe hatte Fenoglio schon zu Gesicht bekommen, doch jedes Mal, wenn eins plötzlich in Fleisch und Blut vor ihm stand, ließ das sein Herz höher schlagen – obwohl er sich nicht bei jedem daran erinnern konnte, ob er oder sie nun wirklich seiner Feder entsprungen oder sonst woher gekommen war …

Da waren sie endlich, die Zelte, bunt wie zerzauste Blumen in der schwarzen Nacht. Ivo begann so schnell zu laufen, dass er fast über die eigenen Füße stolperte. Ein schmutziger Junge, das Haar struppig wie das Fell einer Straßenkatze, sprang ihnen entgegen, auf einem Bein. Herausfordernd grinste er Ivo zu – und lief auf den Händen davon. Herrgott, diese Spielmannskinder bogen und verrenkten sich, als hätten sie keinen Knochen im Leib.

»Na geh schon!«, brummte Fenoglio, als Ivo ihn flehend ansah. Die Fackel brauchte er ja nun nicht mehr. Gleich mehrere Feuer brannten zwischen den Zelten, von denen manche aus kaum mehr als ein paar schmutzigen Tüchern bestanden, mit Seilen zwischen die Bäume gespannt. Fenoglio sah sich mit einem zufriedenen Seufzer um, während der Junge davonsprang. Ja, genau so hatte er sich die Tintenwelt beim Schreiben vorgestellt: bunt und lärmend, voller Leben. Die Luft roch nach Rauch, nach gebratenem Fleisch, nach Thymian und Rosmarin, Pferden, Hunden und schmutzigen Kleidern, nach Piniennadeln und brennendem Holz. Oh, er liebte es! Er liebte das Durcheinander, er liebte sogar den Schmutz, liebte, dass das Leben vor seiner Nase stattfand und nicht hinter verschlossenen Türen. In dieser Welt konnte man alles lernen – wie der Schmied eine Sichel im Feuer bog, der Färber seine Farben anrührte, der Gerber das Leder enthaarte und der Schuster es zurechtschnitt für seine Schuhe. Hier geschah nichts hinter fensterlosen Mauern. Auf der Straße, auf der Gasse, auf dem Markt oder wie hier zwischen ärmlichen Zelten entstand alles, und er, Fenoglio, immer noch neugierig wie ein Junge, durfte zuschauen, auch wenn der Gestank der Lederbeize und der Färberkübel ihm manchmal den Atem nahm. Ja, sie gefiel ihm, seine Welt. Sie gefiel ihm sehr – obwohl er hatte feststellen müssen, dass keineswegs alles so lief, wie er es geplant hatte.

Selber schuld. Ich hätte eine Fortsetzung schreiben sollen!, dachte Fenoglio, während er sich einen Weg durch das Gedränge bahnte. Ich könnte sie jetzt noch schreiben, hier und jetzt. Und alles ändern, wenn ich nur einen Vorleser hätte! Natürlich hatte er nach einer Zauberzunge gesucht, aber vergebens. Keine Meggie, kein Mortimer, nicht mal ein Stümper wie dieser Darius.

Fenoglio blieb nur die Rolle des Dichters, der schöne Worte schrieb und davon nicht gerade üppig lebte, während die zwei Fürsten, die er erschaffen hatte, seine Welt mehr schlecht als recht regierten. Ärgerlich, zu ärgerlich!

Vor allem der eine machte ihm Sorgen – der Natternkopf.

Südlich des Waldes saß er, hoch über dem Meer, auf dem Silberthron der Nachtburg. Keine schlechte Figur, nein, wirklich nicht. Ein Bluthund, ein Menschenschinder – aber schließlich sind die Bösewichter das Salz in einer Geschichtensuppe. Wenn man sie im Zaum hält. Zu diesem Zweck hatte Fenoglio dem Natternkopf den Speckfürsten entgegengesetzt, einen Fürsten, der lieber über die derben Späße der Spielleute lachte statt Krieg zu führen, und seinen prächtigen Sohn, Cosimo den Schönen. Wer hätte ahnen können, dass der einfach sterben und sein Vater daraufhin vor Kummer zusammenfallen würde wie ein Kuchen, den man zu früh aus dem Ofen geholt hatte?

Nicht meine Schuld! Wie oft hatte Fenoglio sich das schon gesagt. Nicht meine Ideen, nicht meine Schuld! Aber geschehen war es trotzdem. Als hätte irgendein teuflischer Schreiberling es übernommen, diese Geschichte an seiner Stelle weiterzuerzählen und ihm, Fenoglio, dem Schöpfer dieser Welt, nur die Rolle des armen Dichters überlassen!

Ach, nun hör schon auf. Wirklich arm bist du nicht, Fenoglio!, dachte er, während er bei einem Spielmann stehen blieb, der zwischen den Zelten saß und eins seiner Lieder sang. Nein, arm war er nicht. Der Speckfürst wollte nur noch seine Klagelieder über seinen toten Sohn hören, und die Geschichten, die er für Jacopo, den fürstlichen Enkelsohn verfasste, musste Balbulus, der berühmteste Buchmaler weit und breit, höchstpersönlich auf dem kostbarsten Pergament festhalten. Nein, so schlecht stand es wahrlich nicht!

Außerdem schienen ihm seine Worte auf der Zunge eines Spielmanns inzwischen besser aufgehoben als zwischen Buchseiten gepresst, wo sie vor sich hin staubten. Vogelfrei, ja, so wollte er seine Worte haben! Sie waren zu mächtig, um sie jedem Dummkopf in gedruckter Form zu überlassen, damit er Gott weiß etwas damit anstellen konnte. So gesehen war es ein beruhigender Gedanke, dass es in dieser Welt keine gedruckten Bücher gab. Hier schrieb man sie mit der Hand, was sie so kostbar machte, dass nur Fürsten sie sich leisten konnten. Die anderen mussten die Wörter schon im Kopf verstauen oder den Spielleuten von den Lippen lauschen.

Ein kleiner Junge zupfte Fenoglio am Ärmel. Sein Kittel war löchrig, die Nase tropfte. »Tintenweber!« Er zog eine Maske hinter dem Rücken hervor, eine, wie die Schauspieler sie trugen, und schob sie sich hastig über die Augen. Federn klebten auf dem brüchigen Leder, blassbraun und blau. »Wer bin ich?«

»Hmm!« Fenoglio runzelte die faltige Stirn, als müsste er angestrengt nachdenken.

Der Mund unter der Maske verzog sich enttäuscht. »Der Eichelhäher! Der Eichelhäher natürlich!«

»Natürlich!« Fenoglio kniff in die kleine rote Nase.

»Erzählst du uns heute eine neue Geschichte von ihm? Bitte!«

»Vielleicht! Ich muss zugeben, seine Maske stelle ich mir etwas prächtiger vor als die deine. Was meinst du? Solltest du nicht noch ein paar Federn mehr auftreiben?«

Der Junge zog die Maske vom Kopf und betrachtete sie missmutig. »Die sind gar nicht so leicht zu finden.«

»Sieh mal unten am Fluss nach. Vor den Katzen, die sich dort herumtreiben, sind nicht mal die Eichelhäher sicher.« Er wollte weiter, aber der Junge hielt ihn fest. Spielmannskinder hatten kräftige kleine Hände, auch wenn sie noch so mager waren.

»Nur eine Geschichte. Bitte, Tintenweber!«

Zwei andere Knirpse tauchten neben ihm auf, ein Mädchen und ein Junge. Erwartungsvoll blickten sie Fenoglio an. Ja, die Geschichten vom *Eichelhäher* ... Seine Räubergeschichten waren schon immer sehr gut gewesen – auch seine Enkel hatten sie geliebt, drüben in der anderen Welt. Aber die Räubergeschichten, die ihm hier einfielen, gelangen noch viel besser. Überall hörte man sie inzwischen: *Die unglaublichen Taten des tapfersten aller Räuber, des edlen und furchtlosen Eichelhähers.* Fenoglio erinnerte sich noch genau an die Nacht, in der er ihn erfunden hatte. Die Hand hatte ihm beim Schreiben gezittert vor Wut. »Der Natternkopf hat sich wieder einen Spielmann gefangen«, hatte der Schwarze

Prinz ihm in jener Nacht erzählt, »diesmal hat es den Krummen erwischt. Gestern Mittag haben sie ihn aufgehängt.«

Den Krummen – eine seiner Figuren! Ein harmloser Kerl, der länger als jeder andere auf dem Kopf stehen konnte. »Was maßt dieser Fürst sich an?«, hatte Fenoglio in die Nacht geschrien, als könnte der Natternkopf ihn hören. »*Ich* bin der Herr über Leben und Tod in dieser Welt, nur ich, Fenoglio!« Und die Worte waren aufs Papier geflossen, zornig und wild wie der Räuber, den er in jener Nacht erfand. Der *Eichelhäher* war all das, was Fenoglio in seiner Welt gern gewesen wäre: frei wie ein Vogel, keinem Herrn untertan, furchtlos, edel (manchmal auch witzig), die Reichen beraubend, den Armen gebend, die Schwachen schützend vor der Willkür der Starken in einer Welt, in der es kein Gesetz gab, das das tat …

Fenoglio spürte erneut ein Zupfen am Ärmel. »Bitte, Tintenweber! Nur *eine* Geschichte!« Der Junge war wirklich hartnäckig, ein leidenschaftlicher Geschichtenhörer. Vermutlich würde er mal ein berühmter Spielmann werden. »Sie sagen, der Eichelhäher hat dem Natternkopf seinen Glücksbringer gestohlen!«, flüsterte der kleine Kerl. »Den Fingerknochen des Gehängten, der ihn vor den Weißen Frauen beschützt. Sie sagen, der Eichelhäher trägt ihn nun selbst um den Hals.«

»Tatsächlich?« Fenoglio hob die Augenbrauen. Das sah immer sehr wirkungsvoll aus, so dicht und struppig, wie sie waren. »Nun, ich habe etwas noch Tollkühneres gehört, aber jetzt muss ich erst einmal mit dem Schwarzen Prinzen reden.«

»Ach bitte, Tintenweber!« Sie hingen an seinen Ärmeln, rissen ihm fast die teure Borte herunter, die er sich für ein paar Münzen auf den groben Stoff hatte nähen lassen, um nicht so erbärmlich auszusehen wie die Schreiber, die auf dem Markt Testamente und Briefe schrieben.

»Nein!«, sagte er streng, während er seine Ärmel befreite. »Vielleicht später. Und nun verschwindet!«

Der mit der Triefnase sah ihm mit so traurigen Augen nach, dass er Fenoglio für einen Moment an seine Enkel erinnerte. Pippo hatte auch immer so dreingeschaut, wenn er ihm ein Buch gebracht und es ihm auffordernd in den Schoß gelegt hatte.

Kinder!, dachte Fenoglio, während er auf das Feuer zuschritt, an dem er den Schwarzen Prinzen entdeckt hatte. Sie sind überall gleich. Gierige kleine Biester, aber die besten Zuhörer, egal, in welcher Welt. Die allerbesten.

Der Schwarze Prinz

»Also können Bären sich ihre eigene Seele machen …«, sagte Lyra. Es gab so vieles auf der Welt, wovon sie nichts wusste.
Philip Pullman, Der goldene Kompass

Der Schwarze Prinz war nicht allein. Natürlich nicht. Wie immer war sein Bär bei ihm. Wie ein zottiger Schatten hockte er hinter seinem Herrn am Feuer. Fenoglio erinnerte sich noch genau an den Satz, mit dem er den Prinzen erschaffen hatte. Gleich am Anfang von *Tintenherz*, zweites Kapitel. Fenoglio sprach die Worte leise vor sich hin, während er auf ihn zuschritt: »*Ein elternloser Junge, die Haut fast so schwarz wie das krause Haar, mit dem Messer ebenso schnell wie mit der Zunge, immer bereit, die zu beschützen, die er liebte – ob es nun seine zwei jüngeren Schwestern waren, ein misshandelter Bär oder Staubfinger, sein bester Freund, sein allerbester …*«

»… der trotzdem einen höchst dramatischen Tod gestorben wäre, wenn es nach mir gegangen wäre!«, setzte Fenoglio leise hinzu, während er dem Prinzen zuwinkte. »Aber das weiß mein schwarzer Freund zum Glück nicht, sonst wäre ich an seinem Feuer wohl kaum noch willkommen!«

Der Prinz erwiderte seinen Gruß. Vermutlich glaubte er, dass man ihn seiner Hautfarbe wegen den Schwarzen Prinzen nannte, aber Fenoglio wusste es besser. Er hatte den Namen für ihn gestohlen – aus einem Geschichtsbuch seiner alten Welt. Ein berühmter

Ritter hatte ihn einst getragen, Sohn eines Königs und ein großer Räuber dazu. Hätte es ihm gefallen, dass ein Messerwerfer seinen Namen trug, ein König der Spielleute? Nun, wenn nicht, so kann er trotzdem nichts daran ändern, dachte Fenoglio, denn seine Geschichte ist schon lange zu Ende.

Zur Linken des Prinzen saß der elende Stümper von einem Bader, der Fenoglio beim Zähneziehen fast den Kiefer gebrochen hatte, und rechts von ihm hockte der Rußvogel, ein lausiger Feuerspucker, der von seinem Handwerk ebenso wenig verstand wie der Bader vom Zähneziehen. Bei dem Bader war Fenoglio nicht ganz sicher, doch der Rußvogel war auf keinen Fall seine Erfindung. Weiß der Himmel, wo der herkam! Jeder, der ihn Feuer spucken sah, stümperhaft und voll Angst vor den Flammen, hatte sofort einen anderen Namen auf der Zunge: Staubfinger – Feuertänzer – Flammenzähmer …

Der Bär grunzte, als Fenoglio sich zu seinem Herrn ans Feuer setzte, und betrachtete ihn mit seinen kleinen gelben Augen, als wollte er feststellen, wie viel Fleisch noch von so alten Knochen zu nagen war. Selbst schuld, dachte Fenoglio, warum musstest du dem Prinzen einen zahmen Bären zur Seite stellen. Ein Hund hätte es auch getan. Die Händler auf dem Markt erzählten jedem, der es hören wollte, der Bär sei ein verhexter Mensch, verzaubert von Feen oder Kobolden (von wem nun genau, darüber waren sie sich nicht einig), aber Fenoglio wusste auch dies besser. Der Bär war ein Bär, ein echter Bär, der es dem Schwarzen Prinzen hoch anrechnete, dass er ihn vor vielen Jahren von seinem Nasenring und seinem alten Herrn befreit hatte, denn der hatte ihn mit dem Dornenstock geschlagen, damit er auf den Märkten tanzte.

Noch sechs weitere Männer saßen mit dem Prinzen am Feuer.

Nur zwei von ihnen kannte Fenoglio. Der eine war ein Schauspieler, Fenoglio vergaß immer wieder seinen Namen. Der andere war ein Starker Mann, der sein Brot damit verdiente, auf den Marktplätzen Ketten zu zerreißen, erwachsene Männer in die Luft zu stemmen und Eisenstangen zu verbiegen. Sie alle schwiegen, als Fenoglio zwischen sie trat. Er war geduldet, doch zu ihnen gehörte er noch lange nicht.

Nur der Prinz lächelte ihm zu. »Ah, der Tintenweber!«, sagte er. »Bringst du uns ein neues Lied über den Eichelhäher?«

Fenoglio nahm den Becher mit heißem Honigwein entgegen, den ihm einer der Männer auf einen Wink des Prinzen reichte, und hockte sich auf die steinige Erde. Seine alten Glieder konnten keinen rechten Geschmack daran finden, auf dem Boden zu hocken, auch wenn die Nacht mild wie diese war, aber die Spielleute waren keine Freunde von Stühlen oder anderen Sitzgelegenheiten.

»Eigentlich bin ich hier, um dir das hier zu geben«, sagte er und griff unter seinen Kittel. Er sah sich um, bevor er dem Prinzen den versiegelten Brief reichte, aber in dem Gewimmel war kaum auszumachen, ob sie jemand beobachtete, der nicht zum Bunten Volk gehörte. Der Prinz nahm den Brief mit einem Kopfnicken entgegen und schob ihn sich unter den Gürtel. »Ich danke dir«, sagte er.

»Gern geschehen!«, erwiderte Fenoglio und versuchte, nicht allzu sehr auf den schlechten Atem des Bären zu achten. Der Prinz konnte nicht schreiben, ebenso wenig wie die meisten seiner bunten Untertanen, aber Fenoglio erledigte das gern für ihn, vor allem, wenn es um ein Schriftstück wie dieses ging. Der Brief war für einen Waldaufseher des Speckfürsten bestimmt. Drei Mal schon hatten seine Männer Spielfrauen und ihre Kinder auf der Straße überfallen. Niemanden scherte das, weder den Speckfürsten in seinem Kummer noch die Männer, die an seiner statt Recht sprechen sollten, denn es ging um Spielleute. Also würde ihr Anführer sich darum kümmern. Schon in der kommenden Nacht würde der Mann Fenoglios Brief auf seiner Schwelle finden. Was darin stand, würde ihn nicht mehr ruhig schlafen lassen und künftig hoffentlich von bunten Röcken fern halten. Fenoglio war ziemlich stolz auf seine Drohbriefe, fast ebenso stolz wie auf die Räuberlieder.

»Hast du schon das Neueste gehört, Tintenweber?« Der Prinz strich seinem Bären über das schwarze Maul. »Der Natternkopf hat eine Belohnung ausgesetzt – auf den Eichelhäher.«

»Den Eichelhäher?« Fenoglio verschluckte sich an seinem Wein, und der Bader schlug ihm so heftig auf den Rücken, dass er sich das heiße Gebräu auch noch über die Finger goss. »Na, das ist nicht schlecht!«, stieß er hervor, als er wieder Luft bekam. »Da soll noch einer sagen, Worte seien nichts als Schall und Rauch! Nun, nach diesem Räuber kann die Natter lange suchen!«

Wie sie sich ansahen. Als wüssten sie mehr als er. Aber was?

»Hast du es noch nicht gehört, Tintenweber?«, sagte der Rußvogel mit leiser Stimme. »Deine Lieder scheinen wahr zu werden! Zwei Mal schon sind Steuereintreiber des Natternkopfes ausgeraubt worden, von einem Mann mit einer Vogelmaske, und einen seiner Jagdaufseher, bekannt für seinen Spaß an Grausamkeiten aller Art, soll man tot im Wald gefunden haben, mit einer Feder im Mund. Rate, von welchem Vogel?«

Fenoglio sah ungläubig zum Prinzen hinüber, aber der blickte nur ins Feuer und stocherte mit einem Stock in der Glut.

»Aber … aber das ist ja wunderbar!«, rief Fenoglio aus – und senkte hastig die Stimme, als er sah, wie besorgt die anderen sich umsahen. »Das sind ja wunderbare Neuigkeiten!«, fuhr er mit gesenkter Stimme fort. »Was auch immer da vor sich geht – ich werde gleich ein neues Lied schreiben! Schlagt etwas vor! Na los! Was soll der Eichelhäher als Nächstes anstellen?«

Der Prinz lächelte, aber der Bader musterte Fenoglio voll Verachtung. »Du redest, als wäre das alles ein Spiel, Tintenweber!«, sagte er. »Du sitzt in deiner Kammer und schreibst ein paar Wörter aufs Papier, aber wer immer deinen Räuber spielt, riskiert seinen Hals damit, denn er ist bestimmt nicht aus Worten gemacht, sondern aus Fleisch und Blut!«

»Ja, aber keiner kennt sein Gesicht, denn der Eichelhäher trägt eine Maske. Sehr klug von dir, Tintenweber. Wie soll der Natternkopf wissen, nach welchem Gesicht er suchen muss? So eine Maske ist ein praktisches Ding. Es kann sie jeder aufsetzen.« Es war der Schauspieler, der das sagte. Baptista. Natürlich, so hieß er. Hab ich den erfunden?, fragte Fenoglio sich. Egal. Niemand verstand mehr von Masken als Baptista, vielleicht, weil sein Gesicht von Pockennarben entstellt war. Viele Schauspieler ließen sich von ihm ein ledernes Lachen oder Weinen aufs Gesicht schneidern.

»Ja, aber in den Liedern ist er ziemlich genau beschrieben.« Der Rußvogel sah Fenoglio forschend an.

»Stimmt!« Baptista sprang auf die Füße. Er legte die Hand an den schäbigen Gürtel, als hätte er dort ein Schwert, spähte um sich, als suchte er nach einem Feind. »Hochgewachsen soll er sein. Das ist keine Überraschung. Helden wird das meistens nachgesagt.« Baptista begann, auf den Zehenspitzen auf und ab zu gehen. »Sein Haar«, er strich sich über den Kopf, »ist dunkel, dunkel wie Maulwurfsfell. Wenn wir den Liedern glauben. Das ist ungewöhnlich.

Die meisten Helden haben goldenes Haar, was immer man sich darunter vorzustellen hat. Wir erfahren nichts über seine Herkunft, aber bestimmt«, Baptista setzte eine vornehme Miene auf, »fließt in seinen Adern das reinste Fürstenblut. Wie sonst sollte er so edel und mutig sein?«

»Irrtum!«, unterbrach Fenoglio. »Der Eichelhäher ist ein Mann aus dem Volk. Was soll das für ein Räuber sein, der auf einer Burg geboren wurde?«

»Ihr hört den Dichter!« Baptista tat, als wischte er sich die Vornehmheit mit der Hand von der Stirn. Die anderen Männer lachten. »Kommen wir zu dem Gesicht hinter der Federmaske.« Baptista fuhr sich mit den Fingern über das eigene zerstörte Gesicht. »Natürlich ist es schön und vornehm – und blass wie Elfenbein! Die Lieder sagen darüber nichts, aber wir alle wissen, dass diese Hautfarbe bei einem Helden selbstverständlich ist. Entschuldigt, Euer Hoheit!«, setzte er hinzu und verbeugte sich spöttisch vor dem Schwarzen Prinzen.

»Oh, bitte, bitte, dagegen hab ich gar nichts«, sagte der nur, ohne die Miene zu verziehen.

»Vergiss die Narbe nicht!«, sagte der Rußvogel. »Die Narbe an seinem linken Arm, dort, wo die Hunde ihn gebissen haben. In jedem Lied kommt sie vor. Na los, die Ärmel hoch. Lasst sehen, ob der Eichelhäher vielleicht zwischen uns sitzt?« Auffordernd sah er sich um, aber nur der Starke Mann schob lachend die Ärmel hoch. Die anderen schwiegen.

Der Prinz strich sich das lange Haar zurück. Drei Messer trug er am Gürtel. Spielleuten war es verboten, Waffen zu tragen, selbst dem, den sie ihren König nannten, doch warum sollten sie sich an Gesetze halten, die sie nicht beschützten? Er trifft das Auge einer

Libelle, sagte man über die Messerkünste des Prinzen. Genau so, wie Fenoglio es einst geschrieben hatte.

»Wie immer der aussieht, der meine Lieder zu Taten macht, ich trinke auf ihn. Soll der Natternkopf ruhig nach dem Mann suchen, den ich beschrieben habe. Er wird ihn nie finden!« Fenoglio prostete der Runde zu. Er fühlte sich großartig, wie berauscht, und das kam gewiss nicht von dem hundsmiserablen Wein. Na bitte, wer sagt es denn, Fenoglio?, dachte er. Du schreibst etwas und es geschieht! Auch ohne Vorleser …

Aber der Starke Mann verdarb ihm die Stimmung. »Also ehrlich gesagt, Tintenweber, mir ist nicht nach Feiern«, brummte er. »Es heißt, der Natternkopf bezahlt neuerdings mit gutem Silber für die Zunge jedes Spielmanns, der Spottlieder auf ihn singt. Er soll schon eine ganze Sammlung haben.«

»Die Zunge?« Fenoglio tastete unwillkürlich nach der eigenen. »Fallen meine Lieder etwa auch darunter?«

Keiner antwortete ihm. Die Männer schwiegen. Aus einem Zelt hinter ihnen drang der Gesang einer Frau – ein Wiegenlied, so friedlich und süß, als stammte es aus einer anderen Welt, einer Welt, von der man nur träumen konnte.

»Ich sag es meinen bunten Untertanen immer wieder: Tretet nicht in der Nähe der Nachtburg auf!« Der Prinz schob dem Bären ein Stück fetttriefendes Fleisch ins Maul, wischte das Messer an seiner Hose ab und steckte es zurück in den Gürtel. »Ich sage ihnen, dass wir Krähenfutter sind für den Natternkopf, Rabenbrot! Aber seit der Speckfürst lieber weint als lacht, haben sie alle leere Taschen und einen leeren Bauch. Das treibt sie nach drüben. Es gibt viele reiche Händler auf der anderen Seite des Waldes.«

Teufel. Fenoglio rieb sich die schmerzenden Knie. Wo war seine gute Laune hin? Verflogen – wie der Duft einer Blume, die jemand zertreten hatte. Missmutig nahm er noch einen Schluck Honigwein. Erneut kamen die Kinder zu ihm, bettelten um eine Geschichte, aber Fenoglio schickte sie fort. Ihm fiel nichts ein, wenn er schlechte Laune hatte.

»Da ist noch etwas«, sagte der Prinz. »Der Starke Mann hat heute im Wald ein Mädchen und einen Jungen aufgegriffen. Sie haben eine seltsame Geschichte erzählt: dass Basta, Capricorns Messermann, zurück sein oder kommen soll und sie hier sind, um einen alten Freund von mir vor ihm zu warnen – Staubfinger. Sicher hast du schon von ihm gehört?«

»Ähm«, Fenoglio verschluckte sich an seinem Wein vor Überraschung. »Staubfinger? Ja, sicher, der Feuerspucker.«

»Der beste, den es je gab.« Der Prinz warf dem Rußvogel einen schnellen Blick zu, aber der zeigte dem Bader gerade einen entzündeten Zahn. »Er galt als tot«, fuhr der Prinz mit gesenkter Stimme fort. »Seit mehr als zehn Jahren hat niemand von ihm gehört. Es gab tausend Geschichten darüber, wie und wo er gestorben ist, zum Glück scheinen sie alle nicht wahr zu sein. Aber das Mädchen und der Junge suchen nicht nur nach Staubfinger. Das Mädchen hat auch nach einem alten Mann gefragt, einem Dichter, der das Gesicht einer Schildkröte hat. Könnte das vielleicht auf dich passen?«

Fenoglio fand nicht ein Wort in seinem Kopf, das als Antwort getaugt hätte. Der Prinz griff nach seinem Arm und zog ihn auf die Füße. »Komm mit!«, sagte er, während hinter ihnen der Bär grunzend auf die Tatzen kam. »Die beiden waren halb verhungert, haben irgendwas erzählt davon, dass sie tief im Weglosen Wald waren. Die Frauen füttern sie gerade.«

Ein Mädchen und ein Junge ... Staubfinger ... Fenoglios Gedanken überschlugen sich, aber leider war sein Kopf nicht mehr der frischeste nach zwei Bechern Wein.

Unter einer Linde am Rand des Lagers hockten mehr als ein Dutzend Kinder im Gras. Zwei Frauen schenkten Suppe an sie aus. Gierig löffelten sie die dünne Brühe aus den Holzschalen, die sie in die schmutzigen Finger gedrückt bekamen.

»Nun sieh dir an, wie viele sie schon wieder eingesammelt haben!«, raunte der Prinz Fenoglio zu. »Wir werden noch alle verhungern wegen der weichen Herzen unserer Frauen.«

Fenoglio nickte nur, während er die mageren Gesichter musterte. Er wusste, wie oft der Prinz selbst hungrige Kinder auflas. Wenn sie sich nicht allzu dumm anstellten beim Jonglieren, Kopfstehen oder sonst einem Kunststück, das den Leuten ein Lachen aufs Gesicht und paar Münzen aus den Taschen lockte, dann nahm das Bunte Volk sie auf, ließ sie mit sich ziehen, von Markt zu Markt, von Ort zu Ort.

»Das da sind die beiden.« Der Prinz wies auf zwei Köpfe, die sich besonders tief über die Schalen beugten. Als Fenoglio auf sie zutrat, hob das Mädchen den Kopf, als hätte er ihren Namen gerufen. Ungläubig starrte sie ihn an – und ließ den Löffel sinken.

Meggie.

Fenoglio erwiderte ihren Blick so fassungslos, dass sie lächeln musste. Ja, sie war es tatsächlich. An das Lächeln erinnerte er sich sehr genau, auch wenn sie nicht oft Anlass dazu gehabt hatte, damals, in Capricorns Haus.

Mit einem Satz sprang sie auf, drängte sich an den anderen Kindern vorbei und schlang ihm die Arme um den Hals. »Ach, ich wusste, dass du noch hier bist!«, stieß sie hervor, zwischen Lachen und Weinen. »Aber musstest du unbedingt Wölfe in deiner Geschichte vorkommen lassen? Und dann die Nachtmahre und die Rotkappen. Sie haben Farid mit Steinen beworfen und uns mit ihren Krallenfingern ins Gesicht gegriffen. Zum Glück hat Farid es geschafft, Feuer zu machen, aber …«

Fenoglio öffnete den Mund – und klappte ihn hilflos wieder zu. Tausend Fragen füllten ihm den Kopf: Wie kam sie hierher? Was war mit Staubfinger? Wo war ihr Vater? Und was war mit Capricorn? War er tot? Hatte ihr Plan funktioniert? Wenn ja, wieso hieß es dann, dass Basta noch lebte? Wie summende Insekten übertönten die Fragen einander, und Fenoglio wagte nicht eine von ihnen zu stellen, während der Schwarze Prinz neben ihm stand und ihn nicht aus den Augen ließ.

»Ich sehe, du kennst die beiden«, stellte er fest.

Fenoglio nickte nur. Woher kannte er den Jungen, der neben Meggie gehockt hatte? Hatte er ihn nicht bei Staubfinger gesehen, damals, an jenem denkwürdigen Tag, an dem er zum ersten Mal einem seiner Geschöpfe gegenübergestanden hatte?

»Ähm, die zwei sind … Verwandte von mir«, stotterte er. Was für eine klägliche Lüge für einen Geschichtenerfinder!

Der Spott in den Augen des Prinzen schlug Funken. »Verwandte … so, so. Ich muss sagen, ähnlich sehen sie dir beide nicht.«

Meggie löste die Arme von Fenoglios Hals und starrte den Prinzen an.

»Meggie, darf ich vorstellen?«, sagte Fenoglio. »Der Schwarze Prinz.«

Der Prinz verneigte sich mit einem Lächeln vor ihr.

»Der Schwarze Prinz! Ja.« Meggie wiederholte seinen Namen

fast andächtig. »Und das da ist sein Bär! Farid, komm her. Sieh doch!«

Farid, natürlich. Jetzt erinnerte Fenoglio sich. Meggie hatte oft von ihm gesprochen. Der Junge stand auf, aber nicht, bevor er noch hastig den letzten Rest Suppe aus seiner Schale geschlürft hatte. In sicherem Abstand von dem Bären blieb er hinter Meggie stehen.

»Sie wollte unbedingt mit!«, sagte er und fuhr sich mit dem Arm über den fettverschmierten Mund. »Wirklich! Ich wollte sie nicht herbringen, aber sie ist dickköpfig wie ein Kamel.«

Meggie wollte darauf etwas sicherlich nicht Freundliches erwidern, doch Fenoglio legte ihr den Arm um die Schultern. »Mein lieber Junge«, sagte er. »Du kannst dir nicht vorstellen, wie glücklich ich darüber bin, dass Meggie hier ist! Man könnte fast sagen, sie ist das Einzige, was mir in dieser Welt noch zu meinem Glück fehlte!«

Hastig verabschiedete er sich von dem Prinzen und zog Meggie und Farid mit sich. »Kommt!«, raunte er, während er sich mit ihnen an den Zelten vorbeidrängte. »Wir haben viel zu bereden, unendlich viel, aber das tun wir besser in meiner Kammer, unbelauscht von fremden Ohren. Es ist ohnehin schon spät und die Wache am Tor lässt uns nur bis Mitternacht wieder in die Stadt.«

Meggie nickte nur abwesend und betrachtete mit großen Augen das Treiben um sie her, aber Farid befreite seinen Arm unsanft aus Fenoglios Griff. »Nein, ich kann nicht mitkommen. Ich muss Staubfinger suchen!«

Fenoglio sah ihn ungläubig an. Es war also tatsächlich wahr? Staubfinger war –

»Ja, er ist zurück«, sagte Meggie. »Die Frauen haben gesagt, Farid kann ihn vielleicht bei der Spielfrau finden, mit der er früher zusammen war. Sie hat einen Hof, dort oben auf dem Hügel.«

»Spielfrau?« Fenoglio blickte in die Richtung, in die Meggies Finger wies. Der Hügel, von dem sie sprach, war nur ein schwarzer Umriss in der mondhellen Nacht. Natürlich! Roxane. Er erinnerte sich. Ob sie wirklich so wunderbar war, wie er sie beschrieben hatte?

Der Junge wippte ungeduldig auf den Zehen. »Ich muss gehen«, sagte er zu Meggie. »Wo kann ich dich finden?«

»In der Gasse der Schuster und Sattelmacher«, antwortete Fenoglio an Meggies Stelle. »Frag einfach nach Minervas Haus.«

Farid nickte – und sah immer noch Meggie an.

»Es ist keine gute Idee, sich bei Nacht auf den Weg zu machen«, sagte Fenoglio, auch wenn er das Gefühl hatte, dass der Junge nicht an seinem Rat interessiert war. »Die Straßen hier sind nicht gerade sicher. Erst recht nicht bei Nacht. Räuber, Landstreicher ...«

»Ich weiß mich zu wehren.« Farid zog ein Messer aus dem Gürtel. »Pass auf dich auf.« Er griff nach Meggies Hand, dann drehte er sich abrupt um und verschwand zwischen den Spielleuten. Fenoglio entging nicht, dass Meggie sich noch einige Male nach ihm umsah.

»Himmel, der arme Kerl!«, brummte er, während er ein paar Kinder aus dem Weg scheuchte, die ihn schon wieder wegen einer Geschichte anbettelten. »Er ist verliebt in dich, oder?«

»Lass das!« Meggie zog ihre Hand aus der seinen, aber er hatte sie zum Lächeln gebracht.

»Schon gut, ich halte meinen Mund! Weiß dein Vater, dass du hier bist?«

Das war die falsche Frage. Das schlechte Gewissen stand ihr auf die Stirn geschrieben.

»Oje! Nun gut, das wirst du mir alles erzählen. Wie du hergekommen bist, was das Gerede über Basta und Staubfinger bedeutet, einfach alles! Du bist groß geworden! Oder bin ich geschrumpft? Gott, Meggie, was bin ich froh, dass du hier bist! Nun werden wir diese Geschichte wieder an die Zügel nehmen! Mit meinen Worten und deiner Stimme ...«

»An die Zügel nehmen? Wie meinst du das?« Misstrauisch musterte sie sein Gesicht. Genau so hatte sie ihn damals auch oft angesehen, als sie Capricorns Gefangene gewesen waren, die Stirn gerunzelt, die Augen so klar, als könnten sie ihm geradewegs ins Herz blicken. Aber dies war nicht der Ort für Erklärungen.

»Später!«, raunte Fenoglio und zog sie weiter. »Später, Meggie. Hier gibt es zu viele Ohren. Verflixt, wo steckt jetzt nur mein Fackelträger?«

Fremde Geräusche in fremder Nacht

Wie ist die Welt so stille,
Und in der Dämmrung Hülle
So traulich und so hold!
Als eine stille Kammer,
Wo ihr des Tages Jammer
Verschlafen und vergessen sollt.
Matthias Claudius, Abendlied

Wenn Meggie später versuchte, sich daran zu erinnern, wie sie zu Fenoglios Kammer gekommen waren, dann waren da nur ein paar verschwommene Bilder – ein Wächter, der ihnen seine Lanze entgegengestreckt und sie mürrisch hatte passieren lassen, als er Fenoglio erkannte, dunkle Gassen, durch die sie einem Jungen mit einer Fackel folgten, und dann eine steile Treppe, die an einer grauen Hausmauer hinaufführte und unter ihren Füßen knarrte. Ihr war so schwindelig vor Müdigkeit, als sie Fenoglio die Stufen hinauffolgte, dass er ein paar Mal besorgt nach ihrem Arm griff.

»Ich glaube, wir erzählen uns besser morgen, was wir beide erlebt haben, seit wir uns das letzte Mal gesehen haben«, sagte er, als er sie in seine Kammer schob. »Ich werde Minerva bitten, einen Strohsack für dich heraufzuschaffen, aber heute Nacht schläfst du in meinem Bett. Drei Tage und Nächte im Weglosen Wald. Tod und Tinte, ich wäre vermutlich vor Angst ganz einfach gestorben!«

»Farid hatte ja sein Messer«, murmelte Meggie. Das Messer hatte sie wirklich beruhigt, wenn sie nachts oben in den Bäumen geschlafen hatten und von unten all das Scharren und Knurren zu ihnen heraufgedrungen war. Farid hatte es immer griffbereit gehabt. »Und wenn er die Geister gesehen hat«, erzählte sie schläfrig, während Fenoglio eine Lampe anzündete, »hat er Feuer gemacht.«

»Geister? In dieser Welt gibt es keine Geister, jedenfalls keine, die ich hineingeschrieben hätte. Was habt ihr gegessen in all den Tagen?«

Meggie tappte zum Bett. Es sah sehr einladend aus, auch wenn es nur aus einem Strohsack und ein paar grob gewebten Decken bestand. »Beeren«, murmelte sie. »Viele Beeren, das Brot, das wir aus Elinors Küche mitgenommen hatten – und Kaninchen, die Farid gefangen hat.«

»Du meine Güte!« Fenoglio schüttelte ungläubig den Kopf. Es war wirklich schön, sein faltiges Gesicht wiederzusehen, aber jetzt wollte Meggie eigentlich nur noch schlafen. Sie streifte die Stiefel ab, kroch unter die kratzigen Decken und streckte die schmerzenden Beine aus.

»Wie bist du auch nur auf die verrückte Idee gekommen, euch in den Weglosen Wald zu lesen? Warum nicht hierher? Staubfinger hat dem Jungen doch bestimmt einiges über diese Welt erzählt.«

»Orpheus' Worte.« Meggie musste gähnen. »Wir hatten doch nur Orpheus' Worte und Staubfinger hatte sich von ihm in den Wald lesen lassen.«

»Natürlich. Das sieht ihm ähnlich.« Sie spürte, wie Fenoglio ihr die Decken bis unters Kinn zog. »Ich frag dich jetzt besser nicht, von welchem Orpheus du redest. Wir reden morgen weiter. Schlaf gut. Und willkommen in meiner Welt!«

Meggie schaffte es nur mit Mühe, die Augen noch einmal zu öffnen. »Wo schläfst du?«

»Oh, keine Sorge. Unten bei Minerva kriechen jede Nacht ein paar Verwandte mit in die Betten, auf einen mehr kommt es da nicht an. Glaub mir, man gewöhnt sich schnell daran, es etwas weniger bequem zu haben. Ich hoffe nur, ihr Mann schnarcht nicht so laut, wie sie behauptet.«

Dann zog er die Tür hinter sich zu, und Meggie hörte, wie er sich leise fluchend die steile Holztreppe hinunterquälte. Über ihr raschelten Mäuse durch das Gebälk (sie hoffte, dass es Mäuse waren) und durch das einzige Fenster klangen die Stimmen der Wachtposten von der nahen Stadtmauer herüber. Meggie schloss die Augen. Ihre Füße schmerzten und in ihren Ohren klang immer noch die Musik aus dem Lager der Spielleute nach. Der Schwarze Prinz, dachte sie, ich hab den Schwarzen Prinzen gesehen ... und das Stadttor von Ombra ... und ich hab gehört, wie die Bäume im Weglosen Wald miteinander flüstern. Wenn sie doch nur Resa hätte von all dem erzählen können oder Elinor. Oder Mo. Aber der würde nun sicherlich nie wieder auch nur ein einziges Wort über die Tintenwelt hören wollen.

Meggie rieb sich die müden Augen. Über dem Bett klebten Feennester zwischen den Deckenbalken, genau wie Fenoglio es sich immer gewünscht hatte, aber hinter den dunklen Einfluglöchern regte sich nichts. Fenoglios Dachkammer war um einiges größer als das Zimmer, in dem er und Meggie Capricorns Gefangene gewesen waren. Außer dem Bett, das er ihr so großzügig überlassen hatte, gab es noch eine Holztruhe, eine Bank und ein Schreibpult aus dunklem Holz, schimmernd und mit Schnitzereien verziert. Es passte nicht zu dem Rest der Einrichtung, der grob getischlerten

Bank, der einfachen Truhe. Es schien sich aus einer anderen Geschichte hierher verirrt zu haben, ebenso wie Meggie. Ein Tonkrug stand darauf mit einem Bündel Federn, zwei Tintenfässer …

Fenoglio hatte zufrieden ausgesehen, ja wirklich.

Meggie fuhr sich mit dem Arm über das müde Gesicht. Das Kleid, das Resa ihr genäht hatte, roch immer noch nach ihrer Mutter. Und nach dem Weglosen Wald. Sie schob ihre Hand in den Lederbeutel, den sie im Wald zweimal fast verloren hatte, und zog das Notizbuch heraus, das Mo ihr geschenkt hatte. Auf dem marmorierten Einband mischte sich Nachtblau mit Pfauengrün – Mos Lieblingsfarben. *Es tut gut, an fremden Orten seine Bücher dabeizuhaben.* Wie oft hatte Mo das zu ihr gesagt, aber hatte er damit auch Orte wie diesen gemeint? Am zweiten Tag im Wald hatte Meggie versucht zu lesen, in dem Buch, das sie mitgenommen hatte, während Farid auf der Jagd nach einem Kaninchen gewesen war. Sie war nicht über die erste Seite hinausgekommen, und schließlich hatte sie das Buch vergessen, es liegen gelassen an einem Bach, über dem Schwärme blauer Feen gehangen hatten. Versiegte der Hunger nach Geschichten, wenn man selbst in einer steckte? Oder war sie einfach nur zu erschöpft gewesen? Ich sollte wenigstens aufschreiben, was bisher geschehen ist, dachte sie und strich noch einmal über den Einband des Notizbuches, aber die Müdigkeit war wie Watte in ihrem Kopf und ihren Gliedern. Morgen, dachte sie. Und morgen sag ich Fenoglio auch, dass er mich zurückschreiben soll. Ich hab die Feen gesehen, sogar die Feuerelfen, den Weglosen Wald und Ombra. Ja. Schließlich wird er ein paar Tage brauchen, um die richtigen Worte zu finden … Über ihr raschelte es in einem der Feennester. Aber kein blaues Gesicht sah heraus.

Es war kühl in der Kammer, und alles war fremd, so fremd. Meggie war es gewohnt, an fremden Orten zu sein. Schließlich hatte Mo sie immer mitgenommen, wenn er für kranke Bücher reisen musste. Aber auf eins hatte sie sich an jedem dieser Orte verlassen können: dass er bei ihr war. Immer. Meggie presste die Wange gegen den rauen Strohsack. Sie vermisste ihre Mutter und Elinor und Darius, aber am meisten vermisste sie Mo, es war wie ein Ziehen in ihrem Herzen. Liebe und ein schlechtes Gewissen, das war eine böse Mischung. Wenn er doch nur einfach mitgekommen wäre! Er hatte ihr so viel von ihrer Welt gezeigt, wie gern hätte sie nun für ihn dasselbe mit dieser getan. Sie wusste, dass sie ihm gefallen hätten: die Feuerelfen, die flüsternden Bäume und das Lager der Spielleute ...

O ja, sie vermisste Mo.

Was war mit Fenoglio? Vermisste er niemanden? Hatte er gar kein Heimweh, nach dem Dorf, in dem er gewohnt hatte, nach seinen Kindern, Freunden, Nachbarn? Was war mit seinen Enkeln, mit denen Meggie so oft durch sein Haus getobt war? »Morgen zeige ich dir alles!«, hatte er ihr zugeflüstert, während sie dem Jungen nachhasteten, der ihnen die fast heruntergebrannte Fackel vorantrug, und Fenoglios Stimme hatte so stolz wie die eines Fürsten geklungen, der seinem Gast ankündigt, ihm am nächsten Tag sein Fürstentum zu zeigen. »Nachts wird es von den Wachen nicht gern gesehen, wenn man sich auf den Gassen herumtreibt«, hatte er hinzugefügt, und tatsächlich war es sehr still gewesen zwischen den eng stehenden Häusern, die so sehr an Capricorns Dorf erinnerten, dass Meggie fast erwartet hatte, an irgendeiner Ecke eine der Schwarzjacken lehnen zu sehen, die Flinte in der Hand. Aber sie waren nur ein paar Schweinen begegnet, die grunzend durch die steil ansteigenden Gassen streunten, und einem zerlumpten Mann, der den Unrat zwischen den Häusern zusammenfegte und auf einen Handkarren schaufelte. »An den Gestank gewöhnst du dich mit der Zeit!«, hatte Fenoglio ihr zugeraunt, als Meggie sich die Hand auf die Nase presste. »Sei froh, dass ich nicht bei einem Färber wohne oder drüben bei den Gerbern. An deren Dünste hab selbst ich mich noch nicht gewöhnt.« Nein, Fenoglio vermisste nichts, da war Meggie sicher. Warum sollte er auch? Es war seine Welt, seinem Kopf entsprungen, ihm vertraut wie seine eigenen Gedanken.

Meggie lauschte in die Nacht. Da war noch ein Geräusch, neben dem Rascheln der Mäuse – ein feines Schnarchen. Es schien von dem Schreibpult zu kommen. Sie schob die Decke zurück und tappte vorsichtig darauf zu. Ein Glasmann schlief neben dem Krug mit den Federn, den Kopf auf einem winzigen Kissen. Seine durchsichtigen Glieder waren mit Tinte befleckt. Vermutlich spitzte er die Federn, tunkte sie in die bauchigen Gläser, streute Sand auf die feuchte Tinte ... genau wie Fenoglio es sich immer gewünscht hatte. Und die Feennester über seinem Bett, brachten sie tatsächlich Glück und schöne Träume? Meggie glaubte, eine Spur Feenstaub auf dem Schreibpult zu entdecken. Nachdenklich fuhr sie mit dem Finger darüber, betrachtete den glitzernden Staub, der an ihrer Fingerkuppe haften geblieben war, und strich ihn sich auf die Stirn. Half Feenstaub gegen Heimweh?

Ja, sie hatte immer noch Heimweh. All die Schönheit um sie her, und sie musste doch immer wieder an Elinors Haus denken, an Mos Werkstatt ... Was für ein dummes Herz sie nur hatte. Hatte es nicht jedes Mal schneller geschlagen, wenn Resa ihr von der Tintenwelt erzählt hatte? Und nun, da sie hier war, wirklich hier, schien es nicht zu wissen, was es fühlen sollte. Weil sie nicht hier sind!, flüsterte es in ihr, als wollte ihr Herz sich verteidigen. Weil sie alle nicht hier sind.

Wenn wenigstens Farid bei ihr geblieben wäre –

Wie sie ihn darum beneidete, dass er von einer Welt in die andere schlüpfen konnte, als würde er das Hemd wechseln. Die einzige Sehnsucht, die er zu kennen schien, war die nach Staubfingers narbigem Gesicht.

Meggie trat an das Fenster. Nur ein Stück Stoff war davor geheftet. Meggie schob es zur Seite und blickte hinunter in die enge Gasse. Der zerlumpte Müllsammler zog gerade seinen Karren vorbei. Er blieb fast stecken zwischen den Häusern mit seiner schweren, stinkenden Last. Die Fenster gegenüber waren fast alle dunkel, nur hinter einem brannte eine Kerze, und das Weinen eines Kindes drang in die Nacht hinaus. Dach reihte sich an Dach wie die Schuppen an einem Tannenzapfen, und darüber ragten dunkel die Mauern und Türme der Burg in den Sternenhimmel.

Die Burg des Speckfürsten. Resa hatte sie gut beschrieben. Der Mond stand blass über den grauen Zinnen, er fasste sie in Silber, sie und die Wachen, die auf der Mauer auf und ab schritten. Es schien derselbe Mond zu sein, der über den Bergen hinter Elinors Haus auf- und unterging. »Morgen gibt der Fürst ein Fest für seinen missratenen Enkel«, hatte Fenoglio Meggie erzählt, »und ich soll ein neues Lied auf die Burg bringen. Ich werde dich mitnehmen, wir müssen dir nur ein sauberes Kleid besorgen, aber Minerva hat drei Töchter. Da wird sich schon ein Kleid für dich finden.«

Meggie warf einen letzten Blick auf den schlafenden Glasmann und kehrte zu dem Bett unter den Feennestern zurück. Nach dem

Fest, dachte sie, während sie sich das schmutzige Kleid über den Kopf zog und wieder unter die grobe Decke schlüpfte, gleich nach dem Fest bitte ich Fenoglio, mich nach Hause zu schreiben. Als sie die Augen schloss, sah sie wieder die Feenschwärme, die sie im grünen Zwielicht des Weglosen Waldes umschwirrt und an den Haaren gezupft hatten, bis Farid Tannenzapfen nach ihnen warf. Sie hörte die Bäume flüstern, mit Stimmen, die halb Erde, halb Luft zu sein schienen, erinnerte sich an die schuppigen Gesichter, die sie im Wasser dunkler Tümpel entdeckt hatte, an den Schwarzen Prinzen und seinen Bären …

Unter dem Bett raschelte es und irgendetwas krabbelte ihr über den Arm. Schläfrig wischte Meggie es fort. Hoffentlich ist Mo nicht zu wütend, dachte sie noch, bevor sie einschlief und von Elinors Garten träumte. Oder war es doch der Weglose Wald?

Nur eine Lüge

Da war die Decke, aber es war die Umarmung des Jungen, die ihn umfing und wärmte.
Jerry Spinelli, East End, West End und dazwischen Maniac Magee

Farid merkte schon bald, dass Fenoglio recht gehabt hatte. Es war dumm gewesen, einfach mitten in der Nacht loszustolpern. Zwar sprang ihn kein Räuber aus der Dunkelheit an, nicht mal ein Fuchs lief ihm über den Weg, als er den mondhellen Hügel hinaufstieg, den die Spielleute ihm beschrieben hatten, aber wie sollte er herausfinden, welcher der ärmlichen Höfe, die zwischen den nachtschwarzen Bäumen lagen, der richtige war? Sie sahen alle gleich aus – ein Haus aus grauen Steinen, kaum größer als eine Hütte, umstanden von Olivenbäumen, ein Brunnen, manchmal ein Pferch für Vieh, ein paar schmale Felder. Nichts rührte sich auf den Höfen. Ihre Bewohner schliefen, erschöpft von der Arbeit, und mit jeder Mauer und jedem Tor, an dem er vorbeischlich, wurde Farids Hoffnung kleiner. Plötzlich fühlte er sich verloren in dieser fremden Welt, zum ersten Mal, und er wollte sich gerade unter einem Baum zum Schlafen zusammenrollen, als er das Feuer sah.

Hoch oben am Hang leuchtete es auf, rot wie eine Hibiskusblüte, die sich öffnet und schon im Aufblühen wieder welkt. Farid beschleunigte seinen Schritt, er hastete den Hang hinauf, den Blick fest auf die Stelle geheftet, an der er die Feuerblume gesehen hatte. Staubfinger! Wieder leuchtete es zwischen den Bäumen, diesmal schwefelgelb, gleißend wie Sonnenlicht. Er musste es sein! Wer sonst sollte nachts das Feuer tanzen lassen?

Farid lief schneller, so schnell, dass er bald nach Atem rang. Er stieß auf einen Weg, der sich den Hügel hinaufwand, vorbei an den Stümpfen frisch abgeholzter Bäume. Der Weg war steinig und feucht vom Tau, aber es gefiel seinen nackten Füßen, für eine Weile nicht über stachligen Thymian zu laufen. Da, wieder eine rote Blume in der Dunkelheit. Über ihm tauchte ein Haus aus der Nacht auf. Dahinter stieg der Hügel weiter an, Felder zogen sich wie Stufen den Hang hinauf, gesäumt von aufgeschichteten Steinen. Das Haus selbst war ebenso ärmlich und schmucklos wie die anderen. Der Weg endete vor einem einfachen Tor und einer Mauer aus flachen Steinen, die Farid gerade bis zur Brust reichte. Als er hinter dem Tor stehen blieb, fuhr eine Gans auf ihn zu, flügelschlagend und zischend, aber Farid beachtete sie nicht. Er hatte den gefunden, den er gesucht hatte.

Staubfinger stand auf dem Hof und ließ Flammenblumen in der Luft erblühen. Sie öffneten sich auf ein Schnippen seiner Finger, spreizten Blätter aus Feuer, welkten, trieben Stängel aus feurigem Gold und blühten erneut. Das Feuer schien aus dem Nichts zu kommen, Staubfinger rief es nur mit den Händen oder der Stimme, er fachte es an mit nichts als seinem Atem – keine Fackeln, keine Flasche, mit der er sich den Mund füllte – nichts von dem, was er in der anderen Welt gebraucht hatte, konnte Farid entdecken. Er stand einfach nur da und setzte die Nacht in Brand. Immer neue Blüten wirbelten um ihn herum in wildem Tanz, spuckten ihm Funken vor die Füße wie goldene Saat, bis er in flüssigem Feuer stand.

Farid hatte oft genug beobachtet, wie friedlich Staubfingers Gesicht wurde, wenn er mit dem Feuer spielte, doch nie zuvor hatte er ihn so glücklich gesehen. Ganz einfach glücklich ... Die Gans schnatterte immer noch, aber Staubfinger schien es nicht zu hören. Erst als Farid das Tor öffnete, zeterte sie so laut, dass er sich umdrehte – und die Feuerblüten erloschen, als hätte die Nacht sie mit schwarzen Fingern zerdrückt, genau wie das Glück auf Staubfingers Gesicht.

Vor der Tür des Hauses erhob sich eine Frau, wahrscheinlich hatte sie auf der Schwelle gesessen. Ein Junge war auch da, Farid bemerkte ihn erst jetzt. Sein Blick folgte ihm, als er über den Hof geschritten kam. Staubfinger aber hatte sich noch nicht von der Stelle gerührt. Er sah ihn nur an, während zu seinen Füßen die Funken verloschen, bis nichts als ein rotes Glimmen blieb.

Farid suchte nach einem Willkommen in dem vertrauten Gesicht, nach der Spur eines Lächelns, doch es war nichts als Fassungslosigkeit darin zu finden. Schließlich versagte Farid der Mut und er blieb stehen, während das Herz ihm in der Brust zitterte, als ob es fror.

»Farid?«

Staubfinger kam auf ihn zu. Die Frau folgte ihm, sie war sehr schön, aber Farid beachtete sie nicht. Staubfinger trug die Kleider, die er in der anderen Welt zwar immer bei sich gehabt, aber nie getragen hatte. Schwarz und Rot ... Farid wagte nicht, ihn anzusehen, als er einen Schritt entfernt vor ihm stehen blieb. Mit gesenktem Kopf stand er da und starrte auf seine Zehen. Vielleicht hatte Staubfinger ja gar nicht vorgehabt, ihn mitzunehmen. Vielleicht hatte er mit dem Käsekopf abgemacht, dass er die letzten Sätze nicht lesen sollte, und nun war er wütend, dass er ihm dennoch gefolgt war, gefolgt von einer Welt in die andere ... Ob er ihn schlagen würde?

Er hatte ihn noch nie geschlagen (na ja, einmal hatte er es fast getan, als er aus Versehen Gwins Schwanz angezündet hatte).

»Wie konnte ich nur glauben, dass dich irgendetwas daran hindern kann, mir nachzulaufen?« Farid spürte, wie Staubfinger ihm die Hand unters Kinn legte, und als er zu ihm aufsah, entdeckte er in seinen Augen endlich das, worauf er gehofft hatte: Freude. »Wo hast du gesteckt? Ich hab dich mindestens ein Dutzend Mal gerufen, hab dich gesucht ... die Feuerelfen müssen mich für verrückt gehalten haben!« Wie besorgt er sein Gesicht musterte, als wäre er nicht sicher, ob sich irgendetwas daran geändert hatte. Es tat so gut, seine Sorge zu spüren. Farid hätte tanzen können vor Glück, so wie das Feuer es gerade für Staubfinger getan hatte.

»Nun ja, du siehst aus wie immer, scheint's!«, stellte er schließlich fest. »Ein brauner magerer Teufelsbraten. Aber warte mal, du bist so still! Hat es dich etwa die Stimme gekostet?«

Farid lächelte. »Nein, alles in Ordnung!«, sagte er, mit einem schnellen Blick auf die Frau, die immer noch hinter Staubfinger stand. »Aber es war nicht der Käsekopf, der mich hergebracht hat. Der hat einfach aufgehört zu lesen, sobald du fort warst! Meggie hat mich hergelesen, mit Orpheus' Worten!«

»Meggie? Zauberzunges Tochter?«

»Ja! Aber was ist mit dir? Du bist auch in Ordnung, oder?«

Staubfinger verzog den Mund zu dem spöttischen Lächeln, das Farid so gut kannte. »Nun, die Narben sind noch da, wie du siehst. Aber es ist kein weiterer Schaden entstanden, falls du das meinst.« Er drehte sich um und sah die Frau an, auf eine Art, die Farid gar nicht gefiel.

Ihr Haar war schwarz und ihre Augen waren fast ebenso dunkel wie die seinen. Sie war wirklich sehr schön, auch wenn sie schon alt war, nun ja, jedenfalls viel älter als er – aber Farid mochte sie nicht. Er mochte weder sie noch den Jungen. Schließlich war er Staubfinger nicht in seine Welt gefolgt, um ihn mit anderen zu teilen.

Die Frau trat an Staubfingers Seite und legte ihm die Hand auf die Schulter. »Wer ist das?«, fragte sie und musterte Farid ebenso abschätzend, wie er es bei ihr getan hatte. »Eins deiner vielen Geheimnisse? Ein Sohn, von dem ich nichts weiß?«

Farid spürte, wie das Blut ihm ins Gesicht schoss. Staubfingers Sohn. Die Vorstellung gefiel ihm. Unauffällig sah er zu dem fremden Jungen hinüber. Wer war *sein* Vater?

»Mein Sohn?« Staubfinger strich ihr zärtlich übers Gesicht. »Auf was für Gedanken du kommst. Nein, Farid ist ein Feuerspucker. Er ist eine Weile bei mir in die Lehre gegangen, und seitdem glaubt er, dass ich nicht ohne ihn zurechtkomme. Er ist so fest davon überzeugt, dass er mir überallhin folgt, und wenn der Weg noch so weit ist.«

»Ach was!« Farids Stimme klang ärgerlicher, als er beabsichtigt hatte. »Ich bin hier, um dich zu warnen! Aber ich kann ja wieder gehen, wenn du willst.«

»Schon gut, schon gut!« Staubfinger hielt ihn am Arm fest, als er sich umdrehte. »Himmel, ich hab ganz vergessen, wie schnell du dich aufregst. Warnen? Wovor?«

»Vor Basta.«

Die Frau presste die Hand vor den Mund, als er den Namen aussprach – und Farid begann zu erzählen, berichtete alles, was geschehen war, seit Staubfinger verschwunden war, verschwunden von der einsamen Straße in den Bergen, als hätte es ihn nie gegeben. Als er fertig war, fragte Staubfinger nur eins: »Also hat Basta das Buch?«

Farid bohrte die Zehen in die harte Erde und nickte. »Ja!«, murmelte er zerknirscht. »Er hat mir sein Messer an den Hals gehalten, was sollte ich da machen?«

»Basta?« Die Frau griff nach Staubfingers Hand. »Der lebt also auch noch?«

Staubfinger nickte nur. Dann blickte er wieder Farid an. »Meinst du, dass er schon hier ist? Denkst du, Orpheus hat ihn hergelesen?«

Farid hob ratlos die Schultern. »Ich weiß nicht! Als ich ihm entwischt bin, hat er mir nachgeschrien, dass er sich auch an Zauberzunge rächen will. Aber Zauberzunge glaubt das nicht, er sagt, Basta war nur wütend ...«

Staubfinger blickte zum Tor, es stand immer noch offen. »Ja, Basta sagt viel, wenn er wütend ist«, murmelte er. Dann seufzte er und trat mit dem Fuß ein paar Funken aus, die immer noch vor ihm auf der Erde glühten.

»Schlechte Nachrichten«, murmelte er. »Nichts als schlechte Nachrichten. Jetzt fehlt nur noch, dass du Gwin mitgebracht hast.«

Wie gut, dass es dunkel war. Im Dunkeln erkennt man Lügen nicht halb so leicht wie bei Tage. Farid gab sich alle Mühe, so erstaunt wie möglich zu klingen. »Gwin? Nein. Nein, den hab ich nicht mitgebracht. Du hast doch gesagt, er soll dort bleiben. Außerdem hat Meggie es mir verboten.«

»Kluges Mädchen!« Staubfingers erleichterter Seufzer drang Farid bis ins Herz.

»Du hast den Marder zurückgelassen?« Die Frau schüttelte ungläubig den Kopf. »Ich dachte immer, du hängst an dem kleinen Ungeheuer mehr als an jedem anderen Lebewesen.«

»Du weißt doch, was für ein treuloses Herz ich habe«, erwiderte

Staubfinger, doch die Unbekümmertheit in seiner Stimme konnte nicht einmal Farid täuschen. »Hast du Hunger?«, fragte Staubfinger. »Wie lange bist du schon hier?«

Farid räusperte sich. Die Lüge über Gwin saß ihm wie ein Splitter im Hals. »Seit vier Tagen«, brachte er hervor. »Die Spielleute haben uns was zu essen gegeben, aber hungrig bin ich trotzdem noch ...«

»Uns?« Staubfingers Stimme klang mit einem Schlag misstrauisch.

»Meggie. Zauberzunges Tochter. Sie ist mit mir gekommen!«

»Sie ist hier?« Staubfinger sah ihn entgeistert an. Dann stöhnte er auf und strich sich das Haar aus der Stirn. »Nun, das wird ihrem Vater gefallen. Und ihrer Mutter erst recht. Hast du vielleicht noch jemanden mitgebracht?«

Farid schüttelte den Kopf.

»Wo ist sie jetzt?«

»Bei dem alten Mann!« Farid wies mit dem Kopf in die Richtung, aus der er gekommen war. »Er wohnt bei der Burg. Wir haben ihn im Lager der Spielleute getroffen, Meggie war sehr froh, sie wollte ihn sowieso suchen gehen, damit er sie zurückbringt. Ich glaub, sie hat Heimweh ...«

»Der alte Mann? Von wem redest du jetzt schon wieder, zum Teufel?«

»Na, der Dichter! Der mit dem Schildkrötengesicht, du weißt schon, der, vor dem du davongelaufen bist, damals in ...«

»Ja, ja, schon gut!« Staubfinger legte ihm die Hand auf den Mund, als wollte er kein Wort mehr hören, und starrte dorthin, wo sich irgendwo in der Dunkelheit die Mauern von Ombra verbargen. »Himmel, das wird ja immer schöner ...«, murmelte er.

»Ist das … auch schon wieder eine schlechte Nachricht?« Farid wagte kaum zu fragen.

Staubfinger wandte das Gesicht ab, aber Farid hatte sein Lächeln trotzdem gesehen. »Allerdings«, sagte er. »Vermutlich gab es noch nie einen Jungen, der so viele schlechte Nachrichten auf einmal überbracht hat. Und das auch noch mitten in der Nacht. Was macht man mit solchen Unglücksboten, Roxane?«

Roxane. So hieß sie also. Für einen Moment dachte Farid, sie würde vorschlagen, ihn fortzujagen. Doch dann zuckte sie die Achseln. »Man gibt ihnen zu essen, was sonst?«, sagte sie. »Auch wenn der hier nicht allzu verhungert aussieht.«

Ein Geschenk für Capricorn

»Ist er meines Vaters Feind gewesen, so kann ich ihm noch weniger trauen!«, rief das nun wirklich erschrockene Mädchen. »Wollen Sie nicht mit ihm sprechen, Major Heyward, damit ich seine Stimme höre. Es mag töricht sein, aber Sie haben oft gehört, dass ich an die Bedeutung der menschlichen Stimme glaube.«
James Fenimore Cooper, Der letzte Mohikaner

Es wurde Abend, es wurde Nacht, und niemand kam, um Elinors Keller aufzuschließen. Stumm saßen sie da, zwischen Tomatenmark, Konservendosen mit Ravioli und was sonst sich an Vorräten auf den Regalen um sie her stapelte – und versuchten, die Angst auf den Gesichtern der anderen nicht zu sehen.

»Also, so groß ist mein Haus nun auch wieder nicht!«, sagte Elinor irgendwann in die Stille hinein. »Inzwischen müsste doch selbst dieser Dummkopf von Basta begriffen haben, dass Meggie wirklich nicht hier ist.«

Keiner sagte darauf etwas. Resa klammerte sich an Mortimer, als könnte sie ihn auf die Art vor Bastas Messer schützen, und Darius putzte zum hundertsten Mal seine blitzblanke Brille. Als sich schließlich Schritte der Kellertür näherten, war Elinors Uhr stehen geblieben. Erinnerungen überschwemmten ihren müden Verstand, während sie sich mühsam von dem Kanister Olivenöl erhob, auf dem sie gesessen hatte, Erinnerungen an fensterlose Wände und muffiges Stroh. Ihr Keller war ein komfortableres Gefängnis als Capricorns Verschläge, von der Gruft unter seiner Kirche ganz zu schweigen, aber der Mann, der die Tür aufstieß, war derselbe – und Basta machte Elinor in ihrem eigenen Haus nicht weniger Angst.

Als sie ihn das letzte Mal gesehen hatte, war er selbst ein Gefangener gewesen, von seinem heiß geliebten Herrn in einen Hundezwinger gesperrt. Hatte er das vergessen? Wie hatte Mortola ihn dazu gebracht, ihr dennoch erneut zu dienen? Elinor kam nicht auf die dumme Idee, Basta danach zu fragen. Sie gab sich die Antwort selber: weil ein Hund einen Herrn braucht.

Basta hatte den Schrankmann dabei, als er sie holte. Schließlich waren sie zu viert, und Basta erinnerte sich sicherlich noch allzu gut an den Tag, an dem Staubfinger ihm entkommen war. »Tja, tut mir leid, Zauberzunge, es hat etwas länger gedauert«, sagte er mit seiner Katzenstimme, als er Mortimer den Flur zu Elinors Bibliothek hinunterstieß. »Aber Mortola konnte sich einfach nicht entscheiden, wie ihre Rache nun aussehen soll, nachdem deine Hexentochter sich offenbar wirklich davongemacht hat.«

»Und? Was hat sie sich einfallen lassen?« Elinor fragte, obwohl sie Angst vor der Antwort hatte. Und Basta war nur zu bereit, sie ihr zu geben.

»Na ja, zuerst hatte sie vor, euch alle zu erschießen und dann im See zu versenken, obwohl wir ihr gesagt haben, dass es auch reichen würde, euch einfach irgendwo da draußen unter den Büschen zu verscharren. Aber dann fand sie doch, dass es allzu gnädig wäre, euch im Bewusstsein sterben zu lassen, dass die kleine Hexe ihr entkommen ist. Ja, dieser Gedanke hat Mortola wirklich überhaupt nicht gefallen.«

»So, hat er nicht?« Die Angst machte Elinor die Beine so schwer, dass sie stehen blieb, bis der Schrankmann sie ungeduldig weiterstieß, aber bevor sie fragen konnte, was Mortola denn statt des Erschießens nun für sie geplant hatte, öffnete Basta auch schon die Tür ihrer Bibliothek und winkte sie mit einer spöttischen Verbeugung hinein.

Mortola thronte in Elinors Lieblingssessel. Kaum einen Schritt entfernt von ihr lag ein Hund mit triefenden Augen und einem Kopf, der breit genug war, einen Teller darauf abzustellen. Seine Vorderbeine waren bandagiert wie Mortolas Beine, auch um seinen Bauch schlang sich ein Verband. Ein Hund! In ihrer Bibliothek! Elinor presste die Lippen aufeinander. Vermutlich ist das im Moment deine geringste Sorge, Elinor!, sagte sie sich. Also übersieh ihn am besten einfach.

Mortolas Stock lehnte an einer der Glasvitrinen, in denen sie ihre wertvollsten Bücher aufbewahrte. Das Mondgesicht stand neben der Alten. Orpheus – was bildete der Dummkopf sich ein, einen solchen Namen für sich zu beanspruchen, oder hatten seine Eltern ihn allen Ernstes so genannt? Auf jeden Fall sah er aus, als hätte er eine ebenso schlaflose Nacht verbracht wie sie, was Elinor mit grimmiger Befriedigung erfüllte.

»Mein Sohn hat immer behauptet, die Rache sei ein Gericht, das kalt genossen am besten schmeckt«, stellte Mortola fest, während sie mit zufriedener Miene die erschöpften Gesichter ihrer Gefangenen musterte. »Ich gebe zu, gestern war ich nicht in der Stimmung, diesem Rat zu folgen. Ich hätte euch gern auf der Stelle tot gesehen, aber das Verschwinden der kleinen Hexe hat mir Zeit verschafft nachzudenken, und so bin ich zu dem Entschluss gelangt, meine Rache noch etwas aufzuschieben, um sie dann umso besser und kälter genießen zu können.«

»Hört, hört!«, murmelte Elinor, was ihr einen Stoß mit Bastas Flintenlauf eintrug. Mortola aber richtete ihren Vogelblick auf Mortimer. Niemanden sonst schien sie zu sehen, nicht Resa, nicht Darius, nicht Elinor, nur ihn.

»Zauberzunge!« Sie sprach den Namen voll Verachtung aus. »Wie viele hast du getötet mit deiner Samtstimme? Ein Dutzend? Cockerell, Flachnase und schließlich, als Krönung deiner Kunst, meinen Sohn.« Die Bitterkeit in Mortolas Stimme war so frisch, als wäre Capricorn nicht vor mehr als einem Jahr, sondern in der letzten Nacht gestorben. »Du wirst sterben dafür, dass du ihn getötet hast. Du wirst sterben, so wahr ich hier sitze, und ich werde zusehen, so wie ich zusehen musste beim Tod meines Sohnes. Da ich jedoch aus eigener Erfahrung weiß, dass nichts, weder in dieser noch in einer anderen Welt, mehr schmerzt als der Tod des eigenen Kindes, will ich, dass du den Tod deiner Tochter mit ansiehst, bevor du selber stirbst.«

Mortimer stand da und verzog keine Miene. Gewöhnlich stand ihm jedes Gefühl auf die Stirn geschrieben, aber selbst Elinor hätte in diesem Augenblick nicht sagen können, was in seinem Inneren vorging.

»Sie ist fort, Mortola«, sagte er nur heiser. »Meggie ist fort, und ich denke, du kannst sie nicht zurückholen, sonst hättest du es längst getan, oder?«

»Wer redet denn von Zurückholen?« Mortolas schmallippiger Mund verzog sich zu einem freudlosen Lächeln. »Glaubst du, ich habe vor, noch länger in deiner albernen Welt zu bleiben, jetzt, wo ich das Buch habe? Wozu? Nein, wir werden deiner Tochter in meine Welt folgen. Basta wird sie dort einfangen wie ein Vögelchen. Und dann mache ich euch zwei meinem Sohn zum Geschenk. Es wird wieder ein Fest geben, Zauberzunge, aber diesmal wird nicht Capricorn sterben. O nein. Er wird an meiner Seite sitzen und meine Hand halten, während der Tod erst deine Tochter und dann dich holt. Ja, so wird es sein!«

Elinor sah zu Darius hinüber und entdeckte auf seinem Gesicht dasselbe ungläubige Erstaunen, das sie auch verspürte.

Mortola aber lächelte überlegen. »Was starrt ihr mich so an? Ihr denkt, Capricorn ist tot?« Mortolas Stimme überschlug sich fast. »Blödsinn. Ja, hier ist er gestorben, aber was heißt das schon? Diese Welt ist ein Witz, ein Mummenschanz, wie die Spielleute ihn auf den Märkten aufführen. In unserer, der echten Welt lebt Capricorn noch. Nur deshalb habe ich mir das Buch von dem Feuerfresser zurückgeholt. Die kleine Hexe hat es selbst gesagt, damals, in jener Nacht, in der ihr ihn umbrachtet: Er wird immer da sein, solange es das Buch gibt. Ich weiß, sie sprach von dem Feuerfresser, aber was für ihn gilt, gilt erst recht für meinen Sohn! Sie sind alle noch dort, Capricorn und Flachnase, Cockerell und der Schatten!«

Triumphierend blickte sie von einem zum anderen, aber alle schwiegen. Bis auf Mortimer. »Das ist Unsinn, Mortola!«, sagte er. »Und niemand weiß das besser als du. Du warst doch selbst in der Tintenwelt, als Capricorn von dort verschwand, zusammen mit Basta und Staubfinger.«

»Er war verreist, na und?« Mortolas Stimme wurde schrill. »Und dann kam er nicht wieder, aber das heißt gar nichts. Mein Sohn musste ständig reisen wegen seiner Geschäfte. Der Natternkopf schickte seine Boten manchmal mitten in der Nacht, wenn er seine Dienste benötigte, und dann war er am nächsten Morgen fort. Aber jetzt ist er zurück. Und er wartet darauf, dass ich ihm seinen Mörder bringe, in seine Festung im Weglosen Wald.«

Elinor verspürte den irrwitzigen Drang zu lachen, doch die

Angst drückte ihr die Kehle zu. Kein Zweifel!, dachte sie. Die alte Elster ist verrückt geworden! Leider machte sie das nicht weniger gefährlich.

»Orpheus!« Mortola winkte das Mondgesicht ungeduldig an ihre Seite.

Betont langsam, als wollte er beweisen, dass er ihren Anweisungen keineswegs so willig folgte wie Basta, schlenderte er zu ihr und zog im Gehen ein Blatt Papier aus der Innentasche seiner Jacke. Mit wichtiger Miene faltete er es auseinander und legte es auf die Glasvitrine, an der Mortolas Stock lehnte. Der Hund folgte hechelnd jeder seiner Bewegungen.

»Es wird nicht einfach!«, stellte Orpheus fest, während er sich über den Hund beugte und ihm zärtlich den hässlichen Kopf tätschelte. »Ich habe noch nie versucht, so viele gleichzeitig hinüberzulesen. Vielleicht sollten wir lieber versuchen, einen nach dem anderen ...«

»Nein!«, unterbrach Mortola ihn barsch. »Nein, du liest uns zusammen hinüber, wie wir es besprochen haben.«

Orpheus zuckte die Schultern. »Nun gut, wie du meinst. Wie gesagt, es ist ein Risiko, denn ...«

»Sei still! Ich will das nicht hören.« Mortola bohrte die knochigen Finger in die Armstützen des Sessels. (Ich werd mich nie wieder in das Ding hineinsetzen können, ohne an sie zu denken, dachte Elinor.) »Darf ich dich an die Zelle erinnern, deren Tür sich nur geöffnet hat, weil ich dafür bezahlt habe? Ein Wort von mir und du sitzt wieder genau dort, ohne Bücher und ohne ein einziges Blatt Papier. Glaub mir, ich werde dafür sorgen, wenn du versagst. Schließlich hast du den Feuerfresser auch ohne große Mühe hinübergelesen, nach dem, was Basta erzählt hat.«

»Ja, aber das war leicht, ganz leicht! Als hätte ich etwas wieder an seinen Platz zurückgelegt.« Orpheus blickte so versonnen aus Elinors Fenster, als sähe er Staubfinger draußen auf dem Rasen erneut verschwinden.

Mit einem Stirnrunzeln wandte er sich an Mortola. »Bei ihm ist es anders!«, sagte er, während er auf Mortimer wies. »Es ist nicht seine Geschichte. Er gehört nicht hinein.«

»Das tat seine Tochter auch nicht. Willst du sagen, dass sie besser liest als du?«

»Natürlich nicht!« Orpheus richtete sich kerzengerade auf. »Niemand kann es besser als ich. Habe ich das nicht bewiesen? Hast du nicht selbst gesagt, dass Staubfinger zehn Jahre nach jemandem gesucht hat, der ihn zurückliest?«

»Ja, ja, schon gut. Dann rede nicht länger.« Mortola griff nach ihrem Stock und richtete sich mühsam auf. »Wäre es nicht amüsant, wenn für uns auch so eine angriffslustige Katze aus den Buchstaben schlüpfen würde wie bei dem Feuerspucker? Bastas Hand ist immer noch nicht verheilt und er hatte ein Messer und den Hund als Helfer.« Mit einem bösen Blick sah sie zu Elinor und Darius hinüber.

Elinor machte einen Schritt vor, trotz Bastas Flintenlauf. »Was soll das heißen? Ich komme natürlich mit!«

Mortola hob in gespieltem Erstaunen die Augenbrauen. »Ach, und wer, glaubst du, entscheidet das? Was soll ich mit dir? Oder mit Darius, dem dummen Stümper. Mein Sohn hätte zwar sicherlich nichts dagegen, auch euch an den Schatten zu verfüttern, aber ich will es Orpheus nicht zu schwer machen.« Mit ihrem Stock wies sie auf Mortimer. »Wir nehmen ihn mit! Niemanden sonst.«

Resa umklammerte Mortimers Arm. Mit einem Lächeln trat

Mortola auf sie zu. »Ja, Täubchen, dich werde ich auch hier lassen!«, sagte sie und kniff ihr grob in die Wange. »Das wird wehtun, wenn ich ihn dir jetzt wieder fortnehme, nicht wahr? Wo du ihn doch gerade erst zurückbekommen hast. Nach all den Jahren …«

Mortola gab Basta einen Wink und er griff grob nach Resas Arm. Sie wehrte sich, klammerte sich immer noch an Mortimer, mit so verzweifeltem Gesicht, dass es Elinor das Herz zerschnitt. Aber als sie ihr zu Hilfe kommen wollte, trat der Schrankmann ihr in den Weg. Und Mortimer löste Resas Hand sanft von seinem Arm.

»Es ist schon gut«, sagte er. »Schließlich bin ich der Einzige aus der Familie, der noch nicht in der Tintenwelt war. Und ich versprech dir, ich komm nicht ohne Meggie zurück.«

»Richtig, weil du nämlich gar nicht zurückkommen wirst!«, höhnte Basta, während er Resa grob auf Elinor zustieß.

Und Mortola lächelte immer noch. Elinor hätte sie so gern geschlagen. Tu doch etwas, Elinor!, dachte sie. Aber was konnte sie tun? Mortimer festhalten? Das Blatt zerreißen, das das Mondgesicht so sorgfältig auf ihrer Vitrine glatt strich?

»Also, können wir jetzt endlich anfangen?«, fragte Orpheus und leckte sich die Lippen, als könnte er es kaum erwarten, seine Kunst erneut zu demonstrieren.

»Sicher.« Mortola stützte sich schwer auf ihren Stock und winkte Basta an ihre Seite.

Orpheus warf ihm einen misstrauischen Blick zu. »Du sorgst dafür, dass er Staubfinger in Ruhe lässt, stimmt's?«, sagte er zu Mortola. »Du hast es versprochen!«

Basta zog sich den Finger über die Kehle und zwinkerte ihm zu.

»Hast du das gesehen?« Orpheus' schöne Stimme überschlug sich. »Ihr habt es versprochen! Das war meine einzige Bedingung. Ihr lasst Staubfinger in Frieden oder ich lese nicht ein einziges Wort!«

»Ja, ja, schon gut, schrei nicht so herum, du ruinierst dir noch die Stimme«, erwiderte Mortola ungeduldig. »Wir haben Zauberzunge. Was interessiert mich da noch der elende Feuerfresser? Lies jetzt endlich!«

»He! Wartet!« Es war das erste Mal, dass Elinor die Stimme des Schrankmanns hörte. Sie war seltsam hoch für einen Mann seiner Größe – als spräche ein Elefant mit der Stimme einer Grille. »Was passiert mit den anderen, wenn ihr fort seid?«

»Was weiß ich?« Mortola zuckte die Achseln. »Lass sie von dem fressen, was für uns herauskommt. Mach die Dicke zu deiner Magd und Darius zum Stiefelputzer. Was immer ... Es ist mir gleich. Fang nur endlich an zu lesen!«

Orpheus gehorchte.

Er trat auf die Vitrine zu, auf der das Blatt mit seinen Worten wartete, räusperte sich und rückte die Brille zurecht ...

»*Capricorns Festung lag dort, wo man im Wald die ersten Riesenspuren fand.*« Die Worte flossen ihm über die Lippen wie Musik. »*Schon lange hatte man keinen von ihnen mehr dort gesehen, aber andere Wesen, furchterregender als sie, strichen nachts um die Mauern – Nachtmahre und Rotkappen, ebenso grausam wie die Menschen, die die Festung errichtet hatten. Aus grauen Steinen war sie erbaut, grau wie der felsige Hang, an den sie sich lehnte ...*«

Tu etwas!, dachte Elinor. Tu etwas, jetzt oder nie, reiß dem Mondgesicht das Papier aus der Hand, tritt der Elster den Stock weg ... aber sie konnte kein Glied rühren.

Was für eine Stimme! Und der Zauber der Worte – wie sie ihr das Hirn verklebten, sie schläfrig vor Entzücken machten. Als Orpheus von Stechwinde und Tamariskenblüten las, glaubte Elinor, sie zu riechen. Er liest tatsächlich so gut wie Mortimer! Das war der einzige selbstständige Gedanke, der sich in ihrem Kopf formte. Den anderen ging es nicht besser, alle starrten sie auf Orpheus' Lippen, als könnten sie das nächste Wort kaum erwarten: Darius, Basta, der Schrankmann, selbst Mortimer, ja, sogar die Elster. Reglos lauschten sie, eingesponnen vom Klang der Worte. Nur eine bewegte sich. Resa. Elinor sah, wie sie gegen den Zauber ankämpfte wie gegen tiefes Wasser, wie sie hinter Mortimer trat und die Arme um ihn schlang.

Und dann waren sie alle verschwunden, Basta, die Elster, Mortimer und Resa.

Mortolas Rache

> Ich wage es nicht,
> wage es nicht zu schreiben:
> wenn du stirbst.
> *Pablo Neruda, Die Tote*

Es war, als legte sich ein Bild, durchscheinend wie bemaltes Glas, über das, was Resa noch eben gesehen hatte – Elinors Bibliothek, die Bücherrücken, einer neben dem anderen, so sorgsam von Darius sortiert – das alles verschwamm, und ein anderes Bild wurde deutlicher. Steine fraßen die Bücher, Mauern, geschwärzt von Ruß, ersetzten die Regale. Gras wuchs aus Elinors Holzdielen, und die Decke, weiß verputzt, wich einem von dunklen Wolken bedeckten Himmel.

Resas Arme schlangen sich immer noch um Mo. Er war das Einzige, was nicht verschwand, und sie ließ ihn nicht los, aus Angst, ihn doch wieder zu verlieren, so wie schon einmal. Vor langer Zeit.

»Resa?« Sie sah den Schreck in seinen Augen, als er sich umdrehte und begriff, dass sie mit ihm gekommen war. Schnell presste sie ihm die Hand auf den Mund. Zu ihrer Linken rankte Geißblatt an den geschwärzten Mauern empor. Mo streckte die Hand nach den Blättern aus, als müssten seine Finger erst fühlen, was seine Augen längst sahen. Resa erinnerte sich, dass sie es damals ebenso gemacht, dass auch sie alles betastet hatte, fassungslos darüber, dass die Welt hinter den Buchstaben so wirklich war.

Hätte sie die Worte nicht von Orpheus' Lippen gehört, Resa hätte nicht erkannt, wohin Mortola sie alle hatte lesen lassen. Capricorns Festung hatte so anders ausgesehen, als sie zum letzten Mal auf dem Hof gestanden hatte. Überall waren Männer gewesen, bewaffnete Männer, auf den Treppen, vor dem Tor und auf der Mauer. Dort, wo jetzt nur noch verkohlte Balken lagen, hatte das Backhaus gestanden, und drüben neben der Treppe hatten sie und die anderen Mägde die Wandbehänge ausgeklopft, mit denen Mortola nur zu besonderen Gelegenheiten die kahlen Räume hatte schmücken lassen.

Die Räume gab es nicht mehr. Die Mauern der Festung waren eingestürzt und schwarz vom Feuer. Ruß bedeckte die Steine, als hätte sie jemand mit schwarzem Pinsel bemalt, und auf dem einst so kahlen Hof wucherte Schafgarbe. Schafgarbe liebte verbrannte Erde, überall wuchs sie, und dort, wo einstmals eine schmale Treppe zum Wachturm hinaufgeführt hatte, drängte der Wald in Capricorns Unterschlupf. Junge Bäume wurzelten zwischen den Ruinen, als hätten sie nur darauf gewartet, den Platz zurückzuerobern, den das Menschenhaus für sich beansprucht hatte. Disteln wuchsen in den leeren Fensterhöhlen, Moos bedeckte die zerstörten Treppen, und Efeu wucherte bis hinauf zu den verbrannten Holzstümpfen, die einst Capricorns Galgen gewesen waren. Resa hatte viele Männer dort oben hängen sehen.

»Was soll das?« Mortolas Stimme hallte von den toten Mauern wider. »Was soll diese jämmerliche Ruine? Das ist nicht die Festung meines Sohnes!«

Resa trat dichter an Mos Seite. Er war immer noch wie betäubt, fast, als wartete er auf den Moment, in dem er aufwachen und statt der Steine wieder Elinors Bücher sehen würde. Resa wusste nur zu gut, wie er sich fühlte. Für sie war es beim zweiten Mal nicht mehr so schlimm. Schließlich war sie diesmal nicht allein und wusste, was geschehen war. Aber Mo schien alles vergessen zu haben, Mortola, Basta – und warum sie ihn hergebracht hatten.

Resa jedoch hatte es nicht vergessen, und mit klopfendem Herzen beobachtete sie, wie Mortola durch die Schafgarbe auf die verkohlten Mauern zustolperte und die Steine betastete, als fahre sie mit den Fingern ihrem toten Sohn übers Gesicht.

»Ich werde diesem Orpheus eigenhändig die Zunge herausschneiden und sie ihm mit Fingerhut bestreut als Mahlzeit servieren!«, stieß sie hervor. »Das soll die Festung meines Sohnes sein? Niemals!« Ihr Kopf ruckte hektisch hin und her wie der eines Vogels, während sie sich umsah.

Basta stand nur da, die Flinte auf Resa und Mo gerichtet, und schwieg.

»Nun sag schon etwas!«, schrie die Elster ihn an. »Sag etwas, du Hohlkopf.«

Basta bückte sich und hob einen rostigen Helm auf, der vor seinen Füßen lag. »Was soll ich da sagen?«, knurrte er, während er den Helm mit düsterer Miene wieder ins Gras warf und ihm einen Tritt gab, der ihn scheppernd gegen die Mauer rollen ließ. »Natürlich ist es unsere Burg oder hast du den Steinbock da an der Wand extra übersehen? Sogar die Teufel sind noch da, auch wenn sie jetzt eine Krone aus Efeu tragen, und da drüben ist noch eins der Augen, die der Schlitzer so gern auf die Steine gepinselt hat.«

Mortola starrte das rote Auge an, auf das Bastas Finger wies. Dann humpelte sie zu den Resten des hölzernen Tores, zersplittert und aus den Angeln gerissen, kaum noch zu sehen unter Brombeergestrüpp und mannshohen Brennnesseln. Schweigend stand sie da und sah sich um.

Mo aber war endlich zu sich gekommen. »Wovon reden sie?«, flüsterte er Resa zu. »Wo sind wir? Ist das Capricorns Schlupfwinkel gewesen?«

Resa nickte nur. Die Elster jedoch fuhr beim Klang seiner Stimme herum und starrte ihn an. Dann kam sie auf ihn zu, stolpernd, als wäre ihr schwindlig.

»Ja, das ist seine Burg, aber Capricorn ist nicht hier!«, sagte sie mit bedrohlich leiser Stimme. »Mein Sohn ist nicht hier. Also hatte Basta doch recht. Er ist tot, hier *und* in der anderen Welt, tot, und wodurch? Durch deine Stimme, deine verfluchte Stimme!«

Mortolas Gesicht war so hasserfüllt, dass Resa Mo unwillkürlich zurückziehen wollte, irgendwohin, wo er geschützt war vor diesem Blick. Aber hinter ihnen war nichts als die rußige Mauer, auf der immer noch Capricorns Steinbock prangte, die Augen rot, mit brennenden Hörnern.

»Zauberzunge!« Mortola spuckte das Wort aus, als wäre es Gift. »Mörderzunge passt besser zu dir. Dein Töchterchen hat es nicht übers Herz gebracht, die Worte auszusprechen, die meinen Sohn umbrachten, aber du schon – *nicht einen Atemzug lang hast du gezögert!*« Ihre Stimme war kaum mehr als ein Flüstern, als sie weitersprach: »Ich sehe dich noch so genau vor mir, als wäre es gestern Nacht geschehen – wie du ihr das Blatt aus der Hand genommen und sie zur Seite geschoben hast. Und dann kamen die Worte aus deinem Mund, wohlklingend wie alles, was du über die Lippen bringst, und als du fertig warst, lag mein Sohn tot im Staub.« Für einen Moment presste sie sich die Finger auf den Mund, als müsste sie ein Schluchzen zurückhalten. Als sie die Hand wieder sinken ließ, zitterten ihre Lippen immer noch.

»Wie – kann – das – sein?«, fuhr sie mit bebender Stimme fort. »Sag mir, wie ist es möglich? Er gehörte doch gar nicht dorthin, in eure falsche Welt. Wie konnte er dann dort sterben? Hast du ihn nur dafür hinübergelockt mit deiner teuflischen Zunge?« Und erneut wandte sie sich um, starrte die verbrannten Mauern an, die mageren Fäuste geballt.

Basta bückte sich noch einmal. Diesmal hob er eine Pfeilspitze auf. »Wüsste wirklich gern, was hier passiert ist!«, murmelte er. »Ich hab immer gesagt, dass Capricorn nicht mehr hier ist, aber wo sind die anderen? Der Brandfuchs, Pechfresser, Buckel, der Pfeifer und der Schlitzer ... sind die alle tot? Oder stecken sie im Kerker des Speckfürsten?« Beunruhigt sah er Mortola an. »Was sollen wir machen, wenn sie alle nicht mehr da sind, sag schon!« Bastas Stimme klang wie die eines Jungen, der Angst vor der Nacht hat. »Willst du, dass wir wie Kobolde in einer Höhle hausen, bis uns die Wölfe finden? Hast du sie vergessen, die Wölfe? Und die Nachtmahre, die Feuerelfen, all das, was sonst noch hier herumkriecht ... ich hab sie nicht vergessen, aber du wolltest ja unbedingt zurück an diesen verfluchten Ort, an dem hinter jedem Baum drei Geister stecken!« Er griff an das Amulett, das ihm um den Hals baumelte, aber Mortola würdigte ihn keines Blickes.

»Ach, sei still!«, sagte sie mit so scharfer Stimme, dass Basta den Kopf einzog. »Wie oft soll ich dir noch erklären, dass man Geister nicht fürchten muss? Und was die Wölfe betrifft, dafür hast du schließlich dein Messer, oder? Wir werden schon zurechtkommen. Wir sind auch in ihrer Welt zurechtgekommen und in dieser kennen wir uns wesentlich besser aus. Außerdem haben wir hier einen mächtigen Freund, hast du das vergessen? Wir werden ihm einen Besuch abstatten, ja, das werden wir. Doch vorher habe ich noch etwas zu erledigen, etwas, das ich längst hätte tun sollen.« Und wieder sah sie nur Mo an. Niemanden sonst.

Dann drehte sie sich um, ging mit festem Schritt auf Basta zu und nahm ihm die Flinte aus der Hand.

Resa griff nach Mos Arm. Sie versuchte, ihn zur Seite zu zerren, aber Mortola schoss zu schnell. Die Elster hatte einige Übung mit einer Flinte. Oft genug hatte sie auf die Vögel geschossen, die die Saat von ihren Beeten pickten, damals in Capricorns Hof.

Das Blut breitete sich auf Mos Hemd aus wie eine Blume, die aufblühte, rot, purpurrot. Resa hörte sich selber schreien, als er fiel und plötzlich dalag, reglos, während das Gras um ihn her sich so rot färbte wie sein Hemd. Auf die Knie warf sie sich, drehte ihn um und presste die Hände auf die Wunde, als könnte sie das Blut zurückhalten, all das Blut, das sein Leben forttrug.

»Komm schon, Basta!«, hörte sie Mortola sagen. »Wir haben einen langen Weg vor uns, es wird Zeit, dass wir einen sicheren Platz finden, bevor es dunkel wird. Dieser Wald ist kein angenehmer Ort bei Nacht.«

»Du willst sie hierlassen?« Das war Bastas Stimme.

»Ja, warum nicht? Ich weiß, dass sie dir schon immer gefallen hat, aber die Wölfe werden sich um sie kümmern. Das frische Blut wird sie herlocken.«

Das Blut. Es kam immer noch so schnell und Mos Gesicht war weiß wie Schnee. »Nein. O bitte, nein!«, flüsterte Resa. Ihre Stimme. Sie presste die Finger gegen ihre zitternden Lippen.

»Nun sieh einer an. Das Täubchen kann wieder sprechen!« Bastas höhnische Stimme drang kaum durch das Rauschen in ihren Ohren. »Nur schade, dass er dich nicht mehr hören kann, stimmt's? Mach's gut, Resa!«

Sie sah sich nicht um. Auch nicht, als die Schritte sich entfernten. »Nein!«, hörte sie sich nur immer wieder flüstern. »Nein«, wie ein Gebet. Sie riss einen Streifen Stoff von ihrem Kleid – wenn ihre Finger nur nicht so gezittert hätten – und presste den Stoff auf die Wunde. Ihre Hände waren feucht von seinem Blut und ihren Tränen. Resa!, fuhr sie sich an. Deine Tränen nützen ihm nichts. Erinnere dich! Was haben Capricorns Männer getan, wenn sie verwundet waren? Sie hatten die Wunden ausgebrannt, aber daran wollte sie nicht denken. Es hatte da auch noch eine Pflanze gegeben, eine Pflanze mit pelzigen Blättern, die Blüten blasslila, winzige Glocken, in die brummend die Hummeln krochen. Suchend sah sie sich danach um, durch den Schleier ihrer Tränen, als hoffte sie auf ein Wunder ...

Zwischen den Geißblattranken schwirrten zwei Feen, blauhäutig. Wenn Staubfinger jetzt hier gewesen wäre – er hätte gewusst, wie man sie anlockte, ganz bestimmt. Mit leiser Stimme hätte er sie gerufen, sie überredet, etwas von ihrem Speichel oder dem silbrigen Staub herzugeben, den sie sich aus den Haaren schüttelten.

Wieder hörte sie ihr eigenes Schluchzen. Mit blutverschmierten Fingern strich sie Mo das dunkle Haar aus der Stirn, rief ihn beim Namen. Er konnte nicht tot sein, nicht jetzt, nicht nach all den Jahren ...

Wieder und wieder rief sie seinen Namen, legte die Finger auf seine Lippen, spürte seinen Atem, flach und unstet, mühsam, als säße ihm jemand auf der Brust. Der Tod, dachte sie, der Tod ...

Ein Geräusch ließ sie zusammenfahren, Schritte auf weichem Laub. Hatte Mortola es sich doch anders überlegt? Hatte sie Basta zurückgeschickt, um sie zu holen? Oder kamen etwa schon die Wölfe? Wenn sie doch wenigstens ein Messer gehabt hätte. Mo hatte immer eins bei sich. Fahrig schob sie die Hände in seine Hosentaschen, tastete nach dem blanken Griff …

Die Schritte wurden lauter. Ja, es waren Schritte, kein Zweifel, die Schritte eines Menschen. Und dann plötzlich war es still, bedrohlich still. Resa spürte den Messergriff zwischen den Fingern. Hastig zog sie das Messer aus Mos Tasche, ließ es aufschnappen. Sie wagte kaum, sich umzudrehen, aber schließlich tat sie es doch.

Eine alte Frau stand da, wo einmal Capricorns Tor gewesen war. Klein wie ein Kind sah sie aus zwischen den Pfeilern, die immer noch hoch aufragten. Sie trug einen Sack über der Schulter und ein Kleid, das aussah, als hätte sie es aus Nesseln geknüpft. Ihre Haut war braun gebrannt, das Gesicht so zerfurcht wie Baumrinde. Ihr graues Haar war kurz wie Marderhaar, Blätter hingen darin und Kletten.

Ohne ein Wort kam sie auf Resa zu. Ihre Füße waren nackt, aber die Nesseln und Disteln, die im Hof der zerstörten Festung wuchsen, schienen sie nicht zu stören. Mit ausdruckslosem Gesicht schob sie Resa zur Seite und beugte sich über Mo. Ungerührt schob sie den blutigen Stofffetzen zur Seite, den Resa immer noch auf die Wunde presste.

»So eine Wunde hab ich noch nie gesehen«, stellte sie fest mit einer Stimme, die so heiser klang, als würde sie nicht oft benutzt. »Was hat sie verursacht?«

»Ein Gewehr«, antwortete Resa. Es fühlte sich seltsam an, wieder die Zunge statt der Hände zum Sprechen zu benutzen.

»Ein Gewehr?« Die Alte sah sie an, schüttelte den Kopf und beugte sich erneut über Mo. »Ein Gewehr. Was soll das nun wieder sein?«, murmelte sie, während sie mit braunen Fingern die Wunde betastete. »Ja, neue Waffen erfinden sie schneller, als ein Küken aus dem Ei schlüpft, und ich kann mir einfallen lassen, wie ich wieder zusammenflicke, was sie zerstechen und zerschneiden.« Sie legte Mo das Ohr an die Brust, lauschte und richtete sich mit einem Seufzer wieder auf. »Hast du ein Hemd unter dem Kleid?«, fragte sie barsch, ohne Resa anzusehen. »Zieh es aus und zerreiß es. Ich brauch lange Streifen.« Dann griff sie in einen ledernen Beutel an ihrem Gürtel, zog ein Fläschchen heraus und tränkte einen der Stoffstreifen, den Resa ihr hinhielt, damit. »Press das drauf!«, sagte sie und drückte ihr den Stoff zwischen die Finger. »Die Wunde ist schlimm. Vielleicht muss ich schneiden oder brennen, aber nicht hier. Wir zwei können ihn allein nicht tragen, aber die Spielleute haben ein Lager nicht weit von hier, für ihre Alten und Kranken. Vielleicht find ich dort Hilfe.« Sie verband die Wunde mit so flinken Fingern, als hätte sie nie etwas anderes getan. »Halt ihn warm!«, sagte sie, während sie sich wieder erhob und den Sack über die Schulter warf. Dann wies sie auf das Messer, das Resa ins Gras hatte fallen lassen. »Behalte das bei dir. Ich versuche, vor den Wölfen zurück zu sein. Und sollte sich eine von den Weißen Frauen sehen lassen, pass auf, dass sie ihn nicht ansieht oder ihm seinen Namen zuflüstert.«

Dann war sie fort, ebenso plötzlich, wie sie gekommen war. Und Resa kniete auf dem Hof von Capricorns Festung, die Hand auf den blutgetränkten Verband gepresst, und lauschte Mos Atem.

»Hörst du? Meine Stimme ist zurück«, flüsterte sie ihm zu, »als hätte sie hier auf dich gewartet.« Aber Mo regte sich nicht. Und sein Gesicht war so blass, als hätten die Steine und das Gras all sein Blut getrunken.

Resa wusste nicht, wie viel Zeit vergangen war, als sie hinter sich das Flüstern hörte, unverständlich und sacht wie Regen. Als sie sich umsah, stand sie da, auf der zerstörten Treppe, eine Weiße Frau, verschwommen wie ein Spiegelbild auf dem Wasser. Resa wusste nur zu gut, was ihr Erscheinen bedeutete. Oft genug hatte sie Meggie von den Weißen Frauen erzählt. Nur eines lockte sie an, schneller als das Blut die Wölfe: das Stocken des Atems, ein Herz, das immer schwächer schlug …

»Sei still!«, schrie Resa die bleiche Gestalt an, während sie sich schützend über Mos Gesicht beugte. »Verschwinde und wag nicht, ihn anzusehen. Er geht nicht mit dir, nicht heute!« Sie flüstern deinen Namen, wenn sie dich mitnehmen wollen, hatte Staubfinger ihr erzählt. Aber sie wissen Mos Namen nicht!, dachte Resa. Sie können ihn nicht wissen, weil er nicht hierher gehört! Die Ohren hielt sie ihm trotzdem zu.

Die Sonne begann unterzugehen. Unaufhaltsam versank sie hinter den Bäumen. Zwischen den verbrannten Mauern wurde es dunkel und die bleiche Gestalt auf der Treppe wurde immer deutlicher. Reglos stand sie da und wartete.

Geburtstagsmorgen

»Nein, nicht ohne eine Wunde in der Seele werde ich diese Stadt verlassen ... Zu viele Splitter meines Geistes habe ich in diesen Straßen verstreut, und zu zahlreich sind die Kinder meiner Sehnsucht, die nackt zwischen diesen Hügeln wandeln.«
Khalil Gibran, Der Prophet

Meggie schreckte aus dem Schlaf hoch. Sie hatte geträumt, schlimm geträumt, aber sie wusste nicht, wovon. Nur die Angst war noch da wie ein Stechen im Herzen. Lärm drang an ihre Ohren, Geschrei und lautes Lachen, Kinderstimmen, Hundegebell, das Grunzen von Schweinen, Hämmern, Sägen. Sie spürte Sonnenlicht auf dem Gesicht, und die Luft, die ihr in die Nase zog, schmeckte nach Mist und frisch gebackenem Brot. Wo war sie? Erst als sie Fenoglio an seinem Schreibpult sitzen sah, fiel es ihr wieder ein – Ombra. Sie war in Ombra.

»Guten Morgen!« Fenoglio hatte ganz offensichtlich hervorragend geschlafen. Er sah sehr zufrieden aus mit sich und der Welt. Nun ja, wer sonst sollte mit ihr zufrieden sein, wenn nicht der, der sie erschaffen hatte? Neben ihm stand der Glasmann, den Meggie gestern schlafend neben dem Federkrug entdeckt hatte.

»Rosenquarz, begrüß unseren Gast!«, sagte Fenoglio.

Der Glasmann verbeugte sich steif in Meggies Richtung, nahm die tropfende Feder entgegen, strich sie an einem Fetzen Stoff ab und stellte sie zurück in den Krug zu den anderen. Dann beugte er sich über das, was Fenoglio geschrieben hatte. »Ah. Zur Abwechslung mal kein Lied über diesen Eichelhäher!«, stellte er spitz fest. »Bringt Ihr das hier heute auf die Burg?«

»In der Tat!«, antwortete Fenoglio von oben herab. »Und jetzt sorg endlich dafür, dass die Tinte nicht verwischt.«

Der Glasmann rümpfte die Nase, als sei ihm so etwas noch nie passiert, griff mit beiden Händen in die Schale Sand, die neben den Federn stand, und warf die feinen Körner mit geübtem Schwung auf das frisch beschriebene Pergament.

»Rosenquarz, wie oft soll ich es dir noch sagen?«, fuhr Fenoglio ihn an. »Du nimmst zu viel Sand und mit zu viel Schwung, so verschmiert alles.«

Der Glasmann klopfte sich ein paar Sandkörner von den Händen und verschränkte mit gekränkter Miene die Arme. »Dann macht es doch besser!« Seine Stimme erinnerte Meggie an das Geräusch, das entstand, wenn man mit den Fingernägeln gegen ein Glas klopfte. »Ja, wahrlich, das würde ich gern sehen!«, sagte er spitz und musterte Fenoglios klobige Finger mit solcher Verachtung, dass Meggie lachen musste.

»Ich auch!«, sagte sie, während sie sich ihr Kleid über den Kopf zog. Ein paar vertrocknete Blüten aus dem Weglosen Wald hafteten noch daran und Meggie musste an Farid denken. Ob er Staubfinger gefunden hatte?

»Hört Ihr?« Rosenquarz warf ihr einen wohlwollenden Blick zu. »Sie klingt nach einem klugen Mädchen.«

»O ja, Meggie ist sehr klug«, antwortete Fenoglio. »Wir zwei haben einiges zusammen erlebt. Nur ihr ist es zu verdanken, dass ich jetzt hier sitze und einem Glasmann erklären muss, wie man Sand auf die Tinte wirft.«

Rosenquarz warf Meggie einen neugierigen Blick zu, doch er

fragte nicht nach, was Fenoglios rätselhafte Bemerkung zu bedeuten hatte.

Meggie trat auf das Schreibpult zu und blickte dem alten Mann über die Schulter. »Deine Handschrift ist lesbarer geworden«, stellte sie fest.

»Oh, danke sehr«, murmelte Fenoglio. »Du musst es wissen. Aber da, siehst du das verwischte P?«

»Solltet Ihr allen Ernstes versuchen, mir dafür die Schuld zu geben«, sagte Rosenquarz mit seiner klingenden Stimme, »dann bin ich zum letzten Mal Euer Federhalter gewesen und suche mir auf der Stelle einen Schreiber, bei dem ich nicht vor dem Frühstück arbeiten muss.«

»Schon gut, schon gut, ich gebe nicht dir die Schuld. Ich habe das P verwischt, nur ich!« Fenoglio zwinkerte Meggie zu. »Er ist schnell beleidigt«, raunte er ihr vertraulich zu. »Sein Stolz ist ebenso zerbrechlich wie seine Glieder.«

Der Glasmann kehrte ihm wortlos den Rücken zu, griff nach dem Stoff, mit dem er die Feder gesäubert hatte, und versuchte, sich einen noch feuchten Tintenfleck vom Arm zu wischen. Seine Glieder waren nicht gänzlich farblos, wie es die der Glasmenschen in Elinors Garten gewesen waren. Alles an ihm war von einem feinen Rosa, wie die Blüten einer Hundsrose. Nur sein Haar war etwas dunkler gefärbt.

»Du hast noch gar nichts zu dem neuen Lied gesagt«, bemerkte Fenoglio. »Es ist wunderbar, nicht wahr?«

»Es ist nicht übel!«, erwiderte Rosenquarz, ohne sich umzudrehen, und begann, seine Füße zu polieren.

»Nicht übel? Es ist ein Meisterwerk, du madenfarbiger tintenverschmierender Federhalter!« Fenoglio schlug so heftig auf das Pult, dass der Glasmann wie ein Käfer auf den Rücken fiel. »Ich werde noch heute auf den Markt gehen und mir einen neuen Glasmann besorgen, einen, der so etwas erkennt und auch meine Räuberlieder zu schätzen weiß!« Er öffnete eine längliche Schachtel und nahm eine Stange Siegellack heraus. »Wenigstens hast du diesmal nicht vergessen, Feuer fürs Versiegeln zu besorgen!«, brummte er.

Rosenquarz zog ihm den Siegellack mit einem Ruck aus der Hand und hielt ihn in die brennende Kerze, die neben dem Federkrug stand. Mit unbewegtem Gesicht drückte er das schmelzende Ende auf die Pergamentrolle, wedelte noch ein paar Mal mit seiner gläsernen Hand über dem roten Abdruck herum und warf dann Fenoglio einen auffordernden Blick zu, worauf der mit wichtiger Miene den Ring, den er am rechten Mittelfinger trug, in den feuchten Lack drückte. »F für Fenoglio, F für Fantasie, F für Fabelhaft«, verkündete er. »Das wäre geschafft.«

»F für Frühstück fände ich jetzt passender«, sagte Rosenquarz, aber Fenoglio überhörte diese Bemerkung.

»Wie findest du das Lied für den Fürsten?«, fragte er Meggie.

»Ich … konnte nicht alles lesen wegen eurer Streiterei«, antwortete sie ausweichend. Sie wollte Fenoglios Stimmung nicht zusätzlich verdüstern, indem sie verkündete, dass die Verse ihr bekannt vorkamen. »Warum will der Speckfürst ein so trauriges Gedicht?«, fragte sie stattdessen.

»Weil sein Sohn tot ist«, antwortete Fenoglio. »Ein trauriges Lied nach dem anderen, das ist alles, was er seit Cosimos Tod hören will. Ich bin es so leid!« Mit einem Seufzer legte er das Pergament auf das Pult zurück und trat zu der Truhe, die unter dem Fenster stand.

»Cosimo? Cosimo der Schöne ist tot?« Meggie konnte ihre Enttäuschung nicht verbergen. Resa hatte ihr so viel über den Sohn des Speckfürsten erzählt: dass jeder, der ihn sah, ihn liebte, dass selbst der Natternkopf ihn fürchtete, dass seine Bauern ihm ihre kranken Kinder brachten, weil sie glaubten, jemand, der so schön wie ein Engel war, könnte auch jede Krankheit heilen …

Fenoglio seufzte. »Ja, furchtbar. Eine bittere Lektion! Diese Geschichte ist nicht mehr meine Geschichte! Sie tut, was sie will!«

»Oje! Nun geht das wieder los!« Rosenquarz stöhnte auf. »Seine Geschichte. Ich werde das Gerede nie begreifen. Vielleicht solltet Ihr wirklich mal zu einem der Bader gehen, die kranke Köpfe kurieren.«

»Mein lieber Rosenquarz«, erwiderte Fenoglio darauf nur, »dieses Gerede, wie du es nennst, ist einfach zu groß für deinen kleinen, durchsichtigen Kopf. Aber glaub mir, Meggie weiß sehr genau, wovon ich spreche!« Mit missmutiger Miene öffnete er die Truhe und nahm ein langes dunkelblaues Gewand heraus. »Ich müsste mir ein neues schneidern lassen«, murmelte er. »Ja, das müsste ich fürwahr. Das ist kein Gewand für einen Mann, dessen Worte landauf, landab gesungen werden und dem ein Fürst den Auftrag gibt, den Schmerz um seinen Sohn in Worte zu kleiden! Sieh sich doch nur einer die Ärmel an! Löcher, überall Löcher. Die Motten waren drin, trotz Minervas Lavendelsträußchen.«

»Für einen armen Dichter reicht es allemal!«, stellte der Glasmann nüchtern fest.

Fenoglio legte das Gewand zurück in die Truhe und ließ den Deckel mit einem dumpfen Knall zufallen. »Irgendwann«, sagte er, »werf ich mit etwas wirklich Hartem nach dir!«

Rosenquarz schien diese Drohung nicht weiter zu beunruhigen. Die beiden stritten sich weiter, über dies und das, es schien ein Spiel zwischen ihnen zu sein, und Meggies Anwesenheit hatten sie offenbar vollkommen vergessen. Sie trat ans Fenster, schob den Stoff zur Seite und blickte hinaus. Es würde ein sonniger Tag werden, auch wenn über den umliegenden Hügeln noch Nebel hing. Auf welchem sollte die Spielfrau leben, bei der Farid nach Staubfinger suchen wollte? Sie hatte es vergessen. Würde er zurückkommen, wenn er Staubfinger tatsächlich fand, oder würde er einfach mit ihm davonziehen, so wie er es das letzte Mal getan hatte, und vergessen, dass sie auch hier war? Meggie versuchte gar nicht erst zu ergründen, welches Gefühl sich bei dem Gedanken in ihr regte. In ihrem Herzen herrschte schon genug Verwirrung, so viel Verwirrung, dass sie Fenoglio am liebsten nach einem Spiegel gefragt hätte, um sich für einen Augenblick selbst zu sehen – ihr eigenes vertrautes Gesicht in all dem Fremden, das sie umgab, in all dem Fremden, das sich in ihrem Herzen regte. Aber stattdessen ließ sie den Blick über die nebelverhangenen Hügel wandern.

Wie weit reichte Fenoglios Welt? Nur gerade so weit, wie er sie sich ausgemalt hatte? »Interessant!«, hatte er geflüstert, als Basta sie beide in Capricorns Dorf verschleppt hatte. »Weißt du, dass dieser Ort einem der Schauplätze, die ich für Tintenherz erfunden habe, durchaus ähnlich sieht?« Damals musste er Ombra gemeint haben.

Die Hügel ringsum glichen tatsächlich denen, über die Meggie mit Mo und Elinor geflohen war, damals, als Staubfinger sie aus Capricorns Verliesen befreit hatte, nur dass diese noch grüner schienen, falls das möglich war, verwunschener, als ließe jedes Blatt ahnen, dass unter den Bäumen Feen und Feuerelfen zu Hause waren. Und die Häuser und Gassen, auf die man von Fenoglios Kammer aus blickte, hätten die von Capricorns Dorf sein können, wären sie nicht so viel bunter und lauter gewesen.

»Sieh dir das Gedränge an, heute wollen sie alle auf die Burg«, sagte Fenoglio hinter ihr. »Ziehende Händler, Bauern, Handwerker, reiche Kaufleute und Bettler, sie alle werden hingehen, um Geburtstag zu feiern, um ein paar Münzen zu verdienen oder auszugeben, um Spaß zu haben und vor allem, um die hohen Herrschaften anzustarren.«

Meggie blickte zu den Mauern der Burg. Fast bedrohlich ragten sie über den rostroten Dächern auf. An den Türmen flatterten schwarze Banner im Wind.

»Wie lange ist Cosimo schon tot?«

»Knapp ein Jahr. Ich hatte gerade diese Kammer bezogen. Wie du dir denken kannst, hatte deine Stimme mich genau dorthin verpflanzt, wo sie den Schatten aus der Geschichte gepflückt hatte: mitten hinein in Capricorns Festung. Zum Glück herrschte dort eine heillose Verwirrung, weil das Ungeheuer verschwunden war, und keiner der Feuerfinger bemerkte den alten Mann, der da plötzlich mit dummem Gesicht in ihrer Mitte stand. Ich habe ein paar fürchterliche Tage im Wald zugebracht, und leider hatte ich keinen so gewitzten Begleiter dabei wie du, der mit einem Messer umgehen, Kaninchen fangen und Feuer mit ein paar trockenen Zweigen machen kann. Dafür hat der Schwarze Prinz selbst mich schließlich aufgesammelt – stell dir vor, wie ich ihn angestarrt habe, als er plötzlich vor mir stand! Von den Männern, die bei ihm waren, kam mir keiner bekannt vor, aber ich gebe zu, dass ich mich an die unwichtigeren Figuren in meinen Geschichten schon immer nur nebelhaft, wenn überhaupt erinnern konnte ... nun, wie dem auch sei … einer von ihnen brachte mich nach Ombra, zerlumpt und mittellos, wie ich war. Aber zum Glück hatte ich einen Ring, den ich versetzen konnte. Ein Goldschmied gab mir genug dafür, um mich bei Minerva einzumieten, und alles schien gut. Ja, wirklich, geradezu fabelhaft. Mir fielen Geschichten ein, Geschichten über Geschichten, wie schon lange nicht mehr, die Worte quollen nur so aus mir heraus, aber kaum hatte ich mir einen Namen gemacht mit den ersten Liedern, für den Speckfürsten geschrieben, kaum fanden die Spielleute Geschmack an meinen Versen, da steckt der Brandfuchs ein paar Höfe unten am Fluss an – und Cosimo zieht aus, um der Bande ein für alle Mal den Garaus zu machen. Gut!, denke ich. Warum nicht? Kann ich ahnen, dass er sich umbringen lässt? Ich hatte so wunderbare Pläne für ihn! Ein wahrlich großer Fürst sollte er werden, ein Segen für seine Untertanen, der meiner Geschichte schließlich ein gutes Ende beschert, indem er diese Welt vom Natternkopf befreit. Aber stattdessen lässt er sich im Weglosen Wald von einer Bande Brandstifter erschlagen!« Fenoglio seufzte. »Zuerst wollte sein Vater nicht an seinen Tod glauben. Cosimos Gesicht war verbrannt, wie das all der anderen Toten, die man zurückbrachte. Das Feuer hatte ganze Arbeit geleistet, aber als er auch nach Monaten nicht zurückkam …« Fenoglio seufzte erneut und griff noch einmal in die Truhe, in der sein mottenzerfressenes Gewand lag. Er reichte Meggie zwei blassblaue lange Wollstrümpfe, Lederbänder und ein Kleid aus verwaschenem, dunkelblauem Stoff. »Ich fürchte, das Kleid wird zu groß sein, es gehört Minervas zweitältester Tochter«, sagte er, »aber das, was du da anhast, muss dringend gewaschen werden. Die Strümpfe befestigst du mit den Bändern, etwas unbequem, aber man gewöhnt sich daran. Herrgott, du bist wahrlich groß geworden, Meggie«, sagte er und wandte ihr den Rücken zu, als sie sich umzog. »Rosenquarz! Du drehst dich auch um.«

Sonderlich gut saß das Kleid wirklich nicht, und Meggie war plötzlich fast froh, dass Fenoglio keinen Spiegel besaß. Zu Hause hatte sie ihr Spiegelbild in letzter Zeit oft betrachtet. Es war so seltsam zuzusehen, wie der eigene Körper sich verwandelte. Als wäre man ein verpuppter Schmetterling.

»Fertig?«, fragte Fenoglio und drehte sich um. »Na bitte, das geht doch, auch wenn so ein hübsches Mädchen eigentlich ein hübscheres Kleid verdient hätte.« Mit einem Seufzer blickte er an sich selbst herunter. »Nun, ich werde wohl auch besser so bleiben, dies Gewand hier hat wenigstens keine Löcher. Was soll's, auf der Burg wird es heute so von Gauklern und feinem Volk wimmeln, dass eh niemand auf uns zwei achten wird.«

»Zwei? Was soll das heißen?« Rosenquarz legte die Klinge zur Seite, mit der er gerade eine Feder anspitzte. »Ihr werdet mich doch wohl mitnehmen?«

»Bist du des Wahnsinns? Damit ich dich in Splittern zurücktrage? Nein. Außerdem müsstest du dir ja das schlechte Gedicht anhören, das ich dem Fürsten bringe.«

Rosenquarz schimpfte immer noch, als Fenoglio die Tür hinter ihnen zuzog. Die Holztreppe, die Meggie in der vergangenen Nacht vor Müdigkeit kaum hinaufgekommen war, führte hinunter in einen von Häusern umstandenen Hof, in dem sich Schweinepferche, Holzverschläge und Gemüsebeete den wenigen Platz streitig machten. Ein schmales Rinnsal von Bach wand sich zwischen all dem hindurch, zwei Kinder scheuchten ein Schwein von den Beeten und eine Frau mit einem Baby auf dem Arm fütterte eine Schar magerer Hühner.

»Ein wunderbarer Morgen, nicht wahr, Minerva?«, rief Fenoglio ihr zu, während Meggie ihm zögernd die letzten steilen Stufen hinunterfolgte.

Minerva trat an den Fuß der Treppe. Ein Mädchen, vielleicht sechs Jahre alt, klammerte sich an ihren Rock und starrte misstrauisch zu Meggie hinauf. Unsicher blieb sie stehen. Vielleicht sieht man es!, dachte sie. Vielleicht sieht man, dass ich nicht hierher gehöre …

»Pass auf!«, rief das Mädchen ihr zu, aber bevor Meggie verstand, riss etwas an ihrem Haar. Das Mädchen warf mit Erde und eine Fee flatterte schimpfend mit leeren Händen davon.

»Himmel, wo kommst du denn her?«, fragte Minerva, während sie Meggie von der Treppe zog. »Gibt es dort etwa keine Feen? Sie sind ganz verrückt auf Menschenhaar, vor allem auf so schönes wie deins. Wenn du dein Haar nicht hochsteckst, wirst du bald einen kahlen Kopf haben. Außerdem bist du zu alt, um es noch offen zu tragen, oder willst du, dass man dich für eine Spielfrau hält?«

Minerva war klein und untersetzt, kaum größer als Meggie. »Gott, bist du ein dünnes Ding!«, sagte sie. »Das Kleid rutscht dir ja fast von den Schultern. Ich werd es dir enger machen, gleich heute Abend. Hat sie gefrühstückt?«, fragte sie und schüttelte den Kopf, als sie Fenoglios verdutztes Gesicht sah. »Herrgott, du hast doch wohl nicht vergessen, dem Mädchen was zu essen zu geben?«

Fenoglio hob hilflos die Hände. »Ich bin ein alter Mann, Minerva!«, rief er. »Ich vergesse solche Dinge! Was ist nur heute Morgen los? Ich hatte wirklich die allerbeste Laune, aber alles nörgelt an mir herum. Rosenquarz hat mich auch schon ganz verrückt gemacht.«

Minerva drückte ihm zur Antwort nur das Baby auf den Arm und zog Meggie mit sich.

»Was ist das für ein Baby?«, rief Fenoglio, während er ihr folgte. »Laufen hier nicht schon genug Kinder herum?«

Das Baby studierte sein Gesicht so ernsthaft, als suchte es darin nach etwas Interessantem, schließlich griff es nach seiner Nase.

»Das ist von meiner ältesten Tochter«, antwortete Minerva nur. »Du hast es schon ein paar Mal gesehen. Wirst du jetzt so vergesslich, dass ich dir meine eigenen Kinder auch besser noch mal vorstelle?«

Despina und Ivo, so hießen Minervas Kinder. Der Junge hatte Fenoglio in der letzten Nacht die Fackel getragen, er lächelte Meggie zu, als sie mit seiner Mutter in die Küche kam.

Minerva zwang Meggie, eine Schale Polenta zu essen und zwei Scheiben Brot, bestrichen mit einer Paste, die nach Oliven roch. Die Milch, die sie ihr hinschob, war so fett, dass Meggies Zunge sich nach dem ersten Schluck ganz pelzig anfühlte. Während sie aß, steckte Minerva ihr das Haar hoch. Meggie erkannte sich selbst kaum wieder, als sie ihr eine Waschschüssel hinschob, damit sie ihr Spiegelbild betrachten konnte.

»Woher hast du die Stiefel?«, fragte Ivo. Seine Schwester musterte Meggie immer noch wie ein fremdes Tier, das sich in ihre Küche verirrt hatte.

Ja, woher? Meggie versuchte hastig, den Saum des Kleides über ihre Stiefel zu ziehen, aber es war zu kurz.

»Meggie kommt von weit her«, erklärte Fenoglio, der ihnen in die Küche gefolgt war und ihre Verlegenheit bemerkte. »Von sehr weit her. Dort gibt es sogar Menschen mit drei Beinen und solche, denen die Nase am Kinn wächst.«

Die Kinder starrten erst ihn und dann Meggie an.

»Hör auf, was redest du da schon wieder?« Minerva gab ihm einen Klaps auf den Hinterkopf. »Sie glauben dir jedes Wort. Irgendwann werden sie sich noch aufmachen, um all die verrückten Orte zu suchen, von denen du erzählst, und ich steh ohne Kinder da.«

Meggie verschluckte sich an der fetten Milch. Sie hatte ihr Heimweh ganz vergessen, aber Minervas Worte brachten es zurück – und das schlechte Gewissen. Fünf Tage war sie schon fort, wenn sie richtig gezählt hatte.

»Du und deine Geschichten!« Minerva schob Fenoglio einen Becher Milch hin. »Als ob es nicht reicht, dass du ihnen ständig diese Räubergeschichten erzählst. Weißt du, was Ivo gestern zu mir gesagt hat? Wenn ich groß bin, geh ich auch zu den Räubern! Wie der Eichelhäher will er werden! Was richtest du da nur an? Erzähl ihnen meinetwegen von Cosimo, von den Riesen oder dem Prinzen und seinem Bären, aber kein Wort mehr über diesen Räuber, verstanden?«

»Ja, ja, schon gut, kein Wort mehr«, brummte Fenoglio. »Aber gib mir nicht die Schuld, wenn der Junge irgendwo eines der Lieder über ihn aufschnappt. Alle singen sie.«

Meggie verstand kein Wort von dem, was sie redeten, aber sie war mit ihren Gedanken ohnehin schon auf der Burg. Resa hatte ihr erzählt, dass die Vogelnester dort so dicht an den Mauern klebten, dass das Gezwitscher manchmal den Gesang der Spielleute übertönte. Auch Feen sollten dort nisten, blassgrau wie der Stein der Burgmauern, weil sie allzu oft von den Speisen der Menschen naschten, statt sich wie ihre wilden Schwestern von Blüten und Früchten zu ernähren. Und in den Gärten im Inneren Hof sollten

Bäume wachsen, die es sonst nur im tiefsten Herzen des Weglosen Waldes gab, Bäume, deren Blätter im Wind murmelten wie ein Chor von Menschenstimmen und in mondlosen Nächten von der Zukunft sprachen – nur dass niemand ihre Worte verstand.

»Willst du noch etwas?«

Meggie schreckte aus ihren Gedanken hoch.

»Tod und Tinte!« Fenoglio erhob sich und gab Minerva das Baby zurück. »Willst du sie jetzt etwa mästen, damit sie in das Kleid hineinpasst? Wir müssen los oder wir verpassen die Hälfte. Der Fürst hat mich gebeten, ihm das neue Lied noch vor Mittag zu bringen. Und du weißt, er mag es gar nicht, wenn man sich verspätet.«

»Nein, das weiß ich nicht«, erwiderte Minerva mürrisch, während Fenoglio Meggie auf die Tür zuschob. »Weil ich nicht auf der Burg aus und ein gehe wie du. Was solltest du ihm denn diesmal dichten, dem hohen Herrn, wieder ein Klagelied?«

»Ja, mich langweilt es auch, aber er zahlt gut. Wäre es dir lieber, wenn ich bald keine Münze mehr in den Taschen hätte und du dir einen neuen Mieter suchen müsstest?«

»Schon gut, schon gut«, murrte Minerva, während sie die leeren Schalen der Kinder vom Tisch nahm. »Weißt du was? Dieser Fürst wird sich noch zu Tode seufzen und klagen, und dann wird der Natternkopf seine Gepanzerten schicken. Wie Fliegen auf frischem Pferdemist werden sie sich hier breitmachen, unter dem Vorwand, dass sie nur den armen vaterlosen Enkel ihres Herrn schützen wollen.«

Fenoglio drehte sich so abrupt um, dass er Meggie fast umstieß. »Nein, Minerva. Nein!«, sagte er entschieden. »Das wird nicht geschehen. Nicht, solange ich lebe – was hoffentlich noch sehr lange sein wird!«

»Ach ja?« Minerva zog die Finger ihres Sohnes aus dem Butterfass. »Und wie willst du das verhindern? Mit deinen Räuberliedern? Glaubst du, irgendein Dummkopf mit einer Federmaske, der den Helden spielt, weil er deine Lieder zu oft gehört hat, kann die Gepanzerten von unserer Stadt fernhalten? Helden enden am Galgen, Fenoglio«, fuhr sie mit gesenkter Stimme fort und Meggie hörte die Angst hinter ihrem Spott. »In deinen Liedern ist das vielleicht anders, aber im wirklichen Leben hängt man sie auf. Daran ändern die schönsten Worte nichts.«

Die beiden Kinder sahen ihre Mutter beunruhigt an und Minerva strich ihnen übers Haar, als könnte sie ihre eigenen Worte damit fortwischen.

Fenoglio aber zuckte nur die Schultern. »Ach was, du siehst das alles viel zu schwarz!«, sagte er. »Du unterschätzt die Worte, glaub mir! Sie sind sehr mächtig, mächtiger, als du denkst. Frag Meggie!«

Doch bevor Minerva genau das tun konnte, schob er Meggie auch schon nach draußen. »Ivo, Despina, wollt ihr mit?«, rief er den Kindern zu. »Ich bring sie heil zurück, wie immer!«, rief er, als Minerva mit besorgtem Gesicht den Kopf aus der Tür steckte. »Die besten Gaukler weit und breit werden heute auf der Burg sein, sie werden von weit her kommen. Das dürfen die zwei doch nicht verpassen!«

Der Strom der Menschen zog sie mit sich, sobald sie hinaus auf die Gasse traten. Von allen Seiten drängten sie herbei – ärmlich gekleidete Bauern, Bettler, Frauen mit Kindern und Männer, deren Reichtum sich nicht nur in der Pracht ihrer bestickten Ärmel zeigte, sondern vor allem in den Dienern, die ihnen grob einen Weg durch die Menge bahnten. Reiter trieben ihre Pferde durch die Menschen ohne einen Blick auf die, die sie gegen die Mauern drängten, Sänften blieben stecken zwischen all den Leibern, sosehr ihre Träger auch schimpften und fluchten.

»Teufel, das ist ja schlimmer als an Markttagen!«, rief Fenoglio Meggie über die Köpfe hinweg zu. Ivo schlüpfte flink wie ein Hering durch das Menschengedränge, aber Despina blickte so erschrocken, dass Fenoglio sie schließlich auf seine Schultern hob, bevor sie zwischen Körben und Bäuchen zerquetscht wurde. Auch Meggie schlug das Herz schneller von all dem Durcheinander, dem Stoßen und Schieben, den tausend Gerüchen, all den Stimmen, die die Luft erfüllten.

»Meggie, sieh dich um! Ist es nicht prachtvoll?«, rief Fenoglio voll Stolz.

Ja, das war es. Es war so, wie Meggie es sich ausgemalt hatte, an all den Abenden, an denen Resa ihr von der Tintenwelt erzählt hatte. Ihre Sinne waren wie betäubt. Augen, Ohren ... sie konnten kaum ein Zehntel von dem aufnehmen, was um sie her geschah. Von irgendwo klang Musik herüber, Trommeln, Schellen, Trompeten ... Und dann öffnete sich die Gasse und spuckte sie mit all den anderen vor die Mauern der Burg. So hoch und wuchtig ragten sie zwischen den Häusern auf, als hätten größere Menschen sie gebaut als die, die jetzt auf das Tor zudrängten. Bewaffnete Wachen standen vor dem Tor, in ihren Helmen spiegelte sich blass der Morgen. Ihre Umhänge waren von einem dunklen Grün, ebenso wie die Kittel, die sie über den Kettenhemden trugen. Auf beiden prangte das Wappen des Speckfürsten – Resa hatte es Meggie beschrieben: ein Löwe auf grünem Grund inmitten weißer Rosen –, doch das Wappen hatte sich verändert. Der Löwe weinte silberne Tränen und die Rosen rankten sich um ein zerbrochenes Herz.

Die meisten der Herandrängenden ließen die Wachen passieren, nur manchmal stießen sie jemanden zurück, mit dem Lanzenschaft oder der behandschuhten Faust. Niemanden schien das zu bekümmern, alles drängte weiter, und auch Meggie fand sich schließlich im Schatten der meterdicken Mauern wieder. Natürlich war sie schon in Burgen gewesen, mit Mo, aber es war ein völlig anderes Gefühl, statt an einem Postkartenhäuschen an lanzenbewehrten Wachen vorbeizugehen. Die Mauern schienen so viel bedrohlicher und abweisender. Seht her!, schienen sie zu rufen. Wie klein ihr seid, wie machtlos und zerbrechlich.

Fenoglio schien nichts dergleichen zu empfinden, er strahlte wie ein Kind an Weihnachten. Er beachtete weder die Fallgitter über ihren Köpfen noch die Luken, durch die man ungebetenen Besuchern heißes Pech auf die Köpfe schütten konnte. Meggie dagegen sah unwillkürlich hoch, als sie unter ihnen hindurchging, und fragte sich, wie frisch die Pechspuren auf dem verwitterten Holz waren. Doch schließlich war über ihr wieder der offene Himmel, blau und klar, wie blank gefegt für den fürstlichen Geburtstag – und Meggie stand auf dem Äußeren Hof der Burg von Ombra.

Besuch von der falschen Seite des Waldes

»Darkness always had its part to play.
Without it, how would we know, when we walked in the light? It's only, when its ambitions become too grandiose, that it must be opposed, disciplined, sometimes – if necessary – brought down for a time.
Then it will rise again, as it must.«
Clive Barker, Abarat

Das Erste, wonach Meggies Augen suchten, waren die Vogelnester, von denen Resa erzählt hatte, und wirklich, da klebten sie, gleich unterhalb der Zinnen, als hätten die Mauern Pusteln bekommen. Gelbbrüstige Vögel schossen aus den Löchern. Wie Goldflocken, die in der Sonne tanzen, so hatte Resa sie ihr beschrieben, und sie hatte recht gehabt. Der Himmel über Meggie schien bedeckt von wirbelndem Gold, alles zu Ehren des prinzlichen Geburtstages. Immer mehr Menschen quollen durch das Tor, obwohl es auf dem Hof schon von ihnen wimmelte. Stände waren zwischen den Mauern aufgebaut, vor Ställen und Hütten, in denen Schmiede, Stallknechte und all die anderen hausten, die auf der Burg lebten und arbeiteten. An diesem Tag, an dem der Fürst seine Untertanen einlud, mit ihm den Geburtstag seines Enkels und Thronerben zu feiern, waren Essen und Trinken umsonst. »Sehr großzügig, nicht wahr?«, hätte Mo wahrscheinlich geflüstert. »Essen und Trinken, das von ihren Feldern stammt, gewonnen mit ihrer Hände Arbeit.« Mo mochte Burgen nicht sonderlich. Doch so war Fenoglios Welt bestellt: Das Land, auf dem die Bauern schwitzten, gehörte den Fürsten, also gehörte ihm auch ein Großteil der Ernte, und er kleidete sich in Samt und Seide, während seine Bauern geflickte Kittel trugen, die auf der Haut kratzten.

Despina hatte ihre dünnen Arme fest um Fenoglios Hals geschlungen, als sie an den Wächtern vorm Tor vorbeikamen, doch als sie den ersten Gaukler sah, rutschte sie hastig von seinem Rücken.

Hoch oben zwischen den Zinnen hatte einer sein Seil gespannt und ging dort oben leichtfüßiger spazieren als eine Spinne auf ihrem Silberfaden. Seine Kleider waren blau wie der Himmel über ihm, denn Blau war die Farbe der Seiltänzer, auch das wusste Meggie von ihrer Mutter. Wenn Resa doch nur hier gewesen wäre! Überall zwischen den Ständen war es, das Bunte Volk: Pfeifer und Jongleure, Messerwerfer, Starke Männer, Tierbändiger, Schlangenmenschen, Schauspieler und Possenreißer. Gleich vor der Mauer entdeckte Meggie einen Feuerspucker, schwarz und rot, das war ihre Tracht, und für einen Moment dachte sie, es sei Staubfinger, doch als er sich umdrehte, war es ein Fremder mit narbenlosem Gesicht, und das Lächeln, mit dem er sich vor den umstehenden Menschen verbeugte, war so ganz anders als das von Staubfinger.

Aber er muss hier sein, wenn er wirklich zurück ist!, dachte Meggie, während sie sich suchend umsah. Wieso war sie nur so enttäuscht? Als ob sie das nicht wusste. Es war Farid, den sie vermisste. Und wenn Staubfinger nicht hier war, dann würde sie wohl auch nach Farid vergeblich Ausschau halten.

»Komm, Meggie!« Despina sprach ihren Namen aus, als müsste ihre Zunge sich erst noch an den Klang gewöhnen. Sie zog Meggie zu einem Stand, an dem es süße Kuchen gab, triefend von Honig. Die Kuchen waren auch an diesem Tag nicht umsonst. Der Händler, der sie anbot, bewachte sie mit grimmiger Miene, doch Fenoglio hatte zum Glück ein paar Münzen dabei. Despinas schmale Finger klebten, als sie sie wieder in Meggies Hand schob. Mit großen Augen sah sie sich um, blieb immer wieder stehen, aber Fenoglio winkte sie ungeduldig weiter, vorbei an einer Tribüne aus Holz, die sich, geschmückt mit immergrünen Zweigen und Blüten, hinter den Ständen erhob. Die gleichen schwarzen Banner, die oben an den Zinnen und Türmen der Burg flatterten, hingen auch hier, zur Rechten und zur Linken von drei erhöht stehenden Sesseln, deren Lehnen mit dem Wappen des weinenden Löwen bestickt waren.

»Wozu drei Sessel, frage ich mich?«, raunte Fenoglio Meggie zu, während er sie und die Kinder weiterschob. »Der Speckfürst selbst lässt sich doch ohnehin nicht sehen. Kommt, wir sind schon spät dran.« Mit entschlossenem Schritt kehrte er dem Treiben auf dem Äußeren Hof den Rücken zu und bahnte sich einen Weg zum zweiten Mauerring der Burg. Das Tor, auf das er zustrebte, war nicht ganz so hoch wie das erste, doch abweisend sah auch dieses aus, ebenso wie die Wächter, die die Lanzen kreuzten, als Fenoglio auf sie zutrat. »Als ob sie mich nicht kennen würden!«, flüsterte er Meggie verärgert zu. »Aber jedes Mal dasselbe Spiel. Meldet dem Fürsten, Fenoglio, der Dichter, sei hier!«, sagte er mit erhobener Stimme, während die beiden Kinder sich an seine Seite drückten und die Lanzen betrachteten, als suchten sie auf den Spitzen nach getrocknetem Blut.

»Erwartet der Fürst dich?« Der Wächter, der fragte, schien noch sehr jung, nach dem zu urteilen, was von seinem Gesicht unter dem Helm zu erkennen war.

»Allerdings!«, erwiderte Fenoglio verärgert. »Und wenn er noch länger warten muss, werde ich dir die Schuld dafür geben, Anselmo. Und solltest du wieder mal ein paar schöne Worte von mir brauchen, so wie letzten Monat –«, der Wächter warf dem anderen Posten einen nervösen Blick zu, doch der tat, als hörte er nichts und blickte zu dem Seiltänzer hinauf, »dann –«, beendete Fenoglio seinen Satz mit gesenkter Stimme, »lasse ich dich genauso warten wie du mich. Ich bin ein alter Mann und ich habe, weiß Gott, Besseres zu tun, als mir vor deiner Lanze die Beine in den Bauch zu stehen.«

Das, was von Anselmos Gesicht zu sehen war, wurde so rot wie der saure Wein, den Fenoglio am Feuer der Spielleute getrunken hatte.Trotzdem nahm er die Lanze nicht zur Seite. »Versteh doch, Tintenweber, wir haben Besuch«, sagte er mit gesenkter Stimme.

»Besuch? Wovon redest du?«

Aber Anselmo beachtete Fenoglio schon nicht mehr.

Das Tor hinter ihm öffnete sich ächzend, als trage es zu schwer an der eigenen Last. Meggie zog Despina zur Seite, Fenoglio griff nach Ivos Hand. Soldaten ritten auf den Äußeren Hof, gepanzerte Reiter, die Mäntel silbergrau wie ihre Beinschienen, und das Wappen, das sie auf der Brust trugen, war nicht das des Speckfürsten. Beute schlagend hob eine Viper darauf den schlanken Leib und Meggie erkannte es sofort. Es war das Wappen des Natternkopfes.

Nichts rührte sich mehr auf dem Äußeren Hof. Totenstill war es geworden. Die Gaukler waren vergessen, selbst der blaue Tänzer hoch oben auf seinem Seil. Alles starrte die Reiter an. Die Mütter hielten ihre Kinder fest und die Männer zogen die Köpfe ein, selbst die in den prächtigen Gewändern. Resa hatte Meggie das Wappen des Natternkopfes genau beschrieben, sie hatte es oft genug aus der Nähe gesehen. Abgesandte von der Nachtburg waren gern gesehene Gäste auf Capricorns Festung gewesen. So mancher Hof, hatte man damals geflüstert, den Capricorns Männer ansteckten, hatte auf Befehl der Natter gebrannt.

Meggie drückte Despina fest an sich, als die Gepanzerten an ihnen vorbeiritten. Ihre Brustharnische schimmerten in der Sonne, nicht einmal der Bolzen einer Armbrust konnte sie angeblich durchschlagen, ganz zu schweigen der Pfeil eines armen Mannes. Zwei Männer ritten an ihrer Spitze, der eine gepanzert wie die, die ihm folgten, mit orangerotem Haar und einem Mantel aus Fuchsschwänzen, der andere in einem grünen, silberdurchwirkten Gewand, das jedem Fürsten Ehre gemacht hätte. Trotzdem war es nicht das Gewand, das jeder zuerst an ihm wahrnahm, sondern seine Nase, die nicht, wie bei anderen, aus Fleisch und Blut, sondern aus Silber war.

»Sieh sie dir an, welch ein Gespann!«, raunte Fenoglio Meggie zu, während die beiden Seite an Seite durch die schweigende Menschenmenge ritten. »Beide meine Erfindung und beide einst Capricorns Männer. Vermutlich hat deine Mutter dir von ihnen erzählt. Der Brandfuchs war einst Capricorns Stellvertreter, der Pfeifer sein Spielmann. Die Silbernase war allerdings nicht meine Idee. Ebenso wenig wie die Tatsache, dass sie Cosimos Soldaten entkommen sind, als er Capricorns Festung angriff, und nun dem Natternkopf dienen.«

Es war immer noch gespenstisch still auf dem Hof. Nur das Klappern der Hufe war zu hören, das Schnauben der Pferde, das Klirren der Rüstungen, Waffen und Sporen – seltsam laut, als fingen sich die Geräusche wie Vögel zwischen den hohen Mauern.

Der Natternkopf selbst ritt als einer der Letzten auf den Platz.

Er war nicht zu verkennen. »Wie ein Schlächter sieht er aus«, hatte Resa erzählt. »Ein fürstlich gekleideter Schlächter, dem der Spaß am Töten auf das grobe Gesicht geschrieben ist.« Das Pferd, auf dem er ritt, weiß und grobschlächtig wie sein Herr, verschwand fast vollständig unter einem Überwurf, der als einziges Muster das Schlangenwappen trug. Der Natternkopf selbst trug ein schwarzes Gewand, bestickt mit silbernen Blüten. Seine Haut war sonnenverbrannt, das schüttere Haar grau, der Mund seltsam klein, ein lippenloser Schlitz im groben, bartlosen Gesicht. Alles an ihm schien schwer und fleischig, Arme und Beine, der klobige Nacken, die breite Nase. Er trug keinen Schmuck wie die reicheren Untertanen des Speckfürsten, die auf dem Hof standen, keine schweren Ketten um den Hals, keine juwelenbesetzten Ringe an den plumpen Fingern. Nur in seinen Nasenwinkeln blitzten Juwelen, rot wie Blutstropfen, und am Mittelfinger der linken Hand trug er über dem Handschuh den silbernen Ring, mit dem er seine Todesurteile besiegelte. Seine Augen, schmal unter faltigen Lidern wie die eines Salamanders, wanderten ruhelos über den Hof. An allem, was sie sahen, schienen sie einen Wimpernschlag lang haften zu bleiben wie die klebrige Zunge einer Eidechse: an den Spielleuten, dem Seiltänzer über seinem Kopf, den reichen Händlern, die neben der leeren, mit Blumen geschmückten Tribüne warteten und unterwürfig den Kopf neigten, als sein Blick sie streifte. Nichts, gar nichts schien diesen Salamanderaugen zu entgehen: kein Kind, das sich angstvoll in den Rock seiner Mutter drückte, keine schöne Frau, kein Mann, der feindselig zu ihm hochstarrte. Und doch zügelte er nur vor einem sein Pferd.

»Sieh an, der König der Spielleute! Das letzte Mal, dass ich dich gesehen habe, steckte dein Kopf in einem Pranger, auf dem Hof meiner Burg. Wann stattest du uns erneut einen Besuch ab?« Die Stimme des Natternkopfes drang über den ganzen stillen Hof. Sie klang sehr tief – als käme sie aus dem schwärzesten Innern seines plumpen Körpers. Meggie trat unwillkürlich dichter an Fenoglios Seite. Der Schwarze Prinz aber verbeugte sich, allerdings so tief, dass Spott aus der Verneigung wurde. »Es tut mir leid«, erwiderte er so laut, dass jeder es hören konnte. »Aber dem Bären gefiel Eure Gastfreundschaft nicht. Der Pranger, sagt er, war etwas zu eng für seinen Hals.«

Meggie sah, wie der Mund des Natternkopfes sich zu einem bösen Lächeln verzog. »Nun, ich könnte für euren nächsten Besuch einen Strick bereithalten, der genau passt, und einen Galgen aus Eichenholz, der selbst einen so fetten alten Bären trägt wie deinen«, sagte er.

Der Schwarze Prinz drehte sich zu seinem Bären um und tat, als bespräche er sich mit ihm. »Es tut mir leid«, sagte er, während der Bär ihm mit einem Grunzen die Tatzen um den Hals schlang, »der Bär sagt, er liebt den Süden, aber Euer Schatten lastet einfach zu dunkel darauf, und er will nur kommen, wenn auch der Eichelhäher Euch die Ehre erweist.«

Ein leises Raunen lief durch die Menge – und verstummte, als der Natternkopf sich im Sattel umdrehte und seinen Salamanderblick über die Umstehenden schweifen ließ.

»Außerdem«, fuhr der Prinz mit lauter Stimme fort, »wüsste der Bär gern, warum Ihr den Pfeifer nicht an einer silbernen Kette hinter Eurem Pferd hertraben lasst, so wie es sich für einen handzahmen Spielmann wie ihn gehört?«

Der Pfeifer riss sein Pferd herum, aber bevor er es auf den Schwarzen Prinzen zutreiben konnte, hob der Natternkopf die

Hand. »Ich werde dir Bescheid geben lassen, sobald der Eichelhäher mein Gast ist!«, sagte er, während der Silbernasige widerstrebend an seinen Platz zurückritt. »Es wird nicht mehr lange dauern, glaub mir. Ich habe den Galgen schon in Auftrag gegeben.« Dann gab er seinem Pferd die Sporen und die Gepanzerten setzten sich erneut in Bewegung. Es schien eine Ewigkeit zu vergehen, bis der Letzte durch das Tor verschwunden war.

»Ja, reite nur!«, flüsterte Fenoglio, während der Hof der Burg sich langsam wieder mit sorglosem Lärm füllte. »Sieht sich um hier, als würde ihm schon alles gehören, glaubt, er kann sich in meiner Welt breitmachen wie ein Geschwür und eine Rolle spielen, die ich ihm nicht geschrieben habe ...«

Die Lanze des Wächters ließ ihn abrupt verstummen. »Also gut, Dichter!«, sagte Anselmo. »Nun kannst du rein. Na geh schon!«

»Na geh schon?«, donnerte Fenoglio. »Spricht man so mit dem Dichter des Fürsten? Hört zu! Ihr bleibt besser hier«, sagte er zu den beiden Kindern. »Esst nicht zu viel Kuchen. Kommt dem Feuerspucker nicht zu nahe, denn er ist ein Stümper, und lasst den Bären des Prinzen in Ruhe. Verstanden?«

Die zwei nickten – und liefen auf der Stelle zum nächsten Kuchenstand. Fenoglio aber griff nach Meggies Hand und schritt hoch erhobenen Hauptes mit ihr an den Wachen vorbei.

»Fenoglio!«, fragte sie mit gesenkter Stimme, als das Tor sich hinter ihnen schloss und der Lärm des Äußeren Hofes verklang. »Wer ist der Eichelhäher?«

Es war kühl hinter dem großen Tor, als hätte der Winter sich hier ein Nest gebaut. Bäume beschatteten einen weiten Hof, es roch nach Rosen und Blüten, deren Namen Meggie nicht kannte, und in einem Steinbecken, rund wie der Mond, spiegelte sich der Teil der Burg, in dem der Speckfürst lebte.

»Ach, den gibt es nicht!«, antwortete Fenoglio nur, während er sie ungeduldig hinter sich herwinkte. »Aber das erklär ich dir später. Nun komm. Wir müssen dem Speckfürsten endlich meine Verse bringen, sonst bin ich die längste Zeit sein Hofdichter gewesen.«

Der Fürst der Seufzer

»Ich mag nicht«, konnte er zum König nicht sagen,
denn wie sollte er sich sonst sein Brot verdienen?
Der König im Korbe, Ital. Volksmärchen

Die Fenster des Saales, in dem der Speckfürst Fenoglio empfing, waren verhängt mit schwarzen Tüchern. Wie in einer Gruft roch es, nach vertrockneten Blumen und Kerzenruß. Die Kerzen brannten vor Standbildern, die alle dasselbe Gesicht zeigten, mal schlechter, mal besser getroffen. Cosimo der Schöne!, dachte Meggie. Aus unzähligen Marmoraugen starrte er auf sie herab, während sie an Fenoglios Seite auf seinen Vater zuschritt.

Der Sessel, in dem der Speckfürst thronte, war umrahmt von zwei hochlehnigen Stühlen. Auf dem Stuhl zu seiner Linken lag nur ein Helm auf dem dunkelgrünen Polster, geschmückt mit Pfauenfedern, das Metall so blank poliert, als wartete er auf seinen Besitzer. Auf dem rechten Stuhl saß ein Junge, vielleicht fünf, sechs Jahre alt, er trug ein Wams aus schwarzem Brokat, so über und über mit Perlen bestickt, als sei es mit Tränen bedeckt. Das musste das Geburtstagskind sein. Jacopo, Enkel des Speckfürsten, aber auch Enkel des Natternkopfes.

Der Junge blickte gelangweilt drein. Unruhig schlenkerte er die kurzen Beine, als könnte er sie kaum davon abhalten, nach draußen zu laufen, zu den Gauklern und den süßen Kuchen und dem Sessel, der schon auf ihn wartete, auf der mit Stechwinden und Rosen geschmückten Tribüne. Sein Großvater dagegen sah so aus, als habe er nicht vor, sich jemals wieder zu erheben. Kraftlos wie eine Puppe saß er da, in seinen zu weiten schwarzen Gewändern, wie gelähmt von den Augen seines toten Sohnes. Nicht sonderlich groß, aber fett wie zwei Männer, so hatte Resa ihn beschrieben: selten anzutreffen ohne etwas zu essen in den speckigen Fingern, immer etwas außer Atem von all dem Gewicht, das seine nicht sonderlich kräftigen Beine umhertragen mussten, und doch stets bester Laune.

Der Fürst, den Meggie im Halbdunkel seiner Burg sitzen sah, war nichts von alledem. Sein Gesicht war blass und seine Haut schlug Falten, als hätte sie einstmals einem größeren Mann gehört. Der Kummer hatte ihm den Speck von den Gliedern geschmolzen, und sein Gesicht war so starr, als wäre es eingefroren an dem Tag, an dem man ihm die Nachricht vom Tod seines Sohnes gebracht hatte. Nur in seinen Augen saß immer noch das Entsetzen, die Fassungslosigkeit darüber, was das Leben ihm angetan hatte.

Außer seinem Enkel und den Wachen, die schweigend im Hintergrund standen, waren nur noch zwei Frauen bei ihm. Die eine hielt demütig den Kopf gesenkt wie eine Dienerin, obwohl sie ein Kleid trug, das auch einer Fürstin angestanden hätte. Ihre Herrin stand zwischen dem Speckfürsten und dem leeren Stuhl, auf dem der federgeschmückte Helm lag. Violante!, dachte Meggie. Tochter des Natternkopfes und Cosimos Witwe. Ja, das musste sie sein, die Hässliche, wie sie alle nannten. Fenoglio hatte Meggie von ihr erzählt – und betont, dass sie zwar seiner Feder entstammte, aber stets bloß als Nebenfigur gedacht gewesen war: das unglückliche Kind einer unglücklichen Mutter und eines sehr schlechten Vaters. »Eine absurde Idee, aus ihr die Frau von Cosimo dem Schönen zu machen!«, hatte Fenoglio gesagt. »Aber ich sage es ja, diese Geschichte spielt verrückt!«

Violante trug Schwarz wie ihr Sohn und ihr Schwiegervater. Auch ihr Kleid war mit Tränen aus Perlen bestickt, doch das kostbare Schimmern kleidete sie nicht sonderlich. Ihr Gesicht sah aus, als hätte es jemand mit zu blassem Stift auf ein fleckiges Stück Papier gezeichnet, und die dunkle Seide machte es nur noch unscheinbarer. An diesem Gesicht fiel nur eines auf: das purpurne Mal, groß wie eine Mohnblüte, das die linke Wange verunzierte.

Als Meggie mit Fenoglio durch den dunklen Saal geschritten kam, beugte Violante sich gerade zu ihrem Schwiegervater hinunter und sprach mit leiser Stimme auf ihn ein. Der Speckfürst verzog keine Miene, aber schließlich nickte er, und der Junge rutschte erleichtert von seinem Stuhl.

Fenoglio gab Meggie ein Zeichen, stehen zu bleiben. Mit respektvoll gesenktem Kopf trat er zur Seite und wies Meggie unauffällig an, es ihm nachzutun. Violante nickte Fenoglio zu, als sie mit hoch erhobenem Kopf an ihnen vorbeischritt, aber Meggie sah sie nicht einmal an. Auch den steinernen Abbildern ihres toten Mannes schenkte sie keine Beachtung. Die Hässliche schien es eilig zu haben, dem finsteren Saal zu entkommen, fast ebenso eilig wie ihr Sohn. Die Dienerin, die ihr folgte, ging so dicht an Meggie vorbei, dass ihr Kleid sie fast streifte. Sie schien nicht viel älter als Meggie. Ihr Haar schimmerte rötlich, als fiele der Schein eines Feuers darauf, und sie trug es offen, wie es in dieser Welt eigentlich nur die Spielfrauen taten. Meggie hatte noch nie schöneres Haar gesehen.

»Du kommst spät, Fenoglio!«, sagte der Speckfürst, sobald die Türen sich hinter den Frauen und seinem Enkel geschlossen hatten. Seine Stimme klang immer noch gepresst wie die eines sehr dicken Mannes. »Waren dir die Worte ausgegangen?«

»Die werden mir erst ausgehen, wenn mir der Atem stockt, mein Fürst«, antwortete Fenoglio mit einer Verbeugung. Meggie wusste nicht, ob sie es ihm nachtun sollte. Schließlich entschied sie sich für einen unbeholfenen Knicks.

Von Nahem sah der Speckfürst noch gebrechlicher aus. Seine Haut glich verwelkten Blättern und das Weiß seiner Augen vergilbtem Papier. »Wer ist das Mädchen?«, fragte er und musterte sie mit müdem Blick. »Deine Dienerin? Als Geliebte ist sie zu jung, oder?«

Meggie spürte, wie ihr das Blut ins Gesicht schoss.

»Euer Gnaden, auf was für Gedanken Ihr kommt!«, wehrte Fenoglio ab und legte ihr den Arm um die Schultern. »Das ist meine Enkelin, sie ist bei mir zu Besuch. Mein Sohn hofft, dass ich ihr einen Mann finde, und wo kann sie sich besser umsehen als auf dem wunderbaren Fest, das Ihr heute gebt?«

Die Schamröte auf Meggies Gesicht wurde noch tiefer, aber sie zwang sich zu einem Lächeln.

»Ach. Du hast einen Sohn?« Aus der Stimme des traurigen Fürsten klang so viel Neid, als gönnte er nicht einem seiner Untertanen das Glück eines lebenden Sohnes. »Es ist nicht klug, seine Kinder allzu weit fortzulassen«, murmelte er, ohne Meggie aus den Augen zu lassen. »Sie kommen allzu leicht nie wieder zurück!«

Meggie wusste nicht, wo sie hinblicken sollte. »Ich werde bald zurückgehen«, sagte sie. »Mein Vater weiß das.« Hoffentlich, setzte sie in Gedanken hinzu.

»Ja. Ja, natürlich. Sie geht zurück. Zu gegebener Zeit.« Fenoglios Stimme klang ungeduldig. »Aber kommen wir nun zum Anlass meines Besuches.« Er zog die Pergamentrolle, die Rosenquarz so sorgsam versiegelt hatte, aus dem Gürtel und stieg mit respektvoll gesenktem Kopf die Stufen zum fürstlichen Sessel hinauf. Der Speckfürst schien Schmerzen zu haben. Er presste die Lippen aufeinander, als er sich vorbeugte, um das Pergament entgegenzunehmen, und der Schweiß stand ihm auf der Stirn, obwohl es kühl war in der Halle. Meggie erinnerte sich an Minervas Worte: *Dieser Fürst wird sich noch zu Tode seufzen und klagen*. Fenoglio schien dasselbe zu denken.

»Geht es Euch nicht gut, mein Fürst?«, fragte er besorgt.

»Allerdings nicht!«, stieß der Speckfürst gereizt hervor. »Und leider hat der Natternkopf das heute auch bemerkt.« Mit einem Seufzer lehnte er sich zurück und klopfte gegen die Seite seines Sessels. »Tullio!«

Ein Diener, ebenso schwarz gekleidet wie der Fürst, schoss hinter dem Sessel hervor. Wie ein zu kurz geratener Mensch sah er aus, wäre da nicht der feine Pelz auf Gesicht und Händen gewesen. Tullio erinnerte Meggie an die Kobolde in Elinors Garten, die sich in Asche verwandelt hatten, auch wenn er deutlich mehr von einem Menschen an sich hatte.

»Los, hol mir einen Spielmann, aber einen, der lesen kann!«, befahl der Fürst. »Er soll mir Fenoglios Gedicht vortragen.« Und Tullio schoss davon, eifrig wie ein junger Hund.

»Habt Ihr die Nessel gerufen, wie ich es Euch geraten habe?« Fenoglios Stimme klang eindringlich, aber der Fürst winkte nur ärgerlich ab.

»Die Nessel? Wozu? Sie würde nicht kommen, und wenn, dann vermutlich nur, um mich zu vergiften, weil ich für den Sarg meines Sohnes ein paar Eichen habe fällen lassen. Kann ich etwas dafür, dass sie sich lieber mit Bäumen als mit Menschen unterhält? Sie können mir alle nicht helfen, weder die Nessel noch all die Bader, Steinschneider und Knochenflicker, deren übel riechende Tränke ich schon geschluckt habe. Es ist kein Kraut gegen Kummer gewachsen.« Seine Finger zitterten, als er Fenoglios Siegel brach, und in dem abgedunkelten Saal wurde es so still, während er las, dass Meggie hörte, wie die Kerzenflammen knisternd an den Dochten fraßen.

Fast lautlos bewegte der Fürst die Lippen. Während seine trüben Augen Fenoglios Worten folgten, hörte Meggie ihn flüstern: »*Er wird, ach, nimmer, nimmermehr erwachen.*« Unauffällig blickte sie Fenoglio an. Er errötete schuldbewusst, als er ihren Blick bemerkte. Ja, er hatte die Worte gestohlen. Und sicher keinem Dichter dieser Welt.

Der Speckfürst hob den Kopf und wischte sich eine Träne aus den trüben Augen. »Schöne Worte, Fenoglio«, sagte er mit bitterer Stimme, »ja, darauf verstehst du dich wahrlich. Doch wann endlich findet einer von euch Dichtern die Worte, die die Tür öffnen, durch die der Tod uns zerrt?«

Fenoglio blickte sich zu den Standbildern um. Er musterte sie so versonnen, als sähe er sie zum ersten Mal. »Ich bedaure, aber die Worte gibt es nicht, mein Fürst«, sagte er. »Der Tod ist das große Schweigen. An der Tür, die er hinter uns schließt, gehen selbst den Dichtern die Worte aus. Wenn Ihr mich jetzt also untertänigst entschuldigen würdet – die Kinder meiner Wirtin warten draußen, und wenn ich sie nicht bald wieder einfange, laufen sie vermutlich mit den Gauklern fort, denn wie alle Kinder träumen sie davon, Bären zu bändigen und auf einem Seil zwischen Himmel und Hölle zu tanzen.«

»Ja, geh. Geh schon!«, sagte der Speckfürst und winkte müde mit seiner beringten Hand. »Ich lasse dir Bescheid geben, wenn mir wieder nach Worten ist. Wohlschmeckendes Gift sind sie, aber nur durch sie schmeckt selbst der Schmerz für ein paar Augenblicke bittersüß.«

Er wird, ach, nimmer, nimmermehr erwachen! … Elinor hätte sicherlich gewusst, von wem die Verse stammen, dachte Meggie, während sie mit Fenoglio durch den finsteren Saal zurückschritt. Unter ihren Stiefeln raschelten die Kräuter, mit denen der Boden des Saales bestreut war. Ihr Duft hing in der kühlen Luft, als wollte er den traurigen Fürsten an die Welt erinnern, die draußen auf ihn wartete. Doch vielleicht erinnerte er ihn auch nur an die Blumen, die Cosimos Gruft schmückten.

An der Tür kam ihnen Tullio mit dem Spielmann entgegen. Er hüpfte und sprang vor ihm her wie ein struppiges, abgerichtetes Tier. Der Spielmann trug Schellen am Gürtel und eine Laute auf dem Rücken. Er war ein langer, hagerer Kerl mit missmutigem Mund und so bunt gekleidet, dass der Schwanz eines Pfaus dagegen verblasst wäre.

»Der Kerl soll lesen können?«, raunte Fenoglio Meggie zu, während er sie durch die Tür schob. »Das halte ich für ein Gerücht! Außerdem ist sein Gesang so wohlklingend wie das Gekrächz einer Krähe. Lass uns bloß verschwinden, bevor er meine armen Verse zwischen seine Pferdezähne nimmt!«

Zehn Jahre

Zeit ist ein Pferd, das im Herzen rennt, ein Pferd
Ohne Reiter auf einer Straße bei Nacht.
Der Verstand sitzt da, lauschend, und hört es vorbeiziehen.
Wallace Stevens, All the Preludes to Felicity

Staubfinger lehnte an der Burgmauer, hinter den Ständen, zwischen denen sich die Menschen drängten. Der Duft von Honig und heißen Maronen zog ihm in die Nase, und hoch über ihm balancierte der Seiltänzer, dessen blaue Gestalt ihn aus der Ferne so sehr an Wolkentänzer erinnerte. Er hielt eine lange Stange, winzige Vögel hockten darauf, rot wie Blutstropfen, und jedes Mal, wenn der Tänzer die Richtung änderte – leichtfüßig, als gäbe es nichts Natürlicheres auf der Welt, als auf einem schwankenden Seil zu stehen –, flogen die Vögel auf und schwirrten schrill zwitschernd um ihn herum. Der Marder auf Staubfingers Schulter sah zu ihnen hinauf und leckte sich das runde Maul. Er war noch sehr jung, kleiner und zierlicher als Gwin, nicht halb so bissig und, was das Wichtigste war, er fürchtete das Feuer nicht. Abwesend kraulte Staubfinger ihm den gehörnten Kopf. Schon kurz nach seiner Ankunft auf Roxanes Hof hatte er ihn hinter ihrem Stall gefangen, als er versucht hatte, sich an die Hühner heranzupirschen. Schleicher hatte er ihn getauft, weil das kleine Biest es liebte, sich lautlos anzuschleichen und ihn dann so plötzlich anzuspringen, dass es ihn fast umwarf. Bist du verrückt?, hatte er sich selbst gefragt, als er ihn mit einem frischen Ei zu sich gelockt hatte. Es ist ein

Marder. Woher willst du wissen, dass es dem Tod nicht gleich ist, welchen Namen er trägt? Aber er hatte ihn trotzdem behalten. Vielleicht hatte er ja all seine Angst in der anderen Welt gelassen, die Angst, die Einsamkeit, das Unglück …

Schleicher lernte schnell, er sprang durch die Flammen, als hätte er nie etwas anderes getan. Es würde leicht sein, mit ihm auf den Märkten ein paar Münzen zu verdienen, mit ihm und dem Jungen.

Der Marder stieß Staubfinger die Schnauze gegen die Wange. Vor der leeren Tribüne, die immer noch auf das Geburtstagskind wartete, bauten ein paar Gaukler einen Turm aus Menschenleibern. Farid hatte Staubfinger überreden wollen, auch etwas von seiner Kunst darzubieten, aber ihm war an diesem Tag nicht danach, angestarrt zu werden. Er wollte selber schauen, wollte sich satt sehen an all dem, was er so lange vermisst hatte. Deshalb trug er auch nur die Kleider, die Roxane ihm von ihrem toten Mann gegeben hatte. Offenbar waren sie fast gleich groß gewesen. Armer Hund! Weder Orpheus noch Zauberzunge konnten ihn von dort zurückbringen, wo er war.

»Warum verdienst *du* heute nicht zur Abwechslung mal das Geld?«, hatte er zu Farid gesagt. Der Junge war vor Stolz erst rot und dann kreidebleich geworden – und hatte sich ins Getümmel gestürzt. Er lernte schnell. Nur ein winziges Bröckchen von dem heißen Honig und Farid sprach schon mit den Flammen, als wäre er mit den Worten auf der Zunge geboren worden. Natürlich sprangen sie nicht so willig aus der Erde wie bei ihm, wenn der Junge mit den Fingern schnippte, aber wenn er das Feuer mit leiser Stimme rief, sprach es schon mit ihm – herablassend, spottend, aber es antwortete.

»Und er ist doch dein Sohn!«, hatte Roxane gesagt, als Farid sich am frühen Morgen fluchend einen Eimer Wasser aus dem Brunnen gezogen hatte, um sich die verbrannten Finger zu kühlen. »Ist er nicht!«, hatte Staubfinger erwidert – und in ihren Augen gesehen, dass sie ihm nicht glaubte.

Bevor sie zur Burg aufgebrochen waren, hatte er mit Farid noch ein paar Kunststücke geübt und Jehan hatte zugesehen. Doch als Staubfinger ihn näher gewinkt hatte, war er davongelaufen. Farid hatte ihn dafür laut verspottet, aber Staubfinger hatte ihm den Mund zugehalten. »Das Feuer hat seinen Vater gefressen, hast du das vergessen?«, hatte er ihm zugeraunt, und Farid hatte beschämt den Kopf gesenkt.

Wie stolz er zwischen den anderen Gauklern stand. Staubfinger schob sich zwischen den Ständen hindurch, um ihn besser sehen zu können. Er hatte sein Hemd ausgezogen, wie Staubfinger es auch manchmal tat – brennender Stoff war gefährlicher als ein Brandfleck auf der Haut, und den nackten Körper konnte man leicht mit Fett gegen die leckenden Feuerzungen schützen. Der Junge machte seine Sache gut, so gut, dass selbst die Händler so gebannt zu ihm hinüberstarrten, dass Staubfinger ein paar Feen aus den Käfigen befreien konnte, in die man sie gesteckt hatte, um sie irgendeinem Dummkopf als Glücksbringer zu verkaufen. Kein Wunder, dass Roxane dich verdächtigt, sein Vater zu sein!, dachte er. Dir schwillt ja die Brust vor Stolz, wenn du ihm zusiehst. Gleich neben Farid gaben ein paar Possenreißer ihre derben Scherze zum Besten, zu seiner Rechten rang der Schwarze Prinz mit seinem Bären, und trotzdem blieben immer mehr Leute bei dem Jungen stehen, der so selbstvergessen dastand und mit dem Feuer spielte. Staubfinger beobachtete, wie der Rußvogel die Fackeln sinken ließ und neidisch herübersah. Er würde es nie lernen. Er war immer noch so schlecht wie vor zehn Jahren.

Farid verbeugte sich, und ein Regen von Münzen fiel in die Holzschale, die Roxane ihm mitgegeben hatte. Stolz blickte er zu Staubfinger herüber. Er hungerte nach Lob wie ein Hund nach einem Knochen, und als Staubfinger in die Hände klatschte, wurde er rot vor Glück. Was für ein Kind er noch war, obwohl er ihm vor ein paar Monaten stolz die ersten Bartstoppeln an seinem Kinn gezeigt hatte!

Staubfinger schob sich an zwei Bauern vorbei, die um ein paar Ferkel feilschten, als das Tor zur Inneren Burg sich erneut öffnete – diesmal nicht für den Natternkopf wie beim letzten Mal, als er sich noch gerade hinter einem Kuchenstand vor den suchenden Blicken des Pfeifers hatte verbergen können. Nein. Offenbar erschien endlich das Geburtstagskind selbst auf seinem Fest – und seine Mutter würde den Jungen begleiten, mitsamt ihrer Dienerin. Wie viel schneller sein dummes Herz plötzlich schlug. »Sie hat deine Haarfarbe«, hatte Roxane gesagt, »und meine Augen.«

Die fürstlichen Pfeifer machten das Beste aus ihrem Auftritt. Stolz wie Gockel standen sie da und reckten ihre Fanfaren in die Luft. Alle freien Spielleute rümpften die Nase über die, die ihre Kunst nur an einen Herrn verkauften. Dafür waren die anderen besser gekleidet: nicht lumpenbunt wie ihresgleichen auf der Straße, sondern in den Farben ihres Fürsten. Für die Pfeifer des Speckfürsten hieß das Grün und Gold.

Seine Schwiegertochter trug Schwarz. Cosimo der Schöne war erst knapp ein Jahr tot, aber sicher hatte es schon einige Anwärter auf die junge Witwe gegeben, trotz des Males, dunkel wie ein Brandfleck, das ihr Gesicht entstellte. Die Menge umdrängte die

Tribüne, sobald Violante mit ihrem Sohn Platz genommen hatte. Staubfinger musste auf ein leeres Fass steigen, um hinter all den Köpfen und Leibern einen Blick auf ihre Dienerin zu erhaschen.

Brianna stand hinter dem Jungen. Trotz des hellen Haares glich sie ihrer Mutter. Das Kleid, das sie trug, ließ sie sehr erwachsen aussehen, und doch entdeckte Staubfinger in ihrem Gesicht noch Spuren des kleinen Mädchens, das versucht hatte, ihm die brennenden Fackeln aus der Hand zu winden, oder wütend mit dem Fuß aufgestampft hatte, wenn er ihr nicht erlauben wollte, in die Funken zu fassen, die er vom Himmel regnen ließ.

Zehn Jahre. Zehn Jahre, die er in der falschen Geschichte verbracht hatte. Zehn Jahre, in denen die eine Tochter der Tod geholt hatte, nichts als Erinnerungen zurücklassend, so blass und unscharf, als hätte es sie nie gegeben, und die andere gewachsen war, all die Jahre, gelacht und geweint hatte, ohne dass er dabei gewesen war. Heuchler!, sagte er sich, während er die Augen nicht von Briannas Gesicht wenden konnte. Willst du dir jetzt etwa weismachen, dass du ein treu sorgender Vater warst, bevor Zauberzunge dich in seine Geschichte lockte?

Cosimos Sohn lachte laut auf. Mit kurzem Finger zeigte er mal auf den einen, mal auf den anderen Gaukler und fing die Blüten auf, die die Spielfrauen ihm zuwarfen. Wie alt war er? Fünf? Sechs?

So alt war Brianna auch gewesen, als Zauberzunges Stimme ihn fortgelockt hatte. Bis zum Ellbogen hatte sie ihm gereicht, und so leicht war sie gewesen, dass er es kaum bemerkt hatte, wenn sie ihm auf den Rücken geklettert war. Wenn er wieder einmal die Zeit vergessen und viele Wochen fort gewesen war, an Orten, deren Namen sie noch nie gehört hatte, hatte sie ihn geschlagen mit ihren kleinen Fäusten und ihm die Geschenke, die er ihr mitbrachte, vor die Füße geworfen. Dann war sie in der nächsten Nacht aus dem Bett geschlüpft, um sie sich doch zu holen: bunte Bänder, weich wie Kaninchenfell, Stoffblüten, die sie sich ins Haar stecken konnte, kleine Pfeifen, mit denen sich die Stimme einer Lerche oder einer Eule nachahmen ließ.

Sie hatte es ihm nie erzählt, natürlich nicht, sie war stolz, noch stolzer als ihre Mutter, aber er hatte immer gewusst, wo sie seine Geschenke versteckte – in einem Beutel zwischen ihren Kleidern. Ob sie ihn noch besaß?

Ja, sie hatte seine Geschenke aufbewahrt, doch ein Lächeln hatten sie ihr nicht aufs Gesicht zaubern können, wenn er lange fort gewesen war. Das hatte immer nur das Feuer vermocht, und für einen Moment, einen verführerischen Moment war er versucht, hinauszutreten aus der gaffenden Menge, sich zwischen die anderen Gaukler zu stellen, die dem Fürstenenkel ihre Kunststücke vorführten, und das Feuer zu rufen, nur für seine Tochter. Aber er blieb stehen, unsichtbar hinter all den Menschen, beobachtete, wie sie sich mit der flachen Hand übers Haar strich, auf die gleiche Art, wie ihre Mutter es so oft tat, wie sie sich unauffällig die Nase rieb und von einem Fuß auf den anderen trat, als würde sie viel lieber dort unten mittanzen, statt so steif dazustehen.

»Friss ihn, Bär! Friss ihn auf der Stelle! Er ist tatsächlich zurück, aber denkst du, er lässt sich bei einem alten Freund sehen?«

Staubfinger fuhr herum, so abrupt, dass er fast von dem Fass stolperte, auf dem er immer noch stand. Der Schwarze Prinz sah zu ihm hoch, hinter sich den Bären. Staubfinger hatte gehofft, dass er ihn hier treffen würde, umgeben von Fremden, statt im Lager der Spielleute, wo es zu viele gab, die fragen würden, fragen, wo er gewesen sei ... Seit sie beide so alt gewesen waren wie der Fürstensohn, der dort oben in seinem Sessel thronte, kannten sie sich – Gauklersöhne, elternlos, erwachsen vor der Zeit, und Staubfinger hatte das schwarze Gesicht fast ebenso vermisst wie das von Roxane.

»Frisst er mich wirklich, wenn ich von dem Fass steige?«

Der Prinz lachte. Es klang immer noch so unbekümmert wie früher. »Vielleicht. Schließlich merkt er, dass ich es dir wirklich sehr übel nehme, dass du dich noch nicht hast sehen lassen. Außerdem – hast du ihm nicht bei eurer letzten Begegnung den Pelz verbrannt?«

Schleicher duckte sich auf Staubfingers Schulter zusammen, als sein Herr von dem Fass sprang, und keckerte ihm aufgeregt ins Ohr. »Keine Sorge, so was wie dich frisst der Bär nicht!«, raunte Staubfinger ihm zu – und umarmte den Prinzen so fest, als könnte man mit einer Umarmung zehn Jahre wettmachen.

»Du riechst immer noch mehr nach Bär als nach Mensch.«

»Und du riechst nach Feuer. Nun sag schon. Wo warst du?« Der Prinz schob Staubfinger auf Armeslänge von sich und musterte ihn, als könnte er ihm alles, was während seiner Abwesenheit geschehen war, von der Stirn ablesen. »Die Brandstifter haben dich nicht aufgeknüpft, wie manche behaupten, dazu siehst du zu gesund aus. Was ist mit der anderen Geschichte – dass der Natternkopf dich in seinen feuchtesten Kerker gesperrt hat? Oder hast du dich, wie es in einigen Liedern heißt, für eine Weile in einen Baum verwandelt, in einen Baum mit brennenden Blättern, tief im Weglosen Wald?«

Staubfinger lächelte. »Das hätte mir gefallen. Aber glaub mir, die wirkliche Geschichte würdest selbst du mir nicht glauben.«

Ein Raunen lief durch die Menge. Staubfinger spähte über die Köpfe und sah, wie Farid mit hochrotem Kopf den Applaus entgegennahm. Der Sohn der Hässlichen klatschte so heftig, dass er fast aus seinem Sessel fiel. Farid aber suchte in der Menge nach Staubfingers Gesicht. Er lächelte dem Jungen zu – und spürte, wie der Prinz ihn nachdenklich ansah.

»Der Junge gehört also wirklich zu dir?«, sagte er. »Nein, keine Sorge, ich stell dir keine weiteren Fragen. Ich weiß, du liebst es, deine Geheimnisse zu haben. Das wird sich kaum geändert haben. Aber die Geschichte, von der du gesprochen hast, will ich trotzdem irgendwann hören. Und eine Vorstellung bist du uns auch schuldig. Wir können alle ein bisschen Aufmunterung brauchen. Die Zeiten sind schlecht, selbst auf dieser Seite des Waldes, auch wenn es heute nicht so aussieht …«

»Ja, das hab ich schon gehört. Und der Natternkopf liebt dich offenbar immer noch. Was hast du angestellt, dass er dir mit dem Galgen droht? Hat dein Bär sich einen seiner Hirsche geholt?« Staubfinger strich Schleicher über das gesträubte Fell. Der Marder ließ den Bären nicht aus den Augen.

»Oh, glaub mir, die Natter ahnt kaum die Hälfte von dem, was ich anstelle, sonst hinge ich längst von den Zinnen der Nachtburg!«

»Ach ja?« Über ihnen hockte der Seiltänzer auf seinem Seil, inmitten seiner Vögel, und ließ die Beine baumeln, als ginge das Menschengewimmel unter ihm ihn nichts an. »Prinz, mir gefällt der Ausdruck in deinen Augen nicht«, sagte Staubfinger, während er zu dem Gaukler hinaufblickte. »Reiz den Natternkopf nicht noch mehr, sonst wird er dich jagen lassen, so wie er es schon mit anderen getan hat. Und dann bist du auch auf dieser Seite des Waldes nicht mehr sicher!«

Jemand zupfte ihn am Ärmel. Staubfinger wandte sich so abrupt um, dass Farid erschrocken zurückfuhr.

»Entschuldige!«, stammelte er und nickte dem Prinzen unsicher zu. »Meggie ist da. Mit Fenoglio!« Er klang so aufgeregt, als hätte er den Speckfürsten persönlich getroffen.

»Wo?« Staubfinger blickte sich um, doch Farid starrte nur auf den Bären, der dem Prinzen zärtlich die Schnauze auf den Kopf gelegt hatte. Der Schwarze Prinz lächelte und schob die Bärenschnauze zur Seite.

»Wo?«, wiederholte Staubfinger ungeduldig. Fenoglio war wahrhaftig der letzte Mensch, den er treffen wollte.

»Dahinten, gleich hinter der Tribüne!«

Staubfinger spähte in die Richtung, in die Farids Finger wies. Tatsächlich, da stand der Alte, zwei Kinder neben sich, wie damals, als er ihn zum ersten Mal gesehen hatte. Zauberzunges Tochter stand neben ihm. Sie war groß geworden – und ihrer Mutter noch ähnlicher. Staubfinger stieß einen leisen Fluch aus. Was wollten sie hier, in seiner Geschichte? Sie hatten damit ebenso wenig zu schaffen wie er mit der ihren. Ach ja?, spottete eine Stimme in seinem Inneren. Das sieht der Alte vermutlich anders. Hast du schon vergessen, dass er behauptet, der Schöpfer von alldem hier zu sein?

»Ich will ihn nicht sehen«, sagte er zu Farid. »An dem Alten klebt das Unglück und Schlimmeres, merk dir das.«

»Redet der Junge vom Tintenweber?« Der Prinz trat so dicht an Staubfingers Seite, dass der Marder ihn anzischte. »Was hast du gegen ihn? Er schreibt gute Lieder.«

»Er schreibt auch noch anderes.« Wer weiß, was er schon über dich geschrieben hat!, fügte Staubfinger in Gedanken hinzu. Ein paar wohlgesetzte Worte und schon bist du tot, Prinz.

Farid blickte immer noch zu dem Mädchen hinüber. »Und Meggie? Willst du sie auch nicht sehen?« Seine Stimme klang belegt vor Enttäuschung. »Sie hat nach dir gefragt.«

»Grüß sie von mir. Sie wird schon verstehen. Nun geh schon! Ich seh es dir doch an, du bist immer noch verliebt in sie. Wie hast du damals ihre Augen beschrieben? Kleine Stücke vom Himmel?«

Farid wurde scharlachrot. »Lass das!«, sagte er ärgerlich.

Aber Staubfinger nahm ihn bei den Schultern und drehte ihn um. »Geh!«, sagte er. »Geh und grüß sie von mir. Aber richte ihr aus, dass sie sich unterstehen soll, meinen Namen in ihren zauberkräftigen Mund zu nehmen, verstanden?«

Farid warf dem Bären einen letzten Blick zu, nickte – und schlenderte zurück zu dem Mädchen, betont langsam, als wollte er beweisen, dass er es nicht allzu eilig hatte, zu ihr zurückzukommen. Auch sie gab sich alle Mühe, nicht allzu oft in seine Richtung zu sehen, während sie verlegen an den Ärmeln ihres Kleides zupfte. Sie sah aus, als gehörte sie hierher – eine Magd aus nicht sonderlich reichem Hause, die Tochter eines Bauern oder Handwerkers vielleicht. Nun, ihr Vater war ein Handwerker, oder? Wenn auch einer mit besonderen Talenten. Vielleicht blickte sie etwas zu unbefangen drein. Mädchen taten das hier gewöhnlich nicht, sie hielten den Kopf gesenkt – und manchmal waren sie in ihrem Alter schon verheiratet. Ob seine Tochter schon an so etwas dachte? Roxane hatte nichts erzählt.

»Der Junge ist gut. Er ist schon jetzt besser als der Rußvogel.« Der Prinz streckte die Hand nach dem Marder aus – und zog sie zurück, als Schleicher die winzigen Zähne bleckte.

»Das ist keine Kunst.« Staubfinger ließ den Blick zu Fenoglio wandern. Tintenweber, so nannten sie ihn also. Wie zufrieden er aussah, der Mann, der seinen Tod niedergeschrieben hatte. Ein Messer in den Rücken, so tief hinein, dass es sein Herz fand, das hatte er für ihn vorgesehen gehabt. Staubfinger griff sich unwillkürlich zwischen die Schulterblätter. Ja. Irgendwann hatte er sie schließlich doch gelesen, Fenoglios tödliche Worte, eines Nachts, in der anderen Welt, als er wieder mal wach gelegen und vergebens versucht hatte, sich Roxanes Gesicht ins Gedächtnis zu rufen. *Du kannst nicht zurück!* Immer wieder hatte er Meggies Stimme die Worte sagen hören. *Es ist irgendeiner von Capricorns Männern, irgendeiner, der schon auf dich wartet. Sie wollen Gwin töten und du willst ihm helfen und dafür töten sie dich.* Mit bebenden Fingern hatte er das Buch aus seinem Rucksack gezerrt, hatte es aufgeschlagen und auf den Seiten nach seinem Tod gesucht. Und gelesen, wieder und wieder, was dort schwarz auf weiß stand. Danach hatte er beschlossen, Gwin zurückzulassen, falls er je zurückkehren sollte ... Staubfinger strich Schleicher über den buschigen Schwanz. Nein, vermutlich war es wirklich nicht klug gewesen, sich wieder einen Marder zu fangen.

»Was ist los? Du machst ja plötzlich ein Gesicht, als hätte dir der Henker zugewunken.« Der Prinz legte ihm den Arm um die Schultern, während sein Bär neugierig an Staubfingers Rucksack schnupperte. »Der Junge hat dir bestimmt erzählt, dass wir ihn im Wald aufgelesen haben, oder? Er war furchtbar aufgeregt, hat behauptet, er sei hier, um dich zu warnen. Als er sagte, vor wem, legte so mancher meiner Männer die Hand ans Messer.«

Basta. Staubfinger fuhr mit dem Finger über seine narbige Wange. »Ja, vermutlich ist auch der zurück.«

»Mitsamt seinem Herrn?«

»Nein. Capricorn ist tot. Ich hab ihn sterben sehen.«

Der Schwarze Prinz griff seinem Bären ins Maul und kraulte ihm die Zunge. »Das ist eine gute Nachricht. Es gäbe auch nicht viel, zu dem er zurückkehren könnte, nur ein paar niedergebrannte Mauern. Die Einzige, die sich dort manchmal herumtreibt, ist die Nessel. Sie schwört, man findet nirgendwo bessere Schafgarbe als in der alten Brandstifter-Festung.«

Staubfinger sah, wie Fenoglio in seine Richtung blickte. Auch Meggie schaute herüber. Rasch kehrte er ihnen den Rücken zu.

»Wir haben jetzt ein Lager dort in der Nähe, du weißt schon, bei den alten Koboldhöhlen«, fuhr der Prinz mit gesenkter Stimme fort. »Seit Cosimo die Brandstifter ausgeräuchert hat, sind die Höhlen wieder ein gutes Quartier. Nur Spielleute wissen davon. Alte, Gebrechliche, Krüppel, Frauen, die es leid sind, mit ihren Kindern auf der Straße zu leben – sie können dort alle eine Weile ausruhen. Weißt du was? Das Geheime Lager wäre ein guter Ort, um mir deine Geschichte zu erzählen! Die, die so schwer zu glauben ist. Ich bin oft wegen des Bären dort, er wird griesgrämig, wenn er allzu lange zwischen festen Mauern ist. Roxane kann dir den Weg erklären, sie kennt sich im Wald inzwischen fast ebenso gut aus wie du.«

»Ich kenne die alten Koboldhöhlen«, sagte Staubfinger. Er hatte sich dort so manches Mal vor Capricorns Männern versteckt. Aber er war nicht sicher, dass er dem Prinzen wirklich von den letzten zehn Jahren erzählen wollte.

»Sechs Fackeln!« Farid stand wieder neben ihm. Er rieb sich an den Hosen den Ruß von den Fingern. »Mit sechs Fackeln hab ich jongliert und nicht eine fallen lassen. Ich glaub, es hat ihr gefallen.«

Staubfinger verkniff sich ein Lächeln. »Vermutlich.« Zwei

Gaukler hatten den Prinzen zur Seite gezogen. Staubfinger war nicht sicher, ob er sie kannte, und kehrte ihnen vorsichtshalber den Rücken zu.

»Weißt du, dass alle von dir reden?« Farids Augen waren rund wie Münzen vor Aufregung. »Alle sagen, dass du zurück bist. Und ich glaub, ein paar haben dich schon erkannt.«

»Ach ja?« Staubfinger blickte sich unbehaglich um. Seine Tochter stand immer noch hinter dem Sessel des kleinen Prinzen. Er hatte Farid nichts von ihr erzählt. Es reichte, dass er eifersüchtig auf Roxane war.

»Sie sagen, dass es nie einen Feuerspucker wie dich gab! Der andere da drüben, Rußvogel nennen sie ihn«, Farid schob Schleicher ein Stück Brot ins Maul, »hat mich nach dir gefragt, aber ich wusste nicht, ob du ihn treffen willst. Er sagt, er kennt dich. Stimmt das?«

»Ja, aber treffen will ich ihn trotzdem nicht.« Staubfinger drehte sich um. Der Seiltänzer war doch noch von seinem Seil heruntergestiegen, Wolkentänzer sprach mit ihm und zeigte in seine Richtung. Es wurde Zeit zu verschwinden. Er wollte sie alle gern wiedersehen, aber nicht heute, nicht hier …

»Ich hab genug«, sagte er zu Farid. »Bleib du hier und verdien uns noch ein paar Münzen. Ich bin bei Roxane, wenn du mich suchst.«

Auf der Tribüne hielt die Hässliche ihrem Sohn einen goldbestickten Beutel hin. Der Kleine griff mit seiner runden Hand hinein und warf den Gauklern ein paar Münzen zu. Hastig bückten sie sich und klaubten sie aus dem Staub. Staubfinger aber warf dem Schwarzen Prinzen einen letzten Blick zu und machte sich davon.

Was Roxane wohl sagen würde, wenn sie hörte, dass er nicht ein einziges Wort mit seiner Tochter gewechselt hatte!

Er kannte die Antwort. Lachen würde sie. Sie wusste nur zu gut, was für ein Feigling er manchmal war.

Kalt und weiß

Ich bin wie ein Goldschmied, der hämmert, Tag und Nacht
Nur so kann ich den Schmerz verwandeln
In ein goldenes Ornament, zart wie der Flügel einer Zikade.
Xi Murong, Poetry's Value

Da waren sie wieder. Mo spürte sie näher kommen, sah sie auch mit geschlossenen Augen – Weiße Frauen, die Gesichter so bleich, der Blick farblos und kalt. Das war alles, woraus die Welt noch bestand, weiße Schatten im Dunkel und der Schmerz in seiner Brust, roter Schmerz. Jeder Atemzug brachte ihn zurück. Atmen. War es nicht irgendwann ganz leicht gewesen? Nun fiel es schwer, so schwer, als hätten sie ihn schon begraben, hätten ihm Erde auf die Brust gehäuft, auf den Schmerz, der brannte und klopfte. Er konnte sich nicht bewegen. Sein Körper war nutzlos, ein Gefängnis, das brannte. Er wollte die Augen öffnen, doch seine Lider wogen so schwer, als wären sie aus Stein. Alles war verloren. Nur Worte waren geblieben: Schmerz, Angst, Tod. Weiße Worte. Ohne Farbe, ohne Leben. Nur der Schmerz war rot.

Ist das der Tod?, dachte Mo. Dieses Nichts, erfüllt von blassen Schatten? Manchmal glaubte er, die Finger der bleichen Frauen zu spüren, wie sie ihm in die schmerzende Brust griffen, als wollten sie ihm das Herz zerdrücken. Ihr Atem strich ihm über das heiße Gesicht und sie flüsterten ihm einen Namen zu, doch es war nicht der, an den er sich erinnerte. *Eichelhäher,* flüsterten sie.

Ihre Stimmen schienen aus kalter Sehnsucht gemacht, aus

nichts als Sehnsucht. Es ist ganz leicht, flüsterten sie, du musst nicht einmal die Augen öffnen. Kein Schmerz mehr, keine Dunkelheit. Steh auf, flüsterten sie, es wird Zeit, und schoben ihre weißen Finger zwischen die seinen, so wunderbar kühl auf seiner brennenden Haut.

Doch die andere Stimme ließ ihn nicht gehen. Undeutlich, kaum wahrnehmbar, als käme sie aus weiter Ferne, drang sie durch das Flüstern. Fremd klang sie, fast misstönend zwischen den flüsternden Schatten. Sei still!, wollte er zu ihr sagen, mit seiner Zunge aus Stein. Sei still, bitte, lass mich gehen! Denn nur sie hielt ihn fest in dem brennenden Haus, das sein Körper war. Aber die Stimme sprach weiter.

Er kannte die Stimme, aber woher? Er konnte sich nicht erinnern. Es war lange her, dass er sie zuletzt gehört hatte, zu lange …

In Elinors Keller

Die Bücherregale biegen sich, hoch aufragend
Unter tausend schlafenden Seelen.
Stille, hoffnungsvoll –
Jedes Mal, wenn ich ein Buch öffne,
wird eine Seele geweckt.
Xi Chuan, Books

Ich hätte meinen Keller komfortabler einrichten sollen!, dachte Elinor, während sie zusah, wie Darius ihr die Luftmatratze aufpumpte, die er hinter einem der Vorratsregale gefunden hatte. Andererseits – hatte sie ahnen können, dass sie eines scheußlichen Tages in ihrem Keller würde schlafen müssen, während in ihrer wunderbaren Bibliothek ein bebrilltes Mondgesicht mit seinem sabbernden Hund saß und den Hausherrn spielte? Der elende Köter hatte fast die Fee gefressen, die Orpheus' Worten entschlüpft war. Eine blaue Fee und eine Lerche, panisch gegen die Scheiben flatternd, das war alles gewesen, was herausgekommen war – für vier Menschen! »Na bitte!«, hatte Orpheus triumphierend verkündet. »Zwei für vier! Es kommen immer weniger heraus. Und irgendwann wird es mir bestimmt gelingen, dass keiner mehr herausrutscht.« Aufgeblasener Dreckskerl! Als ob es irgendwen interessiert hätte, wer herausgekommen war. Resa und Mortimer waren fort! Und Mortola und Basta …

Schnell, Elinor, denk an etwas anderes!

Wenn sie wenigstens hätte hoffen können, dass in nächster Zeit irgendjemand halbwegs Nützliches an ihre Haustür klopfen würde! Aber ein solcher Besucher war leider mehr als unwahrscheinlich. Sie war noch nie sehr gesellig gewesen, schon gar nicht, nachdem Darius die Pflege ihrer Bücher übernommen hatte und Mo, Resa und Meggie bei ihr eingezogen waren. Was brauchte sie mehr an Gesellschaft?

Ihre Nase begann verdächtig zu prickeln. Falscher Gedanke, Elinor!, warnte sie sich – als hätte sie in den letzten Stunden an irgendetwas anderes gedacht. Es geht ihnen gut! Immer wieder sagte sie sich das. Du hättest es gespürt, wenn ihnen etwas passiert wäre. Hieß es nicht so in allen Geschichten? Dass man es spürte, wie ein Stechen in der Brust, wenn jemandem, den man liebte, etwas zustieß?

Darius lächelte ihr zaghaft zu, während sein Fuß unermüdlich den Blasebalg trat. Wie eine Raupe sah die Luftmatratze schon aus, eine riesige, platt getretene Raupe. Wie sollte sie auf dem Ding schlafen? Sie würde herunterrollen und auf dem kalten Zementboden landen.

»Darius!«, sagte sie. »Wir müssen etwas tun! Wir können uns doch nicht einfach hier einsperren lassen, während Mortola …«

O Gott, wie die alte Hexe Mortimer angesehen hatte. Nicht dran denken, Elinor! Einfach nicht dran denken! Auch nicht an Basta und seine Flinte. Oder an Meggie, die ganz allein durch den Weglosen Wald irrt. Ja, bestimmt ist sie allein! Den Jungen hat vermutlich längst ein Riese zertreten … Gut, dass Darius nicht wusste, wie albern ihre Gedanken durcheinanderstolperten, dass ihr ständig die Tränen in die Nase stiegen …

»Darius!« Elinor flüsterte, denn bestimmt stand der Schrankmann als Wache vor der Tür. »Darius, es liegt alles an dir! Du musst sie zurücklesen!«

Darius schüttelte so energisch den Kopf, dass ihm fast die Brille von der Nase rutschte. »Nein!« Seine Stimme klang zittrig wie ein Blatt im Wind, und sein Fuß begann wieder zu pumpen, als gäbe es nichts Dringlicheres als diese dumme Matratze. Dann hielt er ganz plötzlich inne und verbarg das Gesicht in den Händen. »Du weißt, was passiert!«, hörte Elinor ihn mit gepresster Stimme sagen. »Du weißt, was mit ihnen passiert, wenn ich Angst habe.«

Elinor seufzte.

Ja. Sie wusste es. Zerdrückte Gesichter, steife Beine, eine verlorene Stimme ... und natürlich hatte er Angst. Vermutlich noch mehr als sie, denn Darius kannte Mortola und Basta wesentlich länger ...

»Ja. Ja, schon gut. Du hast recht«, murmelte sie und begann abwesend, ein paar Konservendosen zurechtzurücken – Tomatensoße, Ravioli (keine sonderlich schmackhaften), rote Bohnen – Mortimer liebte rote Bohnen. Da war es schon wieder, das Prickeln in ihrer Nase.

»Gut!«, sagte sie und drehte sich entschlossen um. »Dann muss dieser Orpheus es eben tun.« Wie gefasst und überlegt ihre Stimme klang. Ja, sie war eine begnadete Schauspielerin. Schon einmal hatte Elinor das erkannt, damals in Capricorns Kirche, als auch alles verloren schien ... Wenn sie es recht bedachte, hatte es damals sogar noch ein bisschen finsterer ausgesehen.

Darius blickte sie verständnislos an.

»Sieh mich nicht so an, um Gottes willen!«, zischte sie. »Ich weiß auch noch nicht, wie wir ihn dazu bringen können. Noch nicht.«

Auf und ab begann sie zu gehen, auf und ab, zwischen den Regalen, zwischen Dosen und Gläsern.

»Er ist eitel, Darius!«, flüsterte sie. »Sehr eitel. Hast du gesehen, wie er sich verfärbt hat, als er begriff, dass Meggie geschafft hat, was er seit Jahren vergeblich versucht? Bestimmt würde er sie gern fragen –«, abrupt blieb sie stehen und sah Darius an, »– wie sie das fertiggebracht hat.«

Darius hörte auf zu pumpen. »Ja! Aber dafür müsste Meggie hier sein.«

Sie sahen sich an.

»So machen wir es, Darius!«, flüsterte Elinor. »Wir bringen Orpheus dazu, Meggie zurückzuholen, und dann liest sie Mortimer und Resa wieder her, mit denselben Worten, die er für sie benutzt hat! So müsste es gehen! Ja!« Wieder begann sie, auf und ab zu gehen, auf und ab, wie der Panther in dem Gedicht, das sie so liebte ... nur dass ihr Blick nicht länger hoffnungslos war. Sie musste es geschickt anstellen. Dieser Orpheus war klug. Du bist auch klug, Elinor, sagte sie sich. Versuch es einfach!

Sie konnte es nicht ändern, sie musste erneut daran denken, wie Mortola Mortimer angesehen hatte. Was, wenn es längst zu spät war, was, wenn ...? Ach was!

Elinor schob das Kinn vor, nahm die Schultern zurück – und marschierte festen Schrittes auf die Kellertür zu. Mit der flachen Hand schlug sie gegen das weiß lackierte Metall. »He!«, rief sie. »He, Schrankmann! Mach auf! Ich muss diesen Orpheus sprechen! Und zwar sofort.«

Doch hinter der Tür regte sich nichts – und Elinor ließ die Hand wieder sinken. Für einen Moment kam ihr der scheußliche Gedanke, dass die beiden fort waren und sie allein gelassen hatten, eingesperrt ... Und hier unten ist nicht mal ein Dosenöffner!, durchfuhr es Elinor. Was für ein lächerlicher Tod. Verhungert zwischen Stapeln von Konservendosen. Sie hob gerade beide Hände, um erneut gegen die Tür zu hämmern, als sie draußen Schritte hörte, Schritte, die sich entfernten, die Treppe hinauf, die vom Keller in ihre Eingangshalle führte.

»He!«, rief sie so laut, dass Darius hinter ihr zusammenfuhr. »He, warte, du Schrank! Aufmachen! Ich muss mit Orpheus reden!«

Aber hinter der Tür blieb es still. Elinor sank vor der Tür auf die Knie. Sie spürte, wie Darius neben sie trat und ihr zaghaft die Hand auf die Schulter legte. »Er kommt zurück«, sagte er leise. »Wenigstens sind sie noch da, nicht wahr?« Dann kehrte er zu der Luftmatratze zurück.

Elinor aber saß da, den Rücken gegen die kalte Kellertür gelehnt, und lauschte in die Stille. Nicht mal die Vögel hörte man hier unten, nicht das kleinste Grillenzirpen. Meggie holt sie zurück, dachte sie. Meggie holt sie zurück! Aber was, wenn ihre Eltern längst ...?

Falscher Gedanke, Elinor. Falscher Gedanke.

Sie schloss die Augen und hörte, wie Darius wieder zu pumpen begann.

Ich hätte es gespürt!, dachte sie. Ja, das hätte ich. Ich hätte gespürt, wenn ihnen etwas zugestoßen wäre. In allen Geschichten steht es so und sie können doch nicht *alle* lügen!

Das Lager im Wald

> I thought it said in every tick:
> I am so sick, so sick, so sick;
> O Death, come quick, come quick, come quick.
> *Frances Cornford, The Watch*

Resa wusste nicht, wie lange sie schon so dasaß, einfach nur dasaß in der dämmrig dunklen Höhle, die den Spielleuten als Schlafplatz diente, und Mos Hand hielt. Eine der Spielfrauen brachte ihr etwas zu essen und ab und zu huschte eins der Kinder herein, lehnte sich gegen die Höhlenwand und lauschte dem, was sie Mo mit leiser Stimme erzählte – von Meggie und Elinor, von Darius, von der Bibliothek und den Büchern und von seiner Werkstatt, in denen er sie heilte, von Krankheiten und Wunden, ebenso schlimm wie die seine ... Wie seltsam mussten den Spielleuten ihre Geschichten vorkommen, aus einer anderen, nie gesehenen Welt. Und wie seltsam musste es ihnen erst erscheinen, dass sie mit jemandem sprach, der so reglos dalag, die Augen geschlossen, als würde er sie nie wieder öffnen.

Mit drei Männern war die Alte zu Capricorns Festung zurückgekehrt, gerade als die fünfte Weiße Frau auf der Treppe erschien. Der Weg war nicht sonderlich weit gewesen. Resa hatte Wachen zwischen den Bäumen stehen sehen, als sie das Lager betraten. Was sie bewachten, waren Krüppel und Alte, Frauen mit kleinen Kindern – aber offenbar auch solche, die sich hier einfach nur ausruhten von dem ruhelosen Leben auf den Straßen.

»Vom Prinzen«, hatte einer der Spielmänner, die Mo hergebracht hatten, geantwortet, als Resa fragte, woher Essen und Kleidung für all die Menschen kamen. Und als sie gefragt hatte, welchen Prinzen er meinte, hatte er ihr zur Antwort nur einen schwarzen Stein in die Hand gedrückt.

Sie nannten sie die Nessel – die Alte, die so plötzlich im Tor von Capricorns Festung gestanden hatte. Jeder behandelte sie mit Respekt, aber etwas Furcht war wohl auch im Spiel. Resa hatte ihr helfen müssen, als sie Mos Wunde ausgebrannt hatte. Ihr wurde noch immer übel, wenn sie daran zurückdachte. Danach hatte sie der Alten geholfen, die Wunde wieder zu verbinden, hatte sich all ihre Anweisungen gemerkt. »Wenn er in drei Tagen noch atmet, wird er vielleicht leben«, hatte sie gesagt, bevor sie sie wieder allein ließ, in der Höhle, die vor wilden Tieren, vor Sonne und Regen schützte, aber nicht vor der Angst und schwarzen verzweifelten Gedanken.

Drei Tage. Draußen wurde es dunkel und wieder hell, hell und wieder dunkel, und jedes Mal, wenn die Nessel erneut kam und sich über Mo beugte, suchte Resa in ihrem Gesicht verzweifelt nach etwas Hoffnung, aber das Gesicht der Alten blieb ausdruckslos. Die Tage verstrichen und Mo atmete weiter, aber er wollte einfach nicht die Augen öffnen.

In der Höhle roch es nach Pilzen, der Lieblingsspeise der Kobolde, vermutlich hatte früher eine ganze Horde von ihnen hier gehaust. Jetzt mischte sich der Pilzgeruch mit dem von trockenem Laub. Die Spielleute hatten den kalten Höhlenboden damit bestreut, mit Laub und duftenden Kräutern. Thymian, Mädesüß, Waldmeister … Resa zerrieb die trockenen Blätter zwischen den Fingern, während sie dasaß und Mos Stirn kühlte, die längst nicht mehr kalt, sondern heiß war, so heiß … Der Duft des Thymians erinnerte sie an eine Feengeschichte, die er ihr vorgelesen hatte, vor unendlich langer Zeit, als er noch nicht gewusst hatte, dass seine Stimme jemanden wie Capricorn aus den Buchstaben locken konnte. *Bring keinen wilden Thymian ins Haus,* hatte es darin geheißen, *das Unglück klebt daran.* Resa warf die harten Stängel fort und wischte sich an ihrem Kleid den Duft von den Fingern.

Eine der Frauen brachte ihr erneut etwas zu essen und setzte sich eine Weile neben sie, schweigend, als wollte sie ihr durch ihre Gegenwart etwas Trost spenden. Kurz darauf kamen auch drei der Männer herein, aber sie blieben im Höhleneingang stehen und musterten sie und Mo nur von ferne. Sie tuschelten miteinander, während sie zu ihnen herübersahen.

»Sind wir willkommen hier?«, fragte Resa die Nessel bei einem ihrer schweigsamen Besuche. »Ich glaube, sie reden über uns.«

»Lass sie reden!«, antwortete die Alte nur. »Ich habe ihnen erzählt, dass ihr von Wegelagerern überfallen wurdet, aber natürlich reicht ihnen das nicht. Eine schöne Frau, ein Mann mit einer seltsamen Wunde, wo kommen sie her? Was ist geschehen? Sie sind neugierig. Und wenn du klug bist, lässt du nicht allzu viele die Narbe an seinem Arm sehen.«

»Warum?« Resa sah sie verständnislos an.

Die Alte musterte sie, als wollte sie ihr ins Herz sehen. »Nun, wenn du das wirklich nicht weißt, dann bleibt es auch besser so«, sagte sie schließlich. »Und lass sie reden. Was sollen sie schon sonst groß tun? Einige kommen her, um auf den Tod zu warten, andere, dass das Leben endlich beginnt, und wieder andere leben nur noch von den Geschichten, die man ihnen erzählt. Seiltänzer, Feuerspucker, Bauern, Fürsten – sie sind alle gleich, Fleisch und Blut und ein Herz, das weiß, dass es irgendwann aufhört zu schlagen.«

Feuerspucker. Resas Herz tat einen Satz, als die Nessel das Wort aussprach. Natürlich. Warum hatte sie daran nicht eher gedacht?

»Bitte!«, sagte sie, als die alte Frau schon wieder im Eingang der Höhle stand. »Du kennst doch sicher viele Spielleute. Ist einer unter ihnen, der sich Staubfinger nennt?«

Die Nessel drehte sich so langsam um, als müsste sie erst entscheiden, ob sie antworten wollte. »Staubfinger?«, wiederholte sie schließlich mürrisch. »Du wirst kaum einen Spielmann finden, der ihn nicht kennt, aber seit Jahren hat ihn keiner gesehen. Obwohl es Gerüchte gibt, dass er zurück ist ...«

Ja, er ist zurück, dachte Resa, und er wird mir helfen, so wie ich ihm geholfen habe, in der anderen Welt.

»Ich muss ihm eine Nachricht schicken!« Sie hörte selbst, wie verzweifelt ihre Stimme klang. »Bitte.«

Die Nessel musterte sie ohne eine Regung auf dem braunen Gesicht. »Wolkentänzer ist hier«, sagte sie schließlich. »Sein Bein schmerzt ihn wieder, aber sobald es besser ist, zieht er weiter. Frag ihn, ob er sich umhört für dich und deine Nachricht mitnimmt.«

Dann war sie fort.

Wolkentänzer.

Draußen wurde es wieder dunkel, und mit der Dunkelheit kamen Männer, Kinder und Frauen in die Höhle und legten sich zum Schlafen auf das Laub – abseits von ihr, als wäre Mos Reglosigkeit etwas Ansteckendes. Eine der Frauen brachte ihr eine Fackel. Sie malte zuckende Schatten an die Felswände, Schatten, die Grimassen schnitten und mit schwarzen Fingern über Mos blasses Gesicht strichen. Die Weißen Frauen hielt das Feuer nicht fern, auch wenn es hieß, dass sie es begehrten und zugleich fürchteten. Immer wieder erschienen sie in der Höhle, wie bleiche Spiegelbilder, die

Gesichter aus Nebel geformt. Sie kamen näher und verschwanden wieder, vermutlich vertrieb sie der bitterherbe Geruch der Blätter, die die Nessel um Mos Lager gelegt hatte. »Es hält sie fern«, hatte die alte Frau gesagt, »aber aufpassen musst du trotzdem.«

Eins der Kinder weinte im Schlaf. Seine Mutter strich ihm tröstend übers Haar – und Resa musste an Meggie denken. War sie allein oder war der Junge noch bei ihr? War sie glücklich, traurig, krank, gesund? Wie oft hatte sie sich diese Fragen schon gestellt, als hoffte sie, irgendwann von irgendwoher eine Antwort zu erhalten …

Eine Frau brachte ihr frisches Wasser. Dankbar lächelte sie ihr zu – und fragte sie nach Wolkentänzer. »Der schläft lieber unter freiem Himmel«, sagte sie und wies nach draußen. Resa hatte lange keine Weiße Frau mehr gesehen, doch trotzdem weckte sie eine der Frauen, die ihr angeboten hatten, sie in der Nacht abzulösen. Dann stieg sie über die Schlafenden und ging nach draußen.

Der Mond schien heller als jede Fackel durch das dichte Blätterdach. Ein paar Männer saßen um ein Feuer herum. Zögernd ging Resa auf sie zu, in dem Kleid, das so gar nicht hierher passte, das selbst für eine Spielfrau zu hoch über den Knöcheln endete und dazu noch zerrissen war …

Die Männer starrten sie an, misstrauisch und neugierig zugleich.

»Ist einer von euch Wolkentänzer?«

Ein kleiner, hagerer Mann, zahnlos und vermutlich nicht halb so alt, wie er aussah, stieß dem Spielmann, der neben ihm saß, den Ellbogen in die Seite.

»Wozu fragst du?« Das Gesicht war freundlich, aber der Blick wachsam.

»Die Nessel sagt, dass er vielleicht eine Nachricht für mich überbringen würde.«

»Eine Nachricht? An wen?« Er streckte sein linkes Bein aus, rieb sich das Knie, als ob es ihn schmerzte.

»Er ist ein Feuerspucker. Staubfinger ist sein Name. Sein Gesicht …«

Wolkentänzer fuhr sich mit dem Finger über die Wange. »… drei Narben, ich weiß. Was willst du von ihm?«

»Ich möchte, dass du ihm das hier bringst!« Resa kniete sich neben das Feuer und griff in die Tasche ihres Kleides. Etwas Papier und einen Bleistift hatte sie immer dabei, jahrelang hatten sie ihr die Zunge ersetzt. Nun war ihre Stimme zurück, doch für die Nachricht an Staubfinger war eine hölzerne Zunge nützlicher. Mit bebenden Fingern begann sie zu schreiben, ohne die misstrauischen Augen zu beachten, die ihrer Hand folgten, als täte sie etwas Verbotenes.

»Sie kann schreiben«, stellte der Zahnlose fest. Die Missbilligung in seiner Stimme war unüberhörbar. Es war lange, sehr lange her, dass Resa in Orten jenseits des Waldes auf den Märkten gesessen hatte, in Männerkleidern, das Haar kurz geschoren, weil sie keine andere Art gewusst hatte, sich ihren Lebensunterhalt zu verdienen als durchs Schreiben – ein Handwerk, das Frauen verboten war in dieser Welt. Sklaverei war die Strafe, und eine Sklavin hatte es aus ihr gemacht, Mortolas Sklavin. Denn sie war es gewesen, die ihre Verkleidung entdeckt und sie zum Lohn hatte mitnehmen dürfen, mit auf Capricorns Festung.

»Staubfinger wird das nicht lesen können«, stellte Wolkentänzer mit ruhiger Stimme fest.

»Doch, das wird er. Ich hab es ihm beigebracht.«

Wie ungläubig sie sie anblickten. Buchstaben. Rätselhafte Dinger, Werkzeuge der Reichen, nicht gedacht für Gaukler und bestimmt nicht für Frauen …

Nur Wolkentänzer lächelte. »Nun sieh einer an. Staubfinger kann lesen«, sagte er leise. »Gut, aber ich kann es nicht. Also sag mir besser, was du geschrieben hast, damit ich ihm die Worte auch noch überbringen kann, falls dein Zettel verloren geht. Mit geschriebenen Worten geschieht das leicht, viel leichter als mit denen, die man im Kopf hat.«

Resa blickte Wolkentänzer ins Gesicht. *Du traust den Leuten viel zu schnell …* Wie oft hatte Staubfinger ihr das gesagt, aber welche Wahl hatte sie? Mit leiser Stimme wiederholte sie, was sie geschrieben hatte: »*Lieber Staubfinger, ich bin mit Mo im Lager der Spielleute, tief im Weglosen Wald. Mortola und Basta haben uns hergebracht und Mortola –*«, die Stimme versagte ihr, als sie es aussprach, »*– Mortola hat auf Mo geschossen. Meggie ist auch hier, ich weiß nicht, wo, aber bitte such sie und bring sie zu mir! Beschütze sie, so wie du es bei mir versucht hast. Aber hüte dich vor Basta! Resa.*«

»Mortola? War das nicht der Name der Alten, die bei den Brandstiftern hauste?« Dem Spielmann, der das fragte, fehlte die rechte Hand. Ein Dieb – für ein Brot verlor man die linke, für ein Stück Fleisch die rechte.

»Ja, man sagt, sie hat mehr Männer vergiftet, als der Natternkopf Haare auf dem Kopf hat!« Wolkentänzer stieß ein Stück Holz zurück ins Feuer. »Und Basta hat Staubfinger damals das Gesicht aufgeschlitzt. Die beiden Namen wird er nicht gern hören.«

»Aber Basta ist tot!«, warf der zahnlose Spielmann ein. »Und von der Alten haben sie dasselbe gesagt!«

»Das erzählen sie den Kindern«, sagte einer, der Resa den Rücken zukehrte, »damit sie besser einschlafen. So eine wie Mortola stirbt nicht. Die lässt nur sterben.«

Sie werden mir nicht helfen!, dachte Resa. Nicht, nachdem sie die beiden Namen gehört haben. Der Einzige, der sie halbwegs freundlich ansah, war ein Mann, der das Schwarz und Rot der Feuerspucker trug. Wolkentänzer aber musterte sie immer noch, als wüsste er nicht, was er von ihr halten sollte, von ihr und ihrer Botschaft. Doch schließlich zog er ihr den Zettel wortlos aus den Fingern und schob ihn in den Beutel, den er am Gürtel trug. »Also gut, ich werd Staubfinger deine Nachricht ausrichten«, sagte er, »ich weiß, wo er ist.«

Er half ihr. Resa konnte es kaum glauben.

»Ich danke dir.« Schwankend vor Müdigkeit richtete sie sich wieder auf. »Was denkst du, wann er die Nachricht bekommt?«

Wolkentänzer strich sich übers Knie. »Erst muss es meinem Bein besser gehen.«

»Sicher.« Resa schluckte die Worte hinunter, die um Eile betteln wollten. Nur nicht drängen, sonst überlegte er es sich womöglich anders, und wer dann würde Staubfinger für sie suchen? Ein Stück Holz zerbarst in den Flammen und spuckte ihr glühende Funken vor die Füße. »Ich habe nichts, um dich zu bezahlen«, sagte sie, »aber vielleicht nimmst du das hier.« Sie zog sich den Ehering vom Finger und hielt ihn Wolkentänzer hin. Der Zahnlose betrachtete den goldenen Ring so begehrlich, als würde er zu gern selbst die Hand danach ausstrecken, aber Wolkentänzer schüttelte den Kopf.

»Nein, vergiss es«, sagte er. »Dein Mann ist krank, da bringt es Unglück, den Ehering wegzugeben, oder?«

Unglück. Resa schob den Ring hastig zurück auf den Finger. »Ja«, murmelte sie. »Ja, du hast recht. Ich danke dir. Ich danke dir wirklich sehr!«

Sie wandte sich um.

»He, du!« Der Spielmann, der ihr den Rücken zugekehrt hatte, sah sie an. Er hatte bloß zwei Finger an der rechten Hand. »Dein Mann … er hat dunkles Haar. Dunkel wie das Fell eines Maulwurfs. Und er ist groß, sehr groß.«

Verwirrt blickte Resa ihn an. »Ja?«

»Und dann die Narbe. Genau dort, wo die Lieder es sagen. Ich hab sie gesehen. Jeder weiß, wie er sie bekommen hat: Die Hunde vom Natternkopf haben ihn dort gebissen, als er bei der Nachtburg gewildert und einen von den Hirschen erlegt hat, den weißen Hirschen, die nur der Natternkopf selbst töten darf.«

Wovon redete er? Die Worte der Nessel fielen Resa ein: *Und wenn du klug bist, lässt du nicht allzu viele die Narbe an seinem Arm sehen.*

Der Zahnlose lachte. »Hört euch den Zweifinger an. Er glaubt, dass der Eichelhäher dort in der Höhle liegt. Seit wann glaubst du an Kindermärchen? Hatte er etwa auch seine Federmaske dabei?«

»Woher soll ich das wissen?«, fuhr der Zweifinger ihn an. »Hab ich ihn hergebracht? Aber ich sag euch, er ist es!«

Resa spürte, wie der Feuerspucker sie nachdenklich musterte. »Ich weiß nicht, wovon ihr redet«, sagte sie. »Ich kenne keinen Eichelhäher.«

»Ach ja?« Der Zweifinger griff nach der Laute, die neben ihm im Gras lag. Resa hatte das Lied noch nie gehört, das er mit leiser Stimme sang:

Aus dunklem Wald kommt Hoffnung hell,
die Fürsten tut's verbittern.
Sein Haar ist schwarz wie Maulwurfsfell,
er lässt die Mächt'gen zittern.
Verbirgt mit Federn sein Gesicht,
stiehlt sie dem Eichelhäher,
stellt Mörder endlich vor Gericht.
Narrt jeden Fürstenspäher.
Er jagt ihr Wild,
er stiehlt ihr Gold,
doch wenn sie ihn verfluchen,
verschwindet er, ein Schatten nur,
den sie vergebens suchen.

Wie sie sie alle ansahen. Resa tat einen Schritt zurück.

»Ich muss wieder zu meinem Mann«, sagte sie. »Dieses Lied … es hat nichts mit ihm zu tun, glaubt mir.«

Sie spürte ihre Blicke im Rücken, als sie wieder auf die Höhle zuging. Vergiss sie, Resa!, dachte sie. Staubfinger wird deine Nachricht bekommen, das ist alles, was zählt.

Die Frau, die ihren Platz eingenommen hatte, erhob sich wortlos und legte sich wieder zu den anderen. Resa war so erschöpft, dass sie taumelte, als sie sich auf den laubbedeckten Boden kniete. Erneut kamen die Tränen. Sie wischte sie mit dem Ärmel fort, verbarg das Gesicht in dem Stoff, der so vertraut roch … nach Elinors Haus … nach dem alten Sofa, auf dem sie mit Meggie gesessen und ihr von dieser Welt erzählt hatte. Sie begann zu schluchzen, so laut, dass sie fürchtete, einen der Schlafenden geweckt zu haben. Erschrocken presste sie die Hand auf den Mund.

»Resa?« Es war kaum mehr als ein Flüstern.

Sie hob den Kopf. Mo sah sie an. Er sah sie an.

»Ich hab deine Stimme gehört«, flüsterte er.

Sie wusste nicht, was sie zuerst tun sollte, lachen oder weinen. Sie beugte sich über ihn, bedeckte sein Gesicht mit Küssen. Und tat beides.

Fenoglios Plan

Ich brauche nichts als ein Stück Papier und ein Schreibwerkzeug, und ich werde die Welt aus den Angeln heben.
Friedrich Nietzsche

Zwei Tage waren seit dem Fest auf der Burg vergangen, zwei Tage, in denen Fenoglio Meggie jeden Winkel von Ombra gezeigt hatte. »Aber heute«, sagte er, bevor sie sich nach dem Frühstück bei Minerva wieder einmal auf den Weg machten, »heute zeig ich dir den Fluss. Es ist ein steiler Abstieg, etwas unangenehm für meine alten Knochen, aber nirgends kann man ungestörter reden. Außerdem kannst du dort, wenn wir Glück haben, ein paar Nixen sehen.«

Meggie hätte gern eine Nixe gesehen. Im Weglosen Wald hatte sie nur eine einzige in einem trüben Tümpel entdeckt, und sobald Meggies Spiegelbild auf das Wasser gefallen war, war sie davongehuscht. Doch worüber wollte Fenoglio in Ruhe reden? Die Antwort war nicht schwer.

Was sollte sie diesmal herbeilesen? Wen sollte sie herbeilesen – und woher? Aus einer anderen Geschichte, die Fenoglio auch geschrieben hatte? Der Weg, den er sie hinabführte, wand sich an steil abfallenden Feldern entlang, auf denen die Bauern gebückt in der Morgensonne arbeiteten. Wie mühsam es sein musste, der steinigen Erde genug abzuringen, um damit den Winter zu überstehen. Und dann all die heimlichen Mitesser, die sich über die wenigen Vorräte hermachten: Mäuse, Mehlwürmer, Maden und Asseln. Das Leben war so viel schwieriger in Fenoglios Welt, und doch schien es Meggie, als spinne seine Geschichte mit jedem anbrechenden Tag einen Zauber um ihr Herz, klebrig wie Spinnenfäden und gleichzeitig betörend schön …

Alles um sie her schien inzwischen so wirklich. Ihr Heimweh war fast verschwunden.

»Komm!« Fenoglios Stimme schreckte sie aus ihren Gedanken. Vor ihnen lag der Fluss schimmernd in der Sonne, die Ufer gesäumt von welken Blüten, die auf dem Wasser trieben. Fenoglio griff nach ihrer Hand und zog sie zwischen die großen Steine am Ufer. Hoffnungsvoll beugte Meggie sich über das träge dahinfließende Wasser, doch es war keine Nixe zu entdecken.

»Tja, sie sind scheu. Zu viele Menschen!« Fenoglio wies missbilligend auf die Frauen, die nur wenige Schritte entfernt ihre Wäsche wuschen. Er winkte Meggie weiter, bis die Stimmen verklangen und nur noch das Rauschen des Wassers zu hören war. Hinter ihnen ragten die Dächer und Türme von Ombra in den blassblauen Himmel. Die Häuser drängten sich zwischen den Mauern wie Vögel in einem zu engen Nest, und darüber flatterten die schwarzen Banner der Burg, als wollten sie den Kummer des Speckfürsten in den Himmel schreiben.

Meggie kletterte auf einen flachen Stein, der weit ins Wasser hineinragte. Der Fluss war nicht breit, doch er schien tief zu sein, das Wasser war dunkler als die Schatten am gegenüberliegenden Ufer.

»Siehst du eine?« Fenoglio rutschte fast aus auf dem feuchten Stein, als er neben sie trat. Meggie schüttelte den Kopf. »Was ist mit dir?« Fenoglio kannte sie gut nach all den Tagen und Nächten, die sie gemeinsam in Capricorns Haus verbracht hatten. »Hast du etwa wieder Heimweh?«

»Nein, nein.« Meggie kniete sich hin und fuhr mit den Fingern durch das kalte Wasser. »Ich hatte nur wieder diesen Traum.«

Am Tag zuvor hatte Fenoglio ihr die Gasse der Bäcker gezeigt, die Häuser, in denen die reichen Gewürz- und Tuchhändler wohnten, und jede Fratze, jede Blume, jeden reich verzierten Fries, mit dem die kunstfertigen Steinmetze von Ombra die Häuser der Stadt geschmückt hatten. Fenoglio schien das alles für sein ureigenes Werk zu halten, dem Stolz nach zu urteilen, mit dem er Meggie an jeden noch so verborgenen Winkel der Stadt führte – »nun ja, nicht jeden«, hatte er eingestanden, als sie ihn einmal in eine Gasse hatte ziehen wollen, die sie noch nicht gesehen hatten. »Natürlich hat auch Ombra seine hässlichen Seiten, aber wozu soll dein hübscher Kopf sich damit belasten?«

Es war schon dunkel gewesen, als sie in die Kammer unter Minervas Dach zurückgekehrt waren, und Fenoglio hatte sich mit Rosenquarz gestritten, weil der Glasmann die Feen mit Tinte bespritzt hatte. Meggie war trotzdem eingenickt, obwohl die Stimmen der beiden immer lauter geworden waren, auf dem Strohsack unter dem Fenster, den Minerva für sie die steile Treppe hatte hinaufschaffen lassen – und plötzlich war da dieses Rot gewesen, ein stumpfes, feucht schimmerndes Rot, und ihr Herz hatte begonnen, schneller und schneller zu schlagen, immer schneller, bis das heftige Klopfen sie hatte aus dem Schlaf fahren lassen …

»Da, sieh doch!« Fenoglio fasste nach ihrem Arm.

Bunte Schuppen schillerten unter der feuchten Haut des Flusses. Im ersten Augenblick hätte Meggie sie fast für Blätter gehalten, doch dann sah sie die Augen, Augen, die sie anblickten, menschenähnlich und doch so anders, denn es gab kein Weiß in ihnen. Die Arme der Nixe wirkten zart und zerbrechlich, fast durchscheinend. Noch ein Blick, dann schlug der geschuppte Schwanz das Wasser, und nichts war mehr zu sehen, nur ein Schwarm Fische, der vorbeiglitt, silbrig wie Schneckenschleim, und eine Schar Feuerelfen, wie sie sie mit Farid im Wald gesehen hatte. Farid … er hatte eine Feuerblume vor ihren Füßen blühen lassen, nur für sie. Staubfinger hatte ihm wirklich viel beigebracht, wunderbare Dinge …

»Ich glaub, es ist immer derselbe Traum, aber ich kann mich nicht erinnern. Nur an die Angst … als wäre etwas Schreckliches passiert!« Sie wandte sich zu Fenoglio um. »Glaubst du, es gibt so etwas?«

»Unsinn!« Fenoglio wischte den Gedanken fort wie ein lästiges Insekt. »An deinem bösen Traum ist nur Rosenquarz schuld. Bestimmt haben die Feen sich in der Nacht auf deine Stirn gesetzt, weil er sie geärgert hat! Sie sind rachsüchtige kleine Dinger, und an wem sie sich rächen, ist ihnen leider vollkommen egal.«

»Ach so.« Meggie tauchte die Finger erneut ins Wasser. Es war so kalt, dass sie schauderte. Sie hörte die waschenden Frauen lachen und eine Feuerelfe ließ sich auf ihrem Arm nieder. Insektenaugen starrten sie an aus einem Menschengesicht. Hastig scheuchte Meggie das winzige Geschöpf fort.

»Sehr weise«, stellte Fenoglio fest. »Vor Feuerelfen musst du dich hüten. Sie verbrennen dir die Haut.«

»Ich weiß, Resa hat mir von ihnen erzählt.« Meggie sah der Elfe hinterher. Auf ihrem Arm brannte dort, wo sie sich niedergelassen hatte, ein roter Fleck.

»Sie sind meine Erfindung«, erklärte Fenoglio stolz. »Sie produzieren einen Honig, der in die Lage versetzt, mit dem Feuer zu sprechen. Sehr begehrt unter Feuerspuckern, aber die Elfen greifen jeden an, der ihren Nestern zu nahe kommt, und kaum einer weiß, wie man es anstellt, den Honig zu stehlen, ohne dafür aufs abscheulichste verbrannt zu werden. Wenn ich es recht überlege, ist Staubfinger wohl der Einzige.«

Meggie nickte nur. Sie hatte kaum zugehört. »Worüber wolltest du mit mir reden? Du willst, dass ich etwas lese, stimmt's?«

Ein paar welke rote Blüten trieben auf dem Wasser vorbei, rot wie getrocknetes Blut, und Meggies Herz begann erneut so heftig zu klopfen, dass sie die Hand gegen die Brust presste. Was war nur los mit ihr?

Fenoglio schnürte den Beutel an seinem Gürtel auf und schüttelte einen flachen roten Stein in seine Hand. »Ist er nicht prächtig?«, fragte er. »Ich habe ihn heute Morgen besorgt, du hast noch geschlafen. Es ist ein Beryll, ein Lesestein. Man benutzt ihn wie eine Brille.«

»Ich weiß. Und?« Meggie strich mit den Fingerspitzen über den glatten Stein. Mo besaß mehrere. Sie lagen auf der Fensterbank seiner Werkstatt.

»Und? Nun sei doch nicht so ungeduldig! Violante ist fast so blind wie ein Maulwurf und ihr reizendes Söhnchen hat ihren alten Lesestein versteckt. Also hab ich einen neuen besorgt (auch wenn mich das fast ruiniert hat). Dafür wird sie mir hoffentlich so dankbar sein, dass sie uns einiges über ihren verstorbenen Gatten erzählt! Ich weiß, ich habe Cosimo erfunden, aber es ist lange her, dass ich über ihn geschrieben habe. Ehrlich gesagt, erinnere ich mich nicht sonderlich gut, außerdem ... wer weiß, wie er sich verändert hat, seit diese Geschichte es sich in den Kopf gesetzt hat, sich selbst weiterzuerzählen!«

Eine böse Ahnung regte sich in Meggie. Nein, das konnte er nicht vorhaben. Nicht einmal Fenoglio würde auf eine solche Idee kommen. Oder?

»Hör zu, Meggie!« Er senkte die Stimme, als könnten die Frauen, die flussaufwärts ihre Wäsche wuschen, ihn vielleicht doch hören. »Wir zwei werden Cosimo zurückholen!«

Meggie richtete sich so abrupt auf, dass sie fast ausrutschte und in den Fluss fiel. »Du bist verrückt. Vollkommen verrückt! Cosimo ist tot!«

»Kann das jemand beweisen?« Fenoglios Lächeln gefiel ihr ganz und gar nicht. »Ich hab es dir doch gesagt – seine Leiche war bis zur Unkenntlichkeit verbrannt. Selbst sein Vater war nicht sicher, ob es wirklich Cosimo war! Erst als ein halbes Jahr verstrichen war, hat er den Toten in dem Sarkophag bestatten lassen, der für seinen Sohn bestimmt war.«

»Aber es war Cosimo, oder?«

»Wer will das sagen? Es war ein furchtbares Gemetzel. Man sagt, die Brandstifter hätten irgendein Alchemistenpulver in ihrer Festung gelagert. Der Brandfuchs hat es angezündet, um zu entkommen. Die Flammen haben Cosimo und die meisten seiner Männer eingeschlossen, die Mauern sind über ihnen eingestürzt, und niemand konnte später sagen, wer die Toten waren, die man unter den Trümmern fand.«

Meggie schauderte. Fenoglio aber schien das alles sehr zu gefallen. Sie konnte kaum glauben, wie zufrieden er aussah.

»Er war es bestimmt, du weißt es!« Meggie senkte die Stimme zu einem Flüstern. »Fenoglio! Wir können keinen Toten zurückholen!«

»Ich weiß, ich weiß, vermutlich nicht.« Aus seiner Stimme klang tiefstes Bedauern. »Obwohl – sind die Toten nicht auch zurückgekommen, als du den Schatten gerufen hast?«

»Nein! Sie sind alle wieder zu Asche geworden! Schon nach wenigen Tagen. Elinor hat schrecklich geweint – sie ist in Capricorns Dorf gefahren, obwohl Mo versucht hat, es ihr auszureden, und auch dort war niemand mehr. Sie waren alle fort. Für immer.«

»Hm.« Fenoglio starrte auf seine Hände. Sie sahen aus wie die Hände eines Bauern oder eines Handwerkers, nicht wie Hände, die nur eine Feder führten. »Also nicht, nun gut!«, murmelte er. »Ist vielleicht auch besser so. Wie soll eine Geschichte funktionieren, wenn jeder jederzeit von den Toten zurückkehren kann? Ein hoffnungsloses Durcheinander würde das geben und die ganze Spannung ruinieren! Nein. Du hast recht: Die Toten sollten tot bleiben. Und deshalb werden wir auch nicht Cosimo zurückholen, sondern nur jemanden, der so aussieht wie er!«

»... so aussieht? Du bist verrückt!«, flüsterte Meggie. »Vollkommen verrückt!«

Aber dieses Urteil beeindruckte Fenoglio nicht im Geringsten. »Na und? Alle Schriftsteller sind verrückt! Glaub mir, ich werde meine Worte sehr sorgsam auswählen, so sorgsam, dass unser nagelneuer Cosimo der festen Überzeugung sein wird, er *sei* der alte. Verstehst du, Meggie? Selbst wenn er nur ein Doppelgänger ist – er muss es ja nicht wissen. Er darf es nicht wissen! Was sagst du?«

Meggie schüttelte nur den Kopf. Sie war nicht hergekommen, um diese Welt zu ändern. Sie hatte sie nur sehen wollen!

»Meggie!« Fenoglio legte ihr die Hand auf die Schulter. »Du hast den Speckfürsten gesehen. Er kann jeden Tag sterben, und was dann? Der Natternkopf lässt nicht nur Spielleute aufknüpfen! Er lässt seine Bauern blenden, wenn sie im Wald ein Kaninchen fangen. Er lässt Kinder in seinen Silberbergwerken arbeiten, bis sie blind und krumm sind, und zu seinem Herold hat er den Brandfuchs gemacht, einen Brandstifter und Totschläger!«

»Ach ja? Und wer hat ihn so erfunden? Du!« Ärgerlich stieß Meggie seine Hand weg. »Du hattest schon immer eine Vorliebe für deine Bösewichter.«

»Nun ja! Mag sein.« Fenoglio zuckte die Schultern, als wäre das etwas, gegen das er völlig machtlos war. »Aber was sollte ich machen? Wer will schon eine Geschichte über zwei nette Fürsten lesen, die über eine lustige Schar vollkommen glücklicher Untertanen herrschen? Was für eine Geschichte sollte das sein?«

Meggie beugte sich über den Fluss und fischte eine der roten Blüten heraus. »Du erfindest sie gern!«, sagte sie leise. »All diese Scheusale.«

Darauf wusste selbst Fenoglio nichts zu erwidern. Und so schwiegen sie beide, während die Frauen drüben ihre Wäsche auf den Steinen zum Trocknen auslegten. Es war immer noch warm in der Sonne, trotz der welken Blüten, die der Fluss unermüdlich ans Ufer schwemmte.

Fenoglio war es schließlich, der das Schweigen brach. »Bitte, Meggie!«, sagte er. »Nur noch das eine Mal. Wenn du mir hilfst, diese Geschichte wieder an den Zügel zu nehmen, schreibe ich dir die allerwunderbarsten Worte, um dich wieder nach Hause zu bringen – wann immer du willst! Und solltest du es dir vielleicht anders überlegen, weil es dir in meiner Welt besser gefällt, dann hol ich dir auch deinen Vater her … und deine Mutter … selbst diese Bücherfresserin, obwohl ich glaube, dass sie eine furchtbare Person ist, nach dem, was du mir erzählt hast!«

Darüber musste Meggie lächeln. Ja, Elinor würde es hier gefallen, dachte sie, und Resa würde sicherlich auch gern noch einmal herkommen. Aber Mo, nein, Mo nicht. Niemals.

Mit einem Ruck stand sie auf und strich sich das Kleid glatt. Sie blickte zur Burg hinauf und stellte sich vor, wie es sein würde, wenn dort oben der Natternkopf herrschte mit seinem Salamanderblick. Schon der Speckfürst hatte ihr nicht sonderlich gefallen.

»Meggie, glaub mir«, sagte Fenoglio. »Du würdest etwas wahrhaft Gutes tun. Du würdest einem Vater seinen Sohn zurückgeben, einer Frau ihren Mann, einem Kind seinen Vater – gut, es ist kein sonderlich nettes Kind, aber trotzdem! Und du würdest helfen, die Pläne des Natternkopfes zu durchkreuzen. Wenn das nicht ehrenhaft ist! Bitte, Meggie!« Fast flehend sah er sie an. »Hilf mir. Es ist doch meine Geschichte! Glaub mir, ich weiß, was das Beste für sie ist! Leih mir deine Stimme, nur noch ein Mal!«

Leih mir deine Stimme ... Meggie blickte immer noch hinauf zur Burg, aber sie sah nicht länger die Türme und die schwarzen Banner, sondern den Schatten und Capricorn, wie er tot im Staub gelegen hatte.

»Gut, ich denk darüber nach«, sagte sie. »Aber jetzt wartet Farid auf mich.«

Fenoglio blickte sie so verblüfft an, als wären ihr aus heiterem Himmel Flügel gewachsen. »So, tut er das?« Die Missbilligung in seiner Stimme war nicht zu überhören. »Aber ich wollte mit dir zur Burg, um der Hässlichen den Stein zu bringen. Ich wollte, dass du hörst, was sie über Cosimo erzählt ...«

»Ich hab es ihm versprochen!« Sie hatten sich vor dem Stadttor verabredet, damit Farid nicht an den Wachen vorbeimusste.

»Versprochen? Na, und? Du wärst nicht das erste Mädchen, das einen Verehrer warten lässt.«

»Er ist nicht mein Verehrer!«

»Umso besser! Da dein Vater nicht hier ist, muss ich schließlich auf dich aufpassen!« Fenoglio musterte sie mit mürrischer Miene. »Du bist wirklich groß geworden! Die Mädchen hier heiraten, wenn sie in deinem Alter sind. Ja, sieh mich nicht so an! Minervas zweitälteste Tochter ist seit fünf Monaten verheiratet, und sie ist gerade vierzehn geworden. Wie alt ist dieser Junge? Fünfzehn? Sechzehn?«

Meggie antwortete ihm nicht. Sie wandte ihm einfach den Rücken zu.

Violante

Schon am nächsten Tag begann meine Großmutter, mir Geschichten zu erzählen. Das tat sie wahrscheinlich, um uns beide aus unserer großen Traurigkeit zu holen.
Roald Dahl, Hexen hexen

Fenoglio überredete Farid einfach, mit ihnen auf die Burg zu kommen. »Na, das passt doch bestens!«, flüsterte er Meggie zu. »Er kann dieses verzogene Balg von einem Fürstensohn unterhalten, damit wir Gelegenheit haben, Violante in aller Ruhe zum Plaudern zu bringen.«

Der Äußere Burghof lag an diesem Morgen wie ausgestorben da. Nur ein paar vertrocknete Zweige und zertretene Kuchen erinnerten noch an das Fest, das hier stattgefunden hatte. Knechte, Schmiede, Stallknechte, sie alle gingen längst wieder ihrer Arbeit nach, aber eine drückende Stille schien zwischen den Mauern zu hängen. Die Wachen ließen sie wortlos passieren, als sie Fenoglio erkannten, und unter den Bäumen des Inneren Hofes kam ihnen eine Gruppe Männer in grauen Gewändern entgegen. »Bader!«, murmelte Fenoglio, während er ihnen besorgt nachsah. »Und mehr als genug, um ein Dutzend Männer totzukurieren. Das kann nichts Gutes bedeuten.«

Der Diener, den Fenoglio vor dem Thronsaal abfing, sah blass und übernächtigt aus. Der Speckfürst, raunte er Fenoglio zu, habe sich schon während des Festes für seinen Enkel zu Bett begeben und sei seither nicht wieder aufgestanden. Er esse und trinke nicht mehr, und zu dem Steinmetz, der an seinem Sarkophag meißele, habe er einen Boten geschickt, um ihn zur Eile zu mahnen.

Zu Violante ließ man sie trotzdem. Der Speckfürst wollte weder seine Schwiegertochter noch seinen Enkel sehen. Selbst die Bader hatte er fortgeschickt. Nur Tullio, seinen pelzgesichtigen Pagen, duldete er in seiner Nähe.

»Sie ist wieder dort, wo sie nicht sein darf!« Der Diener flüsterte, als könnte der kranke Fürst ihn in seinen Gemächern hören, während er sie durch die Burg führte. In jedem Korridor blickte ein Abbild Cosimos auf sie herab. Seit Meggie von Fenoglios Plänen wusste, beunruhigten die steinernen Augen sie noch mehr. »Die Figuren haben ja alle dasselbe Gesicht!«, flüsterte Farid ihr zu, doch bevor Meggie erklären konnte, warum das so war, winkte der Diener sie wortlos eine Wendeltreppe hinauf.

»Lässt Balbulus sich immer noch so gut dafür bezahlen, dass er Violante in die Bibliothek lässt?«, fragte Fenoglio mit leiser Stimme, als ihr Führer vor einer mit Messingbuchstaben beschlagenen Tür stehen blieb.

»Die Ärmste hat ihm bereits fast all ihren Schmuck gegeben«, flüsterte der Diener zurück. »Aber wen wundert's, er war mal auf der Nachtburg zu Hause. Alle, die von der anderen Seite des Waldes stammen, sind gierig, das weiß jeder. Mit Ausnahme der Herrin.«

»Herein!«, rief auf sein Klopfen hin eine mürrische Stimme. Der Raum, den sie betraten, war so hell, dass Meggie blinzeln musste nach all den dunklen Gängen und Treppen. Das Tageslicht fiel durch hohe Fenster auf eine Ansammlung kostbar geschnitzter Schreibpulte. Der Mann, der vor dem größten stand, war weder jung noch alt, mit schwarzem Haar und braunen Augen, die wenig freundlich dreinblickten, als er sich ihnen zuwandte.

»Ah, der Tintenweber!«, sagte er und legte unwillig die Hasenpfote zur Seite, die er in der Hand hielt. Meggie wusste, wozu sie diente, Mo hatte es ihr oft genug erklärt. Es machte das Pergament geschmeidig, wenn man es mit einer Hasenpfote rieb. Und dort waren die Farben, deren Namen Mo stets aufs Neue für sie hatte wiederholen müssen. »Sag sie noch mal!« Wie oft hatte sie ihn mit dieser Aufforderung gequält, weil sie sich nicht satt hören konnte an ihrem Klang: Rauschgelb, Lapislazuliblau, Violett und Malachitgrün. »Wieso leuchten sie immer noch so, Mo?«, hatte sie gefragt. »Sie sind doch schon so alt! Woraus sind sie gemacht?« Und Mo hatte es ihr erklärt – hatte ihr erzählt, wie man sie herstellte, all die wunderbaren Farben, die selbst nach Hunderten von Jahren leuchteten, als hätte man sie dem Regenbogen gestohlen, weil die Buchseiten sie schützten vor Licht und Luft. Dass man für Malachitgrün die Blüten der wilden Iris zerstampfte und sie mit gelbem Bleioxyd versetzte, dass das Rot von Purpurschnecken und Läusen stammte ... Wie oft hatten sie sich zusammen die Bilder in einer der kostbaren Handschriften angesehen, die Mo vom Schmutz vieler Jahre befreien musste. »Sieh dir nur diese feinen Ranken an!«, hatte er dann gesagt. »Kannst du dir vorstellen, wie fein die Pinsel und Federn sein müssen, mit denen man so etwas malt, Meggie?« Wie oft hatte er sich darüber beklagt, dass keiner sich mehr darauf verstand, solche Werkzeuge herzustellen – und nun sah sie sie mit eigenen Augen: haarfeine Federn und winzige Pinsel, ganze Bündel in einem glasierten Krug, Pinsel, die stecknadelkopfgroße Blüten und Gesichter auf Pergament und Papier bannen konnten, angefeuchtet mit etwas Gummiarabicum, damit die Farbe besser haftete. Es kribbelte ihr in den Fingern, einen aus dem Bündel zu ziehen und mitzunehmen, für Mo ... Nur dafür hätte er mitkommen müssen!, dachte sie. Um in diesem Raum zu stehen.

Die Werkstatt eines Buchmalers, eines Illuminators ... Fenoglios Welt schien doppelt, dreifach wunderbar. Elinor würde ihren kleinen Finger dafür geben, hier zu sein, dachte Meggie und wollte auf eins der Pulte zugehen, alles noch etwas näher betrachten, Pinsel, Farben, Pergament, doch Fenoglio hielt sie zurück.

»Balbulus!« Er deutete eine Verbeugung an. »Wie fühlt sich der Meister heute?« Der Spott in seiner Stimme war nicht zu überhören.

»Der Tintenweber sucht die Herrin Violante«, erklärte der Diener mit schleppender Stimme.

Balbulus wies auf eine Tür in seinem Rücken. »Nun, Ihr wisst, wo die Bibliothek ist. Vielleicht sollte man sie besser umbenennen, in ›die Kammer der vergessenen Schätze‹.« Er lispelte etwas. Seine Zunge stieß gegen die Zähne, als hätte sie nicht genug Raum in seinem Mund. »Violante sieht sich gerade meine neueste Arbeit an, das heißt das, was sie davon erkennen kann. Es ist meine Abschrift der Geschichten, die Ihr für ihren Sohn geschrieben habt. Ich hätte das Pergament, wie ich zugeben muss, lieber für andere Texte verwandt, doch Violante hat darauf bestanden.«

»Nun, es tut mir wirklich leid, dass Ihr Eure Kunst an solche Nichtigkeiten verschwenden müsst«, erwiderte Fenoglio, ohne auch nur einen Blick auf die Arbeit zu werfen, die Balbulus gerade vor sich liegen hatte. Auch Farid schien das Bild nicht zu interessieren. Er blickte zum Fenster, vor dem der Himmel blauer leuchtete als alle Farbe, die an den feinen Pinseln klebte. Meggie aber wollte sehen, wie viel Balbulus von seiner Kunst verstand, ob seine Miene zu Recht so hochmütig war. Unauffällig machte sie einen Schritt nach vorn. Sie sah ein Bild, mit Blattgold umrandet, eine Burg war darauf zu sehen zwischen grünen Hügeln, ein Wald, Reiter, prächtig gekleidet zwischen den Bäumen, Feen, die sie umschwirrten, und ein weißer Hirsch, der sich zur Flucht wandte. Nie zuvor hatte sie ein Bild wie dieses gesehen. Es leuchtete wie buntes Glas – wie ein Fenster auf dem Pergament. Zu gern hätte sie sich darüber gebeugt, Gesichter, Zaumzeug, Blumen und Wolken betrachtet, doch Balbulus warf ihr einen so eisigen Blick zu, dass sie errötend zurückwich.

»Das Gedicht, das Ihr gestern gebracht habt«, sagte Balbulus mit gelangweilter Stimme, während er sich wieder über seine Arbeit beugte, »das war gut. Ihr solltet öfter etwas von dieser Art schreiben, aber ich weiß ja, Ihr verfasst lieber Geschichten für Kinder oder Lieder für das Bunte Volk. Warum? Damit Eure Worte der Wind singt? Gesprochene Worte leben kaum länger als ein Insekt! Nur das geschriebene Wort lebt ewig.«

»Ewig?« Fenoglio sprach das Wort aus, als gäbe es kein lächerlicheres auf der Welt. »Nichts ist ewig, Balbulus – und Worten kann nichts Besseres passieren, als von einem Spielmann gesungen zu werden! Ja, sicher, sie verändern sich dadurch, werden jedes Mal auf etwas andere Weise gesungen, aber ist das nicht wunderbar? Eine Geschichte, die stets ein anderes Kleid trägt, wenn man sie wiederhört – was gibt es Besseres? Eine Geschichte, die wächst und Blüten treibt wie ein lebendiges Ding! Seht Euch dagegen die an, die man in Bücher presst! Gut, vielleicht leben sie länger, aber sie atmen nur, wenn ein Mensch das Buch öffnet. Sie sind Klang, zwischen Papier gepresst, und erst eine Stimme erweckt sie wieder zum Leben! Dann sprühen sie Funken, Balbulus! Frei wie Vögel werden sie, die in die Welt hinausflattern. Ja. Vielleicht habt Ihr recht und das Papier macht sie unsterblich. Aber was soll mich das kümmern? Lebe ich etwa weiter, säuberlich zwischen die Seiten gepresst, mitsamt meiner Worte? Unsinn! Wir sind nicht unsterblich, daran werden auch die schönsten Wörter nichts ändern. Oder?«

Balbulus hatte ihm mit ausdruckslosem Gesicht zugehört. »Welch ungewöhnliche Ansichten, Tintenweber!«, sagte er. »Ich für mein Teil halte sehr viel von der Unsterblichkeit meiner Arbeit und sehr wenig von Spielmännern. Aber warum geht Ihr jetzt nicht zu Violante? Bestimmt muss sie bald fort, um sich die Klagen irgendeines Bauern anzuhören oder das Gejammer eines Händlers über die Wegelagerer, die die Straßen unsicher machen. Zurzeit ist es fast unmöglich, an annehmbares Pergament zu kommen. Geraubt wird es und dann zu unverschämten Preisen auf den Märkten angeboten! Macht Ihr Euch irgendeine Vorstellung davon, wie viele Ziegen man für die Niederschrift einer Eurer Geschichten schlachten muss?«

»Für jede Doppelseite ungefähr eine«, sagte Meggie und fing sich einen weiteren eisigen Blick von Balbulus ein.

»Kluges Mädchen«, sagte er in einem Ton, der seine Worte eher nach einer Beleidigung als nach einem Lob klingen ließ. »Und warum? Weil diese Dummköpfe von Hirten ihre Herden durch Dornen und Stachelgebüsch treiben, ohne daran zu denken, dass man ihre Haut zum Schreiben braucht!«

»Tja, ich erkläre es Euch ja immer wieder«, sagte Fenoglio, während er Meggie auf die Bibliothekstür zuschob. »Papier, Balbulus. Papier ist der Stoff der Zukunft.«

»Papier!« Balbulus ließ ein verächtliches Schnauben hören. »Himmel, Tintenweber, Ihr seid noch verrückter, als ich dachte.«

Meggie hatte mit Mo schon so viele Bibliotheken besucht, dass sie sie nicht zählen konnte. Viele waren größer, doch kaum eine war schöner gewesen als die des Speckfürsten. Man sah ihr immer noch an, dass sie einst der Lieblingsplatz ihres Besitzers gewesen war. Von Cosimo gab es hier nur eine Büste aus weißem Stein, jemand hatte Rosenblüten davorgelegt. Die Teppiche, die die Wände schmückten, waren schöner als die im Thronsaal, die Leuchter schwerer, die Farben wärmer, und Meggie hatte genug in Balbulus' Werkstatt gesehen, um zu ahnen, welche Schätze sie hier umgaben. Angekettet standen sie in den Regalen, nicht wie in Elinors Bibliothek Rücken an Rücken, sondern den Schnitt nach vorn gekehrt, weil sich dort der Titel fand. Vor den Regalen reihten sich Pulte, vermutlich den neuesten Kostbarkeiten vorbehalten. Angekettet wie ihre Geschwister in den Regalen lagen die Bücher darauf und verschlossen, damit kein schädlicher Lichtstrahl auf Balbulus' Bilder fiel, und die Fenster der Bibliothek waren zusätzlich verhängt mit schweren Stoffen. Offenbar wusste der Speckfürst, wie gern das Sonnenlicht an Büchern fraß. Nur zwei ließen das schädliche Licht herein. Vor einem stand die Hässliche, so tief über ein Buch gebeugt, dass sie sich fast die Nase an den Seiten stieß.

»Balbulus wird immer besser, Brianna«, sagte sie.

»Er ist gierig! Eine Perle dafür, dass er Euch in die Bibliothek Eures Schwiegervaters lässt!« Ihre Dienerin stand an dem anderen Fenster, den Blick nach draußen gewandt, während Violantes Sohn an ihrer Hand zerrte.

»Brianna!«, maulte er. »Komm jetzt. Es ist langweilig. Komm mit auf den Hof. Du hast es versprochen.«

»Von den Perlen kauft Balbulus neue Farben! Wovon soll er es sonst tun? Gold wird auf dieser Burg nur noch für die Standbilder eines Toten ausgegeben.« Violante fuhr zusammen, als Fenoglio die Tür hinter sich zuzog. Schuldbewusst verbarg sie ihr Buch hinter dem Rücken. Erst als sie sah, wer vor ihr stand, entspannte sich ihr Gesicht. »Fenoglio!«, sagte sie und strich sich das mausbraune Haar aus der Stirn. »Müsst Ihr mich so erschrecken?« Das Mal auf ihrem Gesicht glich dem Abdruck einer Pfote.

Fenoglio griff mit einem Lächeln in den Beutel an seinem Gürtel. »Ich habe Euch etwas mitgebracht.«

Violantes Finger schlossen sich begierig um den roten Stein. Ihre Hände waren klein und rund wie die eines Kindes. Hastig schlug sie das Buch wieder auf, das sie hinter dem Rücken versteckt hatte, und hielt den Beryll vor eins ihrer Augen.

»Brianna, komm jetzt, oder ich sag ihnen, sie sollen dir die Haare abschneiden!« Jacopo griff der Dienerin ins Haar und zog so heftig daran, dass sie aufschrie. »Mein Großvater macht es auch so. Er schert den Spielfrauen die Köpfe kahl und den Frauen, die im Wald wohnen. Er sagt, sie verwandeln sich nachts in Eulen und schreien vor den Fenstern, bis man tot im Bett liegt.«

»Sieh mich nicht so an!«, raunte Fenoglio Meggie zu. »Den Satansbraten hab ich nicht erfunden. He, Jacopo!« Er gab Farid einen auffordernden Stoß mit dem Ellbogen, während Brianna immer noch versuchte, ihre Haare aus den kleinen Fingern zu befreien. »Ich habe dir jemanden mitgebracht.«

Jacopo ließ Briannas Haare los und musterte Farid wenig begeistert. »Er hat kein Schwert«, stellte er fest.

»Ein Schwert! Wer braucht so was?« Fenoglio rümpfte die Nase. »Farid ist ein Feuerspucker.«

Brianna hob den Kopf und sah Farid an. Jacopo aber blickte immer noch wenig begeistert.

»Oh, dieser Stein ist wunderbar!«, murmelte seine Mutter. »Mein alter war nicht halb so gut. Ich kann sie alle erkennen, Brianna, jeden Buchstaben! Hab ich dir mal erzählt, dass meine Mutter mir das Lesen beibrachte, indem sie für jeden Buchstaben ein kleines Lied erfand?« Mit leiser Stimme begann sie zu singen: »*Ein brauner Bär beißt ab vom B sich einen guten Bissen* ... Ich konnte schon damals nicht sonderlich gut sehen, aber sie schrieb sie mir ganz groß auf den Fußboden, sie legte sie aus mit Blütenblättern oder kleinen Steinen. *A, B, C, der Spielmann schläft im Klee.*«

»Nein«, antwortete Brianna. »Nein, davon habt Ihr nie erzählt.«

Jacopo starrte immer noch Farid an. »Er war auf meinem Fest!«, stellte er fest. »Er hat Fackeln geworfen.«

»Das war nichts, ein Spiel für Kinder.« Farid betrachtete ihn mit so herablassender Miene, als wäre nicht Jacopo, sondern er selbst der Fürstensohn. »Ich kann noch ganz andere Sachen, aber ich glaube, du bist zu klein dafür.«

Meggie sah, wie Brianna ein Lächeln verbarg, während sie die Spange aus ihrem rotblonden Haar löste und es neu zusammensteckte. Sehr anmutig tat sie das. Farid beobachtete sie dabei – und Meggie ertappte sich bei dem Wunsch, ebenso schönes Haar zu haben, auch wenn sie nicht sicher war, dass sie es zuwege bringen würde, sich auf so graziöse Weise eine Spange hineinzustecken. Zum Glück zog Jacopo Farids Aufmerksamkeit wieder auf sich, indem er mit einem Räuspern die Arme verschränkte. Vermutlich hatte er die Haltung seinem Großvater abgeschaut.

»Zeig es mir oder ich lass dich auspeitschen.« Die Worte klangen lächerlich, von einer so hellen Stimme geäußert – und doch zugleich furchtbarer als aus dem Mund eines Erwachsenen.

»Oh, tatsächlich.« Farids Gesicht verriet keine Regung. Ganz offenbar hatte er sich einiges von Staubfinger abgeschaut. »Was denkst du, was ich dann mit dir mache?«

Das verschlug Jacopo die Sprache, doch gerade als er sich Unterstützung bei seiner Mutter holen wollte, streckte Farid ihm die Hand hin. »Na gut, komm.«

Jacopo zögerte, und für einen Moment war Meggie versucht, nach Farids Hand zu greifen und ihm in den Hof zu folgen, statt Fenoglio dabei zuzuhören, wie er nach den Spuren eines Toten suchte. Doch Jacopo war schneller. Ganz fest schlossen sich seine kurzen, blassen Finger um Farids braune Hand, und als er sich in der Tür noch einmal umdrehte, war sein Gesicht das eines glücklichen und ganz gewöhnlichen Jungen. »Er zeigt es mir, hast du gehört?«, fragte er stolz, aber seine Mutter blickte nicht einmal auf.

»Oh, dieser Stein ist wunderbar«, flüsterte sie nur. »Wenn er nur nicht rot wäre und ich für jedes Auge einen hätte –«

»Nun, ich arbeite da an einer Lösung, aber ich habe leider noch nicht den geeigneten Glasmacher gefunden.« Fenoglio ließ sich auf einem der Stühle nieder, die einladend zwischen den Bücherpulten standen. Auf den Polstern prangte noch das alte Wappen, der Löwe, der nicht weinte, und bei einigen war das Leder so abgewetzt, dass es deutlich von all den Stunden kündete, die der Speckfürst hier verbracht hatte, bevor der Kummer ihm die Freude an seinen Büchern genommen hatte.

»Glasmacher? Wozu das?« Violante blickte Fenoglio durch den Beryll an. Es sah fast aus, als hätte sie ein Auge aus Feuer.

»Man kann Glas auf eine Weise schleifen, dass es Eure Augen besser sehen lässt, viel besser noch als ein Stein. Aber kein Glasmacher in Ombra versteht, wovon ich rede!«

»Ja, ich weiß, in diesem Ort taugen nur die Steinmetze etwas! Balbulus behauptet, dass es nicht einen anständigen Buchbinder nördlich des Weglosen Waldes gibt.«

Ich wüsste einen guten, dachte Meggie unwillkürlich und wünschte sich Mo für einen Moment so heftig herbei, dass es schmerzte. Die Hässliche aber blickte schon wieder in ihr Buch. »Im Reich meines Vaters gibt es gute Glasmacher«, sagte sie, ohne aufzusehen. »Er hat einige Fenster auf seiner Burg mit Glas verschließen lassen. Hundert Bauern musste er dafür als Söldner verkaufen.« Sie schien den Preis für mehr als angemessen zu halten.

Ich glaube, ich mag sie nicht, dachte Meggie und begann, von Pult zu Pult zu gehen. Die Einbände der Bücher, die darauf lagen, waren wunderschön, und zu gern hätte sie sich wenigstens eines heimlich unters Kleid geschoben, um es in Fenoglios Kammer in Ruhe betrachten zu können, doch die Klammern, die die Ketten hielten, waren fest vernietet mit den hölzernen Buchdeckeln.

»Sieh sie dir ruhig an!« Die Hässliche sprach sie so plötzlich an, dass Meggie zusammenfuhr. Violante hielt sich immer noch den roten Stein vors Auge, er ließ Meggie unwillkürlich an die blutroten Juwelen in den Nasenwinkeln des Natternkopfes denken. Seine Tochter hatte mehr von ihrem Vater, als sie selbst vermutlich wusste.

»Danke«, murmelte Meggie – und schlug eines auf. Sie erinnerte sich an den Tag, an dem Mo ihr erklärt hatte, warum es »aufschlagen« hieß. »Mach es auf, Meggie«, hatte er gesagt und ihr ein Buch hingeschoben, dessen hölzerne Deckel zwei Messingschließen umklammerten. Ratlos hatte sie ihn angesehen, worauf er ihr zugezwinkert und mit der Faust so fest auf die Kante zwischen den Schließen geschlagen hatte, dass sie aufschnappten wie kleine Mäuler und das Buch sich öffnete.

Das Buch, das Meggie in der Bibliothek des Speckfürsten aufschlug, zeigte keine Spur von Alter, wie es das andere getan hatte. Kein Schimmelfleck verunzierte das Pergament, kein Käfer, kein Bücherwurm hatte daran gefressen, wie sie es von den Handschriften kannte, die Mo restaurierte. Die Jahre gingen nicht gnädig um mit Pergament und Papier, ein Buch hatte allzu viele Feinde, und die Zeit ließ seinen Körper ebenso welken wie den eines Menschen. »Woran man sieht, Meggie«, sagte Mo immer, »dass ein Buch ein lebendes Ding ist!« Wenn sie ihm doch dieses nur hätte zeigen können!

Mit größter Vorsicht blätterte sie die Seiten um – und war doch nicht ganz bei der Sache, denn der Wind wehte Farids Stimme herein wie ein Mitbringsel aus einer anderen Welt. Meggie lauschte nach draußen, während sie die Schließen des Buches wieder zuklemmte. Fenoglio und Violante sprachen immer noch über schlechte Buchbinder, beide beachteten sie nicht und Meggie trat an eins der verhängten Fenster und lugte durch den Vorhang. Ihr Blick fiel in einen ummauerten Garten, auf Beete, bedeckt mit Blüten wie mit buntem Schaum, und Farid, der zwischen ihnen stand und Flammen an seinen nackten Armen lecken ließ, genau wie Staubfinger es getan hatte, als Meggie ihm das erste Mal beim Feuerspucken zugesehen hatte, damals in Elinors Garten. Bevor er sie verriet …

Jacopo lachte ausgelassen. Er klatschte – und stolperte erschrocken zurück, als Farid die Fackeln wie Feuerräder wirbeln ließ.

Meggie musste lächeln. Ja, Staubfinger hatte ihm wirklich sehr viel beigebracht, auch wenn Farid das Feuer noch nicht ganz so hoch spuckte wie sein Lehrmeister.

»Bücher? Nein, ich sag es Euch doch, Cosimo kam nie her!« Violantes Stimme klang plötzlich merklich schärfer und Meggie wandte sich um. »Er fand nichts an Büchern, er liebte Hunde, gute Stiefel, ein schnelles Pferd ... an manchen Tagen liebte er sogar seinen Sohn. Aber ich will nicht über ihn reden.«

Von draußen klang erneut Gelächter herauf. Auch Brianna trat ans Fenster. »Der Junge ist ein sehr guter Feuerspucker«, sagte sie.

»Tatsächlich?« Ihre Herrin warf ihr einen kurzsichtigen Blick zu. »Ich dachte, du magst keine Feuerspucker. Du sagst doch immer, sie taugen nichts.«

»Dieser ist gut. Viel besser als der Rußvogel.« Briannas Stimme klang belegt. »Er ist mir schon auf dem Fest aufgefallen.«

»Violante!« Fenoglios Stimme klang ungeduldig. »Könnten wir den Feuer spuckenden Jungen für einen Moment vergessen? Cosimo mochte keine Bücher, nun gut, so etwas kommt vor, aber etwas mehr werdet Ihr mir doch wohl über ihn erzählen können!«

»Wozu?« Die Hässliche hielt sich erneut den Beryll vors Auge. »Lasst Cosimo endlich ruhen, er ist tot! Die Toten wollen nicht bleiben. Warum versteht das keiner? Und falls Ihr ein Geheimnis über ihn hören wollt – er hatte keins! Er konnte stundenlang über Waffen reden. Er mochte Feuerspucker und Messerwerfer und wilde Ritte durch die Nacht. Er ließ sich zeigen, wie man ein Schwert schmiedet, und focht stundenlang unten auf dem Hof mit den Wachen, bis er jede Finte, die sie kannten, ebenso gut beherrschte wie sie, doch bei den Liedern der Sänger begann er nach der ersten Strophe zu gähnen. Er hätte die Lieder nicht gemocht, die Ihr über ihn geschrieben habt. Vielleicht hätten die Räuberlieder ihm gefallen, aber dass Worte wie Musik sein können, dass sie das Herz schneller schlagen lassen … das hörte er einfach nicht! Selbst eine Hinrichtung interessierte ihn mehr als Worte – obwohl er sie nie genossen hat wie mein Vater.«

»Tatsächlich?« Fenoglios Stimme klang überrascht, aber keineswegs enttäuscht. »Ritte durch die Nacht«, murmelte er, »schnelle Pferde. Ja, warum nicht?«

Die Hässliche beachtete ihn nicht. »Brianna!«, sagte sie. »Nimm das Buch hier. Wenn ich Balbulus genug für die neuen Bilder lobe, wird er es uns vielleicht eine Weile überlassen.« Ihre Dienerin nahm das Buch mit abwesendem Gesicht entgegen und trat erneut ans Fenster.

»Aber das Volk liebte ihn, nicht wahr?« Fenoglio hatte sich aus seinem Stuhl erhoben. »Cosimo war gut zu ihnen, zu den Bauern, den Armen … den Spielleuten …«

Violante strich über das Mal auf ihrer Wange. »Ja, alle liebten ihn. Er war so schön, dass man ihn wohl einfach lieben musste. Aber was die Bauern betraf –« Müde rieb sie sich die kurzsichtigen Augen. »Wisst Ihr, was er immer über sie sagte? ›Warum sind sie nur so hässlich? Hässliche Kleider, hässliche Gesichter‹ … Wenn sie mit ihren Streitigkeiten zu ihm kamen, gab er sich wirklich Mühe, gerecht zu sein, aber es langweilte ihn unendlich. Er konnte es jedes Mal kaum erwarten, wieder hinauszukommen zu den Soldaten seines Vaters, zu seinem Pferd und seinen Hunden …«

Fenoglio schwieg. Sein Gesicht war so ratlos, dass er Meggie fast leidtat. Wird er mich nun doch nicht lesen lassen?, dachte sie – und für einen seltsamen Augenblick spürte sie fast so etwas wie Enttäuschung.

»Brianna, komm!«, befahl die Hässliche, doch ihre Dienerin regte sich nicht. Sie starrte in den Hof hinunter, als hätte sie noch nie in ihrem Leben einen Feuerspucker gesehen.

Violante runzelte die Stirn und trat neben sie. »Was starrst du denn so?«, fragte sie und blinzelte kurzsichtig nach draußen.

»Er ... formt Blumen aus Feuer«, stammelte Brianna. »Erst sind sie wie goldene Knospen und dann blühen sie auf wie echte Blüten. Ich habe so etwas erst einmal gesehen ... als ich ganz klein war ...«

»Schön. Aber jetzt komm.« Die Hässliche drehte sich um und schritt auf die Tür zu. Sie hatte eine seltsame Art zu gehen, den Kopf etwas gesenkt und doch kerzengerade. Brianna warf einen letzten Blick hinaus, bevor sie ihr nacheilte.

Balbulus rieb Farben an, als sie in seine Werkstatt traten, Blau für den Himmel, Rotbraun und Umbra für die Erde. Violante flüsterte ihm etwas zu. Vermutlich schmeichelte sie ihm. Sie zeigte auf das Buch, das Brianna für sie trug.

»Ich verabschiede mich, Euer Hoheit!«, sagte Fenoglio.

»Ja, geht nur!«, erwiderte sie. »Aber wenn Ihr mich das nächste Mal besucht, dann stellt mir keine Fragen über meinen toten Mann, sondern bringt mir eins von den Liedern, die Ihr für die Spielleute schreibt! Ich mag sie sehr, vor allem die über den Räuber, der meinen Vater ärgert. Wie heißt er noch? Ach ja – der Eichelhäher.«

Fenoglio wurde leicht blass unter der sonnenbraunen Haut. »Wie ... wie kommt Ihr darauf, dass diese Lieder von mir stammen?«

Die Hässliche lachte. »Oh, habt Ihr es vergessen? Ich bin die Tochter des Natternkopfes, ich habe natürlich meine Spione! Habt

Ihr Angst, dass ich meinem Vater erzähle, wer der Verfasser ist? Keine Sorge, wir sprechen nur das Nötigste miteinander. Zudem ist er mehr an dem interessiert, von dem die Lieder handeln, als an dem, der sie geschrieben hat. Trotzdem würde ich einstweilen auf dieser Seite des Waldes bleiben, wäre ich an Eurer Stelle!«

Fenoglio verbeugte sich mit einem gequälten Lächeln. »Ich werde Euren Rat beherzigen, Hoheit«, sagte er.

Die beschlagene Tür fiel schwer ins Schloss, als er sie hinter sich zuzog. »Verflucht!«, murmelte Fenoglio. »Verflucht, verflucht.«

»Was ist?« Besorgt sah Meggie ihn an. »Ist es das, was sie über Cosimo gesagt hat?«

»Unsinn! Nein! Wenn Violante weiß, wer die Lieder über den Eichelhäher schreibt, dann weiß es der Natternkopf auch. Er hat wesentlich mehr Spione als sie, und was, wenn er nicht mehr lange auf seiner Seite des Waldes bleibt? Nun gut, noch ist Zeit, dagegen etwas zu unternehmen ...«

»Meggie«, raunte er ihr zu, während er sie die steile Wendeltreppe hinunterzog. »Ich habe dir doch gesagt, dass ich für den Eichelhäher ein Vorbild hatte. Wie wär's, wenn du rätst?« Erwartungsvoll sah er sie an. »Du musst wissen, ich nehme mir gern echte Menschen als Vorbild für meine Figuren«, flüsterte er ihr verschwörerisch zu. »Nicht jeder Schriftsteller tut das, aber ich habe die Erfahrung gemacht, dass es sie einfach lebendiger macht! Gesichtsausdrücke, Gesten, eine Körperhaltung, die Stimme, vielleicht ein Muttermal oder eine Narbe – ich stehle hier, ich stehle dort, und schon beginnen sie zu atmen, bis jeder, der von ihnen hört oder liest, glaubt, sie anfassen zu können! Für den Eichelhäher kamen nicht viele infrage. Er durfte nicht allzu alt sein, aber auch nicht zu jung – dick oder klein natürlich auch nicht, Helden sind niemals klein, dick oder hässlich, vielleicht in Wirklichkeit, aber niemals in Geschichten ... Nein, der Eichelhäher musste groß und stattlich sein, jemand, den die Menschen lieben ...«

Fenoglio verstummte. Schritte kamen die Treppe herunter, hastige Schritte, und über ihnen erschien Brianna auf den grob behauenen Stufen.

»Verzeiht!«, sagte sie und blickte sich schuldbewusst um, als hätte sie sich ohne Wissen ihrer Herrin davongestohlen. »Aber dieser Junge – wisst Ihr, von wem er gelernt hat, so mit dem Feuer zu spielen?« Sie sah Fenoglio an, als wünschte sie nichts mehr, als die Antwort zu erfahren und hätte doch gleichzeitig vor nichts größere Angst. »Wisst Ihr es?«, fragte sie noch einmal. »Wisst Ihr seinen Namen?«

»Staubfinger«, antwortete Meggie an Fenoglios Stelle. »Staubfinger hat es ihm beigebracht.« Und erst als sie den Namen zum zweiten Mal aussprach, begriff sie, an wen Briannas Gesicht sie erinnerte und der fuchsrote Schimmer auf ihrem Haar.

Die falschen Worte

Wenn dir nur bloß das rote Haar
und auch mein tolles Lachen bleibt.
Was sonst an mir noch gut und böse war,
stirbt wie das Blatt, das welk im Wasser treibt.
François Villon, Die Ballade vom
kleinen Florestan

Staubfinger scheuchte Schleicher gerade von Roxanes Hühnerstall fort, als Brianna auf den Hof geritten kam. Ihr Anblick ließ ihm fast das Herz stillstehen. Wie die Tochter eines reichen Kaufmanns sah sie aus in dem Kleid, das sie trug. Seit wann trugen Dienerinnen solche Kleider? Und dann das Pferd, auf dem sie saß – es passte nicht hierher mit seinem kostbaren Geschirr, dem goldbeschlagenen Sattel und dem pechschwarzen Fell, das so glänzte, als wären drei Stallknechte den ganzen Tag damit beschäftigt, es zu bürsten. Ein Soldat war bei ihr, in den Farben des Speckfürsten. Mit unbewegtem Gesicht musterte er das einfache Haus und die Felder. Brianna aber sah Staubfinger an. Sie schob das Kinn vor, genau wie ihre Mutter es so oft tat, rückte sich die Spange im Haar zurecht – und sah ihn an.

Wenn er sich doch nur hätte unsichtbar machen können! Wie feindselig ihr Blick war, zugleich erwachsen und der eines gekränkten Kindes. Sie ähnelte so sehr ihrer Mutter. Der Soldat half ihr abzusteigen, dann tränkte er sein Pferd am Brunnen – und tat, als hätte er weder Ohren noch Augen.

Roxane trat aus dem Haus. Offenbar überraschte der Besuch sie ebenso wie ihn.

»Warum hast du mir nicht gesagt, dass er zurück ist?«, fuhr Brianna sie an.

Roxane öffnete den Mund – und schloss ihn wieder.

Nun sag schon etwas, Staubfinger. Der Marder sprang ihm von der Schulter und verschwand hinter dem Stall.

»Ich hab sie gebeten, es nicht zu tun.« Wie heiser seine Stimme klang. »Ich dachte, ich sag es dir lieber selbst.« Aber dein Vater ist ein Feigling, setzte er hinzu, hat Angst vor der eigenen Tochter.

Wie wütend sie ihn ansah. Genau wie früher. Nur dass sie inzwischen zu erwachsen war, um ihn zu schlagen.

»Ich hab diesen Jungen gesehen«, sagte sie. »Er war auf dem Fest und heute hat er für Jacopo Feuer gespuckt. Er hat es genauso gemacht wie du.«

Staubfinger sah Farid hinter Roxane auftauchen. Er blieb hinter ihr stehen, aber Jehan drängte sich an ihm vorbei. Er warf einen besorgten Blick auf den Soldaten, dann lief er auf seine Schwester zu. »Woher hast du das Pferd?«, fragte er.

»Violante hat es mir gegeben. Zum Dank dafür, dass ich sie nachts mit zu den Spielleuten nehme.«

»Du nimmst sie mit?« Roxane klang besorgt.

»Warum nicht, sie liebt es! Und der Schwarze Prinz hat es erlaubt.« Brianna sah sie nicht an.

Farid schlenderte zu Staubfinger herüber. »Was will die hier?«, flüsterte er. »Das ist die Dienerin der Hässlichen.«

»Sie ist auch meine Tochter«, antwortete Staubfinger.

Farid starrte Brianna ungläubig an, doch sie beachtete ihn nicht. Sie war ihres Vaters wegen gekommen.

»Zehn Jahre!«, sagte sie mit anklagender Stimme. »Zehn Jahre warst du fort und kommst einfach so zurück? Alle haben gesagt, du bist tot! Dass der Natternkopf dich in seinen Kerkern hat verfaulen lassen! Dass die Brandstifter dich zu ihm gebracht haben, weil du ihnen nicht all deine Geheimnisse verraten wolltest!«

»Ich hab sie ihnen verraten«, sagte Staubfinger tonlos. »Fast alle.« Und sie haben damit eine andere Welt in Brand gesteckt, setzte er in Gedanken hinzu. Eine andere Welt, die keine Tür hatte, durch die ich zurückkonnte.

»Ich hab von dir geträumt!« Briannas Stimme wurde so laut, dass ihr Pferd scheute. »Ich hab geträumt, dass die Gepanzerten dich an einen Pfahl binden und verbrennen! Ich konnte den Rauch riechen und hören, wie du versucht hast, mit dem Feuer zu reden, aber es hat dir nicht gehorcht, und die Flammen haben dich gefressen. Fast jede Nacht hatte ich diesen Traum! Bis heute. Ich hatte Angst, schlafen zu gehen, zehn Jahre lang, und jetzt stehst du da, heil und gesund, als wäre nichts gewesen! Wo – warst – du?«

Staubfinger blickte zu Roxane hinüber – und sah dieselbe Frage in ihren Augen. »Ich konnte nicht zurückkommen«, sagte er. »Ich konnte nicht. Ich hab's versucht. Glaub mir.«

Die falschen Worte. Auch wenn es hundertmal wahr war, es klang doch wie eine Lüge. Hatte er es nicht immer gewusst? Worte taugten nichts. Ja, manchmal klangen sie wunderbar, aber sie ließen einen im Stich, sobald man sie wirklich brauchte. Nie fand man die richtigen, niemals, aber wo sollte man auch nach ihnen suchen? Das Herz ist stumm wie ein Fisch, auch wenn die Zunge sich noch so viel Mühe gibt, ihm eine Stimme zu geben.

Brianna kehrte ihm den Rücken zu und vergrub das Gesicht in

der Mähne ihres Pferdes – während der Soldat immer noch beim Brunnen stand und tat, als sei er Luft, nichts als Luft.

Luft, ja, das wäre ich jetzt auch gern, dachte Staubfinger.

»Es ist wirklich wahr! Er konnte nicht zurück!« Farid stellte sich vor ihn hin, als müsste er ihn beschützen. »Es gab keinen Weg! Es war genau, wie er sagt! Er war in einer ganz anderen Welt. Sie ist genauso echt wie diese. Es gibt viele, ganz viele Welten, sie sind alle verschieden, und in den Büchern sind sie aufgeschrieben!«

Brianna drehte sich zu ihm um. »Sehe ich aus, als wär ich noch ein kleines Mädchen, das an Märchen glaubt?«, fragte sie verächtlich. »Früher, wenn er wieder mal so lange fort war, dass meine Mutter morgens rot geweinte Augen hatte, haben die anderen Spielleute mir auch Geschichten über ihn erzählt. Dass er mit den Feen spricht, dass er bei den Riesen ist, dass er auf dem Meeresboden nach einem Feuer sucht, das selbst Wasser nicht löschen kann. Ich hab die Geschichten schon damals nicht geglaubt, aber ich mochte sie. Jetzt mag ich sie nicht mehr. Ich bin nicht mehr klein. Schon lange nicht mehr. Hilf mir aufs Pferd!«, fuhr sie den Soldaten an.

Wortlos gehorchte er. Jehan starrte das Schwert an, das an seinem Gürtel hing.

»Bleib zum Essen!«, sagte Roxane.

Aber Brianna schüttelte nur den Kopf und wendete wortlos ihr Pferd. Der Soldat zwinkerte Jehan zu, der immer noch sein Schwert anstarrte. Dann ritten sie davon, auf ihren Pferden, die viel zu groß schienen für den schmalen steinigen Pfad, der zu Roxanes Hof führte.

Roxane zog Jehan mit sich ins Haus, doch Staubfinger blieb vor dem Stall stehen, bis die beiden Reiter zwischen den Hügeln verschwunden waren.

Farids Stimme bebte vor Entrüstung, als er schließlich das Schweigen brach. »Du konntest wirklich nicht zurück!«

»Nein … Aber du musst zugeben, dass deine Geschichte nicht sehr glaubhaft klang.«

»Trotzdem! Genau so war es!«

Staubfinger zuckte die Schultern und blickte dorthin, wo seine Tochter verschwunden war. »Manchmal denk ich schon selbst, ich hätte das alles nur geträumt«, murmelte er.

Hinter ihnen zeterte ein Huhn.

»Verdammt, wo steckt Schleicher?« Mit einem Fluch öffnete Staubfinger die Stalltür. Eine weiße Henne flatterte an ihm vorbei ins Freie, eine andere lag im Stroh, die Federn blutig. Daneben hockte ein Marder.

»Schleicher!«, zischte Staubfinger. »Verdammt, hab ich dir nicht gesagt, du sollst die Hühner in Frieden lassen?«

Der Marder sah ihn an.

Federn hingen ihm an der blutigen Schnauze. Er streckte sich, hob den buschigen Schwanz und kam auf Staubfinger zu. Wie eine Katze rieb er sich an seinen Beinen.

»Nun sieh einer an!«, flüsterte Staubfinger. »Hallo, Gwin.«

Sein Tod war zurück.

Neue Herren

Lächelnd scheidet der Despot,
Denn er weiß, nach seinem Tod
Wechselt Willkür nur die Hände,
Und die Knechtschaft hat kein Ende.
Heinrich Heine, König David

Der Speckfürst starb kaum einen Tag nachdem Meggie mit Fenoglio auf der Burg gewesen war. Er starb bei Morgengrauen und drei Tage später ritten die Gepanzerten in Ombra ein. Meggie war mit Minerva auf dem Markt, als sie kamen. Violante hatte nach dem Tod ihres Schwiegervaters die Posten am Tor verdoppeln lassen, doch die Gepanzerten waren so zahlreich, dass die Wächter sie widerstandslos in die Stadt einziehen ließen. Der Pfeifer ritt an ihrer Spitze, die Silbernase wie einen Schnabel im Gesicht, so blank, als hätte der Pfeifer sie eigens für den Anlass poliert. Die engen Gassen hallten wider vom Schnauben der Pferde, und auf dem Marktplatz wurde es still, als die Reiter zwischen den Häusern auftauchten. Das Geschrei der Händler, die Stimmen der Frauen, die sich um die Stände drängten, alles verstummte, als der Pfeifer sein Pferd zügelte und das Gedränge missbilligend musterte.

»Macht Platz!«, rief er. Seine Stimme klang seltsam gepresst, doch wie sollte sie auch anders klingen bei einem Mann, der keine Nase hatte? »Platz für den Abgesandten des Natternkopfes. Wir sind hier, um eurem toten Fürsten die letzte Ehre zu erweisen und seinen Enkel als seinen Nachfolger hochleben zu lassen.«

Das Schweigen hielt an, doch dann erhob sich eine einzelne Stimme: »Donnerstag ist Markttag in Ombra, so war es immer, aber wenn die Hohen Herren absteigen, dann wird es schon gehen!«

Der Pfeifer suchte den Sprecher unter den Gesichtern, die zu ihm heraufstarrten, doch die Menge verbarg ihn. Und auf dem Marktplatz erhob sich zustimmendes Gemurmel.

»Ach, so ist das!«, rief der Pfeifer in das Stimmengewirr. »Ihr glaubt, dass wir quer durch den verfluchten Wald geritten sind, nur um hier von den Pferden zu steigen und uns durch eine Herde stinkender Bauern zu drängen. Kaum ist die Katze tot, tanzen die Mäuse auf dem Tisch. Aber ich habe Neuigkeiten für euch. Es ist wieder eine Katze in eurer jämmerlichen Stadt und sie hat schärfere Krallen als die alte!«

Ohne ein weiteres Wort wandte er sich im Sattel um, hob die schwarz behandschuhte Hand – und gab seinen Reitern ein Zeichen. Dann trieb er sein Pferd in die Menge.

Die Stille, die sich so bleiern über den Markt gelegt hatte, zerriss wie ein Tuch, und Geschrei erhob sich zwischen den Häusern. Immer mehr Reiter quollen zwischen den Häusern hervor, gepanzert wie eiserne Echsen, die Helme so tief im Gesicht, dass man nur Münder sah und Augen zwischen Nasenschutz und Helmrand. Sporen klirrten, Beinschienen, Brustpanzer, so blank gewienert, dass sich die entsetzten Gesichter darin spiegelten. Minerva stieß ihre Kinder aus dem Weg, Despina stolperte und Meggie wollte ihr helfen, doch sie fiel über ein paar Kohlköpfe und schlug hin. Ein fremder Mann riss sie hoch, bevor der Pfeifer sie niederritt. Meggie hörte sein Pferd über sich schnauben, spürte, wie seine glänzenden Sporen ihr die Schulter streiften. Hinter dem umgestürzten Stand eines Töpfers fand sie Schutz, auch wenn sie sich die Hände an den Scherben aufschnitt. Zitternd hockte sie da, zwischen zerschlagenem Geschirr, geborstenen Fässern und aufgeplatzten Säcken, sah hilflos zu, wie andere weniger Glück hatten und zwischen die Hufe gerieten. So manchem gaben die Reiter einen Stoß mit dem Knie oder dem Schaft ihrer Lanzen. Pferde scheuten, bäumten sich auf und zerschlugen Krüge und Köpfe.

Dann, ebenso plötzlich, wie sie gekommen waren, waren sie fort. Nur den Hufschlag ihrer Pferde hörte man noch, als sie die Gasse zur Burg hinaufpreschten. Und der Marktplatz blieb zurück, als wäre der Wind hindurchgefahren, ein böser Wind, der Krüge ebenso wie Menschenknochen zerbrach. Die Luft roch nach Angst, als Meggie zwischen den Fässern hervorkroch. Bauern sammelten ihr zertrampeltes Gemüse auf, Mütter wischten ihren Kindern die Tränen vom Gesicht und das Blut von den Knien, Frauen standen vor den Scherben des Geschirrs, das sie hatten verkaufen wollen – und wieder war es still auf dem Markt. So still. Die Stimmen, die die Reiter verfluchten, fluchten leise. Selbst das Weinen blieb leise, das Weinen und Stöhnen. Minerva kam besorgt auf Meggie zu, Despina und Ivo schluchzend an ihrer Seite.

»Ja. Ich schätze, wir haben einen neuen Herrn«, sagte sie bitter, während sie Meggie auf die Füße half. »Kannst du die Kinder nach Hause bringen? Ich werd hierbleiben und sehen, wo ich helfen kann. Bestimmt hat es so manchen gebrochenen Knochen gegeben, aber zum Glück sind immer ein paar Bader auf dem Markt.«

Meggie nickte nur. Sie wusste nicht, was sie fühlte. Angst? Zorn? Verzweiflung? Es schien kein Wort zu geben, das den Zustand ihres Herzens beschrieb. Wortlos nahm sie Despina und Ivo bei der Hand und machte sich mit ihnen auf den Heimweg. Ihre

Knie schmerzten und sie humpelte, aber trotzdem hastete sie die Gassen so schnell entlang, dass die Kinder kaum Schritt halten konnten.

»Jetzt!« Nur das eine Wort stieß sie hervor, als sie in Fenoglios Kammer hinkte. »Lass mich jetzt lesen. Jetzt sofort.« Ihre Stimme bebte, und sie musste sich an die kahle Wand lehnen, weil ihre schmerzenden Knie zitterten. Alles an ihr und in ihr zitterte.

»Was ist passiert?« Fenoglio saß an seinem Pult. Das Pergament, das vor ihm lag, war dicht beschrieben. Neben ihm stand Rosenquarz mit einer tropfenden Feder in der Hand und blickte Meggie entgeistert an.

»Wir müssen es jetzt tun!«, rief sie. »Jetzt! Sie sind mitten hineingeritten, in die Menschen hinein!«

»Ah, die Gepanzerten sind schon da. Nun, ich hatte dir gesagt, dass wir uns beeilen müssen. Wer war der Anführer? Der Brandfuchs?«

»Nein, es war der Pfeifer.« Meggie ging auf das Bett zu und setzte sich. Plötzlich war nur noch die Angst da – als kniete sie wieder zwischen den zerschlagenen Ständen, als wäre ihrem Zorn die Luft ausgegangen. »Es sind so viele!«, flüsterte sie. »Es ist zu spät! Was soll Cosimo gegen die ausrichten?«

»Nun, das lass meine Sorge sein!« Fenoglio nahm dem Glasmann die Feder aus der Hand und begann erneut zu schreiben. »Auch der Speckfürst hat viele Soldaten, und sie werden Cosimo folgen, wenn er erst mal wieder da ist. Natürlich wäre es besser gewesen, wenn du ihn hergelesen hättest, als sein Vater noch lebte. Der Speckfürst hat es etwas zu eilig gehabt mit dem Sterben, aber das ist nun nicht mehr zu ändern! Anderes schon.« Mit gekrauster Stirn las er, was er geschrieben hatte, strich noch ein Wort aus, fügte ein anderes hinzu – und winkte dem Glasmann. »Sand, Rosenquarz, nun mach schon!«

Meggie zog das Kleid hoch und betrachtete ihre zerschlagenen Knie. Das eine schwoll schon an. »Aber bist du sicher, dass es mit Cosimo wirklich besser wird?«, fragte sie leise. »Das, was die Hässliche über ihn erzählt hat, klang nicht danach.«

»Aber natürlich, alles wird besser werden! Was ist das für eine Frage? Cosimo ist einer von den Guten: Er war immer einer von den Guten, egal, was Violante erzählt. Außerdem wirst du ja eine neue Version von ihm herbeilesen. Eine verbesserte Version sozusagen.«

»Aber ... warum muss überhaupt ein neuer Fürst her?« Meggie fuhr sich mit dem Ärmel über die verweinten Augen. Sie hatte immer noch das Klirren der Rüstungen im Ohr, das Schnauben und Wiehern und die Schreie – die Schreie der Menschen, die keine Panzer trugen.

»Was kann es Besseres geben als einen Fürsten, der tut, was wir wollen?« Fenoglio nahm ein weiteres Blatt Pergament. »Nur ein paar Zeilen noch«, murmelte er. »Es fehlt nicht mehr viel. Oh, verflucht, ich hasse es, auf Pergament zu schreiben. Ich hoffe, du hast neues Papier bestellt, Rosenquarz?«

»Allerdings, schon vor langer Zeit«, entgegnete der Glasmann pikiert. »Aber es hat lange schon keine Lieferung mehr gegeben, schließlich liegt die Papiermühle auf der anderen Seite des Waldes.«

»Ja, ja, leider.« Fenoglio rümpfte die Nase. »Sehr unpraktisch. Fürwahr!«

»Fenoglio, hör mir endlich zu! Warum lesen wir statt Cosimo

nicht diesen Räuber her?« Meggie zog sich das Kleid wieder über die Knie. »Du weißt schon, den Räuber aus deinen Liedern! Den Eichelhäher.«

Fenoglio lachte auf. »Den Eichelhäher? Du meine Güte! Da möchte ich dein Gesicht sehen, aber – Spaß beiseite. Nein! Nein, nein! Ein Räuber eignet sich doch nicht zum Regieren, Meggie! Robin Hood ist auch nicht König geworden! Sie sind gut, um Unruhe zu stiften, zu mehr nicht. Nicht mal den Schwarzen Prinzen könnte ich auf den Thron des Speckfürsten setzen. Diese Welt wird von Fürsten regiert, nicht von Räubern, Gauklern oder Bauern. So hab ich es nun mal eingerichtet. Wir brauchen einen Fürsten, glaub mir.«

Rosenquarz spitzte eine neue Feder, tunkte sie in die Tinte – und Fenoglio begann erneut zu schreiben. »Ja!«, hörte Meggie ihn flüstern. »Ja, das wird ganz wunderbar klingen, wenn du es liest. Der Natternkopf wird sich wundern. Glaubt, er könnte sich in meiner Welt ausbreiten, wie es ihm gerade gefällt, aber da hat er sich geirrt. Er wird die Rolle spielen, die ich ihm zuweise, und keine andere!«

Meggie erhob sich vom Bett und hinkte ans Fenster. Es hatte wieder zu regnen begonnen, der Himmel weinte ebenso lautlos wie die Menschen auf dem Markt. Und oben auf der Burg hissten sie schon das Banner des Natternkopfes.

Cosimo

> »Ja«, erwiderte Abhorsen. »Ich bin ein Nekromant, doch nicht von der üblichen Art. Während die anderen Tote erwecken, lege ich sie zur ewigen Ruhe.«
> *Garth Nix, Sabriel*

Es war dunkel, als Fenoglio endlich die Feder zur Seite legte. Unten auf der Gasse war es still. Den ganzen Tag über war es dort still gewesen, als hätten sich alle in ihre Häuser geflüchtet wie Mäuse, die sich vor dem Fuchs versteckten.

»Du bist fertig?«, fragte Meggie, als Fenoglio sich zurücklehnte und die müden Augen rieb. Ihre Stimme klang schwach und furchtsam – kaum so, als könnte sie einen Fürsten zum Leben erwecken, doch schließlich hatte sie auch schon ein Ungeheuer aus Fenoglios Worten erstehen lassen. Auch wenn das lange her war – und die letzten Worte Mo für sie gelesen hatte.

Mo. Seit den Geschehnissen auf dem Markt vermisste sie ihn wieder so viel mehr.

»Ja, ich bin fertig!« Fenoglio klang genauso selbstzufrieden wie in Capricorns Dorf, als er und Meggie sich zum ersten Mal zusammengetan hatten, um seine Geschichte zu ändern. Damals war es ein gutes Ende geworden, aber diesmal ... Diesmal steckten sie selbst in der Geschichte. Machte das Fenoglios Worte schwächer oder stärker? Meggie hatte ihm von Orpheus' Regel erzählt – dass man besser nur Wörter verwendete, die schon in der Geschichte vorkamen –, doch Fenoglio hatte nur verächtlich abgewinkt. »Unsinn. Erinnere dich an den Zinnsoldaten, dem wir ein glückliches Ende geschrieben haben. Habe ich damals etwa nachgeprüft, ob ich nur Wörter aus seiner Geschichte benutzte? Nein. Vielleicht gilt diese Regel für Leute wie diesen Orpheus, die sich anmaßen, an den Geschichten anderer herumzupfuschen, aber sicher nicht für einen Autor, der seine eigene Geschichte ändern will!«

Hoffentlich.

Fenoglio hatte vieles durchgestrichen, doch seine Schrift war wirklich lesbarer geworden. Meggies Augen tasteten sich an den Wörtern entlang. Ja, diesmal waren es Fenoglios eigene Worte, nicht gestohlen von einem anderen Dichter …

»Es ist gut, oder?« Er tunkte ein Stück Brot in die Suppe, die Minerva ihnen vor Stunden hochgebracht hatte, und sah sie erwartungsvoll an. Natürlich war die Suppe längst kalt, keiner von ihnen hatte ans Essen denken können. Nur Rosenquarz hatte etwas gegessen. Sein ganzer Körper hatte sich davon verfärbt, bis Fenoglio ihm den winzigen Löffel unsanft aus der Hand gerissen und gefragt hatte, ob er sich umbringen wollte.

»Rosenquarz! Lass das!«, sagte er auch jetzt streng, als der Glasmann einen durchsichtigen Finger nach seinem Teller ausstreckte. »Genug ist genug! Du weißt, dass du kein Menschenessen verträgst. Willst du, dass ich dich wieder zu dem Bader bringe, der dir letztes Mal fast die Nase abgebrochen hat?«

»Es ist so eintönig, immer nur Sand zu essen!«, maulte der Glasmann und zog beleidigt den Finger zurück. »Und der, den du mir mitbringst, ist nicht sonderlich schmackhaft.«

»Undankbarer Kerl!«, polterte Fenoglio. »Ich fische ihn extra unten aus dem Fluss. Letztes Mal haben die Nixen sich einen Spaß daraus gemacht, mich hineinzuzerren. Ich bin fast ersoffen wegen dir.« Den Glasmann schien das nicht zu beeindrucken. Mit beleidigter Miene setzte er sich neben den Federkrug, schloss die Augen und tat, als schliefe er.

»Zwei sind mir auf die Art schon gestorben!«, raunte Fenoglio Meggie zu. »Sie können einfach nicht die Finger von unserem Essen lassen. Dumme Dinger.«

Aber Meggie hörte nur mit halbem Ohr zu. Sie setzte sich mit dem Pergament aufs Bett und las noch einmal, Wort für Wort. Der Regen wehte durchs Fenster herein, als wollte er sie an eine andere Nacht erinnern – die Nacht, in der sie zum ersten Mal von Fenoglios Buch gehört und Staubfinger draußen im Regen gestanden hatte ... Staubfinger hatte glücklich ausgesehen auf dem Burghof. Auch Fenoglio war glücklich und Farid und Minerva und ihre Kinder ... So sollte es bleiben. Ich werde für sie alle lesen!, dachte Meggie. Für die Spielleute, damit der Natternkopf sie nicht aufhängt für ein Lied, und für die Bauern auf dem Markt, denen die Pferde das Gemüse zertrampelt haben. Was war mit der Hässlichen? Würde es Violante glücklich machen, wenn sie plötzlich wieder einen Mann hatte? Würde sie merken, dass es ein anderer Cosimo war? Für den Speckfürsten würden die Worte zu spät kommen. Er würde nie von der Rückkehr seines Sohnes erfahren.

»Nun sag schon etwas!« Fenoglios Stimme klang unsicher. »Gefällt es dir etwa nicht?«

»Doch, doch. Es ist sehr schön.«

Erleichterung machte sich auf seinem Gesicht breit. »Nun, worauf wartest du dann noch?«

»Das mit dem Mal in ihrem Gesicht, ich weiß nicht ... es klingt wie Zauberei.«

»Ach was. Ich finde, es ist romantisch, und das kann nie schaden.«

»Gut, wenn du meinst. Es ist deine Geschichte.« Meggie zuckte die Schultern. »Aber da ist noch etwas. Wer wird für ihn verschwinden?«

Fenoglio wurde blass. »Himmel! Das hatte ich ganz vergessen. Rosenquarz, versteck dich in deinem Nest!«, wies er den Glasmann an. »Die Feen sind zum Glück nicht da.«

»Das nützt doch nichts«, sagte Meggie leise, während der Glasmann sich zu dem verlassenen Feennest hochhangelte, in dem er schmollte und manchmal auch schlief. »Verstecken nützt gar nichts.«

Aus der Gasse drang Hufgeklapper herauf. Einer der Gepanzerten ritt vorbei. Offenbar wollte der Pfeifer die Bewohner von Ombra auch im Schlaf nicht vergessen lassen, wer ihr wahrer neuer Herr war.

»Na bitte, das ist ein Zeichen!«, raunte Fenoglio Meggie zu. »Wenn der verschwindet, ist es kein Verlust. Außerdem – woher willst du wissen, dass überhaupt jemand verschwindet? Das passiert doch wohl nur, wenn man jemanden herbeiliest, der in seiner Geschichte eine Lücke hinterlässt, die gefüllt werden muss. Unser neuer Cosimo aber hat noch keine eigene Geschichte! Er wird heute und hier geboren werden, aus diesen Worten!«

Ja. Vielleicht hatte er recht.

Das Klappern der Hufe mischte sich mit dem Klang von Meggies Stimme: »*Die Nacht war still in Ombra, so still*«, las sie. »*Die Wunden, die die Gepanzerten geschlagen hatten, waren noch nicht verheilt, manche würden nie heilen.*« Und plötzlich dachte sie nicht mehr an die Angst, die sie am Morgen gespürt hatte, nur noch an den Zorn, den Zorn auf Männer, die sich in Panzer hüllten und Frauen und Kinder mit spitzen Eisenschuhen in den Rücken traten. Der Zorn machte ihre Stimme kräftig und voll, Leben weckend. »*Türen und Fenster waren verriegelt, und dahinter weinten die Kinder, leise, als hielte die Furcht selbst ihnen die Münder zu, während ihre Eltern in die Nacht hinausstarrten mit der bangen Frage, wie dunkel die Zukunft werden würde unter ihrem neuen Herrn. Doch plötzlich hallten Hufschläge durch die Gasse der Schuster und Sattelmacher ...*« – Wie leicht die Worte kamen. Sie flossen Meggie über die Zunge, als hätten sie darauf gewartet, gelesen zu werden, zum Leben zu erwachen in genau dieser Nacht. »*Die Menschen hasteten an die Fenster. Voll Angst blickten sie hinaus, in der Erwartung, einen der Gepanzerten zu sehen oder gar den Pfeifer selbst mit seiner Silbernase. Doch jemand anderes ritt zur Burg hinauf, jemand, dessen Anblick ihnen so vertraut war und sie doch erblassen ließ. Der Ankömmling, der durch das schlaflose Ombra ritt, trug das Gesicht ihres toten Fürsten, Cosimo des Schönen, der nun schon so lange in seiner Gruft ruhte. Auf einem weißen Pferd kam sein Abbild die Gasse heraufgeritten, und er war so schön, wie die Lieder es von Cosimo erzählten. Er ritt durch das Burgtor, über dem das Banner des Natternkopfes wehte, und zügelte sein Pferd auf dem nächtlich stillen Hof. Für alle, die ihn dort im Mondlicht sahen, hoch aufgerichtet auf seinem weißen Pferd, war es, als sei Cosimo nie gestorben. Da hatte das Weinen ein Ende, das Weinen und die Angst. Das Volk von Ombra feierte, und aus den entferntesten Dörfern kamen die Menschen, um den zu sehen, der das Gesicht eines Toten trug, und sie flüsterten: ›Cosimo ist zurück. Cosimo der Schöne. Er ist zurückgekehrt, um den Platz seines Vaters einzunehmen und um Ombra vor dem*

Natternkopf zu schützen.‹ Und so kam es. Der Retter bestieg den Thron und das Mal der Hässlichen verblasste auf ihrem Gesicht. Cosimo der Schöne aber ließ den Hofdichter seines Vaters zu sich rufen, um seinen Rat zu hören, denn man hatte ihm von seiner Klugheit berichtet, und eine große Zeit brach an.«

Meggie ließ das Pergament sinken. *Eine große Zeit …*

Fenoglio hastete ans Fenster. Auch Meggie hatte es gehört – Hufschläge –, aber sie stand nicht auf.

»Das muss er sein!«, flüsterte Fenoglio. »Er kommt, oh, Meggie, er kommt! Hör doch!«

Aber Meggie saß immer noch da und blickte auf die geschriebenen Worte in ihrem Schoß. Es schien ihr, als atmeten sie. Fleisch aus Papier, Blut aus Tinte … Sie war plötzlich müde, so müde, dass der Weg zum Fenster viel zu weit schien. Wie ein Kind fühlte sie sich, das allein hinunter in den Keller gestiegen war und nun Angst hatte. Wenn Mo doch nur da gewesen wäre …

»Gleich! Gleich muss er vorbeireiten!« Fenoglio beugte sich so weit aus dem Fenster, als wollte er sich kopfüber auf die Gasse stürzen. Wenigstens war *er* noch da – und nicht verschwunden so wie damals, als sie den Schatten gerufen hatte. Aber wohin hätte er auch verschwinden sollen?, dachte Meggie. Es schien nur noch eine Geschichte zu geben, diese Geschichte, Fenoglios Geschichte. Sie schien keinen Anfang und kein Ende zu haben.

»Meggie! Nun komm doch!« Aufgeregt winkte er sie zu sich. »Du hast wundervoll gelesen, ganz wundervoll! Aber das weißt du vermutlich. Einige Sätze gehörten nicht zu meinen besten, ab und zu holperte es etwas, und ein bisschen mehr Farbe hätte nicht geschadet, doch was soll's! Es hat funktioniert! Bestimmt hat es funktioniert!«

Es klopfte.

Es klopfte an der Tür. Rosenquarz lugte mit besorgtem Gesicht aus seinem Nest und Fenoglio wandte sich um, erschrocken und ärgerlich zugleich.

»Meggie?«, flüsterte eine Stimme. »Meggie, bist du da?«

Es war Farids Stimme.

»Was will der denn hier?« Fenoglio stieß einen wenig feinen Fluch aus. »Schick ihn weg! Den können wir jetzt nun wirklich nicht gebrauchen. Oh, da! Da kommt er! Meggie, du bist eine Zauberin!«

Der Hufschlag wurde lauter. Aber Meggie ging nicht zum Fenster. Sie lief zur Tür. Farid stand davor, mit bedrücktem Gesicht. Es schien fast, als hätte er geweint. »Gwin, Meggie ... Gwin ist wieder da«, stammelte er. »Ich versteh nicht, wie er mich gefunden hat! Ich hab sogar Steine nach ihm geworfen.«

»Meggie!« Fenoglios Stimme klang mehr als ärgerlich. »Wo bleibst du?«

Wortlos griff sie nach Farids Hand und zog ihn mit sich zum Fenster.

Ein weißes Pferd kam die Gasse herauf. Sein Reiter hatte schwarzes Haar und sein Gesicht war ebenso jung und schön wie das der Standbilder auf der Burg. Nur die Augen waren nicht steinweiß, sondern dunkel wie sein Haar und lebendig. Er sah sich um, als wäre er gerade erst aus einem Traum erwacht, einem Traum, der nicht ganz zu dem passen wollte, was er nun sah.

»Cosimo!«, flüsterte Farid fassungslos. »Der tote Cosimo.«

»Nun, nicht ganz«, raunte Fenoglio. »Erstens ist er nicht tot, wie du wohl unschwer erkennen kannst, und zweitens ist es nicht *der* Cosimo. Es ist ein neuer, ein nagelneuer, den Meggie und ich zusammen erschaffen haben. Natürlich wird das niemand merken, niemand außer uns.«

»Auch seine Frau nicht?«

»Nun, mag sein, dass sie es merkt! Aber wen kümmert's? Sie geht ja kaum einen Schritt aus der Burg.«

Cosimo zügelte sein Pferd, kaum einen Meter vor Minervas Haus. Meggie trat unwillkürlich vom Fenster zurück. »Und er selbst?«, flüsterte sie. »Für wen hält er selbst sich?«

»Was für eine Frage. Natürlich für Cosimo!«, antwortete Fenoglio ungeduldig. »Nun bring mich nicht durcheinander, um Himmels willen. Wir haben nur dafür gesorgt, dass die Geschichte so weitergeht, wie ich es einmal geplant hatte. Nichts mehr und nichts weniger!«

Cosimo wandte sich im Sattel um und starrte die Gasse hinunter, die er gekommen war – als hätte er etwas verloren, aber vergessen, was es war. Dann schnalzte er leise mit der Zunge und trieb sein Pferd weiter, vorbei an der Werkstatt von Minervas Mann und dem schmalen Haus, in dem der Bader lebte, über dessen Zahnziehkünste Fenoglio so oft schimpfte.

»Das ist nicht gut.« Farid wich vom Fenster zurück, als wäre der Teufel selbst vorbeigeritten. »Es bringt Unglück, die Toten zu rufen.«

»Er war nie tot, verdammt noch mal!«, fuhr Fenoglio ihn an. »Wie oft muss ich das noch erklären? Er wurde heute geboren, aus meinen Worten und Meggies Stimme, also rede nicht so dumm daher. Was willst du überhaupt hier? Seit wann besucht man anständige Mädchen mitten in der Nacht?«

Farid lief dunkel an. Dann drehte er sich wortlos um und ging zur Tür.

»Lass ihn in Ruhe! Er kann mich besuchen, wann er will!«, fuhr Meggie Fenoglio an. Die Treppe war glitschig vom Regen und sie holte Farid erst auf den letzten Stufen ein. Er sah so traurig aus.

»Was hast du Staubfinger erzählt? Dass Gwin uns nachgelaufen ist?«

»Nein, ich hab mich nicht getraut.« Farid lehnte sich gegen die Hauswand und schloss die Augen. »Du hättest sein Gesicht sehen sollen, als er den Marder sah. Meinst du, dass er jetzt sterben muss, Meggie?«

Sie streckte die Hand aus und strich ihm übers Gesicht. Er hatte wirklich geweint. Sie spürte die getrockneten Tränen auf seiner Haut.

»Der Käsekopf hat es gesagt!« Sie konnte die Worte kaum verstehen, die er flüsterte. »Ich werd ihm Unglück bringen.«

»Was redest du denn da? Staubfinger kann froh sein, dass er dich hat!«

Farid blickte hinauf zum Himmel, von dem immer noch der Regen fiel. »Ich muss zurück«, sagte er. »Deshalb bin ich gekommen. Um dir zu sagen, dass ich erst mal bei ihm bleiben muss. Ich muss jetzt auf ihn aufpassen, verstehst du? Ich werd einfach keinen Schritt mehr von seiner Seite weichen, dann wird schon nichts passieren. *Du* kannst mich ja besuchen, auf Roxanes Hof! Wir sind die meiste Zeit dort. Staubfinger ist ganz verrückt nach ihr, er weicht kaum von ihrer Seite. Roxane hier, Roxane da …« Die Eifersucht in seiner Stimme war nicht zu überhören.

Meggie wusste, was er empfand. Sie erinnerte sich noch gut an die ersten Wochen in Elinors Haus, an die Verwirrung in ihrem Herzen, wenn Mo stundenlang mit Resa spazieren gegangen war, ohne sie auch nur zu fragen, ob sie mitkommen wollte, an das Gefühl, vor einer verschlossenen Tür zu stehen und dahinter das Lachen ihres Vaters zu hören, das nicht ihr, sondern ihrer Mutter galt. »Was guckst du so?«, hatte Elinor gefragt, als sie Meggie einmal dabei ertappt hatte, wie sie die beiden im Garten beobachtete. »Die eine Hälfte seines Herzens gehört doch immer noch dir. Ist das nicht genug?« Sie hatte sich so geschämt. Farid war wenigstens nur eifersüchtig auf eine Fremde, bei ihr war es die eigene Mutter …

»Bitte, Meggie! Ich muss bei ihm bleiben. Wer soll denn sonst auf ihn aufpassen? Roxane? Die weiß nichts von dem Marder, und sowieso …«

Meggie wandte den Kopf ab, damit er ihre Enttäuschung nicht sah. Verfluchter Gwin. Sie malte mit dem Zeh kleine Kreise auf die regenfeuchte Erde.

»Du kommst, ja?« Farid griff nach ihren Händen. »Auf Roxanes Feldern wachsen die wunderlichsten Pflanzen, sie hat eine Gans, die glaubt, sie ist ein Hund, und ein altes Pferd. Jehan, das ist ihr Sohn, behauptet, im Stall haust ein Linchetto, keine Ahnung, was das sein soll, Jehan sagt, man muss auf ihn furzen, dann läuft er fort. Na ja, Jehan ist noch ein ziemliches Baby, aber ich glaub, du würdest ihn mögen …«

»Ist er Staubfingers Sohn?« Meggie strich sich das Haar hinters Ohr und versuchte ein Lächeln.

»Nein, aber weißt du was? Roxane hält *mich* dafür. Stell dir das vor! Bitte, Meggie! Komm zu Roxane, ja?« Er legte ihr die Hände auf die Schultern und küsste sie, mitten auf den Mund. Seine Haut war feucht vom Regen. Als sie nicht zurückwich, nahm er ihr Gesicht zwischen seine Hände und küsste sie noch mal, auf die Stirn, auf die Nase und wieder auf den Mund. »Du kommst, ja? Versprochen!«, flüsterte er.

Dann lief er davon, leichtfüßig, wie es seine Art war seit dem Tag, an dem Meggie ihn zum ersten Mal gesehen hatte. »Du musst kommen!«, rief er ihr noch einmal zu, bevor er in dem dunklen Durchgang verschwand, der auf die Gasse führte. »Vielleicht bleibst du sogar besser eine Weile bei uns, bei Staubfinger und mir! Dieser alte Mann ist verrückt. Man spielt nicht mit den Toten!«

Dann war er fort, und Meggie lehnte sich gegen die Mauer von Minervas Haus, genau dorthin, wo Farid eben noch gestanden hatte. Sie fuhr sich mit den Fingern über den Mund, als müsste sie sich vergewissern, dass Farids Kuss ihn nicht verändert hatte.

»Meggie?« Fenoglio stand oben an der Treppe, eine Laterne in der Hand. »Was machst du denn da unten? Ist der Junge weg? Was wollte er hier? Steht mit dir da unten herum in der Dunkelheit!«

Meggie antwortete nicht. Sie wollte mit niemandem reden. Sie wollte dem lauschen, was ihr verwirrtes Herz erzählte.

Elinor

Then read from a treasured volume
The poem of thy choice
And lend to the rhyme of the poet
The beauty of thy voice.

And the night shall be filled with music
And the cares that infest the day
Shall fold their tents, like the Arabs,
And as silently steal away.
Henry Wadsworth Longfellow, The Day is done

Elinor verbrachte ein paar schlimme Tage und Nächte in ihrem Keller. Morgens und abends brachte der Schrankmann ihnen zu essen – zumindest nahmen sie an, dass es morgens und abends war, immer vorausgesetzt, dass Darius' Armbanduhr noch richtig ging. Als der klobige Kerl zum ersten Mal mit Brot und einer Flasche Wasser erschienen war, hatte sie ihm die Plastikflasche an den Kopf geworfen. Das heißt, sie hatte es versucht, aber der Koloss war rechtzeitig ausgewichen und die Flasche war an der Wand zerplatzt.

»Nie wieder, Darius!«, flüsterte Elinor, nachdem der Schrankmann sie mit einem spöttischen Grunzen wieder eingeschlossen hatte. »Nie wieder lass ich mich einsperren, geschworen hab ich es mir, damals in dem stinkenden Käfig, als diese Brandstifter mit ihren Flinten an den Gittern entlangstrichen und mir brennende Zigarettenstummel ins Gesicht schnippten. Und nun? Nun sitz ich eingesperrt in meinem eigenen Keller!«

In der ersten Nacht erhob sie sich von der Luftmatratze, auf der ihr jeder Knochen schmerzte, und warf Konservendosen gegen die Wand. Darius hockte nur da, auf der Decke, die er über das Polster für die Gartenbank gebreitet hatte, und blickte sie mit großen Augen an. Am Nachmittag des zweiten Tages (oder war es der dritte?) zerschlug Elinor schon Gläser – und schluchzte los, als sie sich die Finger an den Scherben aufschnitt. Darius fegte gerade das zersprungene Glas zusammen, als der Schrankmann kam, um sie zu holen.

Darius wollte ihr folgen, doch der Schrankmann gab ihm einen so unsanften Stoß vor die schmale Brust, dass er stolperte und hinfiel, zwischen Oliven, gekochte Tomaten und das, was sonst noch aus den Gläsern gequollen war, die Elinor zerschlagen hatte.

»Mistkerl!«, fuhr sie den Koloss an, aber der grinste nur, zufrieden wie ein Kind, das einen Turm aus Bauklötzen umgestoßen hatte, und summte vor sich hin, während er Elinor zu ihrer Bibliothek führte. Na, wer sagt denn, dass schlechte Menschen keine glücklichen Menschen sein können?, dachte sie, als er die Tür öffnete und sie mit einem Kopfnicken anwies voranzugehen.

Ihre Bibliothek bot einen furchtbaren Anblick. Die schmutzigen Becher und Teller, die überall herumstanden – auf der Fensterbank, auf dem Teppich, selbst auf den Vitrinen, in denen ihre größten Schätze lagen –, waren nicht das Schlimmste. Nein. Es waren ihre Bücher! Kaum eines stand noch an seinem Platz. Sie stapelten sich auf dem Boden, zwischen den schmutzigen Kaffeebechern und vor den Fenstern. Manche lagen sogar aufgeschlagen da, mit dem Rücken nach oben, Elinor konnte gar nicht hinsehen! Wusste dieser Unhold nicht, dass man Büchern auf die Art das Genick brach?

Falls er es wusste, so kümmerte es ihn nicht. Orpheus saß in ihrem Lieblingssessel, den grässlichen Hund neben sich, der etwas zwischen den Pfoten hielt, das verdächtig nach einem ihrer Gartenschuhe aussah. Sein Herr hatte die plumpen Beine über eine Armlehne gehängt und hielt in der Hand ein wunderschön illustriertes Buch über Feen, das Elinor erst vor zwei Monaten auf einer Auktion ersteigert hatte, für so viel Geld, dass Darius das Gesicht in den Händen vergraben hatte.

»Das –«, sagte sie mit leicht bebender Stimme, »ist ein sehr, sehr wertvolles Buch.«

Orpheus wandte ihr den Kopf zu und lächelte. Es war das Lächeln eines unartigen Kindes. »Ich weiß!«, sagte er mit seiner Samtstimme. »Sie besitzen sehr, sehr viele wertvolle Bücher, Frau Loredan.«

»Allerdings«, antwortete Elinor eisig. »Und deshalb staple ich sie auch nicht wie Eierkartons oder Käsescheiben. Jedes hat seinen Platz.«

Orpheus ließ diese Feststellung nur noch breiter lächeln. Er schlug das Buch zu, nachdem er ein Eselsohr in eine der Seiten gemacht hatte. Elinor zog scharf den Atem ein.

»Bücher sind keine Glasvasen, meine Liebe«, sagte Orpheus, während er sich aufsetzte. »Sie sind weder so zerbrechlich noch so dekorativ. Es sind Bücher! Ihr Inhalt ist es, auf den es ankommt, und der rutscht nicht heraus, wenn man sie stapelt.« Mit der flachen Hand strich er sich über das glatte Haar, als hätte er Sorge, der Scheitel sei ihm verrutscht. »Zucker sagt, Sie wollten mich sprechen?«

Elinor warf dem Schrankmann einen ungläubigen Blick zu. »Zucker?«

Der Riese lächelte und entblößte eine solch einzigartige Sammlung schlechter Zähne, dass Elinor nicht weiter nach dem Grund für seinen Namen fragte.

»Ja, allerdings. Seit Tagen will ich Sie sprechen. Ich verlange, dass Sie mich und meinen Bibliothekar aus dem Keller lassen! Ich bin es leid, in meinem eigenen Haus in einen Eimer zu pinkeln und nicht zu wissen, ob es Tag oder Nacht ist. Ich verlange, dass Sie meine Nichte und ihren Mann zurückholen, die durch Ihre Schuld in größter Gefahr sind, und ich verlange, dass Sie Ihre dicken Finger von meinen Büchern lassen, verdammt noch mal!«

Elinor klappte den Mund zu – und verfluchte sich selbst, mit jedem Fluch, der ihr auf die Schnelle einfiel. O nein! Was hatte Darius ihr immer wieder gesagt? Was hatte sie selbst sich hundertmal gesagt, während sie da unten auf der grässlichen Luftmatratze lag? Beherrsch dich, Elinor, sei klug, Elinor, zügle deine Zunge ... alles umsonst. Sie war geplatzt wie ein zu straff aufgeblasener Ballon.

Orpheus aber saß immer noch da, die Beine übereinandergeschlagen, und hatte dieses unverschämte Lächeln auf den Lippen. »Vermutlich könnte ich sie zurückholen. Ja, vermutlich!«, sagte er, während er seinem Hund den hässlichen Schädel tätschelte. »Aber warum sollte ich?« Mit seinem plumpen Zeigefinger fuhr er über den Umschlag des Buches, dem er noch eben auf so grausame Weise die Seite verknickt hatte. »Das ist ein schöner Umschlag, nicht wahr? Etwas kitschig vielleicht, außerdem stelle ich mir Feen anders vor, aber dennoch ...«

»Ja, er ist schön, ich weiß, aber der Umschlag interessiert mich jetzt nicht!« Elinor versuchte, nicht laut zu werden, aber es gelang ihr einfach nicht. »Wenn Sie die beiden zurückholen können, dann tun Sie es endlich, verflucht noch mal! Bevor es zu spät ist.

Die Alte will ihn umbringen, haben Sie das nicht gehört? Sie will Mortimer umbringen!«

Mit gleichgültiger Miene rückte Orpheus sich die zerknitterte Krawatte zurecht. »Nun, er hat Mortolas Sohn umgebracht, soweit ich das verstanden habe. Auge um Auge, Zahn um Zahn, wie es so schön in einem anderen nicht ganz unbekannten Buch heißt.«

»Ihr Sohn war ein Mörder!« Elinor ballte die Fäuste. Sie wollte auf das Mondgesicht zustürmen, ihm ihr Buch aus den Händen reißen, diesen Händen, die so weich und weiß aussahen, als hätten sie nie in ihrem Leben etwas anderes getan als Buchseiten umzublättern, aber Zucker trat ihr in den Weg.

»Ja, ja, ich weiß.« Orpheus stieß einen tiefen Seufzer aus. »Ich weiß alles über Capricorn. Ich habe das Buch, das seine Geschichte erzählt, unzählige Male gelesen, und ich muss sagen, er war ein sehr guter Bösewicht, einer der besten, die mir je im Reich der Buchstaben begegnet sind. So jemanden einfach umzubringen, also, wenn Sie mich fragen ... ein kleines Verbrechen ist das schon. Obwohl ich für Staubfinger froh darüber bin.«

Oh, wenn sie ihn doch nur hätte schlagen können, nur ein einziges Mal, auf die breite Nase, auf den lächelnden Mund!

»Capricorn hat Mortimer verschleppen lassen! Er hat seine Tochter eingesperrt und seine Frau jahrelang gefangen gehalten!« Elinor traten Tränen in die Augen, Tränen der Wut und der Hilflosigkeit. »Bitte! Herr Orpheus oder wie Sie sonst heißen!« Sie wandte all ihre Kraft und Beherrschung auf, um halbwegs freundlich zu klingen. »Bitte! Holen Sie die beiden zurück, und wenn Sie schon dabei sind, bringen Sie auch Meggie wieder her, bevor sie dort drüben von einem Riesen zertreten oder einer Lanze aufgespießt wird.«

Orpheus lehnte sich zurück und musterte sie wie ein Bild auf einer Staffelei. Wie selbstverständlich er ihren Sessel in Besitz genommen hatte – als hätte Elinor nie darin gesessen, mit Meggie neben sich oder, so viel früher, mit Resa auf dem Schoß, als die noch ein ganz kleines Ding gewesen war. Elinor würgte ihre Wut hinunter. Beherrsch dich!, befahl sie sich, während ihr Blick an Orpheus' blassem bebrilltem Gesicht klebte. Beherrsch dich. Für Mortimer und Resa und für Meggie!

Orpheus räusperte sich. »Also, ich weiß gar nicht, was Sie haben«, sagte er, während er seine Fingernägel betrachtete, abgekaut wie die Nägel eines Schuljungen. »Ich beneide die drei!«

Einen Moment lang begriff Elinor nicht, wovon er sprach. Erst als er fortfuhr, wurde es ihr klar.

»Wie kommen Sie darauf, dass sie zurückwollen?«, fragte er leise. »Wenn ich dort wäre, ich würde nie wieder zurückkommen! Es gibt keinen Ort auf dieser Welt, nach dem ich mich je auch nur halb sosehr gesehnt hätte wie nach dem Hügel, auf dem die Burg des Speckfürsten liegt. Zahllose Male bin ich über den Markt von Ombra geschlendert, habe zu den Türmen emporgeschaut, zu den Fahnen mit dem Löwen in der Mitte. Ich habe mir ausgemalt, wie es ist, durch den Weglosen Wald zu streifen und Staubfinger dabei zu beobachten, wie er den Feuerelfen ihren Honig stiehlt. Ich habe mir die Spielfrau vorgestellt, in die er verliebt ist, Roxane. Ich habe in Capricorns Festung gestanden und die Brühe gerochen, die Mortola aus Eisenhut und Schierling braute. Die Burg des Natternkopfes kommt noch heute oft in meinen Träumen vor, manchmal stecke ich in einem ihrer Kerker, manchmal schleiche ich mit Staubfinger durch das Tor, sehe hinauf zu den Köpfen der Spielmänner, die der Natternkopf hat aufspießen lassen, weil sie das falsche Lied gesungen haben … Bei allen Buchstaben der Welt! Als Mortola mir ihren Namen nannte, dachte ich, sie sei verrückt. Gut, sie und Basta ähnelten den Figuren, die sie zu sein behaupteten, aber konnte es tatsächlich sein, dass jemand sie aus meinem Lieblingsbuch hierher geholt hatte? Gab es tatsächlich noch andere, die so lesen konnten wie ich? Erst als Staubfinger auf mich zukam, in dieser muffigen, schlecht sortierten Bibliothek, glaubte ich es. O Gott, wie mir das Herz schlug, als ich sein Gesicht sah mit den drei blassen Narben, die Bastas Messer hinterlassen hatte! Es klopfte heftiger als an dem Tag, an dem mich zum ersten Mal ein Mädchen küsste. Er war es tatsächlich, der traurige Held meines allerliebsten Lieblingsbuches. Und ich ließ ihn wieder darin verschwinden. Aber mich selbst? Hoffnungslos.« Er lachte auf, bitter und traurig. »Ich hoffe nur, dass er nicht doch noch sterben muss, wie es dieser Narr von einem Autor für ihn vorgesehen hat. Aber nein! Es geht ihm gut, da bin ich sicher, Capricorn ist schließlich tot, und Basta ist ein Feigling. Wissen Sie, dass ich diesem Fenoglio mit zwölf Jahren geschrieben habe, dass er seine Geschichte ändern muss oder zumindest eine Fortsetzung schreiben, in der Staubfinger zurückkommt? Er hat mir nie geantwortet, ebenso wenig wie *Tintenherz* je eine Fortsetzung bekam. Tja.« Orpheus stieß einen tiefen Seufzer aus.

Staubfinger, Staubfinger … Elinor presste die Lippen aufeinander. Wen interessierte, was mit dem Streichholzfresser war? Ruhig, Elinor, platz nicht schon wieder heraus, diesmal musst du es klug anstellen, klug und überlegt … Nicht die leichteste Aufgabe …

»Hören Sie zu. Wenn Sie so gern in diesem Buch stecken würden …« Sie schaffte es tatsächlich, dass ihre Stimme klang, als wäre ihr nicht sonderlich wichtig, worüber sie sprach. »Wieso holen Sie nicht einfach Meggie zurück? Meggie weiß, wie man sich selbst in eine Geschichte hineinliest. Sie hat es getan! Bestimmt kann Sie Ihnen erklären, wie es geht, oder Sie auch hinüberlesen!«

Orpheus' rundes Gesicht verfinsterte sich so abrupt, dass Elinor auf der Stelle wusste, dass sie einen bösen Fehler gemacht hatte. Wie hatte sie nur vergessen können, was für ein eitler, aufgeblasener Kerl er war?

»Niemand –«, sagte Orpheus leise, während er sich bedrohlich langsam aus ihrem Sessel erhob, »– niemand muss mir die Kunst des Lesens erklären. Schon gar nicht ein kleines Mädchen!«

Jetzt steckt er dich gleich wieder in den Keller!, dachte Elinor. Was nun? Such, Elinor, such in deinem dummen Kopf nach der richtigen Antwort! Nun mach schon! Irgendetwas wird dir doch wohl einfallen!

»Natürlich nicht!«, stammelte sie. »Keiner außer Ihnen konnte Staubfinger zurücklesen. Keiner. Aber ...«

»Kein Aber. Passen Sie auf.« Orpheus stellte sich in Positur, als schickte er sich an, auf einer Bühne eine Arie zu singen, und nahm das Buch aus dem Sessel, das er so achtlos zur Seite gelegt hatte. Er schlug es auf, genau dort, wo das Eselsohr die cremeweiße Seite verunzierte, fuhr sich mit der Zungenspitze über die Lippen, als müsste er sie geschmeidig machen, damit die Worte nicht an ihnen kleben blieben – und dann füllte sie wieder Elinors Bibliothek: seine betörende, so gar nicht zu seinem Äußeren passende Stimme. Orpheus las, als ließe er sich seine Lieblingsspeise im Mund zergehen, genüsslich, begierig auf den Klang der Buchstaben, Perlen auf seiner Zunge, Wortsamen, aus denen er das Leben schlüpfen ließ.

Ja, vielleicht war er wirklich der größte Meister seiner Kunst. Weil er sie mit der allergrößten Leidenschaft betrieb.

»Es gibt da eine Geschichte über einen Schäfer, Tudur von Llangollen, der traf eines Tages eine Schar von Feen, die zu der Melodie eines winzigen Fiedlers tanzten.« Ein feiner zirpender Ton erhob sich hinter Elinor, sie sah sich um, aber nichts war zu sehen außer Zucker, der mit perplexem Gesicht Orpheus' Stimme lauschte. *»Tudur versuchte den verzauberten Saiten zu widerstehen, doch schließlich warf er die Mütze in die Luft, rief ›Auf geht's also, spiel schon, du alter Teufel!‹ und schloss sich dem wilden Tanz an.«*

Das Geigen wurde schriller und schriller, und als Elinor diesmal herumfuhr, sah sie einen Mann in ihrer Bibliothek stehen, umringt von kleinen, mit Blättern bekleideten Geschöpfen, der sich wie ein Tanzbär auf nackten Füßen drehte, während einen Schritt entfernt ein Winzling mit einer Glockenblüte auf dem Kopf auf einer Fiedel geigte, die kaum größer als eine Eichel war.

»Sofort erschien ein Paar Hörner auf dem Kopf des Fiedlers und ein Schwanz wuchs unter seinem Mantel hervor!« Orpheus ließ seine Stimme anschwellen, bis sie fast einem Singen glich. *»Die tanzenden Geister verwandelten sich in Ziegenböcke, Hunde, Katzen und Füchse und sie und Tudur drehten sich im Kreis in Schwindel erregender Tollheit.«*

Elinor presste die Hände vor den Mund. Da waren sie, quollen hervor hinter dem Sessel, sprangen über die Bücherstapel, tanzten auf den aufgeschlagenen Seiten mit schmutzigen Hufen. Der Hund sprang auf und bellte sie an.

»Hören Sie auf!«, schrie Elinor Orpheus an. »Hören Sie sofort auf!«

Mit einem triumphierenden Lächeln klappte er das Buch zu.

»Scheuch sie raus in den Garten!«, befahl er dem wie versteinert dastehenden Zucker. Verwirrt tappte er zur Tür, öffnete sie – und ließ die ganze Schar an sich vorbeitanzen, fiedelnd und kreischend, bellend, blökend, Elinors Flur hinunter, vorbei an ihrem Schlafzimmer, bis der Lärm allmählich verklang.

»Niemand«, wiederholte Orpheus, und nicht die Spur eines Lächelns war mehr auf seinem runden Gesicht zu entdecken, »niemand erklärt Orpheus etwas über die Kunst des Lesens. Haben Sie es bemerkt? Es ist niemand verschwunden! Vielleicht ein paar Bücherwürmer, falls es so etwas in Ihrer Bibliothek gibt, vielleicht ein paar Fliegen ...«

»Vielleicht ein paar Autofahrer unten auf der Straße«, fügte Elinor mit heiserer Stimme hinzu, aber leider war es nicht zu überhören, dass sie beeindruckt war.

»Vielleicht!«, sagte Orpheus und zuckte lässig die runden Schultern. »An meiner Meisterschaft würde das nichts ändern, oder? Und nun hoffe ich, dass Sie etwas von der Kunst des Kochens verstehen, denn ich bin das, was Zucker zusammenrührt, gründlich leid. Und ich bin hungrig. Ich werde immer hungrig, wenn ich gelesen habe.«

»Kochen?« Elinor erstickte fast an ihrer Wut. »Ich soll Ihre Köchin spielen in meinem eigenen Haus?«

»Nun, aber sicher. Machen Sie sich nützlich. Oder wollen Sie, dass Zucker auf die Idee kommt, dass Sie und unser stotternder Freund ganz überflüssig sind? Er ist ohnehin schon verärgert, weil er bislang nichts Stehlenswertes in Ihrem Haus gefunden hat. Nein, wir sollten ihn wirklich nicht auf dumme Gedanken bringen, nicht wahr?«

Elinor holte tief Atem und versuchte, das Zittern ihrer Knie zu übersehen. »Nein. Nein, das wollen wir nicht«, sagte sie, drehte sich um – und ging in die Küche.

Der Falsche

»Und sie legte ihm das Heilkraut in den Mund – er schlief gleich ein. Sie deckte ihn behutsam zu. Er schlief den ganzen Tag hindurch …«
Dieter Kühn, Der Parzival des Wolfram von Eschenbach

Die Höhle war leer bis auf Resa und Mo, als sie kamen, zwei Frauen und vier Männer. Zwei der Männer hatten mit Wolkentänzer am Feuer gesessen: Rußvogel, der Feuerspucker, und der Zweifinger. Sein Gesicht sah bei Tageslicht nicht freundlicher aus, und auch die Übrigen blickten so feindselig drein, dass Resa unwillkürlich näher an Mo heranrückte.

Nur der Rußvogel schien verlegen.

Mo schlief, den unruhigen fiebrigen Schlaf, den er nun schon mehr als einen Tag lang schlief und der die Nessel sorgenvoll den Kopf schütteln ließ. Die sechs blieben nur wenige Schritte entfernt von ihm stehen. Sie versperrten Resa den Blick auf das Tageslicht, das von draußen hereinfiel.

Eine der Frauen trat vor die anderen. Sie war nicht sonderlich alt, aber ihre Finger waren verkrümmt wie die Klauen eines Vogels. »Er muss fort!«, sagte sie. »Heute noch. Er ist keiner von uns, ebenso wenig wie du.«

»Wie meinst du das?« Resas Stimme zitterte, sosehr sie sich auch bemühte, ruhig zu klingen. »Er kann nicht fort. Er ist noch zu schwach.«

Wenn doch nur die Nessel da gewesen wäre! Aber sie war fort, hatte irgendetwas von kranken Kindern gemurmelt – und einem Kraut, dessen Wurzel das Fieber vielleicht vertreiben würde. Vor der Nessel hätten die sechs Angst gehabt, Angst, Respekt, Scheu, während sie selbst für die Spielleute nur eine Fremde war, irgendeine verzweifelte Fremde mit einem todkranken Mann – auch wenn keiner hier ahnte, *wie* fremd sie in dieser Welt waren.

»Die Kinder … du musst uns verstehen!« Die andere Frau war noch sehr jung und sie war schwanger. Schützend hatte sie eine Hand auf den Bauch gelegt. »Einer wie er bringt unsere Kinder in Gefahr, und Martha hat recht, ihr gehört nicht mal zu uns. Dies ist der einzige Platz, an dem man uns bleiben lässt. Keiner jagt uns hier fort, doch wenn sie hören, dass der Eichelhäher hier ist, ist das vorbei. Sie werden sagen, dass wir ihn versteckt haben.«

»Aber er ist nicht der Eichelhäher! Ich hab es euch doch schon gesagt. Und wer sind ›sie‹?«

Mo flüsterte etwas im Fieber, seine Hand klammerte sich an Resas Arm.

Beruhigend strich sie ihm über die Stirn, zwang ihm einen Schluck von dem Sud über die Lippen, den die Nessel angerührt hatte. Ihre Besucher beobachteten sie schweigend.

»Als ob du das nicht wüsstest!«, sagte einer der Männer, ein großer hagerer Mann, den ein trockener Husten schüttelte. »Der Natternkopf sucht nach ihm. Er wird die Gepanzerten herschicken. Er wird uns alle aufhängen lassen, weil wir ihn hier verstecken.«

»Ich sage es euch noch mal!« Resa griff nach Mos Hand, hielt sie ganz fest. »Er ist kein Räuber oder sonst jemand aus euren Geschichten! Wir sind erst seit ein paar Tagen hier! Mein Mann bindet Bücher, das ist sein Handwerk, nichts sonst!«

Wie sie sie ansahen!

»Eine schlechtere Lüge hab ich selten gehört!« Der Zweifinger verzog den Mund. Er hatte eine hässliche Stimme. Den flickenbunten Kleidern nach zu urteilen, war er einer von denen, die auf den Märkten Komödie spielten, laut und derb, bis die Zuschauer sich allen Kummer vom Herzen gelacht hatten. »Was sollte ein Buchbinder mitten im Weglosen Wald bei Capricorns alter Festung suchen? Niemand geht freiwillig dorthin, wegen der Weißen Frauen und all der anderen Scheusale, die sich zwischen den Ruinen herumtreiben. Und Mortola, was sollte die mit einem Buchbinder zu schaffen haben? Warum sollte sie auf ihn schießen, mit irgendeiner Hexenwaffe, von der noch nie jemand gehört hat?«

Die anderen nickten zustimmend – und machten noch einen Schritt auf Mo zu. Was sollte sie tun? Was konnte sie sagen? Was nützte es, eine Stimme zu haben, wenn niemand zuhörte? »Mach dir nichts draus, dass du nicht sprechen kannst«, hatte Staubfinger oft zu ihr gesagt. »Die Leute hören eh nicht zu, oder?«

Vielleicht konnte sie um Hilfe rufen, aber wer sollte kommen? Wolkentänzer war mit der Nessel aufgebrochen, ganz früh am Morgen, die Blätter hatten noch rot geleuchtet von der aufgehenden Sonne, und die Frauen, die Resa zu essen brachten und sie manchmal an Mos Seite ablösten, damit sie für ein paar Stunden schlafen konnte – sie waren am nahen Fluss, um Wäsche zu waschen, mitsamt der Kinder. Dort draußen waren nur noch ein paar alte Männer, Männer, die hergekommen waren, weil sie die Menschen leid waren und auf den Tod warteten. Sie würden ihr kaum helfen.

»Wir werden ihn nicht an den Natternkopf ausliefern! Wir bringen ihn nur zurück, dorthin, wo die Nessel euch gefunden hat. Zu der verfluchten Festung.« Das war wieder der mit dem Husten.

Ein Rabe hockte auf seiner Schulter. Resa kannte solche Raben aus der Zeit, die sie auf den Märkten gesessen hatte, Urkunden und Bittbriefe schreibend – ihre Besitzer richteten sie ab, ein paar zusätzliche Münzen zu stehlen, während sie ihre Kunststücke vorführten.

»In den Liedern heißt es, der Eichelhäher schützt das Bunte Volk«, fuhr sein Besitzer fort. »Und die, die er getötet haben soll, haben unsere Frauen und Kinder bedroht. Wir wissen das zu schätzen und haben alle schon die Lieder über ihn gesungen, aber aufknüpfen lassen werden wir uns nicht für ihn.«

Sie hatten es längst entschieden. Sie würden Mo fortbringen. Resa wollte sie anschreien, aber sie hatte einfach keine Kraft mehr zum Schreien. »Es wird ihn töten, wenn ihr ihn zurückbringt!« Ihre Stimme war kaum lauter als ein Flüstern.

Es interessierte sie nicht, Resa sah es in ihren Augen. Wie auch?, dachte sie. Was würde sie tun, wären das dort draußen ihre Kinder? Sie erinnerte sich an einen Besuch des Natternkopfes auf Capricorns Festung, er hatte der Hinrichtung eines gemeinsamen Feindes beigewohnt. Seit diesem Tag wusste sie, wie ein Mensch aussah, der Vergnügen daran hatte, anderen Leid zuzufügen.

Die Frau mit den krummen Fingern kniete sich neben Mo und schob ihm den Ärmel hoch, bevor Resa es verhindern konnte. »Da, seht ihr?«, sagte sie triumphierend. »Er hat die Narbe, genau wie sie in den Liedern beschrieben ist – dort, wo die Hunde der Natter ihn gebissen haben.«

Resa stieß sie so heftig weg, dass sie den anderen vor die Füße fiel. »Die Hunde gehörten nicht dem Natternkopf. Sie gehörten Basta!«

Der Name ließ sie alle zusammenfahren. Aber fort gingen sie

trotzdem nicht. Der Rußvogel half der Frau auf die Füße und der Zweifinger trat näher zu Mo. »Los!«, sagte er zu den anderen. »Heben wir ihn hoch.« Sie traten alle an seine Seite. Nur der Feuerspucker zögerte.

»Bitte! So glaubt mir doch!« Resa stieß ihre Hände zurück. »Wie könnt ihr glauben, dass ich euch belüge? Was für ein Dank wäre das für eure Hilfe?«

Keiner beachtete sie. Der Zweifinger zog Mo die Decke weg, die die Nessel ihnen gegeben hatte. Es wurde nachts kalt in der Höhle.

»Ah, sieh an! Ihr besucht unsere Gäste. Das ist wirklich nett.«

Wie sie herumfuhren. Wie Kinder, die man bei einem bösen Streich ertappt hatte. Ein Mann stand im Höhleneingang. Für einen Moment dachte Resa, es sei Staubfinger, und fragte sich verwirrt, wie es möglich war, dass Wolkentänzer ihn so schnell hergebracht hatte. Doch dann sah sie, dass der Mann, den die sechs so schuldbewusst anstarrten, schwarz war. Alles an ihm war schwarz, sein langes Haar, seine Haut, seine Augen, selbst seine Kleider. Und neben ihm, fast einen Kopf größer, stand, ebenso schwarz wie sein Herr, ein Bär.

»Das sind bestimmt die Besucher, von denen die Nessel mir erzählt hat, nicht wahr?« Der Bär zog grunzend den Kopf ein, als er seinem Herrn in die Höhle folgte. »Sie sagt, dass sie einen alten und sehr guten Freund von mir kennen. Staubfinger. Natürlich habt ihr alle schon von ihm gehört, oder? Und ihr wisst sicherlich, dass seine Freunde schon immer auch meine Freunde waren. Für seine Feinde gilt natürlich dasselbe.«

Die sechs stolperten auseinander, fast eilfertig, als wollten sie dem Fremden den Blick auf Resa freigeben. Und der Feuerspucker lachte nervös. »Na so was, Prinz, was treibt dich denn hierher?«

»Oh, dies und das. Warum stehen draußen keine Wachen? Denkt ihr, den Kobolden schmecken unsere Vorräte nicht mehr?« Er schlenderte langsam auf sie zu, während sein Bär sich auf alle viere niederließ und ihm nachtappte, schnaufend, als gefiele die enge Höhle ihm nicht. Sie nannten ihn Prinz. Natürlich! Der Schwarze Prinz! Sie hatte seinen Namen auf dem Markt von Ombra gehört, von den Mägden auf Capricorns Festung, ja, selbst von Capricorns Männern. Zu Gesicht bekommen hatte sie ihn, damals, als Fenoglios Geschichte sie zum ersten Mal verschlungen hatte, dennoch nie. Ein Messerwerfer war er, Bärenzähmer … und Staubfingers Freund, seit die beiden kaum halb so alt wie Meggie gewesen waren.

Die anderen wichen zur Seite, als der Prinz mit seinem Bären zwischen sie trat, aber er beachtete sie nicht. Er blickte auf Resa herab. Drei Messer steckten in seinem bunt bestickten Gürtel, blank und schmal, obwohl es keinem Spielmann erlaubt war, Waffen zu tragen, »damit man sie ungestörter aufspießen kann!«, hatte Staubfinger oft gespottet.

»Willkommen im Geheimen Lager«, sagte der Schwarze Prinz, während sein Blick zu Mos blutigem Verband wanderte. »Staubfingers Freunde sind hier immer willkommen – auch wenn es gerade vielleicht nicht den Anschein hat.« Spöttisch musterte er die Umstehenden. Nur der Zweifinger erwiderte trotzig seinen Blick, dann senkte auch er den Kopf.

Der Prinz aber blickte wieder auf Resa herab. »Woher kennst du Staubfinger?«

Was sollte sie darauf antworten? Aus einer anderen Welt? Der Bär schnüffelte an dem Brot, das neben ihr lag. Der heiße Raubtieratem ließ sie schaudern. Sag die Wahrheit, Resa, dachte sie. Du musst ja nicht erzählen, in welcher Welt sie sich zugetragen hat.

»Ich war Magd bei den Brandstiftern, einige Jahre lang«, sagte sie. »Ich bin weggelaufen, aber eine Schlange hat mich gebissen. Staubfinger hat mich gefunden und mir geholfen. Ohne ihn wäre ich gestorben.« Er hat mich versteckt, setzte sie in Gedanken hinzu, aber sie haben mich bald gefunden, Basta und die anderen, und ihn halb totgeschlagen.

»Was ist mit deinem Mann? Ich höre, er ist keiner von uns.« Die schwarzen Augen forschten in ihrem Gesicht. Sie schienen geübt darin, Lügen zu entdecken.

»Sie sagt, er ist Buchbinder, aber wir wissen es besser!« Der Zweifinger spuckte verächtlich aus.

»Was wisst ihr?« Der Prinz blickte sie an und sie schwiegen.

»Er ist Buchbinder! Bringt ihm Papier, Leim und Leder, und er wird es euch beweisen, wenn es ihm besser geht.« Nicht weinen, Resa, dachte sie. Du hast genug geweint in den letzten Tagen.

Der Hagere hustete schon wieder.

»Gut, ihr habt sie gehört.« Der Prinz hockte sich neben ihr auf den Boden. »Die beiden bleiben hier, bis Staubfinger kommt, um ihre Geschichte zu bestätigen. Er wird uns schon sagen, ob das da nur ein harmloser Buchbinder oder dieser Räuber ist, von dem ihr immer faselt. Staubfinger kennt ihn doch, deinen Mann, oder?«

»O ja«, erwiderte Resa leise. »Er kennt ihn, länger noch als mich.«

Mo wandte den Kopf. Er flüsterte Meggies Namen.

»Meggie? Ist das dein Name?« Der Prinz stieß die Schnauze seines Bären weg, als er wieder an dem Brot schnupperte.

»Es ist der Name unserer Tochter.«

»Ihr habt eine Tochter? Wie alt ist sie?« Der Bär rollte sich auf den Rücken und ließ sich den Bauch kraulen wie ein Hund.

»Dreizehn.«

»Dreizehn? Fast so alt wie die von Staubfinger.«

Staubfingers Tochter? Er hatte ihr nie von einer Tochter erzählt.

»Was steht ihr noch da herum?«, herrschte der Prinz die anderen an. »Bringt frisches Wasser! Seht ihr nicht, wie er fiebert?«

Die beiden Frauen hasteten davon, erleichtert, wie es Resa schien, dass er ihnen einen Anlass gab, die Höhle zu verlassen. Die Männer aber blieben unschlüssig stehen.

»Was, wenn er es doch ist, Prinz?«, fragte der Hagere. »Was, wenn der Natternkopf von ihm erfährt, bevor Staubfinger hier ist?« Er hustete so heftig, dass er sich die Hand gegen die Brust presste.

»Wenn er was ist? Der Eichelhäher? Unsinn! Den gibt es vermutlich gar nicht. Und selbst wenn! Seit wann liefern wir die aus, die auf unserer Seite sind? Was ist, wenn die Lieder wahr sind, wenn er eure Frauen beschützt hat, eure Kinder ...«

»Die Lieder sind nie wahr.« Die Brauen des Zweifingers waren so dunkel, als hätte er sie mit Ruß geschwärzt. »Vermutlich ist er nicht besser als andere Wegelagerer, ein goldgieriger Totschläger, nichts weiter ...«

»Vielleicht, vielleicht auch nicht«, gab der Schwarze Prinz zurück. »Ich seh nur einen Verwundeten und eine Frau, die um Hilfe bittet.«

Die Männer schwiegen. Doch die Blicke, die sie Mo zuwarfen, waren immer noch feindselig.

»Verschwindet jetzt. Nun macht schon!«, fuhr der Prinz sie an. »Wie soll es ihm besser gehen, wenn ihr ihn so anstarrt. Oder glaubt ihr, dass seiner Frau an eurer hässlichen Gesellschaft liegt? Macht euch nützlich, es gibt genug Arbeit draußen.«

Sie gingen tatsächlich. Mürrisch schlenderten sie davon, wie Männer, die nicht erledigt hatten, wozu sie gekommen waren.

»Er ist es nicht!«, flüsterte Resa, als sie fort waren.

»Vermutlich nicht!« Der Prinz strich seinem Bären über die runden Ohren. »Aber ich fürchte, die da draußen sind vom Gegenteil überzeugt. Und die Natter hat eine hohe Belohnung auf den Kopf des Eichelhähers ausgesetzt.«

»Eine Belohnung?« Resa sah zum Höhleneingang. Zwei der Männer standen immer noch davor. »Sie werden zurückkommen«, flüsterte sie. »Und versuchen, ihn doch noch fortzubringen.«

Aber der Schwarze Prinz schüttelte den Kopf.

»Nicht, solange ich hier bin. Und ich bleibe, bis Staubfinger kommt. Die Nessel hat gesagt, du hast ihm eine Nachricht geschickt, also wird er wohl bald hier sein und ihnen sagen, dass du nicht lügst. Oder?«

Die Frauen kehrten mit einer Schüssel Wasser zurück. Resa tauchte einen Fetzen Stoff hinein und kühlte Mo die Stirn. Die Schwangere beugte sich über sie und legte ihr ein paar getrocknete Blumen in den Schoß. »Hier«, flüsterte sie ihr zu. »Leg ihm die aufs Herz. Das bringt Glück.«

Resa strich den Blumen über die strohigen Köpfe.

»Sie gehorchen dir«, sagte sie, als die Frauen wieder fort waren. »Warum?«

»Weil sie mich zu ihrem König gewählt haben«, antwortete der Schwarze Prinz. »Und weil ich ein sehr guter Messerwerfer bin.«

Feentod

Und in das alles fern hinauszuschauen:
Männer und Frauen, Männer, Männer, Frauen
und Kinder, welche anders sind und bunt;
Rainer Maria Rilke, Kindheit

Staubfinger wollte Farid zuerst nicht glauben, als er ihm erzählte, was er in Fenoglios Kammer gesehen und gehört hatte. Nein, so verrückt konnte doch nicht einmal der Alte sein, dass er sich anmaßte, dem Tod ins Handwerk zu pfuschen. Doch dann, noch am selben Tag, berichteten ein paar Frauen, die bei Roxane Kräuter kauften, dasselbe wie der Junge: dass Cosimo der Schöne zurückgekehrt war, zurück von den Toten.

»Die Frauen sagen, die Weißen Frauen hätten sich so sehr in ihn verliebt, dass sie ihn schließlich wieder hätten ziehen lassen«, sagte Roxane. »Und die Männer sagen, er hätte sich eine Weile vor seiner hässlichen Frau versteckt.«

Verrückte Geschichten, aber nicht halb so verrückt wie die Wahrheit, dachte Staubfinger.

Von Brianna hatten die Frauen nichts zu berichten gewusst. Dass sie auf der Burg war, gefiel ihm nicht. Keiner wusste, was dort als Nächstes geschehen würde. Angeblich war der Pfeifer noch immer in Ombra, mit einem halben Dutzend Gepanzerter. Die Übrigen hatte Cosimo vor die Stadtmauern verbannt. Sie warteten auf die Ankunft ihres Herrn. Denn so hieß es überall: Der Natternkopf würde selbst kommen, um sich diesen von den

Toten auferstandenen Fürsten anzusehen. Er würde sich nicht so leicht damit abfinden, dass Cosimo seinem Enkel den Thron wieder fortnahm.

»Ich werde selbst hinreiten und nachsehen, wie es ihr geht«, sagte Roxane. »Dich lassen sie vermutlich nicht mal durchs Äußere Tor. Aber du kannst etwas anderes für mich erledigen.«

Die Frauen waren nicht nur der Kräuter und des Tratsches über Cosimo wegen gekommen. Sie hatten Roxane eine Bestellung überbracht – von der Nessel, die in Ombra war, um bei den Färbern zwei kranke Kinder zu behandeln. Eine Feentod-Wurzel brauchte sie, gefährliche Medizin, denn sie tötete ebenso oft, wie sie heilte. Für welchen armen Teufel sie die Wurzel brauchte, hatte die Alte nicht gesagt. »Für irgendeinen Verletzten im Geheimen Lager, die Nessel will noch heute dorthin zurück. Und da ist noch etwas … Wolkentänzer ist mit ihr gekommen, er soll eine Nachricht für dich haben.«

»Eine Nachricht? Für mich?«

»Ja. Von einer Frau.« Roxane sah ihn einen Augenblick lang an, dann ging sie ins Haus, um die Wurzel zu holen.

»Du gehst nach Ombra?« Farid stand so plötzlich hinter Staubfinger, dass er zusammenschrak.

»Ja, und Roxane reitet auf die Burg«, sagte er, »also bleibst du hier und hast ein Auge auf Jehan.«

»Und wer passt auf dich auf?«

»Auf mich?«

»Ja.« Wie er ihn ansah. Ihn – und den Marder. »Damit es nicht geschieht.« Farid sprach so leise, dass Staubfinger ihn kaum verstand. »Das, was in dem Buch steht.«

»Ah, das.« Wie besorgt der Junge ihn musterte. Als könnte er im nächsten Moment tot umfallen. Staubfinger musste sich ein Lächeln verkneifen, obwohl es um seinen Tod ging. »Hat Meggie dir davon erzählt?«

Farid nickte.

»Na gut. Vergiss es, hörst du? Die Worte sind geschrieben. Vielleicht werden sie wahr, vielleicht nicht.«

Aber Farid schüttelte den Kopf, so heftig, dass das schwarze Haar ihm in die Stirn fiel. »Nein!«, sagte er. »Nein, sie werden nicht wahr werden! Ich schwör's. Ich schwör's bei den Dschinn, die nachts in der Wüste heulen, und bei den Geistern, die die Toten fressen, ich schwör's bei allem, was ich fürchte!«

Staubfinger sah ihn nachdenklich an. »Verrückter Kerl!«, sagte er. »Aber der Schwur gefällt mir. Lassen wir Gwin also besser hier, damit du ihn halten kannst!«

Gwin gefiel das nicht. Er biss Staubfinger in die Hand, als er ihn an die Kette legte, schnappte nach seinen Fingern – und keckerte nur noch zorniger, als Schleicher sich in seinen Rucksack zwängte.

»Du nimmst den neuen Marder mit und der alte muss an die Kette?«, fragte Roxane, als sie ihnen die Wurzel für die Nessel brachte.

»Ja. Weil jemand behauptet hat, dass er mir Unglück bringt.«

»Seit wann glaubst du denn an so etwas?«

Ja, seit wann?

Seit ich einen alten Mann getroffen habe, der behauptet, dich und mich erfunden zu haben, dachte Staubfinger. Gwin fauchte immer noch, er hatte den Marder selten so wütend gesehen. Wortlos löste er die Kette wieder von seinem Halsband. Und ignorierte Farids erschrockenen Blick.

Auf dem ganzen Weg nach Ombra hockte Gwin auf Farids Schultern, als wollte er Staubfinger zeigen, dass er ihm noch nicht verziehen hatte. Und sobald Schleicher die Nase aus seinem Rucksack schob, entblößte Gwin die Zähne und knurrte so bedrohlich, dass Farid ihm ein paar Mal das Maul zuhielt.

Die Galgen vorm Stadttor waren leer, nur ein paar Raben hockten auf den Balken. Noch immer sprach die Hässliche Recht in Ombra, wie sie es schon zu Lebzeiten des Speckfürsten getan hatte, trotz Cosimos Rückkehr, und sie hielt nicht viel vom Aufhängen, vielleicht, weil sie als Kind zu viele Männer an einem Strick hatte baumeln sehen, mit blauen Zungen und aufgedunsenen Gesichtern.

»Hör zu«, sagte Staubfinger zu Farid, als sie zwischen den Galgen stehen blieben, »während ich der Nessel die Wurzel bringe und Wolkentänzer nach der Nachricht frage, die er angeblich für mich hat, holst du Meggie her. Ich muss mit ihr reden.«

Farid wurde rot, aber er nickte. Staubfinger musterte spöttisch sein Gesicht. »Was ist das? Ist an dem Abend, an dem du bei ihr warst, noch etwas anderes passiert als Cosimos Rückkehr von den Toten?«

»Das geht dich nichts an!«, murmelte Farid und verfärbte sich nur noch mehr.

Ein Bauer trieb fluchend einen mit Fässern beladenen Karren auf das Stadttor zu. Die Ochsen stellten sich quer und die Wachen griffen ungeduldig in die Zügel.

Staubfinger nutzte die Gelegenheit und schob sich mit Farid an ihnen vorbei. »Bring Meggie trotzdem her«, sagte er, als sie sich hinter dem Tor trennten. »Aber verlauf dich nicht vor lauter Liebe.«

Er sah dem Jungen nach, bis er zwischen den Häusern verschwunden war. Kein Wunder, dass Roxane ihn für seinen Sohn hielt. Manchmal hatte er sein Herz in Verdacht, dass es dasselbe tat.

Wolkentänzers Nachricht

Ja, meine Liebste,
Unsere Welt blutet
Von mehr Schmerz als nur dem Schmerz der Liebe.
Faiz Ahmed Faiz, The Love I Gave you Once

Es gab kaum einen schlimmeren Gestank auf der Welt als den, der aus den Kübeln der Färber stieg. Staubfinger zog der beißende Geruch schon in die Nase, als er sich noch durch die Gasse schob, in der die Schmiede ihrem Handwerk nachgingen. Kesselschmiede, Hufschmiede und da, auf der anderen Seite, die Waffenschmiede, angesehener als ihre Standesgenossen und entsprechend eingebildet. Der Lärm all der Hämmer, die auf glühendes Eisen einschlugen, war fast ebenso schlimm wie der Gestank, der aus der Färbergasse zog. Ihre ärmlichen Häuser lagen im entlegensten Winkel von Ombra. Kein Ort duldete ihre stinkenden Kübel in der Nähe der besseren Viertel. Aber gerade als Staubfinger auf das Tor zuschritt, das ihre Gasse vom Rest des Ortes trennte, rempelte ihn ein Mann an, der aus der Werkstatt eines Waffenschmieds trat.

Der Pfeifer. Er war unschwer zu erkennen an seiner Silbernase, auch wenn Staubfinger sich noch an die Tage erinnerte, in denen eine Nase aus Fleisch und Blut an ihrer Stelle gesessen hatte. Was hast du wieder für ein Glück, Staubfinger!, dachte er, während er den Kopf abwendete und versuchte, sich rasch an Capricorns Spielmann vorbeizuschieben. Von allen Männern in dieser Welt muss dir gerade dieser Bluthund über den Weg laufen. Er hoffte schon fast, der Pfeifer hätte nicht bemerkt, mit wem er da zusammengestoßen war, doch gerade als er glaubte, an ihm vorbei zu sein, griff die Silbernase nach seinem Arm und riss ihn herum.

»Staubfinger!«, sagte er mit seiner gepressten Stimme, die früher so anders geklungen hatte. An zu süße Kuchen hatte sie Staubfinger immer erinnert. Capricorn hatte keiner Stimme lieber gelauscht, und das Gleiche galt für die Lieder, die er gesungen hatte. Der Pfeifer schrieb wunderbare Lieder über Brandstiftung und Mord, so wunderbare Lieder, dass sie einen fast glauben machten, es gäbe keine edlere Beschäftigung als das Hälsedurchschneiden. Ob er für den Natternkopf dieselben Lieder sang – oder waren sie zu grob gestrickt für die silbernen Hallen der Nachtburg?

»Nun seht euch das an. Ich glaube fast, neuerdings kommt jeder von den Toten zurück«, sagte der Pfeifer, während die zwei Gepanzerten, die er bei sich hatte, sehnsüchtig die Waffen musterten, die vor den Werkstätten der Schmiede ausgestellt waren. »Ich dachte eigentlich, Basta hätte dich vor Jahren schon verscharrt und vorher in Scheiben geschnitten. Weißt du, dass er auch zurück ist? Er und die Alte, Mortola, du erinnerst dich bestimmt an sie. Der Natternkopf hat sie mit Freuden bei sich aufgenommen. Nun ja, du weißt, er hat ihre tödlichen Kochkünste schon immer geschätzt.«

Staubfinger verbarg die Furcht, die sich in seinem Herzen breitmachte, hinter einem Lächeln. »Sieh an, der Pfeifer«, sagte er. »Die neue Nase passt gut zu dir, viel besser als die alte. Sie sagt jedem, wer dein neuer Herr ist und dass sie einem Spielmann gehört, der für Silber zu kaufen ist.«

Die Augen des Pfeifers hatten sich nicht verändert. Blassgrau waren sie, wie der Himmel an einem Regentag, und musterten ihn so starr wie die eines Vogels. Von Roxane wusste Staubfinger, wie er seine Nase eingebüßt hatte. Ein Mann hatte sie ihm abgeschnitten dafür, dass er seine Tochter verführt hatte mit seinen finsteren Liedern.

»Du hast immer noch eine gefährlich scharfe Zunge, Staubfinger«, sagte er. »Es wird Zeit, dass sie dir endlich jemand herausschneidet. Hat das nicht schon einmal jemand versucht und du bist nur davongekommen, weil der Schwarze Prinz und sein Bär dich beschützt haben? Passen die zwei etwa immer noch auf dich auf? Ich seh sie gar nicht.« Suchend sah er sich um.

Staubfinger warf den beiden Gepanzerten einen schnellen Blick zu. Jeder war mindestens einen Kopf größer als er. Was würde Farid sagen, wenn er mich jetzt sehen würde?, dachte er. Dass ich ihn lieber hätte bei mir behalten sollen, damit er seinen Schwur halten kann? Der Pfeifer trug ein Schwert, natürlich. Seine Hand lag schon am Knauf. Offenbar hielt er sich ebenso wenig wie der Schwarze Prinz an das Gesetz, das Spielleuten Waffen verbot. Wie gut, dass die Schmiede so laut hämmern!, dachte Staubfinger. Sonst würde man vermutlich hören, wie laut mein Herz vor Angst klopft.

»Ich muss weiter«, sagte er so gleichgültig wie möglich. »Grüß Basta von mir, wenn du ihn siehst, und das mit dem Verscharren kann er ja noch nachholen.« Er drehte sich um, einen Versuch war es wert, aber der Pfeifer hielt seinen Arm fest.

»Natürlich, da ist ja auch dein Marder!«, zischte er.

Staubfinger spürte Schleichers feuchte Schnauze an seinem Ohr. Es ist der falsche Marder, versuchte er, sein rasendes Herz zu beruhigen. Der falsche. Aber hatte Fenoglio Gwins Namen überhaupt erwähnt, als er seinen Tod inszenierte? Er konnte sich beim besten Willen nicht erinnern. Ich werde Basta bitten müssen, mir das Buch noch einmal zu geben, damit ich nachsehen kann, dachte er bitter. Mit einer Handbewegung scheuchte er Schleicher zurück in den Rucksack. Besser nicht darüber nachdenken.

Der Pfeifer hielt immer noch seinen Arm gepackt. Er trug Handschuhe aus hellem Leder, fein gesteppt wie die einer Frau. »Der Natternkopf wird bald hier sein«, raunte er Staubfinger zu. »Die Nachricht von seinem wundersam wieder zum Leben erwachten Schwiegersohn hat ihm gar nicht gefallen. Er hält das Ganze für einen bösen Mummenschanz, der seinen schutzlosen Enkel um den Thron betrügen soll.«

Vier Wachen kamen die Gasse herunter, Wachen in den Farben des Speckfürsten. Cosimos Farben. Noch nie waren Staubfinger Bewaffnete so sehr willkommen gewesen.

Der Pfeifer ließ seinen Arm los. »Wir sehen uns wieder«, zischte er ihm zu mit seiner nasenlosen Stimme.

»Vermutlich«, antwortete Staubfinger nur. Dann schob er sich schnell zwischen ein paar zerlumpte Jungen, die mit großen Augen vor einem Schwert standen, drängte sich an einer Frau vorbei, die einem der Schmiede ihren löchrigen Kessel hinhielt, und verschwand durch das Tor der Färber.

Niemand kam ihm nach. Niemand packte ihn noch einmal und zog ihn zurück. Staubfinger, du hast zu viele Feinde!, dachte er und ging erst langsamer, als er zu den Bottichen kam, aus denen die Dämpfe der Färberjauche stiegen. Auch über dem Bach hingen sie, der die stinkende Brühe unter der Stadtmauer hindurch und hinunter zum Fluss trug. Kein Wunder, dass man die Nixen nur oberhalb der Stelle fand, an der der Bach in den Fluss mündete.

Im zweiten Haus, an dessen Tür Staubfinger klopfte, wusste man, wo er die Nessel finden konnte. Die Frau, zu der man ihn schickte, hatte verweinte Augen und ein kleines Kind auf dem Arm. Wortlos winkte sie ihn ins Haus, wenn man es ein Haus nennen wollte. Die Nessel beugte sich über ein Mädchen, die Wangen rot, die Augen glasig. Als sie Staubfinger bemerkte, richtete sie sich mit mürrischer Miene auf.

»Roxane hat mich gebeten, dir das hier zu bringen!«

Sie warf einen kurzen Blick auf die Wurzel, presste die schmalen Lippen aufeinander – und nickte.

»Was hat das Mädchen?«, fragte er. Die Mutter hatte sich wieder ans Bett gesetzt.

Die Nessel zuckte die Schultern. Sie schien dasselbe moosgrüne Gewand zu tragen wie vor zehn Jahren – und ganz offenbar konnte sie ihn immer noch ebenso wenig leiden wie damals.

»Ein böses Fieber, aber sie wird es überleben«, erwiderte sie. »Es ist nicht halb so schlimm wie das, an dem deine Tochter starb … während ihr Vater sich die Welt ansah!« Ins Gesicht blickte sie ihm, während sie das sagte, als wollte sie sichergehen, dass ihre Worte geschmerzt hatten, aber Staubfinger wusste, wie man Schmerzen verbarg. Er verstand sich fast ebenso gut darauf wie auf das Spiel mit dem Feuer.

»Die Wurzel ist gefährlich«, sagte er.

»Denkst du, das musst du mir erklären?« Die Alte musterte ihn so verärgert, als hätte er sie beschimpft. »Die Wunde, die sie heilen soll, ist es auch. Er ist kräftig, sonst wäre er längst tot.«

»Kenne ich ihn?«

»Du kennst seine Frau.«

Wovon redete die Alte? Staubfinger sah zu dem kranken Kind hinüber. Sein kleines Gesicht war rot vom Fieber.

»Ich hab gehört, dass Roxane dich wieder in ihr Bett gelassen hat«, sagte die Nessel, »sag ihr, sie ist dümmer, als ich dachte. Und jetzt geh hinters Haus. Wolkentänzer ist dort, er wird dir mehr über die Frau sagen können. Sie hat ihm eine Nachricht für dich mitgegeben.«

Wolkentänzer stand neben einem verkrüppelten Oleanderbusch, der zwischen den Färberhütten wuchs.

»Das arme Kind, hast du es gesehen?«, fragte er, als Staubfinger auf ihn zutrat. »Ich kann es einfach nicht sehen, wenn sie krank sind. Und die Mütter … man denkt, sie weinen sich die Augen aus dem Kopf. Ich erinnre mich noch, wie Roxane –« Er brach abrupt ab. »Entschuldige«, murmelte er und schob die Hand unter seinen schmutzigen Kittel, »ich hab ganz vergessen, dass es auch dein Kind war. Hier, das ist für dich.« Er zog einen Zettel unter dem Kittel hervor, Papier, so fein und lilienweiß, wie Staubfinger es in dieser Welt noch nie gesehen hatte. »Eine Frau hat mir das für dich gegeben. Die Nessel hat sie und ihren Mann im Wald gefunden, bei Capricorns alter Festung, und sie ins Geheime Lager gebracht. Der Mann ist verwundet, ziemlich schlimm.«

Zögernd faltete Staubfinger das Papier auseinander. Er erkannte die Handschrift sofort.

»Sie sagt, sie kennt dich. Ich hab ihr gesagt, dass du nicht lesen kannst, aber –«

»Ich kann lesen«, unterbrach Staubfinger ihn. »Sie hat's mir beigebracht.«

Wie kam sie hierher? Das war das Einzige, was er denken konnte, während Resas Buchstaben vor seinen Augen tanzten. Das Papier war so zerknittert, dass es mühsam war, die Worte zu entziffern. Nicht, dass ihm das Lesen je leichtgefallen wäre …

»Ja, das hat sie auch gesagt: ›Ich hab's ihm beigebracht.‹« Wolkentänzer blickte ihn neugierig an. »Woher kennst du die Frau?«

»Das ist eine lange Geschichte.« Er schob den Zettel in seinen Rucksack. »Ich muss los«, sagte er.

»Wir gehen heute noch zurück, die Nessel und ich!«, rief Wolkentänzer ihm nach. »Soll ich der Frau etwas ausrichten?«

»Ja. Sag ihr, ich bring ihr ihre Tochter.«

In der Gasse der Schmiede standen immer noch Cosimos Soldaten. Sie begutachteten ein Schwert, unerschwinglich für einen einfachen Soldaten. Von dem Pfeifer war nichts zu entdecken. Aus den Fenstern hingen bunte Stoffstreifen auf die Gasse, Ombra feierte die Rückkehr seines toten Fürsten – aber Staubfinger war nicht nach Feiern zumute. Die Worte in seinem Rucksack wogen schwer. Auch wenn er zugeben musste, dass es ihn mit bitterer Genugtuung erfüllte, dass Zauberzunge mit dieser Welt offenbar noch weniger Glück hatte, als ihm in der seinen zuteil geworden war. Wusste er nun, wie es sich anfühlte, in der falschen Geschichte zu stecken? Oder hatte er gar keine Zeit gehabt, irgendetwas zu fühlen, bevor Mortola auf ihn geschossen hatte?

Auf der Gasse, die zur Burg hochführte, drängten sich die Menschen wie an einem Markttag. Staubfinger blickte hinauf zu den immer noch schwarz beflaggten Türmen. Was dachte seine Tochter darüber, dass der Mann ihrer Herrin zurück war? Selbst wenn du sie fragen würdest, sie würde es dir nicht sagen!, dachte er, während er sich wieder dem Tor zuwandte. Es wurde Zeit fortzukommen. Bevor er dem Pfeifer noch einmal über den Weg lief. Oder gar seinem Herrn …

Meggie wartete schon mit Farid unter den leeren Galgen. Der Junge flüsterte ihr etwas zu und sie lachte. Feuer und Asche!, dachte Staubfinger. Sieh dir an, wie glücklich die zwei aussehen, und du musst wieder mal der Überbringer schlechter Nachrichten sein. Warum immer du? Ganz einfach, gab er sich selbst zur Antwort. Weil sie besser zu deinem Gesicht passen als die guten.

Tintenmedizin

> Die Erinnerung an meinen Vater ist eingewickelt
> In weißes Papier, wie ein Brot, das man mit zur Arbeit nimmt.
> So wie ein Zauberer Tücher und Kaninchen
> Hervorzieht aus seinem Hut, entlockte er seinem schmalen Körper Liebe.
> *Yehuda Amichai, My Father*

Meggie hörte auf zu lachen, sobald sie Staubfinger auf sich zukommen sah. Warum war sein Gesicht so ernst? Farid hatte doch gesagt, dass er glücklich war. War es ihr Anblick, der ihn so grimmig dreinschauen ließ? War er böse auf sie, weil sie ihm in seine Geschichte gefolgt war und mit ihrem Gesicht an Jahre erinnerte, die er bestimmt vergessen wollte? »Worüber will er mit mir sprechen?«, hatte sie Farid gefragt. »Wahrscheinlich über Fenoglio«, hatte er geantwortet, »und über Cosimo. Er will wissen, was der Alte vorhat!« Als ob sie Staubfinger das hätte sagen können …

Als er vor ihr stehen blieb, war auf seinem Gesicht keine Spur des Lächelns zu entdecken, von dem sie sich so oft gefragt hatte, was es bedeutete.

»Hallo, Meggie«, sagte er. Aus seinem Rucksack blinzelte schläfrig ein Marder, aber es war nicht Gwin. Der saß auf Farids Schultern und fauchte, als die Nase seines Artgenossen sich über Staubfingers Schulter zeigte.

»Hallo«, antwortete sie verlegen. »Wie geht es dir?«

Es fühlte sich seltsam an, ihn wiederzusehen. Sie spürte Freude und Misstrauen zugleich.

Hinter ihnen strömten die Menschen auf das Stadttor zu, unentwegt, Bauern, Händler, Gaukler, Bettler, alle, die von Cosimos Rückkehr gehört hatten. Die Neuigkeiten wanderten schnell in dieser Welt, auch wenn es weder Telefon noch Zeitung gab und nur die Reichen Briefe schrieben.

»Gut. Ja, wirklich gut!« Nun lächelte er doch und keineswegs so rätselhaft, wie er es sonst immer getan hatte. Ja, Farid hatte nicht gelogen. Staubfinger war glücklich. Es schien ihn fast verlegen zu machen. Sein Gesicht sah so viel jünger aus, trotz der Narben, doch dann plötzlich wurde es wieder ernst. Der andere Marder sprang zur Erde, als sein Herr sich den Rucksack von der Schulter zog und ein Stück Papier hervorzog.

»Eigentlich wollte ich mit dir über Cosimo reden, unseren so überraschend vom Tod zurückgekehrten Fürsten«, sagte er, während er das zerknitterte Papier auseinanderfaltete. »Aber nun muss ich dir wohl zuerst das hier zeigen.«

Verwirrt nahm Meggie den Zettel entgegen. Als sie die Handschrift darauf sah, blickte sie Staubfinger ungläubig an. Wie kam er an einen Brief von ihrer Mutter? Hier, in dieser Welt?

Aber Staubfinger sagte nur: »Lies.« Und Meggie las. Die Wörter legten sich ihr um den Hals wie eine Schlinge, die sich mit jedem Wort enger zog, bis sie kaum noch atmen konnte.

»Was ist?«, fragte Farid beunruhigt. »Was steht da?« Er sah Staubfinger an, aber der antwortete nicht.

Meggie aber starrte auf Resas Worte. »Mortola hat auf Mo … geschossen?«

Hinter ihnen drängten sich die Menschen, um Cosimo zu sehen, den nagelneuen Cosimo, doch was interessierte sie das? Nichts interessierte sie mehr. Nur eines wollte sie wissen.

»Wieso«, verzweifelt sah sie Staubfinger an, »wieso sind sie hier? Und wie geht es Mo? Es ist doch nicht schlimm, oder?«

Staubfinger wich ihrem Blick aus. »Ich weiß auch nur, was dort steht«, sagte er. »Dass Mortola auf deinen Vater geschossen hat, dass Resa mit ihm im Geheimen Lager ist und ich dich suchen soll. Ein Freund hat mir ihren Zettel gebracht. Er kehrt heute noch in das Lager zurück, zusammen mit der Nessel. Sie –«

»Die Nessel? Resa hat mir von ihr erzählt!«, unterbrach Meggie ihn. »Sie ist eine Heilerin, eine sehr gute ... sie wird Mo gesund machen, oder?«

»Sicher«, sagte Staubfinger, aber er sah sie immer noch nicht an.

Farids Blick wanderte verwirrt von ihm zu Meggie. »Mortola hat auf Zauberzunge geschossen?«, stammelte er. »Dann ist die Wurzel für ihn! Aber du hast gesagt, sie ist gefährlich!«

Staubfinger warf ihm einen warnenden Blick zu – und Farid verstummte.

»Gefährlich?«, flüsterte Meggie. »Was ist gefährlich?«

»Nichts, gar nichts. Ich werd dich zu ihnen bringen. Gleich jetzt.« Staubfinger warf sich den Rucksack über die Schulter. »Geh zu Fenoglio und sag ihm, dass du ein paar Tage fortbleibst. Sag, dass Farid und ich bei dir sind. Vermutlich wird ihn das nicht sonderlich beruhigen, aber was soll's? Erzähl nicht, wo wir hingehen, und auch nicht, warum! Neuigkeiten reisen schnell in diesen Hügeln, und Mortola«, fügte er mit gesenkter Stimme hinzu, »erfährt wohl besser nicht, dass dein Vater noch lebt. Das Lager, in dem er ist, kennen nur Spielleute, sie alle mussten schwören, den Ort niemandem zu verraten, der nicht zu uns gehört. Aber trotzdem …«

»… Schwüre werden gebrochen!«, beendete Meggie seinen Satz.

»Du sagst es.« Staubfinger blickte zum Stadttor hinüber. »Geh jetzt. Es wird nicht leicht, durch das Gedränge zu kommen, aber beeil dich trotzdem. Sag dem Alten, es lebt eine Spielfrau drüben auf dem Hügel, er …«

»Er weiß, wer Roxane ist«, unterbrach Meggie ihn.

»Natürlich!« Diesmal war Staubfingers Lächeln bitter. »Ich vergesse immer wieder, dass er alles über mich weiß. Also, er soll Roxane Bescheid geben, dass ich ein paar Tage fortmuss. Und er soll ein Auge auf meine Tochter haben. Wer sie ist, weiß er vermutlich auch, oder?«

Meggie nickte nur.

»Gut«, fuhr Staubfinger fort. »Dann richte dem Alten noch etwas aus: Sollte auch nur eins seiner verfluchten Wörter dafür sorgen, dass Brianna zu Schaden kommt, dann wird er es bitter bereuen, jemanden erschaffen zu haben, der das Feuer rufen kann.«

»Ich sag es ihm!«, flüsterte Meggie. Dann lief sie davon. Sie stieß und drängte sich durch die Menschen, die wie sie in die Stadt wollten. Mo!, dachte sie. Mortola hat auf Mo geschossen. Und ihr Traum kam zurück, ihr roter Traum.

Fenoglio stand am Fenster, als Meggie in seine Kammer stolperte.

»Himmel, wie siehst du denn aus?«, fragte er. »Hab ich dir nicht gesagt, du sollst nicht da raus, während all das Volk sich zwischen den Häusern drängt? Aber dieser Junge braucht wohl nur zu pfeifen und du springst wie ein dressiertes Hündchen!«

»Lass das!«, fuhr Meggie ihn an, so barsch, dass Fenoglio tatsächlich verstummte. »Du musst mir etwas schreiben. Schnell, bitte!«

Sie zerrte ihn an seinen Tisch, auf dem Rosenquarz leise vor sich hin schnarchte.

»Schreiben, was?« Verwirrt ließ Fenoglio sich auf seinen Stuhl sinken.

»Mein Vater«, stammelte Meggie, während sie mit zitternden Fingern eine der frisch gespitzten Federn aus dem Krug zog. »Er ist hier, aber Mortola hat auf ihn geschossen. Es geht ihm schlecht! Staubfinger wollte es mir nicht sagen, aber ich hab es ihm angesehen, also bitte, schreib etwas, irgendetwas, das ihn wieder gesund macht. Er ist im Wald, in einem geheimen Lager der Spielleute. Mach schnell, bitte!«

Fenoglio sah sie fassungslos an. »Geschossen, auf deinen Vater? Und er ist hier? Warum? Ich versteh das nicht!«

»Du musst es nicht verstehen!«, rief Meggie verzweifelt. »Du sollst ihm nur helfen. Staubfinger will mich zu ihm bringen. Ich werd ihn gesund lesen, verstehst du? Er ist doch jetzt in deiner Geschichte, du kannst sogar die Toten zurückholen, warum sollst du da nicht auch eine Wunde heilen können? Bitte!« Sie tunkte die Feder in die Tinte und drückte sie ihm in die Hand.

»Himmel, Meggie!«, murmelte Fenoglio. »Das ist schlimm, aber … ich weiß beim besten Willen nicht, was ich da schreiben soll. Ich weiß ja nicht mal, wo er ist. Wenn ich wenigstens wüsste, wie es dort aussieht …«

Meggie starrte ihn an. Und plötzlich flossen die Tränen, die sie die ganze Zeit zurückgehalten hatte. »Bitte!«, flüsterte sie. »Versuch es einfach! Staubfinger wartet. Er wartet draußen vorm Tor.«

Fenoglio blickte sie an – und nahm ihr die Feder sanft aus der Hand.

»Ich versuch es«, sagte er heiser. »Du hast recht, dies ist meine Geschichte. In der anderen Welt hätte ich ihm nicht helfen können, aber hier geht es vielleicht wirklich …«

»Geh ans Fenster!«, befahl er, als sie ihm zwei Bögen Pergament gebracht hatte. »Schau nach draußen, guck dir die Menschen an oder die Vögel am Himmel, lenk dich irgendwie ab. Nur sieh nicht mich an, sonst kann ich nicht schreiben.«

Meggie gehorchte. Sie entdeckte Minerva mit ihren Kindern unten in dem Gedränge und die Frau, die gegenüber wohnte, Schweine, die sich grunzend zwischen den Menschen drängten, Soldaten mit dem Wappen des Speckfürsten auf der Brust – und doch sah sie das alles nicht wirklich. Sie hörte nur, wie Fenoglio die Feder ins Tintenfass tunkte, wie sie über das Pergament kratzte, innehielt – und weiterschrieb. Bitte!, dachte sie. Bitte, lass ihn die richtigen Worte finden. Bitte. Die Feder verstummte, schmerzlich lange, während unten auf der Gasse ein Bettler mit der Krücke ein Kind aus dem Weg stieß. Die Zeit dehnte sich, langsam, wie ein Schatten, der wuchs. In den Gassen drängten sich die Menschen, ein Hund bellte einen anderen an, von der Burg drang der Klang von Trompeten über die Dächer.

Meggie hätte nicht sagen können, wie viel Zeit verstrichen war, als Fenoglio mit einem Seufzer die Feder zur Seite legte. Rosenquarz schnarchte immer noch, ausgestreckt wie ein Lineal hinter dem Sandfass. Fenoglio griff hinein und bestreute die feuchte Tinte.

»Es ist dir etwas eingefallen?«, fragte Meggie zaghaft.

»Ja, ja, aber frag mich nicht, ob es das Richtige ist.«

Er reichte ihr das Pergament und ihre Augen flogen über die Wörter. Es waren nicht viele, aber falls es die richtigen waren, dann waren es gerade genug.

»Ich habe ihn nicht erfunden, Meggie!«, sagte Fenoglio mit sanfter Stimme. »Dein Vater ist nicht eine meiner Figuren wie Cosimo, Staubfinger oder Capricorn. Er gehört nicht hierher. Also mach dir nicht allzu viel Hoffnung, hörst du?«

Meggie nickte, während sie das Pergament zusammenrollte. »Staubfinger sagt, du sollst auf seine Tochter achtgeben, während er fort ist.«

»Seine Tochter? Staubfinger hat eine Tochter? Hab ich das geschrieben? Ach ja, waren es nicht sogar zwei?«

»Die eine kennst du auf jeden Fall. Es ist Brianna, die Dienerin der Hässlichen.«

»Brianna?« Fenoglio sah sie ungläubig an.

»Ja.« Meggie griff nach dem Lederbeutel, den sie aus der anderen Welt mitgebracht hatte, und ging zur Tür. »Pass auf sie auf. Ich soll dir ausrichten, dass du es sonst bereuen wirst, jemanden erschaffen zu haben, der das Feuer rufen kann.«

»Das hat er gesagt?« Fenoglio schob seinen Stuhl zurück und lachte. »Weißt du was? Er gefällt mir immer besser. Ich glaube, ich werde wirklich noch eine Geschichte über ihn schreiben, eine, in der er der Held ist und nicht …«

»… stirbt?« Meggie öffnete die Tür. »Ich werd es ihm ausrichten, aber ich glaube, er hat für alle Zeit genug davon, in einer deiner Geschichten zu stecken.«

»Aber er steckt nun mal drin. Er ist sogar freiwillig zurückgekehrt in meine Geschichte!«, rief Fenoglio ihr nach, als sie die Treppe hinunterhastete. »Wir stecken alle drin, Meggie, bis über die Ohren! Wann kommst du zurück? Ich will dich Cosimo vorstellen!«

Doch Meggie antwortete nicht. Wie sollte sie wissen, wann sie zurückkommen würde?

»Das nennst du beeilen?«, fragte Staubfinger, als sie völlig außer Atem wieder vor ihm stand und Fenoglios Pergament in ihren Beutel schob. »Was soll das Pergament? Hat der Alte dir eins seiner Lieder als Wegzehrung mitgegeben?«

»So ähnlich«, antwortete Meggie.

»Nun, solange mein Name nicht vorkommt«, sagte Staubfinger und ging auf die Straße zu.

»Ist es weit?«, rief Meggie, während sie ihm und Farid nachhastete.

»Am Abend sind wir da«, sagte Staubfinger über die Schulter.

Schreie

Den Durst will ich sehen
in den Silben,
das Feuer berühren
im Klang.
Das Dunkle will ich spüren
im Aufschrei. Worte
will ich, so rauh
wie unberührte Steine.
Pablo Neruda, Das Wort

Die Weißen Frauen waren immer noch da. Resa schien sie nicht mehr zu sehen, aber Mo spürte sie, wie Schatten im Sonnenlicht. Er sagte ihr nichts davon. Sie sah so müde aus. Das Einzige, was sie noch aufrecht hielt, war die Hoffnung, dass Staubfinger bald kommen würde – mit Meggie.

»Du wirst sehen, er findet sie.« Immer wieder flüsterte Resa es ihm zu, wenn das Fieber ihn schüttelte. Wie konnte sie nur so sicher sein? Als hätte Staubfinger sie nie im Stich gelassen, nie das Buch gestohlen, sie nie verraten … Meggie. Der Wunsch, sie noch einmal zu sehen, war immer noch stärker als das Locken und Flüstern der Weißen Frauen, stärker als der Schmerz in seiner Brust … Und wer konnte es sagen, vielleicht nahm diese verfluchte Geschichte ja doch noch eine Wendung zum Guten? Obwohl Mo sich nur allzu gut an Fenoglios Vorliebe für schlimme Wendungen erinnerte.

»Erzähl mir, wie es draußen aussieht«, flüsterte er Resa manchmal zu. »Es ist zu dumm, in einer anderen Welt zu stecken und nichts von ihr zu sehen als eine Höhle.« Und Resa beschrieb ihm, was er nicht sehen konnte – die Bäume, so viel größer und älter als alle Bäume, die er je erblickt hatte, die Feen, wie Mückenschwärme in den Zweigen, die Glasmänner im hohen Farn und die Schrecken der Nacht, die keinen Namen hatten. Einmal fing sie für ihn eine Fee – Staubfinger hatte ihr erzählt, wie das ging – und brachte sie ihm. Sie hielt das kleine Geschöpf zwischen den hohlen Händen, hielt sie ihm dicht ans Ohr, damit er die zirpende, aufgebrachte Stimme hören konnte.

Es schien alles so wirklich, auch wenn er sich noch sooft sagte, dass alles nur aus Tinte und Papier bestand. Der harte Boden, auf dem er lag, das trockene Laub, das raschelte, wenn er sich im Fieber hin und her warf, der heiße Atem des Bären – und der Schwarze Prinz, dem er zuletzt auf den Seiten eines Buches begegnet war. Nun saß er manchmal neben ihm, kühlte ihm die Stirn, sprach leise mit Resa. Oder war das alles doch nur ein Fiebertraum?

Auch der Tod fühlte sich echt an in dieser Tintenwelt. Sehr echt. Es war seltsam, ihm hier zu begegnen, in einer Welt, die einem Buch entstammte. Doch auch wenn das Sterben nur aus Worten bestand, auch wenn es vielleicht nichts war als ein Buchstabenspiel – sein Körper empfand es als echt. Sein Herz spürte die Angst, sein Fleisch den Schmerz. Und die Weißen Frauen gingen nicht fort, auch wenn Resa sie nicht sah. Mo spürte sie neben sich, jede Minute, jede Stunde, jeden Tag und jede Nacht. Fenoglios Todesengel. Ob sie das Sterben leichter machten als in der Welt, aus der er stammte? Nein. Nichts konnte es leichter machen. Man verlor, was man liebte. Das war der Tod. Hier wie dort.

Draußen war es hell, als Mo den ersten Schrei hörte. Zuerst dachte er, das Fieber griffe wieder nach ihm. Doch dann sah er an Resas Gesicht, dass auch sie es hörte: das Klirren von Waffen und Schreie, Angstschreie …

Todesschreie. Mo versuchte, sich aufzurichten, doch der Schmerz sprang ihn an wie ein Tier, das ihm die Zähne in die Brust schlug. Er sah den Prinzen mit gezogenem Schwert vor der Höhle stehen, sah, wie Resa aufsprang. Das Fieber ließ ihr Gesicht verschwimmen, aber dafür sah Mo plötzlich ein anderes Bild: Er sah Meggie in Fenoglios Küche sitzen und den alten Mann entsetzt anstarren, während er ihr voll Stolz erzählte, wie gut er Staubfinger hatte sterben lassen. O ja, Fenoglio liebte traurige Szenen. Und vielleicht hatte er gerade eine neue geschrieben.

»Resa!« Mo verfluchte seine fieberschwere Zunge. »Resa, versteck dich, versteck dich irgendwo im Wald.«

Aber sie blieb bei ihm, wie sie es immer getan hatte – bis auf den einen Tag, an dem seine eigene Stimme sie fortgeschickt hatte.

Blutiges Stroh

Kobolde gruben in der Erde, Elben sangen Lieder in den Bäumen: Das waren die ganz offensichtlichen Wunder des Lesens, doch hinter ihnen lag das eigentliche Wunder, dass in Geschichten die Wörter den Dingen befehlen konnten, zu sein.
Francis Spufford, The Child That Books Built

Mit Farid hatte Meggie im Weglosen Wald oft Angst gehabt, doch mit Staubfinger war das anders. Es war, als rauschten die Bäume lauter, wenn er vorbeiging, als streckten die Büsche die Zweige nach ihm aus. Feen ließen sich auf seinem Rucksack nieder wie Falter auf einer Blüte, zupften ihn am Haar, bis er sie fortscheuchte, sprachen mit ihm. Auch andere Wesen erschienen und verschwanden, Wesen, deren Namen Meggie weder aus Resas Geschichten noch sonst woher kannte, manche nicht mehr als ein Paar Augen zwischen den Bäumen.

Staubfinger führte sie so zielstrebig, als sähe er den Weg wie ein rotes Band vor sich. Er machte nicht einmal Rast, führte sie immer nur weiter, bergauf, bergab, Stunde um Stunde tiefer in den Wald hinein. Fort von den Menschen. Als er endlich stehen blieb, zitterten Meggie die Beine vor Müdigkeit. Es musste spät am Nachmittag sein. Staubfinger strich einem Busch über die abgeknickten Zweige, bückte sich, betrachtete den feuchten Boden und hob eine Handvoll zertretener Beeren auf.

»Was ist?«, fragte Farid besorgt.

»Zu viele Füße. Und vor allem zu viele Stiefel.«

Staubfinger fluchte leise und begann, schneller zu gehen. Zu viele Stiefel … Meggie begriff, was er meinte, als das Geheime Lager zwischen den Bäumen auftauchte. Sie sah niedergerissene Zelte, eine zertrampelte Feuerstelle …

»Ihr bleibt hier!«, befahl Staubfinger, und diesmal gehorchten sie. Voll Angst beobachteten sie, wie er aus dem Schutz der Bäume trat, sich umsah, Zeltbahnen hochhob, in die kalte Asche griff – und zwei Körper umdrehte, die reglos neben der Feuerstelle lagen. Meggie wollte ihm nach, als sie die Toten sah, aber Farid hielt sie fest. Als Staubfinger in einer Höhle verschwand und mit blassem Gesicht wieder herauskam, riss Meggie sich los und lief auf ihn zu.

»Wo sind meine Eltern? Sind sie dadrin?« Sie fuhr zurück, als ihr Fuß gegen einen weiteren Toten stieß.

»Nein, es ist niemand mehr da. Aber das hier habe ich gefunden.« Staubfinger hielt ihr einen Streifen Stoff hin.

Resa hatte ein Kleid mit demselben Muster. Der Stoff war blutverschmiert.

»Du erkennst es?«

Meggie nickte.

»Dann waren deine Eltern also wirklich hier. Das Blut stammt vermutlich von deinem Vater.« Staubfinger fuhr sich übers Gesicht. »Vielleicht ist jemand entkommen. Jemand, der uns erzählen kann, was hier passiert ist. Ich werd mich mal umsehen. Farid!«

Farid sprang an seine Seite. Meggie wollte sich an den beiden vorbeidrängen, aber Staubfinger hielt sie zurück. »Meggie, hör zu!«, sagte er und legte ihr die Hände auf die Schultern. »Es ist gut, dass deine Eltern nicht hier sind. Vermutlich heißt das, dass sie noch leben. In der Höhle ist ein Lager, dort hat deine Mutter vermutlich deinen Vater gepflegt. Außerdem habe ich Bärenspuren entdeckt, was heißt, dass der Schwarze Prinz hier war. Vielleicht galt das alles hier ihm, obwohl ich nicht weiß, warum sie dann all die andern mitgenommen haben … ich versteh es nicht.«

Er wies Meggie an, in der Höhle zu warten, bevor er mit Farid aufbrach, um nach Überlebenden zu suchen. Der Eingang war so hoch und breit, dass ein Mann aufrecht darin stehen konnte. Die Höhle, die sich dahinter verbarg, reichte tief in den Berg hinein. Der Boden war mit Laub bestreut, Decken und Lager aus Stroh reihten sich aneinander, manche gerade groß genug für ein Kind. Es war nicht schwer zu erkennen, wo Mo gelegen hatte. Das Stroh war dort blutig, ebenso wie die Decke, die daneben lag. Eine Schüssel mit Wasser, ein Becher aus Holz, umgestoßen, und ein Strauß getrockneter Blumen … Meggie hob sie auf und strich mit den Fingern über die Blüten. Sie kniete sich hin und starrte das blutige Stroh an. Fenoglios Pergament drückte gegen ihre Brust, aber Mo war fort. Wie sollten Fenoglios Worte ihm da helfen?

Versuch es!, flüsterte es in ihr. Du weißt nicht, wie mächtig seine Worte in dieser Welt sind. Schließlich ist sie aus ihnen gemacht!

Sie hörte Schritte hinter sich. Farid und Staubfinger waren zurück. Staubfinger hielt ein Kind auf dem Arm, ein kleines Mädchen. Mit weit aufgerissenen Augen starrte es Meggie an – als hätte es einen schlimmen Traum, aus dem es einfach nicht erwachen konnte.

»Mit mir wollte sie nicht sprechen, aber Farid sieht zum Glück etwas vertrauenerweckender aus«, sagte Staubfinger, während er das Kind behutsam auf die eigenen Füße stellte. »Sie hat erzählt, dass sie Lianna heißt und fünf Jahre alt ist. Und dass es viele Männer waren, Silbermänner mit Schwertern und Schlangen auf der Brust. Keine große Überraschung, würde ich sagen. Offenbar haben sie die Wachen erschlagen und ein paar, die sich wehrten, und dann den Rest mitgenommen, selbst die Frauen und Kinder. Die Verwundeten«, er warf Meggie einen kurzen Blick zu, »haben sie offenbar auf einen Karren geladen. Pferde hatten sie keine dabei. Das Mädchen ist nur noch hier, weil seine Mutter gesagt hat, es soll sich zwischen den Bäumen verstecken.«

Gwin kam in die Höhle gehuscht, gefolgt von Schleicher. Das Mädchen zuckte zusammen, als die Marder an Staubfinger emporsprangen. Gebannt beobachtete es, wie Farid Gwin von Staubfingers Schulter hob und ihn sich selbst auf den Schoß setzte.

»Frag sie, ob noch mehr Kinder da waren«, sagte Staubfinger leise.

Farid hielt fünf Finger hoch und hielt sie der Kleinen hin. »Wie viele Kinder, Lianna?«

Das Mädchen sah ihn an, tippte erst gegen den ersten, dann gegen Farids zweiten und dritten Finger. »Meise. Fabio. Tinka«, flüsterte es.

»Drei also«, sagte Staubfinger. »Vermutlich nicht größer als sie.«

Lianna streckte zaghaft die Hand nach Gwins buschigem Schwanz aus, aber Staubfinger hielt ihre Finger fest. »Das lässt du besser!«, sagte er sanft. »Der beißt. Versuch es mit dem anderen.«

»Meggie?« Farid trat an ihre Seite. Aber Meggie antwortete ihm nicht. Sie schlang die Arme ganz fest um ihre Knie und presste das Gesicht in ihr Kleid. Sie wollte die Höhle nicht mehr sehen. Sie wollte gar nichts mehr sehen von Fenoglios Welt, nicht einmal Farid und Staubfinger oder das Mädchen, das ebenso wenig wusste, wo seine Eltern waren, wie sie. In Elinors Bibliothek wollte sie sitzen, in dem großen Sessel, in dem Elinor so gern las, und sehen, wie Mo seinen Kopf durch die Tür steckte und sie fragte, was das für ein Buch auf ihrem Schoß war. Aber Mo war nicht da, vielleicht war er fort für immer und Fenoglios Geschichte hielt sie alle mit schwarzen Tintenarmen fest und flüsterte ihr furchtbare Dinge zu – von bewaffneten Männern, die Kinder fortschleppten, Alte und Kranke ... Mütter und Väter.

»Die Nessel wird bald mit Wolkentänzer hier sein«, hörte sie Staubfinger sagen. »Sie wird sich um das Kind kümmern.«

»Und wir?«, fragte Farid.

»Ich werde ihnen folgen«, sagte Staubfinger, »um herauszufinden, wie viele noch am Leben sind und wohin sie alle gebracht werden. Obwohl ich mir das denken kann.«

Meggie hob den Kopf. »Auf die Nachtburg.«

»Gut geraten!«

Das Mädchen streckte die Hand nach Schleicher aus. Es war noch klein genug, um seinen Kummer zu vergessen, wenn es den Pelz eines Tieres streichelte. Meggie beneidete es darum.

»Was heißt das, *du* folgst ihnen?« Farid scheuchte Gwin von seinem Schoß und stand auf.

»Genau das.« Staubfingers Gesicht wurde abweisend wie eine geschlossene Tür. »*Ich* folge ihnen, während ihr hier auf Wolkentänzer und die Nessel wartet. Erzählt ihnen, dass ich versuche, den Spuren zu folgen, und dass Wolkentänzer euch nach Ombra zurückbringen soll. Er ist mit seinem steifen Bein ohnehin nicht schnell genug, um mir nachzukommen. Dann erzählt ihr Roxane, was passiert ist, damit sie nicht denkt, ich hätte mich schon wieder davongemacht, und Meggie wird bei Fenoglio bleiben.« Sein Gesicht war beherrscht wie immer, als er sie ansah, doch in seinen Augen sah Meggie all das, was auch sie empfand: Angst, Sorge, Wut … hilflose Wut.

»Aber wir müssen ihnen helfen!« Farids Stimme bebte.

»Wie? Vielleicht hätte der Prinz sie retten können, doch den haben sie nun ja offenbar gefangen, und ich wüsste niemanden sonst, der seinen Kopf für ein paar Spielleute riskiert.«

»Was ist mit dem Räuber, von dem alle reden, dem Eichelhäher?«

»Den gibt es nicht.« Meggies Stimme war kaum mehr als ein Flüstern. »Fenoglio hat ihn erfunden.«

»Tatsächlich?« Staubfinger sah sie nachdenklich an. »Da hört man anderes, aber na gut … Sobald ihr in Ombra seid, soll Wolkentänzer zu den Spielleuten gehen und ihnen sagen, was geschehen ist. Ich weiß, dass der Schwarze Prinz seine Männer hat, Männer, die ihm treu ergeben sind und wohl auch gut bewaffnet, aber ich habe keine Ahnung, wo sie stecken. Vielleicht weiß einer der Spielleute es. Oder Wolkentänzer selbst. Er soll ihnen irgendwie Bescheid geben lassen. Auf der anderen Seite des Waldes gibt es eine Mühle, die Mäuse-Mühle nennt man sie, keiner weiß, warum, aber sie war schon immer einer der wenigen Orte südlich des Waldes, an dem man sich treffen oder Nachrichten austauschen konnte, ohne dass der Natternkopf gleich davon erfuhr. Der Müller ist so reich, dass er nicht einmal die Gepanzerten fürchtet. Wer mich also treffen will oder irgendeine Idee hat, wie wir den Gefangenen helfen können, soll Nachricht dorthin schicken. Ich werd ab und zu nachfragen. Verstanden?«

Meggie nickte. »Die Mäuse-Mühle!«, wiederholte sie leise – und konnte nur das blutige Stroh anstarren.

»Gut, Meggie kann das alles erledigen, aber ich geh mit dir.« Farids Stimme klang so trotzig, dass das Mädchen, das immer noch stumm neben Meggie kniete, beunruhigt nach ihrer Hand griff.

»Ich warne dich: Fang jetzt nicht wieder damit an, dass du auf mich aufpassen musst!« Staubfingers Stimme klang so scharf, dass Farid den Blick senkte. »Ich geh allein und dabei bleibt es. Du passt auf Meggie und das Kind auf, bis die Nessel kommt. Und dann lasst ihr euch von Wolkentänzer nach Ombra bringen.«

»Nein!«

Meggie sah die Tränen in Farids Augen, aber Staubfinger ging nur wortlos auf den Höhleneingang zu. Gwin huschte ihm voran.

»Wenn es dunkel wird, bevor sie kommen«, sagte er noch über die Schulter zu Farid, »dann mach Feuer. Nicht wegen der Soldaten. Aber Wölfe und Nachtalben sind immer hungrig, die einen auf euer Fleisch, die anderen auf eure Angst.«

Dann war er fort und Farid stand da mit tränenverschleiertem Blick. »Verdammter Mistkerl!«, flüsterte er. »Dreimal verfluchter Hurensohn, aber er wird schon sehen. Ich schleich ihm nach. Ich pass auf ihn auf! Ich hab's geschworen.« Abrupt kniete er sich vor Meggie hin und griff nach ihrer Hand. »Du gehst nach Ombra, ja? Bitte. Ich muss ihm nach, das verstehst du doch!«

Meggie sagte nichts. Was sollte sie auch sagen? Dass sie ebenso wenig zurückgehen würde wie er? Er hätte nur versucht, es ihr auszureden. Schleicher strich um Farids Beine, dann huschte er nach draußen. Das Mädchen lief dem Marder nach, aber im Höhleneingang blieb es stehen, eine kleine verlorene Gestalt, ganz allein. Wie ich, dachte Meggie.

Ohne Farid anzusehen, zog sie Fenoglios Pergament aus dem Gürtel. Die Buchstaben waren kaum zu erkennen in dem Dämmerlicht, das in der Höhle herrschte.

»Was ist das?« Farid richtete sich auf.

»Worte. Nichts als Worte, aber besser als nichts.«

»Warte! Ich mach dir Licht.« Farid rieb seine Fingerspitzen aneinander und flüsterte etwas, bis eine winzige Flamme auf seinem Daumennagel erschien. Sacht blies er in das Flämmchen, bis es sich streckte wie eine Kerzenflamme, und hielt seinen Daumen über das Pergament. Das flackernde Licht ließ die Buchstaben leuchten, als hätte Rosenquarz sie mit frischer Tinte nachgezogen.

Nutzlos!, flüsterte es in Meggie. Sie werden nutzlos sein! Mo ist fort, weit fort, vermutlich lebt er nicht mal mehr. Sei still!, fuhr Meggie die Stimme in ihrem Inneren an. Ich will nichts hören. Es gibt nichts, was ich sonst tun kann, gar nichts! Sie griff nach der blutverschmierten Decke, legte das Pergament darauf – und fuhr sich mit den Fingern über die Lippen. Vor der Höhle stand immer noch das Mädchen, darauf wartend, dass seine Mutter zurückkam.

»Lies, Meggie!« Farid nickte ihr aufmunternd zu.

Und sie las, die Finger in die Decke mit Mos getrocknetem Blut gekrallt. »*Mortimer fühlte den Schmerz ...*« Sie glaubte, ihn selbst zu spüren, in jedem Buchstaben auf ihrer Zunge, in jedem Wort, das ihr über die Lippen kam. »*Die Wunde brannte. Sie brannte wie der Hass in Mortolas Augen, als sie auf ihn geschossen hatte. Vielleicht war ihr Hass es, der das Leben aus ihm heraussaugte, der ihn schwächer und schwächer werden ließ. Er spürte sein eigenes Blut feucht und warm auf der Haut. Er spürte, wie der Tod nach ihm griff. Doch mit einem Mal war da noch etwas anderes: Worte.*

Worte, die den Schmerz linderten, ihm die Stirn kühlten und von Liebe sprachen, von nichts als Liebe. Sie machten das Atmen wieder leichter und ließen heilen, was den Tod hereingelassen hatte. Er spürte ihren Klang auf der Haut und tief im Herzen. Immer lauter und deutlicher drangen sie durch die Dunkelheit, die ihn zu verschlingen drohte, und plötzlich erkannte er die Stimme, die die Worte sprach: Es war die Stimme seiner Tochter – und die Weißen Frauen zogen die bleichen Hände zurück, als hätten sie sich verbrannt an ihrer Liebe.«

Meggie presste die Finger vors Gesicht. Das Pergament rollte sich auf ihrem Schoß zusammen, als hätte es seine Schuldigkeit getan. Stroh stach ihr durchs Kleid, wie damals, in dem Verschlag, in den Capricorn sie und Mo hatte sperren lassen. Sie spürte, wie ihr jemand übers Haar strich, und für einen Augenblick, einen verrückten Augenblick dachte sie, Fenoglios Worte hätten Mo zurückgebracht, zurück in die Höhle, gesund und unverletzt, und alles wäre wieder gut. Doch als sie den Kopf hob, war es nur Farid, der neben ihr stand.

»Das war wunderschön«, sagte er. »Bestimmt hat es geholfen. Du wirst sehen.«

Doch Meggie schüttelte den Kopf. »Nein!«, flüsterte sie. »Nein. Das waren nur wunderschöne Worte, aber mein Vater ist nicht aus Fenoglios Wörtern gemacht, sondern aus Fleisch und Blut.«

»Und? Was heißt das schon?« Farid zog ihr die Hände vom verweinten Gesicht. »Vielleicht ist ja alles aus Worten. Sieh mich doch an. Kneif mich. Bin ich etwa aus Papier?«

Nein, das war er nicht. Und Meggie musste lächeln, als er sie küsste, obwohl sie immer noch weinte.

Staubfinger war noch nicht lange fort, als sie Schritte zwischen den Bäumen hörten. Farid hatte Feuer gemacht, wie Staubfinger es ihm geraten hatte, und Meggie saß dicht an seiner Seite, den Kopf des kleinen Mädchens auf ihrem Schoß. Die Nessel sagte kein Wort, als sie aus der Dunkelheit auftauchte und das zerstörte Lager sah. Schweigend ging sie von einem Toten zum anderen, suchte nach Leben, wo keins mehr war, während der Wolkentänzer mit starrem Gesicht dem lauschte, was Staubfinger ihm ausrichten ließ. Farid begriff wohl erst, dass Meggie ebenso wenig wie er vorhatte, nach Ombra zurückzukehren, als sie Wolkentänzer bat, nicht nur Roxane und den Spielleuten, sondern auch Fenoglio eine Nachricht zu überbringen. Seinem ausdruckslosen Gesicht war nicht anzusehen, ob er sich über ihren Entschluss ärgerte oder freute.

»Die Nachricht für Fenoglio hab ich aufgeschrieben!« Meggie hatte dafür schweren Herzens eine Seite aus dem Notizbuch getrennt, das Mo ihr geschenkt hatte. Andererseits, wozu sollte sie es besser verwenden als dazu, ihn zu retten. Wenn sie ihn noch retten konnte ... »Du findest Fenoglio in der Schustergasse, in Minervas Haus. Und es ist sehr wichtig, dass nur er die Nachricht liest.«

»Ich kenne den Tintenweber!« Wolkentänzer beobachtete, wie die Nessel einem weiteren Toten den zerlumpten Mantel übers Gesicht zog. Dann starrte er mit gerunzelter Stirn auf das beschriebene Blatt Papier. »Es gab schon Boten, die für die Buchstaben, die sie herumtrugen, aufgehängt wurden. Ich hoffe, die hier sind nicht von der Sorte? Sag es mir nicht!«, wehrte er ab, als Meggie antworten wollte. »Eigentlich lass ich mir die Worte immer sagen, die ich überbringe, doch bei denen hier hab ich das Gefühl, dass ich sie besser nicht kenne.«

»Was soll sie schon geschrieben haben?«, sagte die Nessel bitter. »Vermutlich hat sie sich bei dem Alten dafür bedankt, dass seine Lieder ihren Vater an den Galgen bringen werden! Oder soll er sein Totenlied schreiben, das letzte Lied des Eichelhähers? Ich habe das Unglück gerochen in dem Moment, in dem ich die Narbe an seinem Arm sah. Hab immer gedacht, der Eichelhäher wäre ein Hirngespinst wie all die edlen Prinzen und Prinzessinnen, von denen die Lieder sonst so handeln. Na, da hast du dich wohl geirrt, Nessel!, sagte ich mir, und du bist sicher nicht die Erste, die die Narbe bemerkt. Aber der Tintenweber musste sie ja ganz genau beschreiben. Verflucht sei der alte Dummkopf mitsamt seinen einfältigen Liedern! Es sind schon einige aufgehängt worden, weil sie für den Eichelhäher gehalten wurden, aber nun hat der Natternkopf wohl den Richtigen gefangen, und das Heldenspiel hat ein Ende. Die Schwachen beschützen, die Starken berauben ... ja, prächtig hört sich das an, aber Helden sind nur in Liedern unsterblich, und auch dein Vater wird nur zu bald begreifen, dass eine Maske nicht vor dem Tod schützt.«

Meggie saß nur da und starrte die alte Frau an. Wovon redete sie?

»Was guckst du mich so entgeistert an?«, fuhr die Nessel sie an. »Glaubst du, der Natternkopf hat seine Männer ein paar alter Spielmänner und schwangerer Frauen wegen hergeschickt oder wegen des Schwarzen Prinzen? Unsinn. Der hat sich noch nie vor der Natter versteckt. Nein. Jemand hat sich auf die Nachtburg geschlichen und dem Natternkopf ins Ohr gezwitschert, dass der Eichelhäher verwundet im Geheimen Lager der Spielleute liegt und man ihn nur einsammeln muss, mitsamt den armen Gauklern, die ihn versteckt haben. Das hat jemand getan, der das Lager kennt und bestimmt mit gutem Silber für seinen Verrat bezahlt worden ist. Der Natternkopf wird ein großes Spektakel aus der Hinrichtung machen, der Tintenweber wird ein rührendes Lied darüber schreiben, und vielleicht wird sich schon bald ein anderer die Federmaske aufsetzen, denn die Lieder werden sie weitersingen, auch wenn dein Vater längst tot und hinter der Nachtburg verscharrt ist.«

Meggie hörte, wie ihr das eigene Blut durch den Kopf rauschte. »Von was für einer Narbe redest du?« Ihre Stimme war kaum mehr als ein Flüstern.

»Na, von der Narbe an seinem linken Arm, du wirst sie wohl kennen! In den Liedern heißt es, die Hunde des Natternkopfes hätten den Eichelhäher dort gebissen, als er seine weißen Hirsche jagte ...«

Fenoglio. Was hatte er getan?

Meggie presste sich die Hand auf den Mund. Sie hörte Fenoglios Stimme, auf der Wendeltreppe zu Balbulus' Werkstatt. *Du musst wissen, ich nehme mir gern echte Menschen als Vorbild für meine Figuren. Nicht jeder Schriftsteller tut das, aber ich habe die Erfahrung gemacht, dass es sie einfach lebendiger macht! Gesichtsausdrücke, Gesten, eine Körperhaltung, die Stimme, vielleicht ein Muttermal oder eine Narbe – ich stehle hier, ich stehle dort, und schon beginnen sie zu atmen, bis jeder, der von ihnen hört oder liest, glaubt, sie anfassen zu können! Für den Eichelhäher kamen nicht viele infrage ...*

Mo. Fenoglio hatte ihren Vater zum Vorbild genommen. Meggie starrte auf das schlafende Mädchen. So hatte sie auch oft geschlafen, den Kopf in Mos Schoß.

»Meggies Vater der Eichelhäher?« Neben ihr stieß Farid ein

ungläubiges Lachen aus. »So ein Unsinn. Zauberzunge bringt es nicht mal übers Herz, ein Kaninchen zu töten. Verlass dich drauf, Meggie, das wird auch der Natternkopf bald merken und dann wird er ihn laufen lassen. Komm jetzt!« Er kam auf die Füße und streckte ihr die Hand hin. »Wir müssen los, sonst holen wir Staubfinger niemals ein!«

»Ihr wollt ihm jetzt nach?« Die Nessel schüttelte den Kopf über so viel Unvernunft, während Meggie den Kopf des Mädchens ins Gras bettete.

»Haltet euch nach Süden, falls ihr seine Spur in der Dunkelheit nicht findet«, sagte Wolkentänzer. »Immer nach Süden, dann müsst ihr irgendwann auf die Straße stoßen. Aber hütet euch vor den Wölfen, es gibt viele in dieser Gegend.«

Farid nickte nur. »Ich hab das Feuer dabei!«, sagte er und ließ einen Funken auf seiner Handfläche tanzen.

Wolkentänzer grinste. »Alle Achtung! Vielleicht bist du ja wirklich Staubfingers Sohn, wie Roxane vermutet?«

»Wer weiß?«, antwortete Farid nur – und zog Meggie mit sich.

Wie betäubt folgte sie ihm unter die dunklen Bäume. Einen Räuber! Sie konnte nichts anderes mehr denken. Er hat aus Mo einen Räuber gemacht, einen Teil seiner Geschichte! In diesem Moment hasste sie Fenoglio ebenso sehr, wie Staubfinger es tat.

Audienz für Fenoglio

»Lady Cora«, sagte er, »manchmal muß man einfach Dinge tun, die nicht sehr angenehm sind. Wenn es sich um große Dinge handelt, kann man die Situation nicht mit seidenen Handschuhen angehen. Nein. Wir machen Geschichte.«
Mervyn Peake, Gormenghast, Erstes Buch: Der junge Titus

Fenoglio ging in seiner Kammer auf und ab. Sieben Schritte zum Fenster, sieben zurück zur Tür. Meggie war fort, und es gab niemanden, der ihm erzählen konnte, ob sie ihren Vater noch lebend angetroffen hatte. Was für ein abscheuliches Durcheinander! Immer wenn er gerade hoffte, alles wieder in den Griff zu bekommen, passierte etwas, das nicht im Entferntesten in seine Pläne passte. Vielleicht gab es ihn tatsächlich irgendwo – den teuflischen Erzähler, der seine Geschichte weiterspann, ihr immer neue Wendungen gab, tückische unvorhersehbare Wendungen, seine Figuren herumschob wie Schachfiguren oder gar einfach neue auf das Schachbrett setzte, die nichts in seiner Geschichte zu suchen hatten.

Und Cosimo hatte immer noch keinen Boten geschickt! Nun ja, etwas mehr Geduld!, sagte Fenoglio sich, er ist immerhin gerade erst auf seinen Thron gestiegen, und es gibt sicherlich viel zu tun. All die Untertanen, die ihn sehen wollen, Bittsteller, Witwen, Waisen, seine Verwalter, Jagdaufseher, sein Sohn, seine Frau … »Ach was. Unfug! Mich – mich hätte er zuallererst rufen lassen müssen.« Fenoglio stieß die Worte so aufgebracht aus, dass ihn der Klang seiner eigenen Stimme zusammenschrecken ließ. »Mich! Den Mann, der ihn zurück ins Leben geholt, der ihn überhaupt erst erschaffen hat!«

Er trat ans Fenster und blickte zur Burg hinüber. Am linken Turm wehte die Fahne der Natter. Ja, der Natternkopf war in Ombra, wie der Teufel musste er geritten sein, um sich seinen vom Tod zurückgekehrten Schwiegersohn höchstpersönlich anzusehen. Den Brandfuchs hatte er diesmal nicht mitgebracht, vermutlich plünderte und mordete der gerade andernorts für seinen Herrn, doch dafür strich der Pfeifer noch durch Ombras Gassen, immer ein paar Gepanzerte im Schlepptau. Was wollten sie noch hier? Hoffte der Natternkopf allen Ernstes, seinen Enkel doch noch auf den Thron zu setzen?

Nein, das würde Cosimo nicht zulassen.

Für einen Moment vergaß Fenoglio seine finstere Stimmung und ein Lächeln stahl sich auf sein Gesicht. Ja, wenn er dem Natternkopf doch nur hätte erzählen können, *wer* seine schönen Pläne zunichte gemacht hatte. Ein Dichter! Wie ihn das gewurmt hätte! Eine böse Überraschung hatten sie ihm bereitet, mit seinen Worten und Meggies Stimme …

Arme Meggie. Armer Mortimer.

Wie flehend sie ihn angesehen hatte. Und was für ein Schmierentheater er ihr vorgespielt hatte! Aber wie hatte das arme Ding auch nur glauben können, dass er ihrem Vater mit ein paar Wörtern helfen konnte, wo er ihn doch nicht einmal hergebracht hatte! Ganz abgesehen davon, dass er nicht eins seiner Geschöpfe war. Aber dieser Blick von ihr! Er hatte es einfach nicht übers Herz gebracht, sie ganz ohne Hoffnung ziehen zu lassen!

Rosenquarz saß auf dem Schreibpult, die durchsichtigen Beine verschränkt, und warf Brotkrumen nach den Feen.

»Hör auf damit!«, fuhr Fenoglio ihn an. »Willst du, dass sie dich wieder bei den Beinen nehmen und versuchen, aus dem Fenster zu werfen? Glaub mir, diesmal werde ich dich nicht retten. Ich werde dich nicht mal zusammenfegen, wenn du als ein Häufchen Scherben da unten im Schweinemist liegst. Soll der Abfallmann dich ruhig auf seinen Karren kehren.«

»Ja, ja, lass deinen Ärger ruhig an mir aus!« Der Glasmann kehrte ihm den Rücken zu. »Dadurch ruft Cosimo dich trotzdem nicht schneller zu sich!«

Damit hatte er leider recht. Fenoglio trat ans Fenster. Unten in den Gassen hatte sich die Aufregung über Cosimos Rückkehr gelegt, vielleicht hatte auch die Anwesenheit des Natternkopfes sie gedämpft. Die Leute gingen wieder ihrem Gewerbe nach, die Schweine stöberten in den Abfällen, Kinder jagten sich zwischen den eng stehenden Häusern, und ab und zu bahnte sich ein berittener Soldat seinen Weg durch das Gedränge. Soldaten sah man eindeutig mehr als sonst, offenbar ließ Cosimo sie im Ort patrouillieren, vielleicht um zu verhindern, dass die Gepanzerten noch einmal seine Untertanen niederritten, nur weil sie ihnen im Weg standen. Ja, Cosimo wird alles richten!, dachte Fenoglio. Er wird ein guter Fürst, soweit es so etwas geben kann. Wer weiß, vielleicht erlaubte er den Spielleuten sogar schon bald wieder, auch an gewöhnlichen Markttagen in die Stadt zu kommen.

»Genau. Das wird mein erster Ratschlag sein. Er soll die Spielleute wieder hereinlassen«, murmelte Fenoglio. »Und wenn er mich bis heute Abend nicht holen lässt, dann gehe ich ohne Einladung zu ihm. Was bildet der undankbare Kerl sich ein? Glaubt er, es geschieht alle naselang, dass jemand von den Toten zurückgeholt wird?«

»Ich dachte, er wäre nie tot gewesen?« Rosenquarz kletterte hinauf zu seinem Nest. Dort war er außer Reichweite, das wusste er nur zu gut. »Was ist mit Meggies Vater? Glaubst du, er lebt noch?«

»Woher soll ich das wissen?«, erwiderte Fenoglio gereizt. Er wollte nicht an Mortimer erinnert werden. »Nun, wenigstens kann mich für *den* Schlamassel niemand verantwortlich machen!«, brummte er. »Ich kann nichts dafür, dass sie alle an meiner Geschichte herumpfuschen, als wäre sie ein Obstbaum, den man nur gründlich genug beschneiden muss, damit er Früchte trägt.«

»Beschneiden?«, flötete Rosenquarz. »Sie fügen Dinge hinzu. Deine Geschichte wächst, sie wächst sich zu einem regelrechten Unkraut aus! Und zu keinem sonderlich hübschen, wenn du mich fragst.«

Fenoglio überlegte gerade, ob er einen Wurf mit dem Tintenfass wagen sollte, als Minerva den Kopf durch die Tür schob.

»Ein Bote, Fenoglio!« Ihr Gesicht war rot, als wäre sie zu schnell gelaufen. »Ein Bote von der Burg! Er will dich sehen! Cosimo will dich sehen!«

Fenoglio hastete zur Tür. Er strich sich die Tunika glatt, die Minerva ihm genäht hatte. Seit Tagen steckte er nun schon darin, sie war reichlich zerknittert, aber das war jetzt nicht mehr zu ändern. Als er Minerva hatte bezahlen wollen, hatte sie nur den Kopf geschüttelt und gesagt, dass er bereits bezahlt hätte – mit den Geschichten, die er ihren Kindern Tag für Tag und Abend für Abend erzählte. Trotzdem, die Tunika war prächtig, auch wenn sie mit Kindermärchen bezahlt worden war.

Der Bote wartete auf der Gasse vor dem Haus, mit wichtiger

Miene und Falten der Ungeduld auf der Stirn. Er trug den schwarzen Tränenumhang, als säße immer noch der seufzende Fürst auf dem Thron.

Ach was. Alles wird anders werden!, dachte Fenoglio. Ganz gewiss! Von nun an werde ich diese Geschichte wieder erzählen und nicht meine Figuren. Sein Führer blickte sich nicht einmal zu ihm um, während er ihm durch die Gassen nachhastete. Mürrischer Klotz!, dachte Fenoglio. Aber vermutlich entstammte selbst er seiner Feder, einer der vielen Namenlosen, mit denen er diese Welt bevölkert hatte, damit seine Hauptfiguren nicht allzu einsam darin herumstapften.

Auf dem Äußeren Burghof lungerte eine Schar Gepanzerter vor den Ställen herum. Fenoglio fragte sich irritiert, was sie dort zu suchen hatten. Oben zwischen den Zinnen gingen Cosimos Männer auf und ab, wie eine Meute Hunde, die ein Rudel Wölfe bewachen sollten. Feindselig starrten die Gepanzerten zu ihnen hinauf. Ja, starrt nur!, dachte Fenoglio. Für euren finsteren Herrn wird es keine Hauptrolle in meiner Geschichte geben, nur einen guten Abgang, wie es sich für einen anständigen Bösewicht gehört. Vielleicht würde er irgendwann einen neuen Schurken erfinden, Geschichten wurden schnell langweilig ohne einen anständigen Bösewicht, aber um den ins Leben zu rufen, würde Meggie ihm wohl kaum ihre Stimme leihen.

Die Wächter vor dem Tor zum Inneren Hof hoben die Lanzen.

»Was heißt das?«

Die Stimme des Natternkopfs schallte Fenoglio schon entgegen, als er den Inneren Hof kaum betreten hatte. »Willst du damit sagen, dass er mich weiter warten lässt, du verlaustes Pelzgesicht?«

Eine leisere Stimme antwortete, eingeschüchtert, ängstlich. Fenoglio sah Tullio, den zwergengroßen Diener des Speckfürsten, vor dem Natternkopf stehen. Er reichte dem Fürsten gerade bis zum silberbeschlagenen Gürtel. Zwei Wachen des Speckfürsten standen hinter ihm, doch hinter dem Natternkopf standen mindestens zwanzig schwer bewaffnete Männer, ein beunruhigender Anblick, auch wenn der Brandfuchs nicht dabei und selbst vom Pfeifer nichts zu entdecken war.

»Eure Tochter wird Euch empfangen.« Tullios Stimme bebte wie ein Blatt im Wind.

»Meine Tochter? Wenn mich nach Violantes Gesellschaft verlangt, lasse ich sie auf meine Burg kommen. Ich will endlich diesen Toten sehen, der zu den Lebenden zurückgekehrt ist! Und deshalb bringst du mich jetzt auf der Stelle zu Cosimo, du stinkender Koboldbastard!«

Der bedauernswerte Tullio begann zu zittern. »Der Fürst von Ombra«, begann er erneut mit dünner Stimme, »wird Euch nicht empfangen!«

Die Worte ließen Fenoglio zurückstolpern wie Schläge vor die Brust – mitten hinein in den nächsten Rosenbusch, der die Dornen in seine frisch geschneiderte Tunika hakte. Was bedeutete das nun wieder? Nicht empfangen? War das nach seinem Plan?

Der Natternkopf schob die Lippen vor, als hätte er etwas übel Schmeckendes auf der Zunge. Die Adern an seinen Schläfen traten hervor, dunkel auf der fleckig roten Haut. Er starrte auf Tullio hinab mit seinem Echsenblick. Dann nahm er dem nächsten Soldaten die Armbrust aus der Hand und richtete sie, während Tullio sich wie ein erschrockenes Kaninchen zusammenduckte, auf einen der Vögel am Himmel. Es war ein sicherer Schuss. Der Vogel fiel dem Natternkopf direkt vor die Füße, die gelben Federn rot vom Blut. Ein Goldspötter, Fenoglio hatte sie eigens für die Burg des Speckfürsten erfunden. Der Natternkopf bückte sich und zog den Pfeil aus der winzigen Brust.

»Da, nimm!«, sagte er und drückte Tullio den toten Vogel in die Hand. »Und richte deinem Herrn aus, dass er seinen Verstand ganz offenbar im Reich der Toten gelassen hat. Für diesmal soll das als Entschuldigung gelten, doch sollte er dich bei meinem nächsten Besuch mit einer ähnlich unverschämten Botschaft zu mir schicken, so bekommt er keinen Vogel, sondern dich mit einem Pfeil in der Brust zurück. Wirst du das ausrichten?«

Tullio starrte auf den blutigen Vogel in seiner Hand – und nickte.

Der Natternkopf aber drehte sich abrupt um und winkte seinen Männern, ihm zu folgen. Fenoglios Führer senkte furchtsam den Kopf, als sie an ihm vorbeistiefelten. Sieh ihn an!, dachte Fenoglio, als der Natternkopf so dicht an ihm vorbeischritt, dass er seinen Schweiß zu riechen glaubte. Du hast ihn erfunden! Aber stattdessen zog er den Kopf zwischen die Schultern wie eine Schildkröte, die Gefahr witterte, und rührte sich nicht, bis das Tor sich hinter dem letzten Gepanzerten geschlossen hatte.

Vor dem Portal, das dem Natternkopf verschlossen geblieben war, wartete immer noch Tullio und starrte auf den toten Vogel in seiner Hand. »Soll ich ihn Cosimo zeigen?«, fragte er mit verstörtem Gesicht, als sie auf ihn zutraten.

»Lass ihn dir in der Küche braten, wenn du willst!«, fuhr ihn Fenoglios Führer an. »Aber geh aus dem Weg.«

Der Thronsaal hatte sich nicht verändert seit Fenoglios letztem Besuch. Vor den Fenstern hingen immer noch schwarze Tücher. Kerzen spendeten das einzige Licht und die Standbilder blickten aus leeren Augen jedem entgegen, der auf den Thronsessel zuschritt. Dort aber saß nun ihr atmendes Vorbild, so ähnlich seinen steinernen Abbildern, dass Fenoglio der dunkle Saal wie ein Spiegelkabinett erschien.

Cosimo war allein. Weder die Hässliche noch sein Sohn waren zu entdecken. Nur sechs Wachen standen im Hintergrund, fast unsichtbar in dem dämmrigen Licht.

Fenoglio blieb in gebührendem Abstand vor den Thronstufen stehen und verbeugte sich. Er war zwar der Ansicht, dass niemand in dieser oder einer anderen Welt es verdiente, dass er, Fenoglio, vor ihm den Nacken beugte, schon gar nicht die, die er mit seinen Worten erst ins Leben gerufen hatte, aber er musste die Spielregeln seiner eigenen Welt befolgen, und eine Verbeugung vor denen, die sich in Samt und Seide kleideten, war hier ebenso selbstverständlich wie ein Händedruck in seiner alten Welt.

Los, krümm dich schon, alter Mann, auch wenn der Rücken dabei schmerzt!, dachte er, während er den Kopf noch etwas demütiger senkte. Du hast es selbst so eingerichtet.

Cosimo musterte ihn, als wäre er nicht sicher, ob er sich an sein Gesicht erinnerte. Er war in Weiß gekleidet, ganz in Weiß, als wollte er die Ähnlichkeit mit den Statuen noch unterstreichen.

»Du bist Fenoglio, der Dichter, nicht wahr, der, den sie den Tintenweber nennen?« Fenoglio hatte sich seine Stimme etwas voller vorgestellt. Cosimo blickte auf die Standbilder, ließ den Blick von einem zum nächsten wandern. »Irgendjemand hat mir empfohlen, dich rufen zu lassen. Ich glaube, es war meine Frau. Sie behauptet, du seist der schlaueste Kopf, den man zwischen dieser Burg und der des Natternkopfs findet, und dass ich schlaue Köpfe brauchen werde. Aber deshalb habe ich dich nicht kommen lassen ...«

Violante? Violante hatte ihn empfohlen? Fenoglio versuchte, seine Überraschung zu verbergen. »Nicht? Weshalb dann, Euer Gnaden?«, fragte er.

Cosimo sah ihn an, so abwesend, als blickte er durch ihn hindurch. Dann sah er an sich hinunter, zupfte an der prächtigen Tunika, die er trug, und rückte den Gürtel zurecht. »Meine Kleider passen mir nicht mehr«, stellte er fest. »Alles ist ein bisschen zu lang oder zu weit, als wären sie für die Standbilder dort und nicht für mich angefertigt worden.«

Etwas ratlos lächelte er Fenoglio zu. Es war das Lächeln eines Engels.

»Ihr ... ähm ... habt schwere Zeiten hinter Euch, Euer Gnaden«, sagte Fenoglio.

»Ja. Ja, das erzählt man mir. Wisst Ihr, ich erinnere mich nicht. Ich erinnere mich nur an sehr wenig. Mein Kopf fühlt sich seltsam leer an.« Er strich sich über die Stirn und blickte erneut die Statuen an. »Deshalb habe ich Euch rufen lassen«, sagte er. »Ihr sollt ein Meister der Worte sein, und ich will, dass Ihr mir helft, mich zu erinnern. Ich übertrage Euch hiermit die Aufgabe, niederzuschreiben, was es über Cosimo zu berichten gibt. Lasst es Euch erzählen, von meinen Soldaten, meinen Knechten, meiner Amme, meiner ... Frau.« Er zögerte einen Moment, bevor er das Wort aussprach. »Balbulus wird Eure Geschichten abschreiben und illuminieren, und dann werde ich sie mir vorlesen lassen, damit sich die Leere in meinem Kopf und meinem Herzen wieder mit Bildern und Worten füllt. Fühlt Ihr Euch dieser Aufgabe gewachsen?«

Fenoglio nickte hastig. »O ja, ja, natürlich, Euer Gnaden. Ich werde alles aufzeichnen. Geschichten aus Eurer Kindheit, als Euer ehrenwerter Vater noch lebte, Geschichten von Euren ersten Ausritten in den Weglosen Wald, alles über den Tag, als Eure Frau auf diese Burg kam, und über den, an dem Euer Sohn geboren wurde.«

Cosimo nickte. »Ja. Ja!«, sagte er mit erleichtert klingender Stimme. »Ich sehe, Ihr versteht. Und vergesst nicht meinen Sieg über die Brandstifter und meine Zeit bei den Weißen Frauen.«

»Keineswegs.« Fenoglio betrachtete das schöne Gesicht so unauffällig wie möglich. Wie hatte das passieren können? Natürlich hatte er nicht nur glauben sollen, er sei der wahre Cosimo, er hatte auch alle Erinnerungen mit dem Toten teilen sollen …

Cosimo erhob sich aus dem Thronsessel, in dem vor noch nicht allzu langer Zeit sein Vater gesessen hatte, und begann, auf und ab zu schreiten. »Einige Geschichten habe ich selbst schon gehört. Von meiner Frau.«

Die Hässliche. Schon wieder sie. Fenoglio sah sich suchend um. »Wo ist Eure Frau?«

»Sie sucht meinen Sohn. Er ist fortgelaufen, weil ich seinen Großvater nicht empfangen habe.«

»Erlaubt mir die Frage, Euer Gnaden – warum habt Ihr ihn nicht empfangen?«

Hinter Fenoglios Rücken öffnete sich die schwere Tür und Tullio huschte herein. Den toten Vogel hielt er nicht mehr in der Hand, als er sich zu Cosimos Füßen auf die Treppe kauerte, doch die Angst war immer noch auf seinem Gesicht zu sehen.

»Ich habe nicht vor, ihn jemals wieder zu empfangen.« Cosimo blieb vor dem Thronsessel stehen und strich über das Wappen seines Hauses. »Ich habe die Wachen am Tor angewiesen, meinen

Schwiegervater sowie alle, die ihm dienen, niemals wieder auf diese Burg zu lassen.«

Tullio sah zu ihm hoch, so ungläubig und erschrocken, als spürte er den Pfeil des Natternkopfes schon in der eigenen pelzigen Brust.

Cosimo aber sprach ungerührt weiter. »Ich habe mir berichten lassen, was in meinem Reich vorgegangen ist, während ich –«, wieder zögerte er einen Moment, bevor er weitersprach, »– abwesend war. Ja, nennen wir es so: abwesend. Ich habe meinen Verwaltern zugehört, Jagdaufsehern, Kaufleuten, Bauern, meinen Soldaten und meiner Frau. Auf die Art habe ich höchst interessante Dinge erfahren, beunruhigende Dinge. Und stellt Euch vor, Dichter, fast alles, was mir an Schlimmem berichtet wurde, hatte mit meinem Schwiegervater zu tun! Sagt mir, da Ihr ja angeblich bei den Spielleuten ein und aus geht, was erzählt sich das Bunte Volk über den Natternkopf?«

»Das Bunte Volk?« Fenoglio räusperte sich. »Nun, das, was alle sagen. Dass er sehr mächtig ist, vielleicht etwas zu mächtig?«

Cosimo stieß ein unfrohes Lachen aus. »O ja. Das ist er wohl. Und?«

Worauf wollte er hinaus? Du solltest es wissen, Fenoglio, dachte er beunruhigt. Wenn du nicht weißt, was in seinem Kopf vorgeht, wer dann? »Nun, sie sagen, der Natternkopf regiert mit eiserner Faust«, fuhr er mit zögernder Stimme fort. »Es gibt kein Gesetz in seinem Reich außer seinem Wort und Siegel. Rachsüchtig und eitel ist er, presst seinen Bauern so viel ab, dass sie hungern, schickt aufmüpfige Untertanen, ja, selbst Kinder in seine Silberminen, bis sie dort unten Blut spucken. Wilderer, die man in seinem Teil des Waldes fängt, werden geblendet, Dieben lässt er die rechte Hand abschlagen – was Euer Vater zum Glück schon vor einiger Zeit abgeschafft hat – und der einzige Spielmann, der gefahrlos in die Nähe der Nachtburg kommen kann, ist der Pfeifer – wenn er nicht gerade mit dem Brandfuchs plündernd über die Dörfer zieht.« Himmel, hab ich das alles so niedergeschrieben?, dachte Fenoglio. Vermutlich.

»Ja, all das habe ich auch gehört. Was noch?« Cosimo verschränkte die Arme vor der Brust und begann, auf und ab zu gehen, auf und ab. Er war tatsächlich schön wie ein Engel. Vielleicht hätte ich ihn etwas weniger schön machen sollen, dachte Fenoglio. Er sieht fast ein bisschen unecht aus.

»Und? Ja ... was noch?« Er runzelte die Stirn. »Der Natternkopf hatte schon immer Angst vor dem Tod, aber mit zunehmendem Alter soll es fast zur Besessenheit geworden sein. In der Nacht liegt er angeblich schluchzend und fluchend auf den Knien, schlotternd vor Angst, dass die Weißen Frauen ihn holen. Er soll sich mehrmals am Tag waschen, aus Angst vor Krankheit und Ansteckung, und Abgesandte mit Kisten voll Silber in ferne Länder schicken, damit sie ihm Wundermittel gegen das Alter kaufen. Außerdem heiratet er immer jüngere Frauen, in der Hoffnung, dass ihm endlich ein Sohn geboren wird.«

Cosimo war stehen geblieben. »Ja!«, sagte er leise. »Ja, all das wurde mir auch berichtet. Aber es gibt noch schlimmere Geschichten. Wann kommt Ihr zu denen – oder muss ich sie erzählen?« Bevor Fenoglio antworten konnte, fuhr er an seiner Stelle fort: »Man sagt, der Natternkopf schicke nachts den Brandfuchs über die Grenze, damit er meine Bauern erpresst. Man sagt, er beansprucht den ganzen Weglosen Wald für sich, lässt meine Kaufleute ausplündern, wenn sie in seinen Häfen landen, erpresst Abgaben von ihnen, wenn sie seine Straßen und Brücken benutzen, und bezahlt Wegelagerer, die meine Straßen unsicher machen. Man sagt, er lässt das Holz für seine Schiffe in meinem Teil des Waldes schlagen und dass er sogar Spitzel in dieser Burg hat und in jeder Gasse von Ombra. Selbst meinen eigenen Sohn soll er dafür bezahlt haben, dass er ihm alles berichtet, was mein Vater in diesem Saal mit seinen Beratern besprach. Und zu guter Letzt –«, Cosimo machte eine wirkungsvolle Pause, bevor er fortfuhr, »– hat man mir versichert, dass der Bote, der die Brandstifter vor meinem bevorstehenden Angriff warnte, von meinem Schwiegervater kam. Er soll, um meinen Tod zu feiern, mit Silber überzogene Wachteln verspeist und meinem Vater zum Trost einen Brief gesandt haben, dessen Pergament so geschickt mit Gift bestrichen war, dass jeder Buchstabe darauf tödlich wie Schlangengift war. Nun. Fragt Ihr immer noch, warum ich ihn nicht empfangen will?«

Vergiftetes Pergament? Himmel, wer kommt denn auf so was?, dachte Fenoglio. Ich bestimmt nicht.

»Haben die Worte Euch verlassen, Dichter?«, fragte Cosimo. »Nun, glaubt mir, es ging mir ähnlich, als man mir all diese Ungeheuerlichkeiten berichtete. Was sagt man zu solch einem Nachbarn? Was sagt Ihr zu dem Gerücht, dass der Natternkopf die Mutter meiner Frau vergiften ließ, weil sie allzu gern einem Spielmann lauschte? Was sagt Ihr dazu, dass er dem Brandfuchs seine Gepanzerten zur Verstärkung schickte, damit ich auch ganz gewiss nicht von der Brandstifter-Festung zurückkehrte? Mein Schwiegervater hat versucht, mich auszulöschen, Dichter! Ich habe ein Jahr meines Lebens vergessen, und alles davor ist so undeutlich, als hätte ein anderer es erlebt. Sie sagen, ich war tot. Sie sagen, die Weißen

Frauen hätten mich geholt. Sie fragen: Wo warst du, Cosimo? Und ich weiß die Antwort nicht! Aber ich weiß nun, wer meinen Tod wünschte und schuld daran ist, dass ich mich leer fühle wie ein ausgenommener Fisch, jünger als mein eigener Sohn. Sagt mir, was ist die angemessene Strafe für Vergehen so ungeheuerlicher Art gegen mich und andere?«

Fenoglio aber konnte ihn nur ansehen. Wer ist er?, fragte er sich. Um Himmels willen, Fenoglio, du weißt, wie er aussieht, aber wer ist er? »Sagt Ihr es mir!«, antwortete er schließlich heiser.

Und Cosimo schenkte ihm erneut sein Engelslächeln. »Es gibt nur eine angemessene Strafe, Dichter!«, sagte er. »Ich werde Krieg führen, Krieg gegen meinen Schwiegervater, bis die Nachtburg nicht mehr steht und sein Name vergessen ist.«

Fenoglio stand da, in dem abgedunkelten Saal, und hörte das eigene Blut in seinen Ohren rauschen. Krieg? Ich muss mich verhört haben!, dachte er. Von Krieg habe ich nichts geschrieben. Aber in seinem Innern begann es zu flüstern: Große Zeiten, Fenoglio! Hast du nicht etwas von großen Zeiten geschrieben?

»Er hat die Unverschämtheit, auf meine Burg zu reiten, mit Männern in seinem Gefolge, die schon für Capricorn gebrandschatzt haben: Er hat den Brandfuchs zu seinem Herold gemacht, gegen den ich ausgezogen bin, hat den Pfeifer hergeschickt als Beschützer meines Sohnes! Stellt Euch die Dreistigkeit vor! Meinen Vater konnte er vielleicht auf diese Art verhöhnen, aber nicht mich. Ich werde ihm zeigen, dass er es nicht länger mit einem Fürsten zu tun hat, der entweder weint oder zu viel isst.« Cosimos Gesicht überzog eine feine Röte. Der Zorn machte ihn nur noch schöner.

Krieg. Denk nach, Fenoglio. Denk nach. Krieg! Ist es das, was du gewollt hast? Er spürte, wie seine alten Knie zu zittern begannen.

Cosimo aber legte fast zärtlich die Hand an sein Schwert. Langsam zog er es aus der Scheide. »Nur dafür hat der Tod mich gehen lassen, Dichter«, sagte er, während er die lange, schlanke Klinge die Luft zerschneiden ließ. »Damit ich Gerechtigkeit in diese Welt bringe und den Teufel selbst vom Thron stoße. Dafür lohnt es sich doch zu kämpfen, oder? Dafür lohnt es sich sogar zu sterben.«

Er war ein schöner Anblick, wie er so dastand, mit dem gezogenen Schwert in der Hand. Und ja! Hatte er nicht recht? Vielleicht war ein Krieg tatsächlich der einzige Weg, den Natternkopf in seine Schranken zu weisen.

»Ihr müsst mir dabei helfen, Tintenweber! So nennt man Euch doch, oder? Der Name gefällt mir!« Cosimo schob das Schwert voll Anmut zurück in die Scheide. Tullio, der immer noch zu seinen Füßen auf der Treppe saß, schauderte, als die scharfe Klinge über das Leder schabte. »Ihr werdet den Aufruf an meine Untertanen für mich schreiben. Ihr werdet ihnen unsere Sache erklären, werdet Begeisterung in alle Herzen pflanzen und Abscheu für unseren Feind. Auch die Spielleute werden wir brauchen, Ihr seid ein Freund von ihnen. Schreibt ihnen feurige Lieder, Dichter! Lieder, die Lust aufs Kämpfen machen. Ihr schmiedet die Worte, ich lasse Schwerter schmieden, viele, viele Schwerter.«

Wie ein zorniger Engel stand er da, dem nichts als die Flügel fehlten, und zum ersten, zum allerersten Mal in seinem Leben empfand Fenoglio so etwas wie Zärtlichkeit für eins seiner Tintengeschöpfe. Ich werde ihm Flügel geben, dachte er. Ja, das werde ich. Mit meinen Worten.

»Euer Hoheit!« Als er diesmal den Kopf neigte, fiel es nicht schwer, und für einen köstlichen Moment schien es ihm fast, als hätte er sich den Sohn herbeigeschrieben, den er nie gehabt hatte. Nun werd nicht sentimental auf deine alten Tage!, sagte er sich, aber an der ungewohnten Weichheit in seinem Herzen änderte diese Ermahnung nichts.

Ich sollte mit ihm reiten!, dachte er. Ja, das sollte ich. Ich werde mit ihm gegen den Natternkopf ziehen ... auch wenn ich ein alter Mann bin. Fenoglio, Held in seiner eigenen Welt, Dichter und Kämpfer zugleich. Das war eine Rolle, die ihm gefallen würde. Als hätte er sie sich auf den Leib geschrieben.

Cosimo lächelte noch einmal. Fenoglio hätte jeden seiner Finger darauf verwettet, dass es kein schöneres Lächeln gab, weder in dieser noch in irgendeiner anderen Welt.

Auch Tullio schien Cosimos Zauber erlegen zu sein, trotz der Angst, die der Natternkopf ihm ins Herz gepflanzt hatte. Verzückt starrte er zu seinem wiedergewonnenen Herrn empor, die kleinen Hände im Schoß, als hielten sie immer noch den Vogel mit der durchbohrten Brust.

»Ich höre sie schon, die Worte!«, sagte Cosimo, während er zu seinem Thronsessel zurückkehrte. »Wisst Ihr, meine Frau liebt die geschriebenen Worte. Wörter, die wie tote Fliegen auf Pergament und Papier kleben, bei meinem Vater soll es ebenso gewesen sein, aber ich will Worte hören und nicht lesen! Denkt daran, wenn Ihr nach den richtigen sucht: Wie sie klingen, müsst Ihr Euch fragen! Klebrig von Leidenschaft, dunkel von Traurigkeit, süß von Liebe, so müssen sie sein. Schreibt Worte, in denen all unser gerechter Zorn über die Untaten des Natternkopfs zittert, und bald wird dieser Zorn in den Herzen aller sein. Ihr werdet die Anklage schreiben, die flammende Anklage, wir werden sie auf jedem Marktplatz verkünden und von den Spielleuten verbreiten lassen: *Hüte dich,*

Natternkopf! Bis auf seine Seite des Waldes soll man es hören. *Deine verbrecherischen Tage sind gezählt!* Und bald wird jeder Bauer unter meinem Wappen kämpfen wollen, jeder junge, jeder alte Mann, sie werden hierher strömen, auf die Burg, durch Eure Worte! Ich habe gehört, dass der Natternkopf in den Kaminen seiner Burg bisweilen gern Bücher verbrennen lässt, deren Inhalt ihm nicht gefällt, aber wie will er Worte verbrennen, die jeder singt und spricht?«

Er könnte den Mann verbrennen, der sie ausspricht, dachte Fenoglio. Oder den, der sie geschrieben hat. Ein beunruhigender Gedanke, der sein feurig klopfendes Herz etwas abkühlte, doch Cosimo schien ihn gehört zu haben.

»Natürlich werde ich Euch ab sofort unter meinen persönlichen Schutz stellen«, sagte er. »Ihr werdet künftig hier auf der Burg wohnen, in angemessenen Gemächern, wie es sich für einen Hofdichter gehört.«

»Auf der Burg?« Fenoglio räusperte sich, so verlegen machte ihn das Angebot. »Das … ist sehr großzügig von Euch. Ja, wirklich.« Neue Tage brachen an, ganz neue, prachtvolle Tage. Große Tage …

»Ihr werdet ein guter Fürst sein, Euer Gnaden!«, sagte er mit bewegter Stimme. »Ein guter und ein großer Fürst. Und meine Lieder über Euch wird man noch in Jahrhunderten singen, wenn der Natternkopf längst vergessen ist. Das verspreche ich Euch.«

Hinter ihm ertönten Schritte. Fenoglio fuhr herum, verärgert, in einem so bewegenden Moment gestört zu werden. Violante kam durch den Saal gehastet, ihren Sohn an der Hand, hinter sich ihre Dienerin.

»Cosimo!«, rief sie. »Hör ihn an. Dein Sohn will sich entschuldigen!«

Fenoglio fand, dass Jacopo nicht danach aussah. Violante musste ihn hinter sich herzerren und sein Gesicht war finster. Er schien sich nicht sonderlich über die Rückkehr seines Vaters zu freuen. Seine Mutter dagegen strahlte, wie Fenoglio sie noch nie gesehen hatte, und das Mal auf ihrem Gesicht war kaum dunkler als ein Schatten, den die Sonne ihr auf die Haut gezeichnet hatte.

Das Mal der Hässlichen verblasste auf ihrem Gesicht. Oh, Meggie, ich danke dir, dachte er. Wie schade, dass du nicht hier bist …

»Ich entschuldige mich nicht!«, verkündete Jacopo, als seine Mutter ihn unsanft die Treppe zum Thronsessel hinaufschob. »Er muss sich entschuldigen, bei meinem Großvater!«

Fenoglio machte unauffällig einen Schritt zurück. Es wurde Zeit zu gehen.

»Erinnerst du dich an mich?«, hörte er Cosimo fragen. »War ich ein strenger Vater?«

Jacopo zuckte nur die Schultern.

»O ja, du warst streng«, antwortete die Hässliche an seiner Stelle. »Du hast ihm seine Hunde fortgenommen, wenn er sich so benahm wie jetzt. Und sein Pferd.«

Oh, sie war schlau, schlauer, als Fenoglio gedacht hatte. Leise ging er auf die Tür zu. Wie gut, dass er bald auf der Burg wohnen würde. Er musste Violante im Auge behalten, sonst würde sie Cosimos leeres Gedächtnis bald ganz nach ihrem Geschmack gefüllt haben – wie einen ausgenommenen Truthahn. Als die Diener ihm das Portal öffneten, sah er, wie Cosimo seiner Frau abwesend zulächelte. Er ist ihr dankbar, dachte Fenoglio. Er ist dankbar, dass sie seine Leere mit ihren Worten füllt, aber lieben tut er sie nicht.

Nun, daran hast du natürlich wieder nicht gedacht, Fenoglio!, tadelte er sich, während er über den Inneren Hof schritt. Warum hast du kein Wort darüber geschrieben, dass Cosimo seine Frau liebt? Hast du nicht selbst Meggie vor langer Zeit die Geschichte von dem Blumenmädchen erzählt, das sein Herz an den Falschen verschenkte? Wozu sind denn Geschichten da, wenn man nicht auch etwas aus ihnen lernt? Nun, wenigstens liebte Violante Cosimo. Man musste sie nur ansehen. Das war doch schon etwas …

Andererseits … Violantes Dienerin, die mit dem wunderschönen Haar, Brianna, von der Meggie behauptete, sie sei Staubfingers Tochter – hatte sie Cosimo nicht ebenso verzückt angesehen? Und Cosimo – hatte der nicht öfter zu der Dienerin geblickt als zu seiner Frau? Unwichtig!, dachte Fenoglio. Hier wird es bald um größere Dinge gehen als um Liebe. Um viel größere Dinge …

Noch ein Bote

Die blasseste Tinte ist besser als das stärkste Gedächtnis.
Chinesisches Sprichwort

Der Natternkopf war verschwunden, als Fenoglio aus dem Tor der Inneren Burg trat, mitsamt seinen Gepanzerten. Gut!, dachte Fenoglio. Schäumen wird er vor Wut, den ganzen langen Weg nach Hause. Die Vorstellung ließ ihn lächeln. Auf dem Äußeren Hof wartete eine Ansammlung Männer. Die geschwärzten Hände ließen ihr Handwerk unschwer erkennen, auch wenn sie sie vermutlich gründlich geschrubbt hatten für ihren Fürsten. Die ganze Schmiedegasse Ombras schien sich auf der Burg eingefunden zu haben. *Ihr schmiedet die Worte, ich lasse Schwerter schmieden, viele, viele Schwerter.* Hatte Cosimo etwa schon mit den Vorbereitungen für seinen Krieg begonnen? Nun, dann wird es Zeit, dass ich mich an die Worte mache, dachte Fenoglio.

Als er in die Schustergasse einbog, glaubte er für einen Moment, Schritte hinter sich zu hören, doch als er sich umdrehte, hinkte nur ein einbeiniger Bettler mühsam an ihm vorbei. Bei jedem zweiten Schritt rutschte ihm die Krücke aus in dem Dreck, der zwischen den Häusern lag – Schweinemist, Gemüseabfälle, stinkende Pfützen von dem, was die Leute aus den Fenstern kippten. Nun, Krüppel wird es bald reichlich geben, dachte Fenoglio, während er auf Minervas Haus zuschritt. So ein Krieg ist geradezu eine Krüppelfabrik … Was war das für ein Gedanke? Regten sich da etwa Zweifel an Cosimos Plänen in seiner hochgestimmten Seele? Ach was …

Bei allen Buchstaben des Alphabets! Diese Kletterei werde ich gewiss nicht vermissen, wenn ich erst mal auf der Burg lebe!, dachte er, als er sich die Treppe zu seiner Kammer hinaufquälte. Ich muss Cosimo nur bitten, mich auf keinen Fall in einem der Türme einzuquartieren. Zu Balbulus' Werkstatt hinauf war es schließlich auch eine elende Stufensteigerei! Ach, die paar Stufen sind dir zu steil, aber in den Krieg zu ziehen, das traust du dir zu auf deine alten Tage!, spottete die leise Stimme in seinem Inneren, die sich immer zu den unpassendsten Zeiten äußerte, doch Fenoglio war geübt darin, sie zu überhören.

Rosenquarz war nicht da. Vermutlich war er wieder mal aus dem Fenster geklettert, um den Glasmann des Schreibers zu besuchen, der drüben bei den Bäckern wohnte. Auch die Feen schienen alle ausgeflogen. Es war still in Fenoglios Kammer, ungewohnt still. Mit einem Seufzer setzte er sich auf sein Bett. Er wusste selbst nicht warum, aber er musste an seine Enkel denken, an den Lärm und das Gelächter, mit dem sie sein Haus erfüllt hatten. Na und?, dachte er, verärgert über sich selbst. Minervas Kinder machen den gleichen Lärm, und wie oft hast du sie schon in den Hof hinuntergejagt, weil es dir zu viel wurde!

Schritte kamen die Treppe herauf. Na bitte. Wenn man vom Teufel sprach! Er hatte keine Lust, Geschichten zu erzählen. Er musste seine Sachen packen – und Minerva schonend beibringen, dass sie sich nach einem neuen Untermieter umsehen musste.

»Fort mit euch!«, rief er zur Tür. »Ärgert die Schweine im Hof oder die Hühner, aber der Tintenweber hat keine Zeit, denn er zieht auf die Burg!«

Die Tür schwang trotzdem auf, doch es waren nicht zwei Kindergesichter, die sich zeigten. Ein Mann stand davor – mit fleckigem Gesicht und leicht hervortretenden Augen, Fenoglio hatte ihn noch nie gesehen, und doch kam er ihm seltsam bekannt vor. Seine ledernen Hosen waren geflickt und schmutzig, aber die Farbe seines Umhangs ließ Fenoglios Herz schneller schlagen. Es war das silbrige Grau des Natternkopfes.

»Was soll das?«, fragte er barsch und erhob sich, doch der Fremde war schon durch die Tür. Breitbeinig stand er da, das Grinsen ebenso hässlich wie sein Gesicht, aber erst der Anblick seines Begleiters ließ Fenoglios alte Knie weich werden. Basta lächelte ihm zu wie einem lang vermissten Freund. Auch er trug das Silber der Natter.

»Pech, Pech, schon wieder Pech!«, sagte er, während er sich in der Kammer umsah. »Das Mädchen ist nicht hier. Da schleichen wir dir extra leise wie die Katzen von der Burg nach, weil wir denken, wir fangen gleich zwei Vögel, und nun ist es doch nur der hässliche alte Rabe, der uns in die Falle geht. Na ja, einer ist besser als keiner. Man darf nicht zu viel vom Glück erwarten, schließlich hat es dich gerade zur passenden Zeit auf die Burg geschickt, nicht wahr? Ich hab dein hässliches Schildkrötengesicht sofort erkannt, aber du hast mich nicht mal bemerkt, stimmt's?«

Nein, das hatte Fenoglio nicht. Hätte er jeden Mann mustern sollen, der hinter dem Natternkopf gestanden hatte? Wenn du klug gewesen wärst, Fenoglio, sagte er sich, hättest du genau das getan! Wie konntest du vergessen, dass Basta zurück ist? War es nicht Warnung genug, was Mortimer passiert ist?

»Na, was für eine Überraschung! Basta! Wie bist du dem Schatten entkommen?«, sagte er laut – und trat unauffällig zurück, bis er hinter sich das Bett spürte. Nachdem im Nachbarhaus einem Mann im Schlaf die Kehle durchgeschnitten worden war, hatte er sich ein Messer unters Kissen gelegt, aber er war nicht sicher, ob es immer noch dort lag.

»Tut mir leid, aber er hat mich wohl übersehen in dem Käfig, in dem ich steckte«, schnurrte Basta mit seiner Katzenstimme. »Capricorn hatte weniger Glück, aber Mortola ist noch da, und sie hat unserem alten Freund, dem Natternkopf, von den drei Vögeln erzählt, die wir suchen, gefährlichen Hexern, die mithilfe von Buchstaben töten.« Basta kam langsam auf Fenoglio zu. »Kannst du dir denken, wer diese Vögel sind?«

Der andere Mann schloss mit einem Stiefeltritt die Tür.

»Mortola?« Fenoglio versuchte, seine Stimme spöttisch und überlegen klingen zu lassen, aber es klang doch eher wie das Krächzen eines sterbenden Raben. »War Mortola es nicht, die dich in den Käfig hat stecken lassen, um dich an den Schatten zu verfüttern?«

Basta zuckte nur die Achseln und schlug den silbergrauen Umhang zurück. Natürlich, da steckte es, sein Messer. Ein nagelneues Exemplar, wie es aussah, prächtiger als alle, die er je in der anderen Welt besessen hatte, und sicherlich ebenso scharf.

»Ja, das war nicht nett«, sagte er, während seine Finger liebkosend über den Messergriff strichen. »Aber es tut ihr wirklich leid. Nun, was ist, weißt du, nach welchen Vögeln wir suchen? Ich helf dir etwas. Einem haben wir schon den Hals umgedreht, dem, der am lautesten gesungen hat.«

Fenoglio ließ sich auf das Bett sinken, mit, wie er hoffte, ausdruckslosem Gesicht. »Ich nehme an, du sprichst von Mortimer«, sagte er, während er eine Hand langsam unter das Kissen schob.

»Richtig!« Basta lächelte. »Du hättest dabei sein sollen, als Mortola ihn erschossen hat. Ein Schuss in die Brust, so wie sie es immer mit den Krähen gemacht hat, die ihr die Saat von den Feldern pickten.« Die Erinnerung machte sein Lächeln noch etwas böser. Oh, wie gut Fenoglio wusste, was in seinem schwarzen Herzen vorging! Schließlich hatte er ihn ebenso erfunden wie Cosimo mit seinem Engelslächeln. Basta hatte es schon immer geliebt, seine eigenen Schandtaten und auch die anderer in aller Ausführlichkeit zu schildern.

Bastas Begleiter schien nicht so gesprächig. Gelangweilt sah er sich in Fenoglios Kammer um. Gut, dass der Glasmann nicht da war. Es war so leicht, ihn umzubringen.

»Dich werden wir wohl nicht erschießen.« Basta trat noch etwas näher auf Fenoglio zu, das Gesicht lauernd wie das einer Katze auf der Jagd. »Dich werden wir vermutlich aufhängen, bis dir die Zunge aus dem alten Hals hängt.«

»Wie einfallsreich!«, sagte Fenoglio, während er die Finger immer tiefer unter das Kissen schob. »Aber du weißt, was dann passiert. Du wirst ebenfalls sterben.«

Bastas Lächeln verschwand so abrupt wie eine Maus in ihrem Loch. »Ach ja!«, zischte er böse, während seine Hand unwillkürlich nach dem Amulett an seinem Hals griff. »Das hatte ich fast vergessen. Du glaubst ja, dass du mich erfunden hast. Was ist mit ihm?« Er wies auf den anderen Mann. »Das ist der Schlitzer. Hast du den auch erfunden? Schließlich hat er auch mal für Capricorn gearbeitet. Viele Feuerfinger tragen jetzt das Silber der Natter, auch wenn einige von uns finden, dass man unter Capricorn mehr Spaß hatte. All das feine Pack auf der Nachtburg ...« Er spuckte verächtlich auf Fenoglios Boden. »Es ist wohl kein Zufall, dass der Natternkopf eine Schlange in seinem Wappen führt. Auf dem Bauch soll man vor ihm kriechen, so hat er es gern, der edle Herr. Aber was soll's? Zahlen tut er gut. He, Schlitzer?«, fragte er seinen immer noch schweigsamen Begleiter. »Was denkst du, sieht der Alte so aus, als hätte er dich erfunden?«

Der Schlitzer verzog sein hässliches Gesicht. »Wenn ja, dann hat er es, verdammt noch mal, nicht gut gemacht, oder?«

»Stimmt!« Basta lachte. »Eigentlich hätte er es allein für das Gesicht, das er dir verpasst hat, verdient, unsere Messer zu schmecken, nicht wahr?«

Der Schlitzer. Ja, stimmt, den hatte er auch erfunden. In Fenoglios Magen machte sich Übelkeit breit, als er daran dachte, warum er ihn so getauft hatte.

»Nun sag schon, Alter!« Basta beugte sich so tief über ihn, dass sein Pfefferminzatem ihm übers Gesicht strich. »Wo ist das Mädchen? Wenn du es uns verrätst, lassen wir dich vielleicht noch eine Weile am Leben und schicken erst mal die Kleine ihrem Vater nach. Bestimmt hat sie schon Sehnsucht nach ihm. Die beiden waren doch so vernarrt ineinander. Na los, wo steckt sie, spuck es schon aus!« Langsam zog er das Messer aus dem Gürtel. Die Klinge war lang und leicht gebogen. Fenoglio schluckte, als könnte er seine Angst hinunterwürgen. Er schob die Hand noch etwas tiefer unter das Kissen, aber seine Fingerspitzen stießen nur gegen ein Stück Brot, das Rosenquarz dort vermutlich versteckt hatte. Umso besser, dachte er. Was hätte mir ein Messer schon genützt? Basta hätte mich aufgespießt, bevor ich es noch richtig in der Hand gehabt hätte, von dem Schlitzer ganz zu schweigen. Er spürte, wie ihm Schweiß in die Augen lief.

»He, Basta! Ich weiß, du hörst dich gern reden, aber lass ihn uns endlich mitnehmen.« Die Stimme des Schlitzers klang breit wie die der Kröten, die nachts in den Hügeln quakten. Natürlich, so hatte Fenoglio sie beschrieben. Der Schlitzer mit der Krötenstimme. »Ausfragen können wir ihn später, jetzt müssen wir den anderen nach!«, drängte er. »Wer weiß, was dieser tote Fürst als Nächstes tut! Was, wenn er uns nicht mehr hinauslässt aus seinem verfluchten Tor? Was, wenn er uns seine Soldaten nachjagt? Die anderen sind uns bestimmt schon Meilen voraus!«

Basta schob mit einem Seufzer des Bedauerns das Messer zurück in den Gürtel. »Ja, ja, schon gut, du hast recht«, sagte er mürrisch. »Mit so was soll man sich Zeit lassen. Ausfragen ist eine Kunst, eine echte Kunst.« Grob packte er Fenoglios Arm, zerrte ihn hoch und stieß ihn auf die Tür zu. »Wie in alten Zeiten, nicht wahr?«, raunte er ihm ins Ohr. »Ich hab dich schon einmal aus deinem Haus gezerrt, erinnerst du dich? Benimm dich genauso gut wie damals und du wirst noch eine Weile atmen. Und wenn wir an der Frau vorbeikommen, die im Hof die Schweine füttert, dann sag ihr, wir holen dich ab, um dich zu einer alten Freundin zu bringen, verstanden?«

Fenoglio nickte nur. Minerva würde ihm kein Wort glauben, aber vielleicht holte sie ja Hilfe?

Bastas Hand lag schon auf der Klinke, als erneut Schritte die Treppe heraufkamen. Das alte Holz knarrte und ächzte. Die Kinder. Um Himmels willen. Aber es war nicht die Stimme eines Kindes, die durch die Tür drang.

»Tintenweber?«

Basta warf dem Schlitzer einen besorgten Blick zu, doch Fenoglio hatte die Stimme erkannt: Wolkentänzer, der alte Seiltänzer, der ihm so manches Mal schon eine Nachricht vom Schwarzen

Prinzen gebracht hatte. Eine große Hilfe würde der gewiss nicht sein mit seinem steifen Bein! Aber welche Nachricht führte ihn her? Hatte der Schwarze Prinz etwas von Meggie gehört?

Basta winkte den Schlitzer auf die linke Seite und stellte sich selbst rechts neben die Tür. Dann gab er Fenoglio ein Zeichen – und zog erneut das Messer aus dem Gürtel.

Fenoglio öffnete die Tür. Sie war so niedrig, dass er jedes Mal den Kopf einzog, wenn er hindurchtrat. Wolkentänzer stand vor ihm und rieb sich das Knie. »Verfluchte Treppe!«, schimpfte er. »Steil und morsch. Bin nur froh, dass du da bist und ich nicht noch mal hinaufsteigen muss. Hier.« Er sah sich um, als hätte das alte Haus Ohren, und griff in die Ledertasche, in der schon so viele Briefe von Ort zu Ort gewandert waren. »Das Mädchen, das bei dir wohnt, schickt dir das hier.« Er hielt ihm ein Stück Papier hin, mehrmals gefaltet, es sah aus wie eine Seite aus Meggies Notizbuch. Meggie hasste es, Seiten aus einem Buch zu reißen, und aus diesem sicher ganz besonders, ihr Vater hatte es gebunden. Also musste die Nachricht sehr wichtig sein – und gleich würde Basta sie ihm abnehmen.

»Na, nun nimm schon!« Wolkentänzer hielt ihm das Blatt ungeduldig unter die Nase. »Weißt du, wie ich mich beeilt habe, dir das zu bringen?«

Widerstrebend griff Fenoglio zu – und wusste nur eins: Basta durfte Meggies Nachricht nicht bekommen. Niemals. Seine Finger schlossen sich so fest um das Papier, dass kein Zipfel davon mehr zu sehen war.

»Hör zu!«, fuhr Wolkentänzer mit leiser Stimme fort. »Der Natternkopf hat das Geheime Lager überfallen lassen. Staubfinger …«

Fenoglio schüttelte fast unmerklich den Kopf. »Schön. Vielen Dank, es ist nur so, ich habe gerade Besuch«, sagte er und versuchte verzweifelt, Wolkentänzer mit seinen Augen zu erzählen, was sein Mund nicht aussprechen konnte. Er rollte sie nach links und rechts, als könnten sie wie Finger dorthin weisen, wo Basta und der Schlitzer hinter der Tür warteten.

Wolkentänzer wich einen Schritt zurück.

»Renn!«, stieß Fenoglio hervor und machte einen Satz aus der Tür. Wolkentänzer stürzte fast die Treppe hinunter, als er sich an ihm vorbeidrängte, aber dann stolperte er ihm nach. Fenoglio rutschte die Stufen mehr hinab, als dass er ging. Er drehte sich nicht um, bevor er unten stand, hörte Basta hinter sich fluchen und die Krötenstimme des Schlitzers. Er hörte die Kinder im Hof erschrocken aufschreien und von irgendwoher Minervas Stimme, aber da rannte er schon zwischen die Schuppen und die Leinen, auf denen ihre frisch gewaschene Wäsche hing. Ein Schwein lief ihm zwischen die Beine, ließ ihn stolpern und in den Dreck fallen, und als er sich aufrichtete, sah er, dass der Wolkentänzer nicht so schnell gewesen war wie er. Wie auch, mit seinem steifen Bein? Basta hatte ihn am Kragen gepackt, während der Schlitzer Minerva zur Seite stieß, die ihm mit einem Rechen in den Weg getreten war. Fenoglio duckte sich, erst hinter ein leeres Fass, dann hinter den Schweinetrog, er kroch auf allen vieren zu einem der Schuppen.

Despina.

Mit entgeisterten Augen starrte sie ihn an. Er legte den Finger auf die Lippen, kroch weiter, zwängte sich zwischen ein paar Brettern durch, dorthin, wo Minervas Kinder ihr Versteck hatten. Er passte nur gerade hinein, das Versteck war nicht gedacht für alte

Männer, die langsam dick um die Hüften wurden. Die beiden Kinder kamen hierher, wenn sie nicht schlafen oder sich vor der Arbeit drücken wollten. Nur Fenoglio hatten sie ihr Versteck gezeigt, als Beweis ihrer Freundschaft – und im Austausch gegen eine gute Geistergeschichte.

Er hörte, wie Wolkentänzer aufschrie, wie Basta etwas brüllte und Minerva weinte. Fast wäre er zurückgekrochen, aber die Angst lähmte ihn. Außerdem, was konnte er schon ausrichten gegen Bastas Messer und das Schwert, das dem Schlitzer am Gürtel hing? Er lehnte sich gegen die Bretter, hörte das Schwein grunzen und die Nase in die Erde stoßen. Meggies Nachricht verschwamm vor seinen Augen, die Seite war schmutzig vom Schlamm, durch den er gekrochen war, aber noch war zu entziffern, was sie geschrieben hatte.

»Ich weiß es nicht!«, hörte er Wolkentänzer schreien. »Ich weiß nicht, was sie geschrieben hat! Ich kann doch nicht lesen!« Tapferer Wolkentänzer. Vermutlich wusste er es doch. Gewöhnlich ließ er sich alles, was er überbrachte, auch sagen.

»Aber du kannst mir sagen, wo sie ist, nicht wahr?« Das war Bastas Stimme. »Raus damit. Ist sie mit Staubfinger zusammen? Du hast doch dem Alten seinen Namen zugeraunt!«

»Ich weiß es nicht!« Wieder schrie er auf, und Minerva weinte noch lauter und schrie um Hilfe, dass es von den engen Häusern widerhallte.

Die Männer vom Natternkopf haben sie alle mitgenommen, meine Eltern und die Spielleute, las Fenoglio. *Staubfinger folgt … Mäuse-Mühle …* Die Buchstaben verschwammen vor seinen Augen. Wieder hörte er das Schreien von draußen. Er biss sich auf die Knöchel, so fest, dass sie zu bluten begannen. *Schreib etwas,*

Fenoglio. Rette sie! Schreib – Es war ihm, als hörte er Meggies Stimme. Da, wieder ein Schrei. Nein. Nein, er konnte nicht so hier sitzen bleiben. Er kroch nach draußen, weiter und weiter, bis er sich aufrichten konnte.

Basta hielt den Wolkentänzer immer noch gepackt, er presste ihn gegen die Mauer des Hauses. Der Kittel des alten Seiltänzers war blutig und zerschnitten, und der Schlitzer stand vor ihm, ein Messer in der Hand. Wo war Minerva? Sie war nirgends zu entdecken, aber Despina und Ivo standen versteckt zwischen den Schuppen und sahen, was ein Mann einem anderen antun kann. Mit einem Lächeln auf den Lippen.

»Basta!« Fenoglio machte einen Schritt vor. Er legte all seine Wut und all seine Angst in die Stimme – und hielt das dicht beschriebene Papier hoch.

Basta drehte sich um, mit gespielter Überraschung. »Ah, da steckst du!«, rief er. »Bei den Schweinen. Wusste ich's doch. Bring uns den Brief besser her, bevor der Schlitzer deinen Freund hier in Streifen geschnitten hat.«

»Ihr müsst ihn euch schon holen!«

»Wozu?« Der Schlitzer lachte. »Du kannst ihn uns doch vorlesen!«

Ja. Das konnte er. Fenoglio stand da und wusste nicht weiter. Wo waren all die Lügen hin, all die praktischen Lügen, die ihm sonst so leicht über die Zunge kamen? Wolkentänzer starrte ihn an, das Gesicht verzerrt vor Schmerz und Angst – und plötzlich, als hielte er die Angst keinen Augenblick länger aus, riss er sich von Basta los und rannte auf Fenoglio zu. Er rannte schnell, trotz des steifen Knies, aber Bastas Messer war schneller, so viel schneller. Es durchstieß Wolkentänzer den Rücken, wie der Pfeil des Natternkopfes es mit der Brust des Goldspötters getan hatte. Der Spielmann fiel in den Schlamm und Fenoglio stand da und begann zu zittern. Er zitterte so sehr, dass Meggies Nachricht ihm aus der Hand glitt und zu Boden flatterte. Wolkentänzer aber lag da und rührte sich nicht mehr, das Gesicht im Schmutz. Despina trat aus ihrem Versteck, sosehr Ivo auch versuchte, sie zurückzuzerren, und starrte mit großen Augen auf die reglose Gestalt zu Fenoglios Füßen. Es war still, so still auf dem Hof.

»Lies vor, Schreiberling!«

Fenoglio hob den Kopf. Basta stand vor ihm, das Messer in der Hand, das eben noch in Wolkentänzers Rücken gesteckt hatte. Fenoglio starrte auf das Blut an der blanken Klinge – und auf Meggies Worte. In Bastas Hand. Ohne nachzudenken, ballte er die Fäuste. Er stieß sie Basta vor die Brust, als gäbe es das Messer nicht, als gäbe es den Schlitzer nicht. Basta stolperte zurück, Ärger und Erstaunen auf dem Gesicht. Er fiel über einen Eimer, gefüllt mit dem Unkraut, das Minerva von ihren Beeten gerupft hatte. Fluchend kam er wieder auf die Füße. »Mach das nicht noch mal, alter Mann!«, zischte er. »Ich sag es dir jetzt zum letzten Mal. Lies vor!«

Aber Fenoglio hatte Minervas Mistgabel aus dem schmutzigen Stroh gezogen, das sich vor dem Schweinestall häufte. »Mörder!«, flüsterte er und hielt Basta die grob geschmiedeten Eisenzinken entgegen. Wo war nur seine Stimme hin? »Mörder, Mörder!«, wiederholte er, immer lauter, und stieß mit der Gabel nach Bastas Brust, dorthin, wo sein schwarzes Herz pochte.

Basta wich zurück, mit wutverzerrtem Gesicht.

»Schlitzer!«, brüllte er. »Schlitzer, komm her, und nimm ihm die verdammte Forke ab!«

Aber der Schlitzer war zwischen die Häuser getreten, das Schwert in der Hand, und lauschte. Hufe klapperten draußen auf der Gasse. »Wir müssen weg, Basta!«, stieß er hervor. »Cosimos Wachen kommen!«

Basta starrte Fenoglio an, die schmalen Augen hasserfüllt. »Wir sehen uns wieder, alter Mann!«, flüsterte er. »Aber dann liegst du so vor mir im Dreck wie er.« Achtlos stieg er über den reglosen Wolkentänzer hinweg. »Und das hier«, sagte er, während er Meggies Nachricht unter seinen Gürtel schob, »das liest Mortola mir vor. Wer hätte gedacht, dass das dritte Vögelchen uns eigenhändig schreibt, wo wir es finden? Und den Feuerfresser werden wir kostenlos dazubekommen!«

»Basta, komm endlich!« Der Schlitzer winkte ungeduldig.

»Ja, ja, was regst du dich auf? Glaubst du, sie knüpfen uns auf, weil es jetzt einen Spielmann weniger gibt?«, erwiderte Basta mit gelassener Stimme, aber er ließ Fenoglio stehen. Er winkte ihm ein letztes Mal zu, bevor er zwischen den Häusern verschwand.

Fenoglio glaubte, Stimmen zu hören, Waffengeklirr, aber vielleicht war es auch etwas anderes. Er kniete sich neben Wolkentänzer, drehte ihn sacht auf den Rücken und legte ihm das Ohr an die Brust – als hätte er den Tod nicht längst auf seinem Gesicht gesehen. Er spürte, wie die beiden Kinder neben ihn traten. Despina legte ihm die Hand auf die Schulter, schmal und leicht wie ein Blatt.

»Ist er tot?«, flüsterte sie.

»Das siehst du doch«, sagte ihr Bruder.

»Holen die Weißen Frauen ihn jetzt?«

Fenoglio schüttelte den Kopf. »Nein, er geht ganz von allein zu ihnen«, antwortete er leise. »Du siehst es doch. Er ist schon fort. Aber sie werden ihn empfangen auf ihrem Weißen Schloss. Es ist aus Knochen gebaut, doch es sieht wunderschön aus. Dort gibt es einen Hof, einen Hof voll duftender Blumen, und ein Seil aus Mondlicht ist darüber gespannt, nur für Wolkentänzer ...« Die Worte kamen wie selbstverständlich, schöne, tröstliche Worte, aber war es wirklich so? Fenoglio wusste es nicht. Es hatte ihn noch nie interessiert, was nach dem Tod kam, weder in dieser noch in der anderen Welt. Vermutlich nichts als Stille, Stille ohne ein einziges tröstendes Wort.

Minerva stolperte zwischen den Häusern hervor, eine blutige Schramme auf der Stirn. Der Bader, der an der Ecke wohnte, war bei ihr und zwei weitere Frauen, die Gesichter blass vor Angst. Despina rannte auf ihre Mutter zu, aber Ivo blieb neben Fenoglio stehen.

»Keiner wollte kommen.« Minerva schluchzte, während sie sich neben dem Toten auf die Knie fallen ließ. »Angst hatten sie. Alle!«

»Wolkentänzer«, murmelte der Bader. Knochenflicker nannten die Leute ihn, Steinschneider, Harnprophet und manchmal, wenn ihm ein Kunde gestorben war, Würg-Engel. »Vor einer Woche noch hat er mich gefragt, ob ich was gegen die Schmerzen in seinem Knie weiß.«

Fenoglio erinnerte sich, dass er den Bader beim Schwarzen Prinzen gesehen hatte. Sollte er ihm erzählen, was Wolkentänzer über das Geheime Lager gesagt hatte? Konnte er ihm trauen? Nein, es war besser, niemandem zu trauen. Nichts und niemandem. Der Natternkopf hatte viele Spione.

Fenoglio richtete sich auf. Nie zuvor hatte er sich so alt gefühlt, so alt, dass es ihm vorkam, als könnte er nicht einen einzigen weiteren Tag überstehen. Die Mühle, von der Meggie geschrieben hatte, wo zum Teufel lag die? Der Name hatte vertraut geklungen … Natürlich, weil er sie beschrieben hatte, in einem der letzten Kapitel von *Tintenherz*. Der Müller war kein Freund des Natternkopfes, obwohl seine Mühle ganz in der Nähe der Nachtburg lag, in einem dunklen Tal südlich des Weglosen Waldes.

»Minerva«, fragte er, »wie lange braucht ein Reiter von hier zur Nachtburg?«

»Zwei Tage bestimmt, wenn er sein Pferd nicht zuschanden reiten will«, antwortete Minerva leise.

Zwei Tage oder etwas weniger, bis Basta erfuhr, was in Meggies Brief stand. *Wenn* er damit zur Nachtburg ritt. Bestimmt wird er das!, dachte Fenoglio. Basta kann nicht lesen, also wird er den Brief Mortola bringen und die Elster hockt sicherlich auf der Nachtburg. Also blieben vermutlich noch zwei Tage, bis Mortola Meggies Nachricht lesen und Basta zur Mäuse-Mühle schicken würde. Wo Meggie vielleicht schon wartete … Fenoglio seufzte. Zwei Tage. Vielleicht würde das reichen, um sie zu warnen, aber wohl kaum für die Worte, die sie von ihm erhoffte – Worte, die ihre Eltern retten konnten.

Schreib etwas, Fenoglio. Schreib …

Als ob das so einfach wäre! Meggie, Cosimo, sie alle wollten Worte von ihm, aber sie hatten leicht reden. Es brauchte Zeit, die richtigen zu finden, und genau davon hatte er nicht genug!

»Minerva, sag Rosenquarz, dass ich auf die Burg muss«, sagte Fenoglio. Er war plötzlich furchtbar müde. »Sag ihm, ich hole ihn später nach.«

Minerva strich Despina übers Haar, die in ihren Rock schluchzte, und nickte. »Ja, geh auf die Burg!«, sagte sie mit belegter Stimme. »Geh hin und sag Cosimo, er soll Soldaten hinter den Mördern herschicken. Bei Gott, ich werd in der ersten Reihe stehen, wenn sie sie aufhängen!«

»Aufhängen? Was redest du denn da?« Der Bader fuhr sich durch das schüttere Haar und blickte düster auf den Toten hinab. »Wolkentänzer war ein Spielmann. Niemand wird aufgehängt, weil er einen Spielmann erstochen hat. Es wird strenger bestraft, wenn du einen Hasen im Wald erlegst.«

Ivo sah Fenoglio ungläubig an. »Sie bestrafen sie nicht?«

Was sollte er ihm antworten? Nein. Keiner würde Basta und den Schlitzer bestrafen. Vielleicht würde der Schwarze Prinz es irgendwann tun oder der Mann, der sich die Maske des Eichelhähers aufgesetzt hatte, aber Cosimo würde den beiden nicht einen einzigen Soldaten nachschicken. Vogelfrei, das war das Bunte Volk, auf dieser ebenso wie auf der anderen Seite des Waldes. Niemandem untertan und von niemandem beschützt. Aber einen Reiter wird Cosimo mir geben, wenn ich ihn darum bitte, dachte Fenoglio, einen schnellen Reiter, der Meggie vor Basta warnen kann – und ihr ausrichten, dass ich an den richtigen Worten arbeite. *Schreib etwas, Fenoglio. Rette sie! Schreib etwas, das sie alle befreit und den Natternkopf tötet …* Ja, weiß Gott, das würde er. Feuerlieder für Cosimo würde er schreiben und mächtige Worte für Meggie. Und dann würde ihre Stimme dieser Geschichte endlich zu einem guten Ende verhelfen.

Hoffnungslos

Der Senfnapf erhob sich und kam auf dünnen Silberbeinen zu seinem Teller, watschelnd wie die Eule … »Au, der Senftopf ist ja reizend!«, sagte Wart. »Wo habt ihr denn den her?«
T. H. White, Der König auf Camelot, Teil 1

Zum Glück konnte Darius kochen, sonst hätte Orpheus Elinor wohl schon nach der ersten Mahlzeit wieder in den Keller gesperrt und sich das Essen aus ihren Büchern gelesen. Dank Darius' Kochkunst aber durften sie immer öfter und länger nach oben – wenn auch unter Zuckers Aufsicht –, denn Orpheus aß gern und viel, und ihm schmeckte, was Darius kochte.

Aus Sorge, Orpheus würde andernfalls nur Darius nach oben lassen, taten sie, als sei Elinor die Urheberin all der duftenden Köstlichkeiten, und Darius spielte den unermüdlich schnippelnden, rührenden und kostenden Assistenten, doch sobald Zucker gelangweilt vor die Tür stapfte, um dort Löcher in die Bücherregale zu starren, übernahm Darius die Kochlöffel und Elinor das Schnippeln – auch wenn sie dafür nahezu ebenso wenig begabt war wie fürs Kochen.

Ab und zu stolperte irgendeine verloren in die Runde blickende Gestalt in die Küche, mal menschlich, mal bepelzt oder geflügelt, einmal war es sogar ein sprechender Senfnapf. Meist konnte Elinor daraus schließen, welches ihrer armen Bücher Orpheus gerade in den blassen Händen hielt. Winzige Männer mit altertümlichen

Frisuren – *Gullivers Reisen* vermutlich. Der Senfnapf? Sehr wahrscheinlich aus Merlins Hütte, und der bezaubernde und höchst verwirrte Faun, der eines Mittags hereintrippelte, auf zierlichen Ziegenhufen, stammte sicherlich aus *Narnia*.

Elinor fragte sich natürlich besorgt, ob all diese Geschöpfe in ihrer Bibliothek herumtappten, wenn sie nicht gerade mit glasigem Blick in der Küche standen, und schließlich bat sie Darius, unter dem Vorwand, nach Essenswünschen zu fragen, spionieren zu gehen. Er kam zurück mit der beruhigenden Auskunft, dass es in ihrem Allerheiligsten zwar immer noch furchtbar aussah, dass aber bis auf Orpheus, seinen abscheulichen Hund und einen etwas blassen Herrn, der Darius verdächtig an den Geist von Canterville erinnerte, niemand Elinors Bücher betatschte, besudelte, beschnupperte oder sonst wie belästigte.

»Gott sei's gedankt!«, seufzte sie erleichtert. »Er lässt sie also offenbar alle wieder verschwinden. Der widerliche Kerl versteht sein Handwerk wirklich. Und offenbar kann er sie inzwischen tatsächlich hinauslesen, ohne dass jemand in den Büchern verschwindet!«

»Ohne Zweifel«, stellte Darius fest – und Elinor glaubte, einen Schatten von Neid in seiner sanften Stimme zu hören.

»Nun, dafür ist er ein Monster«, sagte sie in einem unbeholfenen Versuch, ihn zu trösten. »Nur schade, dass dieses Haus so überaus üppig mit Essensvorräten ausgestattet ist, sonst hätte er den Schrankmann längst zum Einkaufen schicken und es allein mit uns beiden aufnehmen müssen.«

So aber verstrichen die Tage, ohne dass sie irgendetwas ändern konnten – weder an ihrer eigenen Gefangenschaft noch daran, dass Mortimer und Resa in vermutlich tödlicher Gefahr schwebten. An Meggie versuchte Elinor gar nicht erst zu denken. Und Orpheus, der Einzige, der alles auf offenbar so leichte Weise hätte wieder zurechtrücken können, saß wie eine fette blasse Spinne in ihrer Bibliothek und tändelte mit ihren Büchern und deren Bewohnern herum, als wären es Spielzeuge, die man ein- und auspackt.

»Wie lange will er das noch so weitermachen, frag ich mich!«, schimpfte sie irgendwann zum bestimmt hundertsten Mal, während Darius Reis in eine Schüssel gab – natürlich gerade lang genug gekocht, weich und doch körnig. »Hat er vor, uns für den Rest seines Lebens als unbezahlte Diener zu halten, die für ihn kochen und putzen, während er sich mit meinen armen Büchern amüsiert? In *meinem* Haus?«

Dazu sagte Darius nichts. Stattdessen füllte er wortlos vier Teller auf – mit einem Essen, das Orpheus sicherlich nicht aus dem Haus treiben würde.

»Darius!«, flüsterte Elinor und legte eine Hand auf seine schmale Schulter. »Willst du es nicht doch versuchen? Er hat das Buch zwar immer neben sich liegen, aber vielleicht bekommen wir es doch auf irgendeine Weise in die Finger. Du könntest ihm etwas ins Essen tun –«

»Er lässt Zucker vorkosten.«

»Ja, ich weiß. Gut, dann müssen wir eben etwas anderes versuchen, irgendetwas, und dann liest du uns auch hinein, ihnen nach! Wenn dieser Widerling sie uns nicht herholen will, folgen wir ihnen eben!«

Aber Darius schüttelte den Kopf, so wie er es jedes Mal getan hatte, wenn Elinor denselben Vorschlag nur mit etwas anderen Worten vorgebracht hatte. »Ich kann es nicht, Elinor!«, flüsterte er, und seine Brille beschlug, ob vom Essensdampf oder aufsteigenden Tränen, wollte sie besser gar nicht wissen. »Ich habe noch nie jemanden in ein Buch hineingelesen, immer nur heraus, und du weißt, wie das ausgegangen ist.«

»Nun gut, dann lies jemanden her, irgendeinen starken, heldenhaften Irgendwen, der die beiden aus meinem Haus jagt! Wen interessiert's, ob der eine eingedrückte Nase hat oder die Stimme verloren so wie Resa, Hauptsache, er hat eine Menge Muskeln!«

Wie auf sein Stichwort schob Zucker den Kopf durch die Tür. Sein Kopf war kaum breiter als sein Hals, was Elinor immer wieder in Erstaunen versetzte. »Orpheus fragt, wo das Essen bleibt.«

»Gerade fertig«, erwiderte Darius und drückte ihm einen der dampfenden Teller in die Hand.

»Schon wieder Reis?«, knurrte Zucker.

»Ja, bedaure«, sagte Darius, während er sich mit dem Teller für Orpheus an ihm vorbeischob.

»Mach du schon mal den Nachtisch fertig!«, wies Zucker Elinor an, gerade als sie sich die erste Gabel in den Mund schieben wollte.

Nein. So konnte es einfach nicht weitergehen. Küchenmagd im eigenen Haus und einen widerlichen Kerl in ihrer Bibliothek, der ihre Bücher auf den Boden warf und sie behandelte wie Pralinenschachteln, aus denen man mal dies, mal das herausnascht.

Es muss einen Weg geben!, dachte sie, während sie mit finsterer Miene Walnusseiscreme in zwei Schalen gab. Es muss. Es muss. Warum wollte ihrem dummen Kopf nur nichts einfallen?

Der Zug der Gefangenen

»Dann glauben Sie also nicht, daß er tot ist?«
Er setzte seinen Hut auf. »Ich kann mich natürlich irren, aber ich glaube, er lebt. Alle Symptome sprechen dafür. Geh, sieh ihn dir an, und wenn ich zurückkomme, werden wir gemeinsam darüber entscheiden.«
Harper Lee, Wer die Nachtigall stört

Es war längst dunkel, als Meggie und Farid sich aufmachten, Staubfinger zu folgen. Nach Süden, immer nach Süden, hatte Wolkentänzer gesagt, doch wie wusste man, dass man nach Süden ging, wenn es keine Sonne gab, nach der man sich richten konnte, und keine Sterne, die durch die schwarzen Blätter schienen? Die Dunkelheit schien alles gefressen zu haben, die Bäume und selbst den Boden vor ihren Füßen. Nachtfalter flatterten ihnen ins Gesicht, aufgeschreckt von dem Feuer, das Farid zwischen seinen Fingern hegte wie ein kleines Tier. Die Bäume schienen Augen und Hände zu haben, und der Wind trug Stimmen an ihre Ohren, leise Stimmen, die Meggie unverständliche Worte zuflüsterten. In jeder anderen Nacht wäre sie wohl irgendwann einfach stehen geblieben oder zurückgelaufen, dorthin, wo Wolkentänzer und die Nessel vielleicht immer noch am Feuer saßen, doch in dieser Nacht wusste sie nur eins – sie musste Staubfinger finden und ihre Eltern, denn weder die Nacht noch der Wald konnten einen Schrecken für sie bereithalten, der größer war als der, der in ihrem Herzen nistete, seit sie Mos Blut auf dem Stroh gesehen hatte.

Zuerst fand Farid mithilfe des Feuers immer wieder einen Stiefelabdruck von Staubfinger, einen abgebrochenen Zweig, eine Marderspur, aber irgendwann stand er nur noch ratlos da und wusste nicht, wohin er sich wenden sollte. Baum reihte sich an Baum im bleichen Mondlicht, in jede Richtung, in die er blickte, so dicht, dass kein Pfad zwischen den Stämmen auszumachen war, und Meggie sah Augen, Augen über, hinter und neben sich ... hungrige Augen, zornige Augen, so viele, dass sie sich wünschte, der Mond würde weniger hell durch die Blätter scheinen.

»Farid!«, flüsterte sie. »Lass uns auf einen Baum steigen und auf die Sonne warten. Wir finden Staubfingers Spur nie wieder, wenn wir einfach weitergehen.«

»Das sehe ich auch so!« Staubfinger erschien so lautlos zwischen den Bäumen, als hätte er schon eine ganze Weile dort gestanden. »Seit einer Stunde schon hör ich euch hinter mir durch den Wald pflügen wie eine Rotte Wildschweine«, sagte er, während Schleicher den Kopf durch seine Beine schob. »Das hier ist der Weglose Wald, und noch dazu nicht einer seiner freundlichsten Winkel. Ihr könnt nur froh sein, dass ich die Baumelben in den Eschen dort überzeugen konnte, dass ihr deren Äste nicht mutwillig abgebrochen habt. Und was ist mit den Nachtmahren? Denkt ihr, sie riechen euch nicht? Wenn ich sie nicht verscheucht hätte, würdet ihr wohl schon steif wie totes Holz zwischen den Bäumen liegen, eingesponnen in böse Träume wie zwei Fliegen in Spinnengarn.«

»Nachtmahre?«, flüsterte Farid, während die Funken auf seinen Fingerspitzen erloschen. Nachtmahre. Meggie trat näher an ihn heran. Sie erinnerte sich an eine Geschichte, die Resa ihr erzählt hatte. Wie gut, dass sie ihr nicht früher eingefallen war ...

»Ja, hab ich dir noch nicht von ihnen erzählt?« Schleicher

sprang Staubfinger entgegen, als er auf sie zuschritt, und begrüßte Gwin mit erfreutem Keckern. »Vielleicht fressen sie dich nicht bei lebendigem Leib wie diese Wüstengeister, von denen du mir immer erzählt hast, aber freundlich sind sie auch nicht gerade.«

»Ich geh nicht zurück«, sagte Meggie und sah ihn fest an. »Ich geh nicht zurück, egal, was du sagst.«

Staubfinger sah sie nur an. »Nein, ich weiß«, sagte er. »Ganz deine Mutter.« Nur das.

Die ganze Nacht folgten sie der breiten Spur, die die Gepanzerten durch den Wald geschlagen hatten, die Nacht und den folgenden Tag. Nur ab und zu, wenn er sah, dass Meggie vor Müdigkeit taumelte, ließ Staubfinger sie für kurze Zeit rasten. Als die Sonne schon wieder so tief stand, dass sie die Wipfel der Bäume berührte, erreichten sie den Kamm eines Hügels, und Meggie entdeckte zu seinen Füßen das dunkle Band einer Straße im Grün des Waldes. Eine Ansammlung von Gebäuden lag an ihrem Rand: ein lang gestrecktes Haus, Ställe um einen Hof herum.

»Das einzige Gasthaus nahe der Grenze«, raunte Staubfinger ihnen zu. »Dort haben sie vermutlich ihre Pferde untergestellt. Im Wald kommt man zu Fuß wesentlich schneller voran. In dem Gasthaus machen alle Rast, die nach Süden wollen und hinunter ans Meer: Kuriere, Händler, selbst einige Spielleute, obwohl jeder weiß, dass der Wirt ein Spion des Natternkopfs ist. Wenn wir Glück haben, sind wir vor denen, die wir verfolgen, dort, denn mit dem Karren und den Gefangenen kommen sie unmöglich die Hänge hinunter. Sie werden einen Umweg machen müssen, wir aber können gleich hier hinunter und sie am Gasthaus erwarten.«

»Und dann?« Für einen Moment glaubte Meggie, in seinen

Augen dieselbe Sorge zu sehen, die sie in den nächtlichen Wald getrieben hatte. Aber um wen machte er sich Sorgen? Um den Schwarzen Prinzen, die anderen Spielleute … ihre Mutter? Sie erinnerte sich noch sehr genau an den Tag in Capricorns Gruft, an dem er Resa angefleht hatte, mit ihm zu fliehen und ihre Tochter zurückzulassen …

Vielleicht hatte auch Staubfinger sich daran erinnert.

»Was siehst du mich so an?«, fragte er.

»Nichts, gar nichts«, murmelte sie und senkte den Kopf. »Ich mach mir nur Sorgen.«

»Nun, dazu hast du auch allen Grund«, sagte er und wandte ihr abrupt den Rücken zu.

»Aber was machen wir, wenn wir sie eingeholt haben?« Farid stolperte ihm hastig hinterher.

»Ich weiß nicht«, antwortete Staubfinger nur, während er begann, sich einen Weg den Abhang hinunter zu suchen, immer im Schutz der Bäume. »Ich dachte, einer von euch hätte eine Idee, wo ihr doch unbedingt mitkommen wolltet.«

Der Weg, den er nahm, führte so steil bergab, dass Meggie ihm kaum folgen konnte, aber dann, plötzlich, sah sie die Straße – steinig und durchfurcht von Rinnsalen, die irgendwann von den Hügeln herabgeflossen waren. Auf der anderen Seite lagen die Ställe und das Haus, das sie vom Hügelkamm aus gesehen hatte. Staubfinger winkte sie zu einer Stelle am Straßenrand, an der das Unterholz sie vor neugierigen Augen schützte.

»Sie scheinen wirklich noch nicht hier zu sein, aber sie müssen bald kommen!«, sagte er leise. »Vielleicht bleiben sie sogar über Nacht, schlagen sich die Bäuche voll und betrinken sich, um die Angst im Wald zu vergessen. Ich kann mein Gesicht da drüben nicht sehen lassen, solange es noch hell ist. Bei meinem Glück läuft mir bestimmt einer von den Brandstiftern über den Weg, die jetzt für den Natternkopf arbeiten. Aber du«, er legte Farid die Hand auf die Schulter, »du kannst dich schon mal rüberschleichen. Wenn dich jemand fragt, wo du herkommst, sagst du einfach, dein Herr sitzt im Gasthaus und betrinkt sich. Und sobald sie kommen: Zähl die Soldaten, zähl die Gefangenen und wie viele Kinder dabei sind. Verstanden? Ich werd mir währenddessen die Straße weiter oben ansehen, ich hab da so eine Idee.«

Farid nickte und lockte Gwin an seine Seite.

»Ich geh mit ihm!« Meggie hatte erwartet, dass Staubfinger ärgerlich werden, dass er ihr verbieten würde, ebenfalls zu gehen, aber er zuckte nur die Schultern.

»Wie du willst. Ich kann dich wohl schlecht festhalten. Ich hoffe nur, deine Mutter verrät sich nicht, wenn sie dich erkennt. Und noch etwas!« Er griff nach Meggies Arm, als sie Farid folgen wollte. »Setz dir nicht in den Kopf, dass wir irgendetwas für deine Eltern tun können. Vielleicht bekommen wir die Kinder frei, vielleicht sogar noch ein paar andere, wenn sie schnell genug rennen. Aber dein Vater wird nicht rennen können und deine Mutter wird bei ihm bleiben. Sie wird ihn nicht allein lassen, ebenso wenig wie sie es damals mit dir getan hat. Daran erinnern wir uns doch beide, oder?«

Meggie nickte und wandte das Gesicht ab, damit er ihre Tränen nicht sah. Staubfinger jedoch drehte sie sacht um und wischte ihr die Tränen von den Wangen. »Du bist deiner Mutter wirklich sehr ähnlich«, sagte er leise. »Sie wollte auch nie, dass man sie weinen sah – selbst wenn sie noch so gute Gründe dafür hatte.« Sein Gesicht war angespannt, als er sie beide noch einmal musterte. »Also los. Schmutzig genug seid ihr«, stellte er fest. »Jeder wird euch den Stallknecht oder das Küchenmädchen abnehmen. Wir treffen uns hinter den Ställen, sobald es dunkel ist. Und jetzt geht.«

Sie mussten nicht lange warten.

Kaum eine Stunde hatte Meggie sich mit Farid zwischen den Ställen herumgedrückt, als sie den Zug der Gefangenen die Straße herunterkommen sahen – Frauen, Kinder, alte Männer, die Hände auf den Rücken gefesselt, Soldaten zu beiden Seiten. Gepanzert waren diese nicht, kein Helm verbarg ihre mürrischen Gesichter, aber sie alle trugen die Schlange ihres Herrn auf der Brust, die silbergrauen Umhänge und ein Schwert am Gürtel. Ihren Anführer erkannte Meggie sofort. Es war der Brandfuchs. Und seinem Gesicht nach zu urteilen, schien es ihm nicht sonderlich zu behagen, zu Fuß zu gehen.

»Starr sie nicht so an!«, flüsterte Farid, als Meggie wie angewurzelt stehen blieb, und zerrte sie hinter einen der Karren, die auf dem Hof abgestellt waren. »Deine Mutter ist unverletzt. Hast du sie gesehen?«

Meggie nickte. Ja. Resa ging zwischen zwei anderen Frauen, eine von ihnen war schwanger. Aber wo war Mo?

»He!«, brüllte der Brandfuchs, während seine Männer die Gefangenen auf den Hof trieben. »Wem gehören die Karren da? Wir brauchen mehr Platz.«

Die Soldaten stießen die Karren zur Seite, einen so grob, dass die Säcke, mit denen er beladen war, ins Rutschen kamen. Ein Mann stürzte aus dem Gasthaus, vermutlich der Besitzer, den Protest schon auf den Lippen, doch als er die Soldaten sah, schluckte er ihn herunter und schrie die Knechte an, die den Karren hastig wieder aufrichteten. Händler, Bauern, Knechte – immer mehr Menschen quollen aus Ställen und Haupthaus, um zu sehen, woher der Lärm auf dem Hof stammte. Ein fetter, schwitzender Mann drängte sich durch das Getümmel auf den Brandfuchs zu, blieb anklagend vor ihm stehen und übergoss ihn mit einem Schwall wenig freundlicher Worte.

»Schon gut, schon gut!«, hörte Meggie den Brandfuchs knurren. »Aber wir brauchen Platz. Siehst du nicht, dass wir Gefangene haben? Oder sollen wir sie lieber in deine Ställe treiben?«

»Ja, ja, nimm einen von den Ställen!«, rief der fette Mann erleichtert und winkte ein paar seiner Knechte zu sich, die dastanden und die Gefangenen anstarrten. Einige hatten sich hingekniet, da, wo sie gerade standen, die Gesichter blass vor Erschöpfung und Angst.

»Komm!«, flüsterte Farid Meggie zu, und sie schoben sich Seite an Seite zwischen den schimpfenden Bauern und Händlern hindurch, zwischen den Knechten, die immer noch die aufgeplatzten Säcke vom Hof schafften, und den Soldaten, die dem Gasthaus begierige Blicke zuwarfen. Keiner schien noch sonderlich auf die Gefangenen zu achten, aber das war auch nicht nötig. Nicht einer von ihnen sah so aus, als hätte er noch Kraft zur Flucht. Selbst die Kinder, deren Beine vielleicht schnell genug gewesen wären, klammerten sich nur mit leeren Augen an die Röcke ihrer Mütter oder starrten voll Angst auf die bewaffneten Männer, die sie hergebracht hatten. Resa stützte die schwangere Frau. Ja, ihre Mutter war unverletzt, so viel sah Meggie, obwohl sie es vermied, allzu sehr in Resas Nähe zu kommen, aus Angst, Staubfinger könnte recht haben mit seiner Sorge, dass sie sich bei ihrem Anblick verraten würde. Wie verzweifelt sie sich umsah. Sie griff nach dem

Arm eines Soldaten, wie ein Junge sah er aus mit seinem bartlosen Gesicht, und dann –

»Farid.« Meggie glaubte nicht, was sie sah. Resa sprach. Nicht mit den Händen, sondern mit dem Mund. Ihre Stimme war kaum zu hören in all dem Lärm, aber es war ihre Stimme. Wie war das möglich? Der Soldat hörte ihr nicht zu, er stieß sie grob zurück, und Resa wandte sich um. Der Schwarze Prinz und sein Bär zogen einen Karren auf den Hof. Wie Ochsen waren die beiden vor den Karren gespannt. Eine Kette schlang sich um die schwarze Schnauze des Bären, eine weitere um seinen Hals und seine Brust. Aber Resa hatte weder Augen für den Bären noch für den Prinzen – sie starrte nur den Karren an, und Meggie begriff sofort, was das bedeutete.

Ohne ein Wort lief sie los. »Meggie!«, rief Farid ihr nach, aber sie hörte nicht hin. Keiner hielt sie auf. Der Karren war ein morsches Ding. Erst sah sie nur den Spielmann mit dem verletzten Bein und das Kind auf seinem Schoß. Dann sah sie Mo.

Ihr Herz wollte nicht mehr schlagen. Er lag mit geschlossenen Augen da, unter einer schmutzigen Decke, aber Meggie sah das Blut trotzdem. Sein ganzes Hemd war voll Blut, das Hemd, das er so gern trug, obwohl die Ärmel schon verschlissen waren. Meggie vergaß alles, Farid, die Soldaten, Staubfingers Warnung, wo sie war, warum sie hier war ... Sie starrte nur ihren Vater an und sein stilles Gesicht. Die Welt war plötzlich ein leerer Ort, so leer, und ihr Herz ein kaltes, totes Ding.

»Meggie!« Farid griff nach ihrem Arm. Er zerrte sie mit sich, sosehr sie sich auch sträubte, und presste sie an sich, als sie zu schluchzen begann.

»Er ist tot, Farid! Hast du ihn gesehen? Mo ... er ist tot!« Sie stammelte es immer wieder, das furchtbare Wort. Tot. Fort. Für immer.

Sie stieß Farids Arme weg. »Ich muss zu ihm.« *Es klebt Unglück an diesem Buch, Meggie, nichts als Unglück. Auch wenn du mir das nicht glauben willst.* Hatte er es ihr nicht in Elinors Bibliothek gesagt? Wie weh jedes Wort jetzt tat. Der Tod hatte in dem Buch gewartet, sein Tod.

»Meggie!« Farid hielt sie immer noch fest. Er schüttelte sie, als müsste er sie aufwecken. »Meggie, hör zu. Er ist nicht tot! Glaubst du, sie würden ihn sonst mit sich schleppen?«

Würden sie? Sie wusste gar nichts mehr.

»Komm mit. Na, komm schon!« Farid zog sie mit sich. Er schob sich so beiläufig durch das Gedränge, als interessierte ihn die ganze Aufregung nicht. Schließlich blieb er mit gelangweiltem Gesicht neben dem Stall stehen, in den die Soldaten die Gefangenen trieben. Meggie wischte sich die Tränen aus den Augen und gab sich Mühe, ebenso gleichgültig dreinzublicken, aber wie sollte das gehen mit einem Herzen, das plötzlich schmerzte, als hätte es jemand entzweigeschnitten?

»Hast du genug zu essen da?«, hörte sie den Brandfuchs fragen. »Wir haben einen Riesenhunger aus dem verfluchten Wald mitgebracht.«

Meggie sah, wie sie Resa in den dunklen Stall stießen, zusammen mit den anderen Frauen, und zwei Soldaten den Prinzen und seinen Bären losbanden.

»Natürlich hab ich genug!«, sagte der fette Wirt mit entrüsteter Stimme. »Und eure Pferde werdet ihr nicht wiedererkennen, so sehr werden sie glänzen.«

»Nun, das will ich hoffen«, erwiderte der Brandfuchs. »Sonst sorgt der Natternkopf dafür, dass du die längste Zeit Besitzer dieser Baracken gewesen bist. Wir reiten morgen bei Tagesanbruch weiter. Meine Männer und die Gefangenen bleiben im Stall, aber ich will ein Bett, und zwar ein eigenes, nicht eins, das ich mit einem Haufen schnarchender, furzender Fremder teilen muss.«

»Natürlich, natürlich!« Der Wirt nickte eilfertig. »Aber was ist mit dem Untier da?« Er wies besorgt auf den Bären. »Er wird mir die Pferde scheu machen. Warum habt ihr ihn nicht getötet und im Wald liegen lassen?«

»Weil der Natternkopf ihn zusammen mit seinem Herrn aufhängen will«, antwortete der Brandfuchs, »und weil meine Männer den Unsinn über ihn glauben – dass er ein Nachtmahr ist, der gern in Bärengestalt herumspaziert, und es deshalb keine gute Idee ist, ihm einen Pfeil in den Pelz zu schießen.«

»Ein Nachtmahr?« Der Wirt kicherte nervös. Offenbar schien er die Geschichte nicht für unmöglich zu halten. »Egal, was er ist, in den Stall kommt er mir nicht. Bindet ihn meinetwegen hinterm Backhaus an. Da riechen die Pferde ihn vielleicht nicht.« Der Bär brummte dumpf, als einer der Soldaten ihn an der Kette hinter sich herzerrte, aber der Schwarze Prinz sprach beruhigend auf ihn ein, mit leiser Stimme, als müsste er ein Kind trösten, während sie sie hinter das Haupthaus stießen.

Der Karren mit Mo und dem alten Mann stand immer noch auf dem Hof. Ein paar Knechte lungerten darum herum, sie steckten die Köpfe zusammen, vermutlich rätselten sie, wen genau der Natternkopf da hatte einfangen lassen. Ob schon das Gerücht umlief, dass der Mann, der da wie tot auf dem Karren lag, der Eichelhäher war? Der Soldat mit dem bartlosen Gesicht scheuchte die Knechte fort, zerrte das Kind vom Karren und schubste es ebenfalls auf den

Stall zu. »Was ist mit den Verwundeten?«, rief er dem Brandfuchs zu. »Sollen wir die zwei einfach auf dem Karren lassen?«

»Damit sie morgen tot oder fort sind? Was redest du da, du Schwachkopf? Schließlich ist einer von ihnen der Grund, weshalb wir in den verfluchten Wald geschlichen sind, oder?« Der Brandfuchs wandte sich wieder dem Wirt zu. »Ist unter deinen Gästen ein Bader?«, fragte er. »Ich hab einen Gefangenen, der am Leben bleiben muss, weil der Natternkopf eine prächtige Hinrichtung für ihn plant. Mit einem Toten macht das keinen rechten Spaß, wenn du verstehst, was ich meine.«

... am Leben bleiben ... Farid drückte Meggies Hand und lächelte ihr triumphierend zu.

»O ja, natürlich, natürlich!« Der Wirt warf dem Karren einen neugierigen Blick zu. »Es ist sicher ärgerlich, wenn einem die Verurteilten noch vor der Hinrichtung wegsterben. Dieses Jahr soll das ja schon zweimal passiert sein, wie man erzählt. Trotzdem, mit einem Bader kann ich nicht dienen. Aber ich hab ein Moosweibchen, das in der Küche hilft. Sie hat schon so manchen Gast wieder hinbekommen.«

»Gut! Lass sie holen!«

Der Wirt winkte ungeduldig einem Jungen, der neben der Stalltür lehnte. Der Brandfuchs aber rief zwei seiner Soldaten zu sich: »Los, die Verwundeten auch in den Stall!«, hörte Meggie ihn sagen. »Doppelte Wachen vor die Tür, und vier von euch bewachen heute Nacht den Eichelhäher, verstanden? Kein Wein, kein Met, und wehe, einer schläft!«

»Der Eichelhäher?« Der Wirt bekam große Augen. »Ihr habt den Eichelhäher auf dem Karren?« Als der Brandfuchs ihm einen warnenden Blick zuwarf, presste er sich rasch die fetten Finger auf den Mund. »Kein Wort!«, stieß er hervor. »Kein Wort, von mir erfährt es keiner.«

»Das will ich dir auch geraten haben«, knurrte der Brandfuchs und sah sich um, als wollte er sichergehen, dass niemand sonst seine Worte gehört hatte.

Als die Soldaten Mo von dem Karren hoben, machte Meggie unwillkürlich einen Schritt vor, aber Farid zog sie mit sich. »Meggie, was ist los mit dir?«, zischte er. »Wenn du so weitermachst, sperren sie dich gleich auch ein. Denkst du, das hilft ihnen?«

Meggie schüttelte den Kopf. »Er lebt wirklich noch, Farid, nicht wahr?«, flüsterte sie. Sie hatte fast Angst, es zu glauben.

»Ja, sicher. Hab ich dir doch gesagt. Und nun guck nicht so traurig. Alles wird gut, du wirst sehen!« Farid strich ihr über die Stirn, küsste ihr die Tränen von den Wimpern.

»He, ihr da, Turteltäubchen, weg von den Pferden!«

Der Pfeifer stand vor ihnen. Meggie senkte den Kopf, auch wenn sie sicher war, dass er sie nicht erkennen würde. Sie war nur ein Mädchen in einem schmutzigen Kleid gewesen, das er auf dem Marktplatz von Ombra fast niedergeritten hätte. Auch heute war er prächtiger gekleidet als alle Spielleute, die Meggie bislang unter die Augen gekommen waren. Seine seidenen Kleider schillerten wie ein Pfauenschwanz – und die Ringe an seinen Fingern waren ebenso aus Silber wie die Nase in seinem Gesicht. Ganz offenbar zahlte der Natternkopf gut für Lieder, die ihm gefielen.

Der Pfeifer zwinkerte ihnen noch einmal zu, dann schlenderte er hinüber zum Brandfuchs. »Sieh an, du bist also aus dem Wald zurück!«, rief er ihm schon von Weitem zu. »Und mit fetter Beute. Da hat ja wohl einer deiner Spitzel ausnahmsweise keine Lügen erzählt. Endlich mal eine gute Nachricht für den Natternkopf.«

Der Brandfuchs antwortete, aber Meggie hörte nicht zu. Der Junge kam mit dem Moosweibchen zurück, einer kleinwüchsigen Frau, die ihm kaum bis zur Schulter reichte. Ihre Haut war grau wie Buchenrinde und ihr Gesicht runzlig wie ein verschrumpelter Apfel. Moosweibchen, Heilerinnen ... Bevor Farid begriff, was sie vorhatte, war Meggie ihm davongeschlüpft. Das Moosweibchen würde wissen, wie es um Mo stand ... ganz nah schob sie sich an die kleine Frau heran, bis nur noch der Junge zwischen ihnen stand. Der Kittel des Weibchens war fleckig von Bratensaft, und ihre Füße waren nackt, aber sie musterte die Männer, die sie umstanden, mit furchtlosen Augen.

»Tatsächlich, ein echtes Moosweibchen«, brummte der Brandfuchs, während seine Soldaten vor der winzigen Frau zurückwichen, als wäre sie so gefährlich wie der Bär des Schwarzen Prinzen. »Dachte, die kommen nie heraus aus dem Wald. Aber gut, angeblich verstehen sie ja was vom Heilen. Diese alte Hexe, die Nessel, soll die nicht ein Moosweibchen zur Mutter haben?«

»Ja, aber ihr Vater taugte nichts.« Die kleine Frau musterte den Brandfuchs so eindringlich, als versuchte sie herauszufinden, welches Blut in seinen Adern floss. »Du trinkst zu viel!«, stellte sie fest. »Sieh dir dein Gesicht an. Wenn du so weitermachst, platzt deine Leber bald wie ein zu reifer Kürbis.«

Gelächter erhob sich bei den Umstehenden, aber ein Blick des Brandfuchses ließ es verstummen. »Hör zu, du bist nicht hier, um mir Ratschläge zu geben, Wichtelfrau!«, fuhr er das Moosweibchen an. »Ich will, dass du dir einen meiner Gefangenen ansiehst, denn er muss lebend auf der Burg des Natternkopfs ankommen.«

»Ja, ja, das weiß ich schon«, erwiderte das Moosweibchen, während es immer noch mürrisch sein Gesicht musterte. »Damit dein

Herr ihn nach allen Regeln der Kunst umbringen kann. Holt mir Wasser, warmes Wasser und saubere Tücher. Außerdem soll mir jemand helfen.«

Der Brandfuchs gab dem Jungen einen Wink. »Wenn du einen Helfer willst, such dir einen aus«, brummte er und betastete unauffällig seinen Bauch, vermutlich, weil er dort seine Leber vermutete.

»Einen von deinen Männern? Nein, danke.« Das Moosweibchen rümpfte verächtlich die kurze Nase und sah sich um, bis ihr Blick an Meggie hängen blieb. »Die da«, sagte das Weibchen. »Die sieht nicht allzu dumm aus.«

Und bevor Meggie wusste, wie ihr geschah, packte einer der Soldaten sie unsanft bei der Schulter. Das Letzte, was sie sah, bevor sie dem Moosweibchen in den Stall nachstolperte, war Farids erschrockenes Gesicht.

Ein vertrautes Gesicht

»Believe me. Sometimes when life looks to be at its grimmest, there's a light, hidden at the heart of things.«
Clive Barker, Abarat

Mo war bei Bewusstsein, als das Moosweibchen sich neben ihn kniete. Den Rücken gegen die feuchte Wand gelehnt, saß er da und suchte mit den Augen unter all den Gefangenen, die in dem dämmrigen Stall kauerten, nach Resas Gesicht. Meggie bemerkte er erst, als das Weibchen sie ungeduldig an ihre Seite winkte. Natürlich begriff er sofort, dass schon ein Lächeln sie verraten hätte, aber es war so schwer, sie nicht an sich zu ziehen, so schwer, die Freude und die Angst zu verbergen, die sich bei ihrem Anblick um sein Herz stritten.

»Was stehst du da herum?«, fuhr die Alte Meggie an. »Nun komm schon her, du dummes Ding.« Mo hätte sie schütteln können, aber Meggie kniete sich nur hastig neben sie und nahm die blutigen Binden entgegen, die die Alte ihm unsanft von der Brust schnitt. Starr sie nicht an!, dachte Mo und zwang seine Augen, überall hinzublicken, auf die Hände der Alten, zu den anderen Gefangenen, nur nicht zu seiner Tochter. Hatte Resa sie auch schon gesehen? Es geht ihr gut, dachte er. Ja. Bestimmt. Sie war weder magerer als sonst, noch schien sie irgendwie krank oder verletzt. Wenn er nur wenigstens ein Wort mit ihr hätte wechseln können!

»Feenspucke, was ist los mit dir?«, fragte das Weibchen unwirsch, als Meggie das Wasser, das sie ihr reichte, fast verschüttete. »Da hätte ich ja genauso gut einen von den Soldaten nehmen können.« Mit borkigen Fingern begann sie, Mos Wunde zu betasten. Das tat weh, aber er biss die Zähne zusammen, damit Meggie nichts davon merkte.

»Bist du immer so streng mit ihr?«, fragte er die Alte.

Das Weibchen murmelte irgendetwas Unverständliches, ohne ihn anzusehen, aber Meggie wagte einen raschen Blick, und er lächelte ihr zu, hoffend, dass sie die Sorge in seinen Augen nicht sah, den Schreck darüber, dass er sie ausgerechnet an diesem Ort wiedertraf, zwischen all den Soldaten. Vorsicht, Meggie!, versuchte er ihr mit seinen Augen zu sagen. Wie ihre Lippen bebten, wahrscheinlich von all den Worten, die sie ebenso wenig aussprechen konnte wie er. Es tat so gut, sie zu sehen. Selbst an diesem Ort. Wie oft in all den Fiebertagen und -nächten war er sicher gewesen, dass er ihr Gesicht nie wieder sehen würde.

»Beeilt euch etwas, ja?« Der Brandfuchs stand auf einmal hinter Meggie, und sie senkte rasch den Kopf, als sie seine Stimme hörte, und hielt der kleinen alten Frau erneut die Wasserschüssel hin.

»Das ist eine schlimme Wunde!«, stellte das Moosweibchen fest. »Ich wundere mich, dass du noch lebst.«

»Ja, seltsam, nicht wahr?« Mo spürte Meggies Blick, als wäre es ihre Hand. »Vielleicht haben die Feen mir ein paar heilende Worte ins Ohr geflüstert.«

»Heilende Worte?« Das Moosweibchen rümpfte die Nase. »Was sollen das für Worte sein? Das Geschwätz der Feen ist ebenso dumm und nutzlos wie sie selbst.«

»Nun, dann muss sie mir wohl jemand anders zugeflüstert haben.«

Mo sah, wie blass Meggie wurde, als sie dem Weibchen half,

seine Wunde neu zu verbinden, die Wunde, an der er nicht gestorben war. Es ist gar nichts, Meggie, wollte er sagen, es geht mir gut, aber alles, was er tun konnte, war, sie noch einmal anzusehen, ganz beiläufig, als bedeutete ihm ihr Gesicht nicht mehr als all die anderen Gesichter.

»Ob du es glaubst oder nicht«, sagte er zu der Alten. »Ich habe die Worte gehört, wunderschöne Worte. Zuerst dachte ich, es sei die Stimme meiner Frau, die sie sprach, aber dann merkte ich, dass es die meiner Tochter war. Ich hörte ihre Stimme so deutlich, als säße sie hier neben mir.«

»Ja, ja, im Fieber hört man so manches!«, erwiderte das Moosweibchen mürrisch. »Ich hab von Leuten gehört, die schworen, die Toten hätten mit ihnen geredet. Tote, Engel, Teufel … Das Fieber ruft sie in Scharen herbei.« Sie wandte sich zum Brandfuchs um. »Ich hab eine Salbe, die helfen wird«, sagte sie, »und ich werd etwas anrühren, das er trinken muss. Mehr kann ich nicht tun.« Als sie ihnen den Rücken zukehrte, legte Meggie schnell die Hand auf seine Finger. Niemand bemerkte es, ebenso wenig wie den sachten Druck, mit dem er ihre Hand begrüßte. Noch einmal lächelte er ihr zu. Erst als das Moosweibchen sich wieder umdrehte, wandte er schnell den Blick zur Seite. »Sein Bein solltest du dir auch mal ansehen!«, sagte er und wies mit dem Kopf auf den Spielmann, der erschöpft neben ihm im Stroh schlief.

»Nein, soll sie nicht!«, fuhr der Brandfuchs dazwischen. »Ob der lebt oder nicht, kann mir gleich sein. Bei dir ist das etwas anderes.«

»Ah, verstehe! Ihr haltet mich immer noch für diesen Räuber.« Mo lehnte den Kopf an die Mauer und schloss für einen Moment die Augen. »Es nützt wohl nichts, wenn ich euch noch mal sage, dass ich es nicht bin?«

Der Brandfuchs warf ihm zur Antwort nur einen verächtlichen Blick zu. »Sag das dem Natternkopf, vielleicht glaubt der dir«, sagte er. Dann zerrte er Meggie grob wieder auf die Füße. »Los, raus mit euch! Das genügt!«, fuhr er sie und das Weibchen an. Seine Männer stießen die beiden auf die Stalltür zu, Meggie versuchte, sich noch einmal umzusehen, suchte mit den Augen nach ihrer Mutter, die irgendwo zwischen den anderen Gefangenen saß, suchte noch einmal nach ihm, aber der Brandfuchs packte sie am Arm und stieß sie nach draußen – und Mo wünschte sich Worte, Worte wie die, die Capricorn getötet hatten. Seine Zunge wollte sie schmecken, wollte sie dem Brandfuchs nachschicken und ihn genauso in den Staub fallen sehen wie seinen ehemaligen Herrn. Aber keiner war da, ihm die Worte zu schreiben. Nur Fenoglios Geschichte war überall, umgab sie mit Schrecken und Dunkelheit – und hatte seinen Tod vermutlich schon für eines der nächsten Kapitel vorgesehen.

Papier und Feuer

»Gut, dann wäre das ja beschlossen«, sagte eine Stimme am anderen Ende des Kerkers ungeduldig. Sie gehörte dem Schniffkobold, der immer noch gefesselt war. Twig hatte ihn ganz vergessen. »Kann dann bitte jemand auch mir die Fesseln aufschließen?«
Paul Stewart, Twig im Auge des Sturms

Die Fenster des Gasthauses leuchteten Staubfinger wie schmutzig gelbe Augen entgegen, als er sich über die Straße schlich. Schleicher sprang ihm voran, kaum mehr als ein Schatten in der Dunkelheit. Die Nacht war mondlos, und auf dem Hof und zwischen den Ställen war es so dunkel, dass auch sein narbiges Gesicht wohl kaum mehr als ein blasser Fleck sein würde.

Vor dem Stall, in den sie die Gefangenen gesperrt hatten, standen Wachen, gleich vier, aber sie bemerkten ihn nicht. Gelangweilt starrten sie in die Nacht, die Hände an den Schwertern, und blickten immer wieder begehrlich zu den erleuchteten Fenstern hinüber. Aus dem Gasthaus drangen Stimmen, laute, betrunkene Stimmen – und dann ein paar wohlgezupfte Lautenklänge, gefolgt von seltsam gepresstem Gesang. Ah, der Pfeifer war also auch aus Ombra zurück und gab eins seiner Lieder zum Besten, trunken von Blut und dem Rausch des Tötens. Dass die Silbernase hier war, war ein Grund mehr, unsichtbar zu bleiben. Meggie und Farid warteten wie verabredet hinter den Ställen, aber sie stritten sich, so laut, dass Staubfinger hinter den Jungen trat und ihm die Hand auf den Mund presste. »Was soll das?«, zischte er ihm ärgerlich zu. »Wollt ihr, dass sie euch zu den anderen stecken?«

Meggie senkte den Kopf. Sie hatte schon wieder Tränen in den Augen.

»Sie will in den Stall!«, flüsterte Farid. »Sie denkt, sie schlafen alle! Als ob –«

Staubfinger presste ihm erneut die Hand auf den Mund. Stimmen klangen über den Hof. Offenbar hatte jemand den Wachen vorm Stall etwas zu essen gebracht. »Wo ist der Schwarze Prinz?«, flüsterte er, als es wieder still war.

»Bei seinem Bären, zwischen dem Back- und dem Haupthaus. Sag ihr, sie kann nicht in den Stall! Mindestens fünfzehn Soldaten sind dadrin.«

»Wie viele sind beim Prinzen?«

»Drei.«

Drei. Staubfinger sah zum Himmel hinauf. Kein Mond. Er verbarg sich hinter den Wolken und die Dunkelheit war schwarz wie ein Mantel. »Willst du ihn befreien? Drei sind nicht viel!« Farids Stimme klang aufgeregt. Keine Spur von Angst. Irgendwann würde sie ihn noch umbringen, diese Furchtlosigkeit. »Wir schneiden ihnen die Kehlen durch, bevor sie einen Laut von sich geben. Das wird ganz leicht.« Er sagte oft solche Dinge. Staubfinger fragte sich immer wieder, ob er nur von ihnen sprach oder sie tatsächlich schon getan hatte.

»Himmel, bist du ein abgebrühter Kerl!«, sagte er leise. »Aber ich bin nicht gut im Kehledurchschneiden, das weißt du genau. Wie viele Gefangene sind es?«

»Elf Frauen, drei Kinder, neun Männer, Zauberzunge nicht mitgerechnet!«

»Wie geht es ihm?« Staubfinger blickte Meggie an. »Hast du ihn gesehen? Kann er laufen?«

Sie schüttelte den Kopf.

»Und deine Mutter?«

Sie warf ihm einen schnellen Blick zu. Sie mochte es nicht, wenn er von Resa sprach.

»Nun sag schon, geht es ihr gut?«

»Ich glaub schon!« Sie presste eine Hand gegen die Stallmauer, als könnte sie ihre Eltern dahinter spüren. »Aber ich konnte nicht mit ihr sprechen. Bitte!« Wie flehend sie ihn ansah. »Bestimmt schlafen alle. Ich werd ganz vorsichtig sein!«

Farid warf einen verzweifelten Blick hinauf zu den Sternen, als müssten sie über so viel Unvernunft ihr ewiges Schweigen brechen.

»Die Wachen werden nicht schlafen«, sagte Staubfinger. »Also lass dir eine gute Lüge für sie einfallen. Hast du was zu schreiben?«

Meggie sah ihn ungläubig an, mit den Augen ihrer Mutter. Dann griff sie in den Beutel, den sie bei sich trug. »Ich hab Papier dabei«, flüsterte sie, während sie hastig eine Seite aus einem kleinen Buch riss. »Und einen Stift auch!« Wie die Mutter, so die Tochter. Immer etwas zu schreiben dabei.

»Du lässt sie gehen?« Farid sah ihn entgeistert an.

»Ja!«

Meggie blickte ihn erwartungsvoll an.

»Schreib: Morgen wird auf der Straße, die sie nehmen werden, ein umgestürzter Baum liegen. Wenn er Feuer fängt, sollen alle, die kräftig und jung genug sind, nach links in den Wald rennen. Links, das ist wichtig! Schreib: Wir werden auf sie warten und sie verstecken. Hast du das?«

Meggie nickte. Ihr Stift hastete über das Papier. Er konnte nur hoffen, dass Resa die winzige Schrift in dem dunklen Stall würde entziffern können, denn er würde nicht da sein, um ihr Feuer zu machen.

»Hast du dir überlegt, was du den Wachen erzählst?«, fragte er.

Meggie nickte. Für einen Moment sah sie fast wieder so aus wie das kleine Mädchen, das sie vor mehr als einem Jahr noch gewesen war, und Staubfinger fragte sich, ob es nicht doch ein Fehler war, sie gehen zu lassen, aber bevor er es sich anders überlegen konnte, war sie schon fort. Mit schnellen Schritten lief sie über den Hof und verschwand im Gasthaus. Als sie wieder herauskam, hielt sie einen Krug in der Hand. »Bitte! Das Moosweibchen schickt mich!«, hörten sie sie mit klarer Stimme zu den Wachen sagen. »Ich soll den Kindern Milch bringen.«

»Sieh nur. Klug wie ein Schakal ist sie!«, flüsterte Farid, als die Wachen zur Seite traten. »Und mutig wie eine Löwin.« Es klang so viel Bewunderung aus seiner Stimme, dass Staubfinger lächeln musste. Der Junge war wirklich verliebt.

»Ja, vermutlich ist sie klüger als wir beide zusammen«, raunte er ihm zu. »Mutiger ist sie auf jeden Fall, zumindest, was mich betrifft.«

Farid nickte nur. Er starrte auf die offene Stalltür – und lächelte erleichtert, als Meggie wieder heraustrat.

»Hast du gesehen?«, flüsterte sie ihm zu, als sie erneut neben Farid stand. »Es war ganz leicht.«

»Gut!«, sagte Staubfinger und winkte Farid an seine Seite. »Dann drück uns die Daumen, dass das, was wir jetzt zu erledigen haben, ebenso leicht wird. Wie sieht es aus, Farid? Hast du Lust, etwas mit dem Feuer zu spielen?«

Der Junge erledigte seine Aufgabe mit ebensolcher Kaltblütigkeit wie Meggie. Scheinbar selbstvergessen, aber gut sichtbar für die Männer, die den Prinzen bewachten, begann er, das Feuer tanzen zu lassen, so unbefangen, als stünde er auf irgendeinem friedlichen Marktplatz und nicht vor einem Gasthaus, in dem der Brandfuchs und der Pfeifer saßen. Die Wachen stießen sich an, lachten, dankbar für die Abwechslung in dieser schlaflosen Nacht. Scheint, ich bin hier der Einzige, dem das Herz bis zum Hals schlägt, dachte Staubfinger, während er sich an stinkenden Schlachtabfällen und faulendem Gemüse vorbeischlich. Offenbar warfen die Köche des fetten Wirtes all das, was sie ihren Gästen nicht auftischen konnten, einfach hinters Haus. Ein paar Ratten huschten davon, als sie Staubfingers Schritte hörten, und zwischen den Büschen leuchteten die hungrigen Augen eines Kobolds.

Man hatte den Prinzen gleich neben einem Berg von Knochen angebunden und seinen Bären gerade so weit entfernt davon, dass er die Knochen nicht erreichen konnte. Angekettet hockte er da, schnaufte unglücklich durch die zugebundene Schnauze und ließ ab und zu ein jämmerlich dumpfes Heulen hören.

Die Wachen hatten nicht weit entfernt eine Fackel in den Boden gerammt, aber die Flamme erlosch sofort, als der Wind Staubfingers leise Stimme zu ihr trug. Nichts als ein Glühen blieb von ihr – und der Schwarze Prinz hob den Kopf. Er begriff sofort, wer im Dunkeln herumschleichen musste, wenn das Feuer so plötzlich schläfrig wurde. Noch ein paar schnelle, lautlose Schritte, und Staubfinger duckte sich hinter den pelzigen Rücken des Bären.

»Der Junge ist wirklich gut!«, flüsterte der Prinz, ohne sich umzudrehen. Für die Stricke, die ihn hielten, reichte ein scharfes Messer.

»O ja, er ist sehr gut. Und er hat vor nichts Angst, im Gegensatz zu mir.« Staubfinger untersuchte die Schlösser an den Ketten des Bären. Rostig waren sie, doch nicht sonderlich schwer zu öffnen. »Was hältst du von einem Ausflug in den Wald? Aber der Bär muss leise sein, leise wie eine Eule. Kann er das?« Er duckte sich, als einer der Wachen sich umdrehte, doch er hatte offenbar nur die Magd gehört, die aus der Küche trat, um einen Eimer Abfälle hinters Haus zu kippen. Mit einem neugierigen Blick auf den gefesselten Prinzen verschwand sie wieder – und nahm den Lärm mit sich, der aus der Tür gedrungen war.

»Was ist mit den anderen?«

»Vier Wachen vor dem Stall, noch mal vier, die der Brandfuchs nur für Zauberzunge abgestellt hat, und bestimmt zehn weitere, die die übrigen Gefangenen bewachen. Unwahrscheinlich, dass wir die alle ablenken können, schon gar nicht lange genug, um Verwundete und Krüppel in Sicherheit zu bringen.«

»Zauberzunge?«

»Ja. Der Mann, den sie bei euch gesucht haben. Wie nennst du ihn?« Ein Schloss sprang auf. Der Bär brummte. Vielleicht machte ihn Schleicher unruhig. Besser, die zweite Kette blieb noch fest, sonst würde er den Marder womöglich fressen. Staubfinger machte sich ans Zerschneiden der Stricke, mit denen der Schwarze Prinz gefesselt war. Er musste sich beeilen, sie mussten fort sein, bevor Farid die Arme schwer wurden. Das zweite Schloss klickte. Noch ein schneller Blick zu dem Jungen ... Beim Feuer der Elfen!, dachte Staubfinger. Er wirft die Fackeln inzwischen fast so hoch wie ich! Doch als der Prinz gerade die Fesseln abstreifte, stapfte ein fetter Mann auf Farid zu, hinter sich eine Magd und einen Soldaten. Er schrie den Jungen an, wies empört auf die Flammen. Farid lächelte nur, tänzelte zurück, während Gwin ihm um die Beine sprang, und jonglierte weiter mit den brennenden Fackeln. O ja, er war ebenso klug wie Meggie! Staubfinger winkte den Prinzen mit sich. Der Bär tappte hinterher, auf allen vieren, der leisen Stimme seines Herrn folgend. Leider war er wirklich nur ein Bär und kein Nachtmahr. Dem hätte man nicht erklären müssen, dass er still sein musste. Aber wenigstens war er schwarz, schwarz wie sein Herr, und die Nacht schluckte sie, als wären sie ein Teil von ihr.

»Wir treffen uns unten an der Straße, bei dem umgestürzten Baum!« Der Prinz nickte und verschmolz mit der Nacht. Staubfinger aber machte sich auf die Suche nach dem Jungen und Resas Tochter. Auf dem Hof schrien die Soldaten durcheinander, die Flucht des Schwarzen Prinzen und seines Bären war entdeckt worden. Selbst der Pfeifer war aus dem Haus gekommen. Aber weder Farid noch das Mädchen konnte Staubfinger entdecken.

Die Soldaten begannen, mit Fackeln den Waldrand und den Hang hinterm Haus abzusuchen. Staubfinger flüsterte in die Nacht, bis das Feuer schläfrig wurde und eine Fackel nach der anderen erlosch, als hätte der schwache Wind sie ausgeblasen. Beunruhigt blieben die Männer auf der Straße stehen, sahen sich um, die Augen voll Angst – Angst vor der Dunkelheit, Angst vor dem Bären und all dem, was sonst noch nachts im Wald umherstrich.

Bis dorthin, wo der umgestürzte Baum die Straße blockierte, traute sich keiner von ihnen. Der Wald und die Hügel waren dort so still, als hätte nie ein Mensch sie betreten. Gwin hockte auf dem Baumstamm und Farid und Meggie warteten auf der anderen Seite unter den Bäumen. Der Junge hatte eine blutige Lippe und das Mädchen hatte den Kopf müde gegen seine Schulter gelegt. Verlegen richtete sie sich auf, als Staubfinger vor ihnen auftauchte.

»Ist er frei?«, fragte Farid.

Staubfinger legte ihm die Hand unters Kinn und sah sich die zerschlagene Lippe an. »Ja. Was immer morgen passiert, der Prinz und sein Bär werden uns helfen. Wie ist das passiert?« Die beiden Marder huschten an ihm vorbei und verschwanden Seite an Seite im Wald.

»Ach, das ist nichts. Einer von den Soldaten wollte mich festhalten, aber ich bin ihm entwischt. Nun sag schon! War ich gut?« Als ob er die Antwort nicht wusste.

»So gut, dass ich mir langsam Sorgen mache. Wenn du so weitermachst, werd ich bald aus dem Geschäft sein.«

Farid lächelte.

Wie traurig Meggie dagegen aussah. Sie sah ebenso verloren aus wie das Kind, das sie in dem geplünderten Lager gefunden hatten. Es fiel nicht schwer, sich vorzustellen, wie es in ihr aussah, auch wenn man seine Eltern, wie er, nie gekannt hatte. Gaukler, Spielfrauen, ein herumziehender Bader ... Staubfinger hatte viele Eltern gehabt ... wer sich beim Bunten Volk eben gerade um die Kinder kümmerte, die irgendwie übrig geblieben waren. Na los, sag irgendwas zu ihr, Staubfinger, irgendetwas!, dachte er. Ihrer Mutter hast du doch auch so manches Mal die Traurigkeit vertrieben. Wenn auch meist nur für kurze Zeit ... gestohlene Zeit.

»Hör zu.« Er ging vor Meggie in die Knie, sah sie an. »Wenn wir morgen tatsächlich einige frei bekommen, wird der Schwarze Prinz sie in Sicherheit bringen – aber wir drei folgen den anderen.«

Sie blickte ihn so misstrauisch an, als wäre er ein brüchiges Seil, auf das sie den Fuß setzen sollte – hoch in der Luft.

»Warum?«, fragte sie leise. Wenn sie leise sprach, ahnte man nichts von der Kraft, die ihre Stimme entfalten konnte. »Warum willst du ihnen helfen?« Sie sprach es nicht aus: Beim letzten Mal hast du es doch auch nicht getan. Damals, in Capricorns Dorf.

Was sollte er darauf antworten? Dass es leichter war, in einer fremden Welt nur zuzuschauen als in der eigenen?

»Sagen wir, vielleicht habe ich etwas gutzumachen?«, sagte er schließlich. Er wusste, dass er ihr nicht erklären musste, was er meinte. Sie erinnerten sich beide an die Nacht, in der er sie an Capricorn verraten hatte. Und noch etwas, hätte er fast hinzugefügt: Ich finde, deine Mutter ist lange genug eine Gefangene gewesen. Aber die Worte sprach er nicht aus. Er wusste, dass sie Meggie nicht gefallen hätten.

Eine gute Stunde später stieß der Prinz zu ihnen, unverletzt, mit seinem Bären.

Der brennende Baum

Siehst du, wie die Flammen lecken,
züngeln und die Zungen blecken,
wie das Feuer tanzt und zuckt.
Trockne Hölzer schlingt und schluckt?
James Krüss, Das Feuer

Resa bluteten die Füße. Die Straße war steinig und feucht vom Morgentau. Sie hatten wieder allen die Hände gefesselt, nur den Kindern nicht. Welche Angst sie gehabt hatten, dass die Soldaten sie nicht zwischen den anderen Gefangenen gehen lassen, sondern auf den Karren laden würden! »Weint, wenn sie euch zwingen wollen!«, hatten sie den Kleinen zugeflüstert. »Weint und schreit, bis sie euch neben uns laufen lassen.« Aber zum Glück war das nicht nötig gewesen. Wie ängstlich sie dreinblickten, die drei – zwei Mädchen und ein Junge, das Kind nicht mitgezählt, das in Minas Bauch steckte.

Das älteste Mädchen war gerade sechs, es ging zwischen Resa und Mina. Jedes Mal, wenn Resa es ansah, fragte sie sich, wie Meggie in dem Alter wohl ausgesehen hatte. Mo hatte ihr Fotos gezeigt, viele Fotos von all den Jahren, die sie versäumt hatte, aber es waren nicht ihre Erinnerungen, sondern die seinen. Und Meggies.

Mutige Meggie. Resa zog sich immer noch das Herz zusammen, wenn sie daran dachte, wie sie ihr im Stall das Blatt Papier zugesteckt hatte. Wo war sie jetzt? Ob sie sie vom Wald aus beobachtete?

Erst als draußen das Geschrei wegen des Schwarzen Prinzen ausgebrochen war, hatte sie die Buchstaben lesen können, im Schein der Fackel, die die Nacht über im Stall gebrannt hatte. Keiner der anderen konnte lesen, also hatte sie Staubfingers Nachricht nur flüsternd an die Frauen weitergeben können, die gleich neben ihr hockten. Danach hatte es keine Gelegenheit gegeben, auch die Männer einzuweihen, doch die, die laufen konnten, würden das sowieso tun. Die Kinder waren es, um die Resa sich gesorgt hatte, und sie wussten nun, was sie tun sollten.

Das andere Mädchen und der Junge gingen zwischen ihrer Mutter und der Krummfingrigen, die Mo hatte zurück zu Capricorns Festung schaffen wollen. Auch ihr hatte Resa nichts von Staubfingers Nachricht gesagt. Jeder Blick, den sie ihr zuwarf, sagte: Recht habe ich gehabt! Mina aber lächelte, wenn sie sie ansah, Mina mit dem runden Bauch, die so viel Grund gehabt hätte, sie zu hassen für das, was geschehen war. Vielleicht hatten die Blumen ja wirklich Glück gebracht, die sie ihr in die Höhle gebracht hatte. Mo ging es besser, viel besser – nachdem sie so viele endlose Stunden immer wieder gedacht hatte, sein nächster Atemzug würde sein letzter sein. Seit der Flucht des Prinzen zog ein Pferd den Karren, auf dem er lag. Der Bär habe den Prinzen befreit, flüsterten die anderen, was endgültig beweise, dass er ein Nachtmahr sei. Mit seinem Geisterblick hätte er die Ketten verschwinden lassen, sich in einen Menschen verwandelt und seinem Herrn die Fesseln durchtrennt. Resa fragte sich, ob dieser Mensch vielleicht Narben im Gesicht gehabt hatte. Als in der Nacht der Lärm losgebrochen war, hatte sie große Angst um Staubfinger, Meggie und den Jungen gehabt, aber am nächsten Morgen hatte ihr der Ärger auf den Gesichtern der Soldaten verraten, dass sie entkommen waren.

Wo blieb nur der umgestürzte Baum, von dem Meggie geschrieben hatte?

Das Mädchen neben ihr klammerte die Hand in ihr Kleid. Resa lächelte ihm zu – und spürte, wie der Pfeifer sie von seinem Pferd herab musterte. Schnell wandte sie den Kopf ab. Zum Glück hatten weder er noch der Brandfuchs sie erkannt. Oft genug hatte sie auf Capricorns Festung den blutigen Liedern des Pfeifers lauschen müssen – als er noch eine Menschennase im Gesicht trug –, und dem Brandfuchs hatte sie die Stiefel geputzt, doch zum Glück hatte er nicht zu denen gehört, die ihr und den anderen Mägden nachgestellt hatten.

Die Soldaten malten sich lautstark über ihre Köpfe hinweg aus, was ihr Herr mit dem Schwarzen Prinzen anstellen würde, wenn er ihn und seinen verhexten Bären erst wieder eingefangen hatte. Sie hatten deutlich bessere Laune, seit sie wieder auf ihren Pferden saßen. Ab und zu drehte der Pfeifer sich im Sattel um und steuerte eine ganz spezielle Grausamkeit bei. Resa hätte dem Mädchen neben sich zu gern die Ohren zugehalten. Seine Mutter zog ahnungslos mit ein paar Schauspielern durchs Land, im Glauben, ihre Tochter sei sicher im Geheimen Lager.

Das Mädchen würde laufen. Ebenso wie die beiden anderen Kinder samt ihrer Mutter. Auch die Krummfingrige würde es bestimmt versuchen, der Rußvogel und die meisten anderen Männer … Der Spielmann mit dem verletzten Bein, der mit Mo auf dem Karren saß, würde bleiben, ebenso wie der Zweifinger, weil er Angst vor den Armbrüsten hatte, und der alte Stelzenläufer, der seinen Beinen nicht mehr traute. Benedicta, die kaum sehen konnte, wo sie hintrat, würde bleiben, Mina, deren Kind bald zur Welt kommen würde … und Mo.

Die Straße fiel immer steiler ab. Über ihren Köpfen schlangen die Bäume die Zweige ineinander. Es war ein windstiller Morgen, bedeckt und regnerisch, aber Staubfingers Feuer brannten selbst bei Regen. Resa blickte zwischen den Pferden hindurch. Wie dicht die Bäume standen, nichts als Dunkelheit zwischen sich, selbst am helllichten Tag. Nach links sollten sie laufen. Erwartete Meggie, dass sie es auch versuchte? Wie oft hatte sie sich das nun schon gefragt ... und sich immer wieder dieselbe Antwort gegeben: Nein, sie weiß, dass ich ihren Vater nicht allein lasse, sie liebt ihn doch ebenso sehr.

Resa ging langsamer. Da war er, der umgestürzte Baum, quer über der Straße, der Stamm grün vom Moos. Das Mädchen blickte mit großen Augen zu ihr hoch. Sie hatte Angst gehabt, dass eins der Kinder reden würde, aber sie waren stumm wie die Fische geblieben, den ganzen Morgen über.

Der Brandfuchs fluchte, als er den Baum entdeckte. Er zügelte sein Pferd, befahl den ersten vier Reitern abzusteigen und das Hindernis aus dem Weg zu räumen. Mit mürrischen Gesichtern gehorchten sie, drückten die Zügel ihrer Pferde einem anderen in die Hand und stiefelten auf den Baumstamm zu. Resa wagte nicht, zum Straßenrand zu blicken, aus Angst, Staubfinger oder Meggie mit ihren Blicken zu verraten. Sie glaubte, ein Schnipsen zu hören und dann, kaum wahrnehmbar, ein Flüstern. Keine Menschenworte. Feuerworte. Staubfinger hatte sie einmal für sie gesprochen, in der anderen Welt, in der sie nicht wirkten, in der das Feuer taub und stumm war. »Es klingt viel besser, wenn ich es dort mache«, hatte er gesagt und ihr von dem Feuerhonig erzählt, den er sich von den Elfen holte. An den Klang erinnerte sie sich dennoch sehr gut – als bissen sich Flammen durch schwarze Kohle, als fräßen sie hungrig an weißem Papier. Niemand sonst hörte das Flüstern im Rauschen der Blätter, im Tropfen des Regens, zwischen Vogelzwitschern und Grillengezirp.

Das Feuer züngelte unter der Baumrinde hervor wie ein Nest von Schlangen. Sie bemerkten es nicht. Erst als die erste Flamme emporschoss, gefräßig und heiß, so hoch, dass sie fast die Blätter der Bäume versengte, stolperten sie zurück, erschrocken, ungläubig. Die reiterlosen Pferde bäumten sich auf und versuchten, sich loszureißen, während das Feuer zischte und tanzte.

»Lauf!«, flüsterte Resa, und das Mädchen lief los, leichtfüßig wie ein Rehkitz. Kinder, Frauen, Männer, sie liefen auf die Bäume zu, vorbei an den scheuenden Pferden, hinein in das schützende Dunkel des Waldes. Zwei Soldaten schossen ihnen nach, aber auch ihre Pferde bäumten sich auf wegen des Feuers, und die Pfeile bohrten sich in Baumrinde statt in Menschenfleisch. Einen nach dem anderen sah Resa zwischen den Bäumen verschwinden, während die Soldaten sich anschrien, und es tat weh, stehen zu bleiben, so weh.

Der Baum brannte weiter, seine Rinde färbte sich schwarz ... Rennt, dachte Resa, rennt!, während sie dastand, obwohl ihre Füße doch eigentlich nur laufen wollten, fortlaufen, hin zu ihrer Tochter, die irgendwo zwischen den Bäumen wartete. Aber sie blieb. Blieb stehen und versuchte, nur an eins nicht zu denken: dass sie sie wieder einsperren würden. Denn sonst würde sie laufen, trotz Mo. Würde laufen und laufen und niemals wieder stehen bleiben. Zu lange war sie eine Gefangene gewesen, zu lange hatte sie nur von Erinnerungen gelebt, Erinnerungen an Mo, Erinnerungen an Meggie ... Sie hatte sich von ihnen ernährt in all den Jahren, die sie erst Mortola und dann Capricorn hatte dienen müssen.

»Komm nicht auf falsche Ideen, Eichelhäher!«, hörte sie einen der Soldaten hinter sich schreien. »Oder ich spieß dich auf!«

»Was für Ideen meinst du?«, antwortete Mo. »Sehe ich aus, als wäre ich dumm genug, vor deiner Armbrust wegzurennen?«

Fast hätte sie gelacht. Er hatte sie schon immer so leicht zum Lachen gebracht.

»Worauf wartet ihr? Holt sie zurück!«, brüllte der Pfeifer. Die silberne Nase war ihm verrutscht, und sein Pferd scheute immer noch, sosehr er auch an den Zügeln riss. Einige Männer gehorchten, stolperten halbherzig in den Wald und wichen wieder zurück, als ein Schatten sich brummend im Unterholz regte.

»Der Nachtmahr!«, schrie einer, und schon standen sie alle wieder auf der Straße, mit blassen Gesichtern und zitternden Händen, als taugten die Schwerter, die sie hielten, nichts gegen die Schrecken, die zwischen den Bäumen lauerten.

»Nachtmahr? Es ist heller Tag, ihr Idioten!«, schrie der Brandfuchs sie an. »Das ist ein Bär, nichts als ein Bär!«

Zögernd stiefelten sie wieder auf den Wald zu, dicht beieinander wie ein Kükenschwarm, der sich hinter der Mutter verbirgt. Resa hörte, wie sie sich fluchend mit den Schwertern einen Weg bahnten, durch Teufelszwirn und Brombeeren, während ihre Pferde schnaubend und zitternd an der Straße zurückblieben. Der Brandfuchs und der Pfeifer steckten die Köpfe zusammen – während die Soldaten, die immer noch auf der Straße standen, um die übrig gebliebenen Gefangenen zu bewachen, mit weit aufgerissenen Augen in den Wald stierten, als würde schon bald der Nachtmahr herausspringen, der so täuschend einem Bären glich, und sie allesamt verschlingen, mit Haut und Haar und allem, was sie sonst ausmachte, wie Geister es eben so tun.

Resa sah, wie Mo zu ihr herüberblickte, sah die Erleichterung auf seinem Gesicht, als er sie entdeckte – und die Enttäuschung, dass sie noch da war. Blass war er immer noch, aber nicht mehr so bleich, als hätte der Tod ihm übers Gesicht gestrichen. Sie machte einen Schritt auf den Karren zu, wollte zu ihm, seine Hand fassen, sehen, ob sie immer noch heiß vom Fieber war, aber einer der Soldaten stieß sie grob zurück.

Der Baum brannte immer noch. Die Flammen knisterten, als sängen sie ein Spottlied auf den Natternkopf, und als die Männer aus dem Wald zurückkamen, brachten sie nicht einen geflohenen Gefangenen zurück.

Arme Meggie

»Hallo«, ertönte eine sanfte, musikalische Stimme, und Leonardo blickte auf. Vor ihm stand das schönste junge Mädchen, das er je gesehen hatte, ein Mädchen, das ihn vielleicht erschreckt hätte, wäre da nicht der traurige Ausdruck in ihren blauen Augen gewesen; mit Traurigkeit kannte er sich aus.
Eva Ibbotson, Das Geheimnis der siebten Hexe

Meggie sprach kein Wort. Sosehr Farid auch versuchte, sie aufzuheitern, sie saß nur da, zwischen den Bäumen, die Arme um die Beine geschlungen, und schwieg. Ja, sie hatten viele befreit, aber ihre Eltern waren nicht darunter.

Nicht einer von denen, die hatten fliehen können, war dabei verletzt worden. Nur eins der Kinder hatte sich den Fuß vertreten, aber es war so klein, dass die Erwachsenen es tragen konnten. Der Wald hatte sie alle so rasch verschluckt, dass die Männer des Natternkopfes schon nach wenigen Schritten nur noch Schatten jagten. Ein hohler Baum, in den Staubfinger die Kinder schob, ein Dickicht von Teufelszwirn und wilden Nesseln, unter das die Frauen krochen, während der Bär des Schwarzen Prinzen die Soldaten fern hielt. Die Männer waren in die Bäume geklettert, bis hoch hinauf zwischen die Blätter. Staubfinger und der Prinz versteckten sich als Letzte, nachdem sie die Soldaten in die Irre gelockt hatten, mal hierhin, mal dorthin.

Der Prinz riet den Befreiten, nach Ombra zurückzukehren und sich vorerst den Spielleuten anzuschließen, die dort noch lagerten.

Er selbst hatte andere Pläne. Bevor er ging, sprach er noch mit Meggie, und danach blickte sie nicht mehr ganz so hoffnungslos drein.

»Er hat gesagt, er wird nicht zulassen, dass man meinen Vater hängt«, erzählte sie Farid. »Er sagt, er weiß, dass Mo nicht der Eichelhäher ist und dass er und seine Männer dem Natternkopf schon klarmachen werden, dass er den Falschen gefangen hat.«

Sie blickte so hoffnungsvoll drein, als sie das sagte, dass Farid nur nickte und »Na, wunderbar!« murmelte – obwohl er bloß das eine dachte: dass der Natternkopf Zauberzunge trotzdem hinrichten würde.

»Was ist mit dem Spitzel, von dem der Pfeifer gesprochen hat?«, fragte er Staubfinger, als sie sich erneut auf den Weg machten. »Wird der Prinz ihn suchen?«

»Da wird er nicht lange suchen müssen«, antwortete Staubfinger nur. »Er muss bloß darauf warten, dass irgendein Spielmann plötzlich die Taschen voller Silber hat.«

Silber. Farid musste es zugeben: Er war neugierig auf die silbernen Türme der Nachtburg. Selbst die Zinnen waren angeblich versilbert. Aber sie würden einen anderen Weg dorthin wählen als der Brandfuchs. »Wir wissen, wo sie hinwollen«, erklärte Staubfinger ihnen. »Und es gibt sicherere Wege zur Nachtburg als die Straße.«

»Was ist mit der Mäuse-Mühle?«, fragte Meggie. »Der Mühle, von der du im Wald gesprochen hast? Gehen wir dort nicht zuerst hin?«

»Nicht unbedingt. Warum?«

Meggie schwieg. Offenbar wusste sie nur zu gut, dass die Antwort Staubfinger nicht gefallen würde. »Ich habe Wolkentänzer einen Brief für Fenoglio mitgegeben«, sagte sie schließlich. »Ich habe ihn gebeten, etwas zu schreiben, etwas, das meine Eltern rettet, und dass er es zu der Mühle schicken soll.«

»Einen Brief?« Staubfingers Stimme klang so scharf, dass Farid unwillkürlich den Arm um Meggies Schultern legte. »Na, wunderbar! Was, wenn den die falschen Augen lesen?«

Farid zog den Kopf ein, aber Meggie nicht. Nein. Sie erwiderte Staubfingers Blick. »Niemand außer Fenoglio kann ihnen jetzt noch helfen«, sagte sie. »Und das weißt du. Du weißt es ganz genau.«

Ein Klopfen an der Tür

Lanzelot blickte in seinen Becher.
»Er *ist* unmenschlich«, sagte er endlich. »Aber weshalb sollte er menschlich sein? Erwartet Ihr von Engeln, daß sie menschlich sind?«
T. H. White, Der König auf Camelot, Teil 2

Seit Tagen schon war der Reiter fort, den Fenoglio Meggie nachgeschickt hatte. »Du musst reiten wie der Wind«, hatte er ihm gesagt – und dass es um Leben und Tod eines jungen und natürlich wunderschönen Mädchens ging. (Schließlich wollte er, dass der Kerl auch wirklich sein Bestes gab!) »Leider wirst du sie wohl nicht überreden können, mit dir zurückzukommen, sie ist sehr starrköpfig«, hatte er noch hinzugesetzt, »also mach mit ihr einen neuen und diesmal sicheren Treffpunkt aus und sag ihr, du kommst so bald wie möglich mit einem Brief von mir zurück. Kannst du dir das merken?«

Der Soldat, noch ein richtiger Milchbart, hatte die Worte ohne Mühe wiederholt und war davongaloppiert, mit der Versicherung, in spätestens drei Tagen zurück zu sein. Drei Tage. Wenn der Bursche sein Versprechen hielt, würde er bald zurück sein – aber Fenoglio würde keinen Brief haben, den er Meggie bringen lassen konnte. Denn die Worte, die diese ganze Geschichte wieder zurechtrücken sollten: die Guten retten, die Bösen bestrafen, wie sich das eben so gehörte, wollten sich einfach nicht einstellen!

Tag und Nacht saß Fenoglio in der Kammer, die Cosimo ihm

hatte zuweisen lassen, und starrte auf die Pergamentbögen, die Minerva ihm gebracht hatte, zusammen mit dem reichlich verschreckten Rosenquarz. Aber es war wie verhext: Was immer er begann, zerlief ihm wie Tinte auf feuchtem Papier. Wo waren sie nur hin, die verdammten Wörter? Warum blieben sie tot wie trockenes Laub? Er stritt sich mit Rosenquarz, befahl ihm, Wein zu besorgen, Gebratenes, Süßes, andere Tinte, eine neue Feder – während draußen auf den Burghöfen gehämmert und geschmiedet wurde, das Tor der Burg verstärkt, die Pechpfannen gesäubert, die Lanzen geschärft. Es verursachte Lärm, einen Krieg vorzubereiten. Vor allem, wenn man es damit eilig hatte. Und Cosimo hatte es sehr eilig.

Die Worte für ihn hatten sich fast von selbst geschrieben: Worte voll gerechtem Zorn. Cosimos Ausrufer hatten sie bereits auf Marktplätze und Dörfer getragen. Seither strömten die Freiwilligen nach Ombra, Soldaten für den Kampf gegen den Natternkopf. Aber wo waren die Worte, mit denen gleichzeitig Cosimos Krieg gewonnen und Meggies Vater vor dem Galgen bewahrt wurde?

Oh, wie er sich seinen alten Kopf zermarterte! Aber ihm wollte einfach nichts einfallen! Die Tage verstrichen und in Fenoglios Herzen machte sich Verzweiflung breit. Was, wenn der Natternkopf Mortimer inzwischen längst aufgehängt hatte? Würde Meggie dann überhaupt noch lesen wollen? Würde es ihr nicht ganz gleichgültig sein, was mit Cosimo und dieser Welt geschah, wenn ihr Vater erst einmal tot war? »Unsinn, Fenoglio«, murmelte er, als er erneut seit Stunden einen Satz nach dem anderen durchstrich. »Und weißt du was? Wenn dir keine Worte einfallen, dann muss es diesmal eben ohne sie gehen. Dann wird Cosimo eben Mortimer retten!«

Ach ja? Und was, wenn sie die Burg des Natternkopfs stürmen und dabei alle im Kerker der brennenden Burg sterben?, flüsterte es in ihm. Oder wenn Cosimos Truppen an den steil aufragenden Mauern der Nachtburg zerschellen?

Fenoglio legte die Feder zur Seite und vergrub das Gesicht in den Händen. Draußen wurde es schon wieder dunkel und sein Kopf war ebenso leer wie das Pergament vor ihm. Cosimo hatte ihn von Tullio an seine Tafel bitten lassen, aber er hatte keinen Appetit, auch wenn er Cosimo zu gern dabei beobachtete, wie er mit leuchtenden Augen den Liedern lauschte, die er über ihn geschrieben hatte. Selbst wenn die Hässliche zehnmal behauptete, ihren Mann langweilten Worte – *dieser* Cosimo liebte, was Fenoglio lieferte: wunderschöne Märchen über seine vergangenen Heldentaten, über seine Zeit bei den Weißen Frauen und den Kampf bei Capricorns Festung.

Ja, er stand in hoher Gunst bei dem schönen Fürsten, genau wie er es geschrieben hatte – während die Hässliche immer häufiger vergebens darum bat, bei ihrem Mann vorgelassen zu werden. Und so saß Violante noch öfter als vor Cosimos Rückkehr in der Bibliothek. Seit dem Tod ihres Schwiegervaters musste sie sich nicht länger heimlich hineinschleichen oder Balbulus mit ihrem Schmuck bestechen, denn es interessierte Cosimo nicht, ob sie las. Ihn interessierte nur, ob sie Briefe an ihren Vater schrieb oder sonst wie versuchte, mit dem Natternkopf Kontakt aufzunehmen. Als ob sie das je getan hätte!

Violante tat Fenoglio leid in ihrer Einsamkeit, aber er tröstete sich damit, dass sie schon immer einsam gewesen war. Selbst ihr Sohn hatte daran nichts geändert. Dennoch – vermutlich hatte sie noch nie die Gesellschaft eines Menschen so sehr begehrt wie die Cosimos. Das Mal auf ihrem Gesicht war verblasst, aber nun brannte etwas anderes darauf – die Liebe, ebenso nutzlos, wie es das Mal gewesen war, denn Cosimo liebte nicht zurück. Im Gegenteil, er ließ seine Frau bewachen. Seit einiger Zeit folgte Violante ein vierschrötiger Mann mit kahlem Kopf, der früher die Jagdhunde des Speckfürsten abgerichtet hatte. Er folgte der Hässlichen, als hätte er sich selbst in einen Hund verwandelt, einen schnüffelnden Hund, der versuchte, jeden ihrer Gedanken zu wittern. Angeblich ließ Violante Balbulus Briefe an Cosimo schreiben, flehende Briefe, in denen sie ihn der Treue und Ergebenheit versicherte, aber ihr Mann, sagte man, las sie nicht. Einer seiner Verwalter behauptete gar, Cosimo habe das Lesen verlernt.

Fenoglio nahm die Hände vom Gesicht und betrachtete voll Neid den schlafenden Rosenquarz, der neben dem Tintenfass lag und friedlich vor sich hin schnarchte. Er griff gerade erneut nach der Feder, als es an der Tür klopfte.

Wer konnte das sein so spät in der Nacht? Cosimo ritt um die Zeit meist aus.

Es war seine Frau, die vor der Tür stand. Violante trug eins der schwarzen Kleider, die sie bei Cosimos Rückkehr abgelegt hatte. Ihre Augen waren gerötet, als wären sie wund vom Weinen, aber vielleicht benutzte sie auch nur den Beryll zu oft.

Fenoglio erhob sich von seinem Stuhl. »Kommt herein!«, sagte er. »Wo ist Euer Schatten?«

»Ich habe einen Wurf junger Hunde gekauft und ihm gesagt, dass er sie abrichten soll, als Überraschung für Cosimo. Seither verschwindet er ab und zu.«

Sie war klug, o ja, sehr klug sogar. Hatte er das gewusst? Nein, er erinnerte sich ja kaum daran, sie erfunden zu haben.

»Setzt Euch doch!« Er schob ihr seinen eigenen Stuhl hin – einen anderen gab es nicht – und setzte sich auf die Truhe unterm Fenster, in der er seine Kleider aufbewahrte, nicht die alten, mottenzerfressenen, sondern die, die Cosimo ihm hatte schneidern lassen, prächtige Kleider, angefertigt für einen Hofdichter.

»Cosimo hat Brianna schon wieder mitgenommen!«, sagte Violante mit gebrochener Stimme. »Sie darf mit ihm ausreiten, mit ihm essen, selbst die Nächte verbringt sie bei ihm. Jetzt erzählt sie ihm Geschichten, nicht mir, liest ihm vor, singt für ihn, tanzt für ihn, so wie sie es früher für mich getan hat. Und ich bin allein. Könnt Ihr nicht mit ihr sprechen?« Violante strich mit fahrigen Händen über ihr schwarzes Kleid. »Brianna liebt Eure Lieder, vielleicht hört sie auf Euch! Ich brauche sie. Ich habe sonst niemanden auf dieser Burg außer Balbulus und der will nur Gold für neue Farben von mir.«

»Was ist mit Eurem Sohn?«

»Der mag mich nicht.«

Fenoglio schwieg, denn sie hatte recht. Jacopo mochte niemanden, außer seinem finsteren Großvater, und niemand mochte Jacopo. Es war nicht leicht, ihn zu mögen. Von draußen drang die Nacht herein und das Hämmern der Schmiede.

»Cosimo plant, die Mauern der Stadt zu verstärken«, fuhr Violante fort. »Er will jeden Baum fällen lassen bis hinunter zum Fluss. Die Nessel soll ihn deswegen verflucht haben. Sie soll gesagt haben, dass sie mit den Weißen Frauen sprechen wird, damit sie ihn zurückholen.«

»Keine Sorge. Die Weißen Frauen tun nicht, was die Nessel sagt.«

»Seid Ihr da sicher?« Sie rieb sich die wunden Augen. »Brianna ist meine Vorleserin! Er hat kein Recht, sie mir fortzunehmen. Ich will, dass Ihr ihrer Mutter schreibt. Cosimo lässt all meine Briefe lesen, aber Ihr könnt sie herbitten. Euch traut er. Schreibt Briannas Mutter, dass Jacopo mit ihrem Sohn spielen will und sie ihn gegen Mittag auf die Burg bringen soll. Ich weiß, sie war früher eine Spielfrau, aber jetzt soll sie Kräuter ziehen. Alle Bader der Stadt gehen zu ihr. Ich habe ein paar sehr seltene Pflanzen in meinem Garten. Schreibt ihr, sie kann sich dort nehmen, was sie will, Saat, Wurzelausläufer, Ableger, was immer sie wünscht, wenn sie nur kommt.«

Roxane. Sie wollte, dass Roxane herkam.

»Warum wollt Ihr mit der Mutter sprechen und nicht mit Brianna selbst? Sie ist kein kleines Mädchen mehr.«

»Ich habe es versucht! Sie hört mir nicht zu. Sie sieht mich nur schweigend an, murmelt Entschuldigungen – und geht wieder zu ihm. Nein. Ich muss mit ihrer Mutter sprechen.«

Fenoglio schwieg. Er war nicht sicher, dass Roxane kommen würde, nach allem, was er über sie wusste. Schließlich hatte er es ihr selbst ins Herz geschrieben: ihren Stolz und ihre Abneigung gegen Fürstenblut. Andererseits – hatte er Meggie nicht versprechen müssen, ein Auge auf Staubfingers Tochter zu haben? Wenn er schon sonst kein Versprechen halten konnte, weil die Worte ihn schmählich im Stich ließen, vielleicht sollte er es wenigstens mit diesem versuchen ... Himmel!, dachte er. Ich möchte nicht in Staubfingers Nähe sein, wenn er erfährt, dass seine Tochter die Nächte bei Cosimo verbringt!

»Nun gut, ich schicke Roxane einen Boten«, sagte er. »Aber versprecht Euch nicht zu viel davon. Ich habe gehört, dass sie nicht sehr glücklich darüber ist, dass ihre Tochter bei Hof lebt.«

»Ich weiß!« Violante erhob sich und warf einen Blick auf das Papier, das auf seinem Schreibpult wartete. »Schreibt Ihr an einer neuen Geschichte? Ist es eine über den Eichelhäher? Ihr müsst sie zuerst mir zeigen!« Für einen Moment war sie ganz die Tochter des Natternkopfes.

»Natürlich, natürlich«, versicherte Fenoglio hastig. »Ihr bekommt sie noch vor den Spielleuten. Und ich werde sie so schreiben, wie Ihr es am liebsten habt: finster, hoffnungslos, unheimlich ...« – und grausam, setzte er in Gedanken hinzu. Ja, die Hässliche liebte Geschichten voller Dunkelheit. Sie wollte nicht, dass man ihr von Glück und Schönheit erzählte, sie wollte vom Tod hören, von Unglück, Hässlichkeit und tränenschweren Geheimnissen. Sie wollte ihre eigene, ganz eigene Welt, und die hatte noch nie von Schönheit und Glück erzählt.

Sie sah ihn immer noch an – mit demselben überheblichen Blick, den ihr Vater auf die Welt warf. Fenoglio erinnerte sich an die Worte, die er einst über ihre Familie geschrieben hatte: *Edles Blut – seit Hunderten von Jahren glaubte die Sippe des Natternkopfes fest daran, dass das Blut, das durch ihre Adern floss, sie kühner, klüger und stärker machte als all die, die ihnen untertan waren.* Hundert und noch mal hundert Jahre derselbe Blick, selbst in den Augen der Hässlichen, die ebendiese Sippe am liebsten gleich nach ihrer Geburt wie einen verkrüppelt geborenen Hund im Burggraben ertränkt hätte.

»Die Diener sagen, Briannas Mutter könnte noch schöner singen als sie. Sie sagen, sie könnte Steine zum Weinen bringen und Rosen zum Blühen.« Violante strich sich übers Gesicht, dort, wo das Mal noch vor kurzer Zeit so rot gebrannt hatte.

»Ja, so etwas habe ich auch gehört.« Fenoglio folgte ihr zur Tür.

»Sie soll früher sogar auf der Burg meines Vaters gesungen haben, aber ich glaube das nicht. Mein Vater hat nie Spielleute durch sein Tor gelassen, er hat sie höchstens davor aufgehängt.« Ja, weil man sich einst erzählt hat, Eure Mutter hätte ihn mit einem Spielmann betrogen, dachte Fenoglio, während er ihr die Tür öffnete.

»Brianna sagt, ihre Mutter singt nicht mehr, weil sie glaubt, dass ihre Stimme allen, die sie liebt, großes Unglück bringt. Bei Briannas Vater soll es so gewesen sein.«

»Ja, auch das habe ich gehört.«

Violante trat auf den Flur hinaus. Selbst aus der Nähe war ihr Mal kaum noch zu sehen. »Ihr schickt den Boten gleich morgen früh zu ihr?«

»Wenn Ihr es wünscht.«

Sie blickte den dunklen Korridor hinunter. »Brianna will nie über ihren Vater reden. Eine der Köchinnen behauptet, er sei ein Feuerspucker. Sie sagt, Briannas Mutter sei sehr verliebt in ihn gewesen, doch dann habe sich einer von den Brandstiftern ebenfalls in sie verliebt und dem Feuerspucker das Gesicht zerschnitten.«

»So habe ich die Geschichte auch gehört!« Fenoglio sah sie nachdenklich an. Staubfingers Geschichte, bitter und süß, sie war nach Violantes Geschmack, ganz gewiss.

»Sie soll ihn zu einem Bader gebracht haben und bei ihm geblieben sein, bis sein Gesicht geheilt war.« Wie abwesend ihre Stimme klang, als hätte sie sich verloren zwischen den Worten, Fenoglios Worten. »Aber verlassen hat er sie trotzdem.« Violante wandte das Gesicht ab. »Schreibt den Brief!«, sagte sie schroff. »Schreibt ihn noch heute Nacht.« Dann hastete sie davon, in ihrem schwarzen Kleid, so eilig, als schämte sie sich plötzlich dafür, zu ihm gekommen zu sein.

»Rosenquarz«, sagte Fenoglio, während er die Tür hinter ihr schloss. »Glaubst du, ich kann nur traurige oder böse Figuren erfinden?«

Aber der Glasmann schlief immer noch, während neben ihm Tinte von der Feder auf das leere Pergament tropfte.

Roxane

Ihr Aug ist nicht so hell wie Sonnenlicht;
ihr Mund hat nicht die Röte von Granaten;
schneeweiß ist Schnee, ihr Busen ist es nicht;
das Haar sei Gold? Ihr Gold ist schwarz geraten.
William Shakespeare, Sonett

Fenoglio erwartete Roxane in einem Raum der Burg, in dem sonst Bittsteller empfangen wurden, Leute aus dem einfachen Volk, die hier Cosimos Verwaltern ihre Sorgen vortrugen, während ein Schreiber dabeisaß, der ihre Worte auf Papier festhielt (Pergament war bei Weitem zu wertvoll für solche Zwecke). Danach schickte man sie wieder fort mit der Hoffnung, dass der Fürst sich irgendwann zu ihren Sorgen äußern würde. Unter dem Speckfürsten war das selten geschehen, höchstens auf Violantes Betreiben, und so hatten seine Untertanen ihre Streitigkeiten meist irgendwann untereinander geregelt, blutig oder unblutig, je nach Temperament und Einfluss. Cosimo würde auch das hoffentlich bald ändern …

»Was mache ich hier?«, murmelte Fenoglio, während er sich in dem schmalen, hohen Raum umsah. Er hatte noch im Bett gelegen (wesentlich bequemer als das bei Minerva), als der Bote der Hässlichen erschienen war. Violante lasse sich entschuldigen und bitte ihn, der sich wie kein anderer darauf verstehe, die rechten Worte zu finden, an ihrer Stelle mit Roxane zu sprechen. Wunderbar. So machten es die Mächtigen – schoben die unangenehmen Dinge des Lebens anderen zu. Aber andererseits … er hatte Staubfingers Frau schon immer einmal treffen wollen. Ob sie tatsächlich so schön war, wie er sie beschrieben hatte?

Mit einem Seufzer ließ er sich in dem Sessel nieder, in dem sonst Cosimos Verwalter saß. Seit Cosimos Rückkehr waren die Bittsteller so zahlreich auf der Burg erschienen, dass es ihnen künftig nur noch an zwei Tagen der Woche erlaubt sein würde vorzusprechen. Ihr Fürst hatte zurzeit anderes im Sinn als die Sorgen eines Bauern, dem sein Nachbar das Schwein gestohlen, die Anklage des Schusters, dem ein Händler schlechtes Leder verkauft hatte, oder die Klage der Schneiderin, die ihr Mann jede Nacht schlug, wenn er betrunken nach Hause kam. Natürlich gab es in jedem größeren Ort einen Richter, um solche Streitigkeiten zu regeln, aber die meisten dieser Männer hatten einen schlimmen Ruf. Recht, so hieß es zu beiden Seiten des Weglosen Waldes, bekam nur, wer den Richtern die Taschen mit Gold füllte. Und so kamen die, die kein Gold hatten, auf die Burg, zu ihrem engelsgleichen Fürsten, ohne zu verstehen, dass der mehr als genug damit zu tun hatte, seinen Krieg vorzubereiten.

Als Roxane den Raum betrat, hatte sie zwei Kinder dabei: ein Mädchen von vielleicht fünf Jahren und einen älteren Jungen, der vermutlich Briannas Bruder Jehan war – der Junge, der ab und zu die zweifelhafte Ehre hatte, mit Jacopo zu spielen. Mit gerunzelter Stirn musterte sie die Teppiche an den Wänden, die von den Taten des jungen Speckfürsten kündeten. Einhörner, Drachen, weiße Hirsche … offenbar war nichts vor seiner fürstlichen Lanze sicher gewesen.

»Ähm, warum gehen wir nicht einfach in den Garten?«, schlug Fenoglio vor, als er ihre missbilligenden Blicke bemerkte, und erhob sich rasch von dem fürstlichen Stuhl. Vielleicht war sie sogar noch schöner, als er beschrieben hatte. Aber schließlich hatte er auch nach den allerwunderbarsten Worten gefischt, als er für *Tintenherz* die Szene schrieb, in der Staubfinger sie zum ersten Mal sah. Dennoch – als sie so plötzlich und wirklich vor ihm stand, war er mit einem Schlag verliebt wie ein dummer Junge. Teufel, Fenoglio!, beschimpfte er sich selbst. Du hast sie erfunden, und nun starrst du sie an, als sähest du zum ersten Mal in deinem Leben eine Frau! Was das Schlimmste war – Roxane schien es zu bemerken.

»Ja, lasst uns in den Garten gehen! Ich habe viel von ihm gehört, doch ihn noch nie gesehen«, sagte sie mit einem Lächeln, das Fenoglio gänzlich verwirrte. »Oder wollt Ihr mir erst erzählen, warum Ihr mich sprechen wollt? In Eurem Brief hieß es nur, es ginge um Brianna.«

Warum er sie sprechen wollte – ha. Er verfluchte Violantes Eifersucht, Cosimos treuloses Herz und sich selbst gleich dazu. »Lasst uns erst in den Garten gehen«, sagte er. Vielleicht fiel es unter freiem Himmel leichter, ihr das zu sagen, was die Hässliche ihm aufgetragen hatte.

Aber natürlich war es nicht so.

Der Junge machte sich auf die Suche nach Jacopo, sobald sie nach draußen traten, aber das Mädchen blieb bei Roxane. Es klammerte sich an ihre Hand, während sie von Pflanze zu Pflanze ging – und Fenoglio kein Wort über die Lippen brachte.

»Ich weiß, warum ich herkommen sollte«, sagte Roxane, als er sich gerade zum zehnten Mal die richtigen Worte zurechtlegte. »Brianna hat es mir nicht selbst erzählt, das würde sie nie tun. Aber die Magd, die Cosimo das Frühstück bringt und sich bei mir oft Rat wegen ihrer kranken Mutter holt, hat mir erzählt, dass Brianna seine Kammer kaum noch verlässt. Selbst bei Nacht nicht.«

»Ja. Ja, so ist es … Violante macht sich Sorgen deswegen. Und sie hofft, dass Ihr …« Teufel, wie er herumstammelte. Er wusste nicht weiter. Verfluchtes Durcheinander. Diese Geschichte hatte eindeutig zu viele Figuren. Wie sollte er all das voraussehen, was ihnen einfiel? Vollkommen unmöglich, vor allem, wenn es um die Herzen junger Mädchen ging. Keiner konnte erwarten, dass er davon etwas verstand.

Roxane musterte sein Gesicht, als wartete sie immer noch auf das Ende seines Satzes. Verdammter alter Narr, du wirst doch wohl nicht rot werden!, dachte Fenoglio – und spürte, wie das Blut ihm in die faltige Haut schoss, als wollte es das Alter daraus vertreiben.

»Der Junge hat von Euch erzählt«, sagte Roxane. »Farid. Er ist in das Mädchen verliebt, das bei Euch wohnt, Meggie, nicht wahr? Wenn er ihren Namen ausspricht, blickt er drein, als hätte er Perlen im Mund.«

»Ja, ich fürchte fast, Meggie mag ihn auch.«

Was genau hat der Junge ihr über mich erzählt?, dachte Fenoglio beunruhigt. Dass ich sie erfunden habe und den Mann, den sie liebt – nur um ihn dann umbringen zu lassen?

Das Mädchen umklammerte immer noch Roxanes Hand. Mit einem Lächeln steckte sie ihm eine Blüte in das lange dunkle Haar. Weißt du was, Fenoglio?, dachte er. Das ist alles Unsinn! Wie willst du sie erfunden haben? Sie muss immer schon da gewesen sein, lange vor deinen Worten. Eine wie sie kann unmöglich nur aus Worten gemacht sein! Du hast dich geirrt, die ganze Zeit über! Sie waren alle schon da, Staubfinger und Capricorn, Basta und

Roxane, Minerva, Violante, der Natternkopf … Du hast bloß ihre Geschichte aufgeschrieben, aber sie hat ihnen nicht gefallen und nun schreiben sie ihre eigene …

Das Mädchen tastete mit den Fingern nach der Blüte und lächelte.

»Ist das Staubfingers Tochter?«, fragte Fenoglio.

Überrascht blickte Roxane ihn an. »Nein«, sagte sie. »Unsere zweite Tochter ist tot, schon lange. Aber woher kennt Ihr Staubfinger? Er hat mir nie von Euch erzählt.«

Fenoglio, du Dummkopf, verfluchter Dummkopf.

»O doch, doch, ich kenne Staubfinger!«, stammelte er. »Ich kenne ihn sogar recht gut. Wisst Ihr, ich bin oft bei den Spielleuten, wenn sie ihre Zelte hier aufschlagen, unten vor der Stadtmauer. Dort, ähm, hab ich ihn getroffen …«

»Tatsächlich?« Roxane strich einer Staude über die gefiederten Blätter. »Ich wusste gar nicht, dass er sich schon dort hat blicken lassen.« Mit nachdenklichem Gesicht trat sie an ein anderes Beet. »Wilde Malven. Die habe ich auch auf meinen Feldern. Sind sie nicht schön? Und so nützlich …« Sie sah Fenoglio nicht an, während sie weitersprach. »Staubfinger ist fort. Wieder einmal. Ich habe nur die Nachricht erhalten, dass er Männern des Natternkopfes folgt, die ein paar Spielleute verschleppt haben. Ihre Mutter«, sie schlang den Arm um das Mädchen, »ist auch dabei. Und der Schwarze Prinz, ein guter Freund von ihm.«

Den Prinzen hatten sie auch gefangen? Fenoglio versuchte, seinen Schreck zu verbergen. Offenbar war alles noch viel schlimmer, als er gedacht hatte – und was er schrieb, taugte immer noch nichts …

Roxane strich über die Samenstände eines Lavendelbusches. Sofort hing der süße Duft in der Luft. »Man sagt, dass Ihr dabei wart, als der Wolkentänzer getötet wurde. Kanntet Ihr seinen Mörder? Ich habe gehört, es soll Basta gewesen sein, einer der Brandstifter aus dem Wald.«

»Da habt Ihr leider richtig gehört.« Es verging keine Nacht, in der Fenoglio Bastas Messer nicht durch die Luft fliegen sah, in jeden Traum verfolgte es ihn.

»Der Junge hat Staubfinger erzählt, dass Basta zurück ist. Aber ich hatte gehofft, dass er lügt. Ich mache mir Sorgen.« Sie sprach so leise, dass Fenoglio ihre Worte kaum verstand. »Solche Sorgen, dass ich mich ständig dabei ertappe, wie ich einfach nur dasteh und zum Wald hinüberstarre, als könnte er im nächsten Moment wieder zwischen den Bäumen stehen, so wie an dem Morgen, an dem er zurückkam.« Sie pflückte eine Samenkapsel und schüttelte ein paar der winzigen Samen in ihre Hand. »Kann ich die mitnehmen?«

»Alles, was Ihr wollt«, erwiderte Fenoglio. »Samen, Ausläufer, Ableger, so soll ich es Euch von Violante ausrichten – wenn Ihr Eure Tochter überredet, künftig wieder ihr und nicht ihrem Mann Gesellschaft zu leisten.«

Roxane betrachtete die Samen in ihrer Hand ... und ließ sie auf das Beet rieseln. »Das geht nicht. Meine Tochter hört schon seit Jahren nicht mehr auf mich. Sie liebt das Leben hier, obwohl sie weiß, dass ich es nicht tue, und sie liebt Cosimo, seit sie ihn das erste Mal hat aus dem Burgtor reiten sehen, am Tag seiner Hochzeit. Kaum sieben Jahre alt war sie damals, und seither wollte sie nur noch hierher, auf die Burg, auch wenn sie dafür eine Magd sein musste. Hätte Violante sie nicht irgendwann unten in der Küche singen hören, dann würde sie wohl noch immer Nachttöpfe ausleeren, Küchenabfälle zu den Schweinen bringen und manchmal heimlich nach oben schleichen, um Cosimos Standbilder anzustarren. Stattdessen wurde sie Violantes kleine Schwester ... trug ihre Kleider, hütete ihren Sohn, sang und tanzte für sie und wurde eine Spielfrau, wie ihre Mutter es war. Aber nicht eine mit bunten Röcken und schmutzigen Füßen, einem Bett neben der Straße und einem Messer gegen die Landstreicher, die versuchen, nachts unter ihre Decke zu kriechen, sondern eine in Seidenkleidern und einem weichen Bett zum Schlafen. Das Haar trägt sie trotzdem offen, so wie ich es getan habe, und lieben tut sie auch zu viel, genau wie ich. Nein!«, sagte sie und legte Fenoglio die Samenkapsel in die Hand. »Richtet Violante aus, dass ich ihr nicht helfen kann, auch wenn ich es gern täte.«

Das kleine Mädchen blickte Fenoglio an. Wo seine Mutter wohl jetzt war?

»Hört zu!«, sagte er zu Roxane. Ihre Schönheit machte ihn schwindelig. »Nehmt so viel Samen mit, wie Ihr wollt. Sie werden aufs Beste gedeihen auf Euren Feldern, viel besser als zwischen diesen grauen Mauern. Staubfinger ist mit Meggie fort. Ich habe ihr einen Boten nachgeschickt. Sobald er zurück ist, werdet Ihr alles erfahren, was er zu berichten weiß: wo sie jetzt sind, wie lange sie fortbleiben werden, alles!«

Roxane nahm ihm die Samenkapsel wieder aus der Hand, pflückte noch eine weitere Handvoll und schob sie vorsichtig in den Beutel an ihrem Gürtel. »Ich danke Euch«, sagte sie. »Aber wenn ich nicht bald etwas von Staubfinger höre, mach ich mich selbst auf die Suche nach ihm. Ich habe zu oft einfach nur darauf gewartet, dass er heil zurückkommt, und ich kann an nichts anderes mehr denken als daran, dass Basta wieder da ist!«

»Aber wie wollt Ihr ihn finden? Das Letzte, was ich von Meggie gehört habe, ist, dass sie zu einer Mühle wollten, der Mäuse-Mühle. Sie liegt auf der anderen Seite des Waldes, auf dem Gebiet des Natternkopfes! Dort ist es gefährlich!«

Roxane lächelte ihn an wie eine Frau, die einem Kind erklärt, wie die Welt beschaffen ist. »Hier wird es bald auch gefährlich sein«, sagte sie. »Oder glaubt Ihr, dem Natternkopf ist noch nicht zu Ohren gekommen, dass Cosimo Tag und Nacht Schwerter schmieden lässt? Vielleicht solltet Ihr Euch schon mal nach einem anderen Ort zum Schreiben umsehen. Bevor die Brandpfeile Euch auf das Schreibpult regnen.«

Roxanes Pferd wartete im Äußeren Hof der Burg. Es war ein alter Rappe, hager und grau um die Schnauze. »Ich kenne die Mäuse-Mühle«, sagte sie, während sie das Mädchen auf den Pferderücken hob. »Ich werde vorbeireiten, und wenn ich die beiden dort nicht finde, versuche ich es beim Schleierkauz. Er ist der beste Bader, den ich kenne, jenseits und diesseits des Waldes, und er hat sich um Staubfinger gekümmert, als er noch ein Junge war. Vielleicht hat er von ihm gehört.«

Natürlich, der Schleierkauz! Wie hatte Fenoglio den vergessen können? Wenn Staubfinger jemals so etwas wie einen Vater gehabt hatte, dann ihn. Er war einer der Bader gewesen, die mit den Spielleuten umherzogen, von Ort zu Ort, von Markt zu Markt. Viel mehr wusste er leider nicht über ihn. Verflucht, Fenoglio!, dachte er. Wie kann man nur seine eigenen Geschichten vergessen? Und rede dich jetzt nicht mit deinem Alter heraus.

»Wenn Ihr Jehan seht, schickt ihn nach Hause«, sagte Roxane, während sie sich hinter dem Mädchen aufs Pferd schwang. »Er kennt den Weg.«

»Wollt Ihr auf diesem alten Klepper durch den Weglosen Wald?«

»Dieser alte Klepper trägt mich immer noch, so weit ich will«, sagte sie. Das Mädchen lehnte den Kopf gegen ihre Brust, als sie die Zügel aufnahm. »Lebt wohl!«, sagte sie, aber Fenoglio griff ihr in die Zügel. Es war ihm eine Idee gekommen, eine verzweifelte Idee, aber was sollte er machen? Auf den Reiter, den er ausgeschickt hatte, warten, bis es zu spät war?

»Roxane«, raunte er zu ihr hinauf. »Ich muss Meggie einen Brief zukommen lassen. Ich habe ihr einen Reiter nachgesandt, der mir berichten soll, wo sie ist und wie es ihr geht, aber er ist noch nicht zurück und bis ich ihn erneut mit dem Brief losgeschickt habe *(erzähl nichts von Basta und dem Schlitzer, Fenoglio, das regt sie nur unnötig auf!)*, also, worauf ich hinauswill *(Himmel, Fenoglio, starr sie nicht so an und stammle nicht herum wie ein alter Tattergreis!)*: Würdet Ihr den Brief für Meggie mitnehmen, falls Ihr Staubfinger tatsächlich nachreitet? Ihr werdet sie in dem Fall vermutlich eher antreffen als jeder Bote, den ich ihr schicke!« Was für einen Brief?, spottete es in ihm. Einen Brief, in dem du ihr schreibst, dass dir nichts eingefallen ist? Aber er ignorierte die Stimme wie üblich. »Es ist ein sehr wichtiger Brief!« Wenn er noch leiser hätte sprechen können, er hätte es getan.

Roxane runzelte die Stirn. Selbst das sah schön aus. »Der letzte Brief, den Ihr bekommen habt, hat Wolkentänzer das Leben gekostet. Aber gut, bringt ihn mir, wenn Ihr wollt. Wie ich sagte, sehr lange werde ich nicht mehr warten.«

Der Burghof schien Fenoglio seltsam leer, als sie fort war. In seiner Kammer wartete Rosenquarz schon mit vorwurfsvollem Blick neben dem immer noch leeren Pergament. »Weißt du was, Rosenquarz?«, sagte Fenoglio zu dem Glasmann, während er sich mit einem Seufzer erneut auf seinem Stuhl niederließ, »ich glaube, Staubfinger würde mir meinen alten Hals umdrehen, wenn er wüsste, wie ich seine Frau anstarre. Aber was soll's! Er würde mir sowieso am liebsten den Hals umdrehen, da kommt es auf einen Grund mehr oder weniger nicht an. Er hat Roxane gar nicht verdient, so oft, wie er sie allein lässt!«

»Da hat ja jemand wieder eine wahrhaft fürstliche Laune!«, stellte Rosenquarz fest.

»Sei still!«, knurrte Fenoglio. »Jetzt wird dieses Pergament mit Worten gefüllt. Ich hoffe nur, du hast die Tinte gut umgerührt?«

»Es liegt gewiss nicht an der Tinte, dass dieses Pergament immer noch leer ist!«, erwiderte der Glasmann spitz.

Fenoglio warf nicht die Feder nach ihm, obwohl es ihn in den Fingern juckte. Es war ja nur die Wahrheit, die da über Rosenquarz' blasse Lippen kam. Was konnte der Glasmann dafür, dass sie so hässlich war?

Die Burg am Meer

> Und manchmal ist in einem alten Buche
> ein unbegreiflich Dunkles angestrichen.
> Da warst du einst. Wo bist du hin entwichen?
> *Rainer Maria Rilke, Improvisationen aus dem Capreser Winter (III)*

Genau so hatte sich Mo die Nachtburg vorgestellt: mächtige Türme, klobig und rund, Schießscharten wie Zahnlücken unter den Silberdächern. Mo glaubte, Fenoglios Worte vor sich zu sehen, als die erschöpften Gefangenen vor ihm durch das Burgtor wankten, schwarz auf milchweißem Papier: ... *die Nachtburg, finsteres Gewächs am Meer, jeder Stein poliert von Schreien, die Mauern schlüpfrig von Tränen und Blut* ... Ja, Fenoglio war ein guter Geschichtenerzähler. Silber säumte die Zinnen und Tore, zog sich wie Schneckenschleim über die Mauern. Der Natternkopf liebte das Metall, das seine Untertanen den Speichel des Mondes nannten, vielleicht, weil ihm ein Alchemist einst weisgemacht hatte, dass es die Weißen Frauen fernhielt, weil sie es hassten, wenn sich ihre blassen Gesichter darin spiegelten.

Von allen Orten in der Tintenwelt hätte Mo diesen als letzten gewählt. Aber nicht er wählte seinen Weg durch diese Geschichte, so viel stand fest. Sie hatte ihm sogar einen neuen Namen gegeben. Manchmal kam es ihm schon so vor, als wäre es tatsächlich der seine. Als hätte er den Namen Eichelhäher in sich getragen wie eine Saat, die nun aufging, in dieser Welt aus Worten.

Er fühlte sich besser. Das Fieber war immer noch da, wie Milchglas vor seinen Augen, aber der Schmerz war ein zahmes Kätzchen im Vergleich zu dem Raubtier, das ihn noch in der Höhle im Spielmannslager zerfleischt hatte. Er konnte sich aufsetzen, wenn er die Zähne zusammenbiss, konnte sich umsehen zu Resa. Er ließ sie selten aus den Augen, als könnte er sie auf die Art beschützen vor den Blicken der Soldaten, ihren Tritten und Schlägen. Ihr Anblick schmerzte mehr als die Wunde. Als das Tor der Nachtburg sich hinter ihr und den restlichen Gefangenen schloss, konnte sie sich vor Erschöpfung kaum noch auf den Füßen halten. Sie blieb stehen und blickte an den Mauern empor, die sie umgaben, wie eine Maus, die die Falle betrachtet, in die sie getappt ist. Einer der Soldaten stieß sie weiter, mit dem Lanzenschaft, und Mo hätte so gern die Hände um seinen Hals gelegt und zugedrückt. Er schmeckte den Hass auf der Zunge und im Herzen wie ein Zittern und verfluchte die eigene Schwäche.

Resa sah ihn an, sie versuchte zu lächeln, aber sie war zu erschöpft, und er sah ihre Angst. Die Soldaten zügelten die Pferde, umringten die Gefangenen, als gäbe es irgendein Entkommen zwischen den steil aufragenden Mauern. Die Vipernköpfe, die Dächer und Simse stützten, ließen keinen Zweifel daran, wer der Herr dieser Burg war. Von überall blickten sie auf die verlorene Schar herab, gespaltene Zungen im schmalen Maul, die Augen aus rotem Edelstein, die Silberschuppen schimmernd wie Fischhaut im Mondlicht.

»Schafft den Eichelhäher in den Turm!« Die Stimme des Brandfuchses verlor sich fast in der Weite des Burghofes. »Die anderen bringt ihr in die Kerker.«

Sie wollten sie trennen. Mo sah, wie Resa auf den Brandfuchs zuging, mühsam auf ihren schmerzenden Füßen. Einer der Berittenen stieß sie so grob mit dem Stiefel zurück, dass sie hinfiel. Und Mo spürte ein Ziehen in der Brust, als hätte der Hass etwas geboren. Ein neues Herz, kalt und hart, das töten wollte.

Eine Waffe. Hätte er doch nur eine Waffe gehabt, eins der hässlichen Schwerter, das sie alle am Gürtel trugen, oder eins ihrer Messer. Es schien nichts Begehrenswerteres auf der Welt zu geben als so ein scharfes Stück Metall, begehrenswerter als alle Worte, die Fenoglio schreiben konnte.

Sie zerrten ihn von dem Karren. Er konnte kaum stehen, aber er hielt sich aufrecht, irgendwie. Gleich vier Soldaten standen um ihn herum, packten ihn, und er stellte sich vor, wie er sie tötete, einen nach dem anderen. Während das neue kalte Herz in seiner Brust den Takt dazu schlug.

»He, geht etwas vorsichtiger mit ihm um, ja?«, fuhr der Brandfuchs die Männer an. »Glaubt ihr, ich hab ihn den ganzen verdammten Weg hierher geschafft, nur damit ihr Tölpel ihn jetzt umbringt?«

Resa weinte. Mo hörte sie seinen Namen rufen, immer wieder. Er drehte sich um, aber er konnte sie nirgendwo sehen, hörte nur ihre Stimme. Er rief ihren Namen, versuchte, sich loszureißen, trat nach den Soldaten, die ihn weiterzerrten, auf einen der Türme zu.

»He, versuch das nicht noch mal!«, fuhr der eine ihn an. »Was regst du dich auf? Ihr seid bald wieder vereint. Der Natternkopf liebt es, wenn die Frauen bei der Hinrichtung zusehen.«

»Ja, er kann gar nicht genug bekommen von ihrem Weinen und Zetern«, spottete der andere. »Du wirst sehen, nur dafür wird er sie noch eine Weile am Leben lassen. Und du wirst eine prächtige Hinrichtung bekommen, Eichelhäher, da kannst du sicher sein.«

Eichelhäher. Ein neuer Name. Ein neues Herz. Wie Eis in der Brust, die Kanten scharf wie eine Klinge.

Die Mühle

Wir ritten und ritten und nichts geschah. Überall, wohin wir kamen, war es ruhig und friedlich und schön. Stiller Abend in den Bergen, so könnte man es nennen, dachte ich, wenn es nicht so falsch gewesen wäre.
Astrid Lindgren, Die Brüder Löwenherz

Mehr als drei Tage brauchte Staubfinger mit Meggie und Farid bis zur Mäuse-Mühle. Drei lange, graue Tage, in denen Meggie kaum ein Wort sprach, obwohl Farid sich alle Mühe gab, sie aufzumuntern. Die meiste Zeit fiel ein feiner Nieselregen vom Himmel, und schon bald erinnerte sich keiner von ihnen mehr daran, wie es sich anfühlte, in trockenen Kleidern zu schlafen. Erst als sich eines Abends vor ihnen endlich das dunkle Tal öffnete, in dem die Mühle lag, brach die Sonne durch die Wolken. Tief über den Hügeln stehend, goss sie Gold in den Fluss und auf die schindelgedeckten Dächer. Kein anderes Gebäude war weit und breit zu sehen, nur das Haus des Müllers, ein paar Ställe und die Mühle selbst, das große Holzrad tief ins Wasser getaucht. Weiden, Pappeln und Eukalyptusbüsche säumten das Ufer des Flusses, an dem sie stand, Erlen und wilde Birnbäume. Vor der Treppe, die in die Mühle führte, stand ein Wagen. Ein Mann, breitschultrig und mehlbestäubt, belud ihn gerade mit Säcken. Niemand war außer ihm zu sehen, nur ein Junge, der, als er sie kommen sah, hinüber zum Haus lief. Friedlich sah alles aus, friedlich und still, bis auf das Rauschen des Wassers, das selbst das Zirpen der Zikaden übertönte.

»Du wirst sehen!«, flüsterte Farid Meggie zu. »Fenoglio hat etwas geschrieben. Ganz bestimmt. Und sonst warten wir eben, bis ...«

»Gar nichts tun wir«, unterbrach Staubfinger ihn barsch, während er sich misstrauisch umsah. »Wir fragen nach dem Brief und dann ziehen wir weiter. Es kommen viele Leute her, und nach dem, was auf der Straße passiert ist, werden bald die ersten Soldaten hier auftauchen. Wenn es nach mir gegangen wäre, hätten wir uns hier erst sehen lassen, wenn sich alles wieder etwas beruhigt hat, aber nun gut ...«

»Und was, wenn der Brief noch nicht da ist?« Meggie sah ihn mit besorgtem Gesicht an. »Ich hab Fenoglio doch geschrieben, dass ich hier darauf warten werde!«

»Ja, und ich erinnere mich, dass ich dir nie erlaubt habe, ihm überhaupt irgendetwas zu schreiben, stimmt's?«

Meggie schwieg zur Antwort und Staubfinger blickte erneut zur Mühle hinüber. »Ich hoffe nur, Wolkentänzer hat diesen Brief sicher überbracht und der Alte hat ihn nicht herumgezeigt. Dir muss ich wohl kaum erklären, was Buchstaben alles anrichten können.«

Er sah sich ein letztes Mal um, bevor er sich aus dem Schutz der Bäume löste. Dann winkte er Farid und Meggie, ihm zu folgen, und schritt auf die Gebäude zu. Der Junge, der zum Haus gelaufen war, hockte wieder auf den Stufen vor der Mühlentür, und ein paar Hühner liefen gackernd davon, als Gwin auf sie zuschoss.

»Farid, fang den verdammten Marder ein!«, befahl Staubfinger, während er Schleicher mit einem Pfiff zu sich rief. Aber Gwin fauchte Farid an. Er biss ihn nicht (er biss Farid nie), aber er ließ sich auch nicht fangen. Er schlüpfte Farid durch die Beine und sprang einem der Hühner hinterher. Gackernd flatterte es die Mühlenstufen hinauf, aber den Marder schüttelte das nicht ab. Er schoss an dem Jungen vorbei, der immer noch auf den Stufen hockte, als ginge ihn die ganze Welt nichts an, und verschwand hinter dem Huhn durch die offene Tür. Einen Atemzug später verstummte das Gegacker – und Meggie warf Staubfinger einen beunruhigten Blick zu.

»Na, wunderbar!«, murmelte er, während er Schleicher in seinen Rucksack springen ließ. »Ein Marder im Mehl und ein totes Huhn, das wird uns hier sehr beliebt machen! Wenn man vom Teufel spricht …«

Der Mann, der den Karren belud, wischte sich die mehligen Hände an den Hosen ab und kam auf sie zu.

»Tut mir leid!«, rief Staubfinger ihm entgegen. »Wo ist der Müller? Ich bezahl natürlich für das Huhn. Aber wir sind eigentlich hier, um etwas abzuholen. Einen Brief.«

Der Mann blieb vor ihnen stehen. Er war einen ganzen Kopf größer als Staubfinger. »Ich bin jetzt der Müller«, sagte er. »Mein Vater ist tot. Einen Brief, sagt Ihr?« Er musterte sie, einen nach dem anderen. Am längsten blieb sein Blick an Staubfingers Gesicht hängen.

»Ja. Einen Brief aus Ombra!«, antwortete Staubfinger, während er an der Mühle hinaufsah. »Warum mahlt sie nicht? Bringen die Bauern kein Korn oder sind Euch die Knechte ausgegangen?«

Der Müller zuckte die Achseln. »Gestern hat einer feuchten Dinkel gebracht. Die Kleie hat die Mühlsteine verklebt. Mein Knecht ist seit Stunden dabei, sie sauber zu machen. Was für ein Brief soll das sein? Und an wen? Habt Ihr keinen Namen?«

Staubfinger sah ihn nachdenklich an. »Ist denn ein Brief da?«

»Er ist für mich«, sagte Meggie und trat an seine Seite. »Meggie Folchart. So ist mein Name.«

Der Müller betrachtete sie in aller Ausführlichkeit – ihr schmutziges Kleid, ihr verklettetes Haar –, aber dann nickte er. »Ich hab ihn dadrin«, sagte er. »Ich frag nur so viel, weil ein Brief in den falschen Händen eine gefährliche Sache ist, nicht wahr? Geht schon rein, ich lad nur noch den Sack da auf.«

»Füll die Wasserflaschen auf«, raunte Staubfinger Farid zu, während er ihm seinen Rucksack über die Schulter hängte. »Ich fang den verdammten Marder ein, bezahl das Huhn, und sobald Meggie den Brief hat, machen wir, dass wir weiterkommen.«

Bevor Farid protestieren konnte, war er in der Mühle verschwunden. Mit Meggie. Der Junge fuhr sich mit dem Arm über das schmutzige Gesicht und sah ihnen nach.

»Füll die Wasserflaschen auf!«, murmelte Farid, während er die Flussböschung hinunterstieg. »Fang den Marder ein. Was denkt er? Dass ich neuerdings sein Diener bin?«

Der Junge hockte immer noch auf der Treppe, während er in dem kalten Fluss stand und die Kürbisflaschen unter Wasser drückte. Irgendetwas an dem Jungen gefiel Farid nicht. Irgendetwas in seinem Gesicht. Angst. Ja, das war es. Er hatte Angst. Wovor? Vor mir wohl kaum, dachte Farid und sah sich um. Etwas stimmte hier nicht, er roch es. Er hatte es schon immer riechen können, schon damals, in dem anderen Leben, in dem er Wache hatte stehen müssen, ausspionieren, hinterherschleichen, erkunden … o ja, er wusste, wie Gefahr roch. Er schob die Wasserflaschen zu Schleicher in den Rucksack und kraulte dem schläfrigen Marder den Kopf.

Den Toten sah er erst, als er zum Ufer zurückwaten wollte. Er war noch jung, und Farid hatte das Gefühl, sein Gesicht schon einmal gesehen zu haben. Hatte er ihm nicht auf dem Burgfest in Ombra eine Kupfermünze in die Schale geworfen? Die Leiche hatte sich in den herabhängenden Zweigen verfangen, aber die Wunde in der Brust war deutlich zu sehen. Ein Messer. Farids Herz begann zu rasen, so abrupt, dass er kaum noch atmen konnte. Er blickte zur Mühle. Der Junge saß davor und hielt die eigenen Schultern umklammert, als fürchtete er, auseinanderzufallen vor Angst. Der Müller aber war verschwunden.

Kein Geräusch war aus der Mühle zu hören, aber das bedeutete nichts. Das Rauschen des Wassers hätte alles übertönt – Schreie, Schwertgeklirr ... Los, Farid!, fuhr er sich an. Schleich dich an, finde heraus, was da vorgeht. Hundertmal hast du das doch schon getan, ach was, öfter.

Geduckt watete er durch den Fluss und kletterte hinter dem Mühlrad ans Ufer. Das Herz klopfte ihm bis zum Hals, als er sich gegen die Mauer der Mühle lehnte, aber auch das kannte er. Tausendmal und mehr schon hatte er sich mit klopfendem Herzen an ein Gebäude herangeschlichen, an ein Fenster, eine verschlossene Tür. Er lehnte Staubfingers Rucksack mit dem schlafenden Marder gegen die Mauer.

Gwin. Gwin war hineingelaufen. Und Staubfinger war hinterhergegangen. Das war nicht gut. Das war gar nicht gut. Und Meggie war auch noch bei ihm. Farid sah an der Mühle hinauf. Das nächste Fenster war ein gutes Stück über seinem Kopf, aber die Mauer war zum Glück grob gefügt. »Lautlos wie eine Schlange«, flüsterte er, während er sich daran hinaufzog. Der Sims des Fensters war weiß vom Mehlstaub. Mit angehaltenem Atem lugte Farid hinein. Das Erste, was er sah, war ein plumper Kerl mit dümmlichem Gesicht, wahrscheinlich der Knecht des Müllers. Den Mann neben ihm hatte Farid noch nie gesehen, aber von dem an seiner Seite konnte er dasselbe leider nicht sagen.

Basta. Dasselbe schmale Gesicht, dasselbe böse Lächeln. Nur die Kleider hatten sich geändert. Basta trug nicht länger sein weißes Hemd und den schwarzen Anzug mit der Blume im Knopfloch. Nein, Basta trug jetzt das Silbergrau des Natternkopfes und an seiner Seite ein Schwert. Ein Messer hatte er natürlich auch im Gürtel stecken. In seiner Linken aber hielt er ein totes Huhn.

Nur der Mühlstein war zwischen ihm und Staubfinger – und Gwin, der auf dem runden Stein hockte und begehrlich das Huhn anstarrte, während seine Schwanzspitze beunruhigt auf und ab zuckte. Meggie stand dicht neben Staubfinger. Ob sie an dasselbe dachte wie Farid? An Fenoglios tödliche Worte? Vielleicht, denn sie versuchte, Gwin zu sich zu locken, aber der Marder beachtete sie nicht.

Was soll ich tun?, dachte Farid. Was soll ich nur tun? Hineinklettern? Unsinn! Was sollte das nützen? Sein albernes kleines Messer konnte nichts ausrichten gegen zwei Schwerter und dann waren da ja auch noch der Knecht und der Müller. Gleich an der Tür stand der.

»Na? Sind das die, auf die ihr gewartet habt?«, fragte er Basta. Wie zufrieden mit sich selbst er aussah, zufrieden mit sich und seinen Lügen. Farid hätte ihm das verschlagene Lächeln so gern mit dem Messer von den Lippen geschält.

»Ja, das sind sie!«, schnurrte Basta. »Die kleine Hexe und der Feuerfresser als Zugabe. Da hat sich das Warten wahrlich gelohnt. Auch wenn ich das verdammte Mehl wahrscheinlich nie mehr aus der Lunge bekomme.«

Denk nach, Farid. Na los. Er sah sich um, ließ die Augen umherwandern, als könnten sie ihm einen Fluchtweg durch die fest gefügten Mauern zeigen. Es gab noch ein Fenster, aber der Knecht stand davor, und eine Holztreppe, die hinauf zum Dachboden führte, vermutlich lagerte dort das Korn. Durch den Holztrichter, der aus der Decke ragte, wurde es auf den Mühlstein geschüttet. Der Trichter! Ja! Gleich über dem Stein ragte er aus der Decke wie ein hölzernes Maul. Was, wenn er …

Farid sah an der Mühle hinauf. Gab es dort oben noch ein Fenster? Ja, es gab eines, kaum mehr als ein Loch in der Mauer, aber er war schon durch engere Öffnungen gekrochen. Das Herz klopfte ihm immer noch bis zum Hals, als er sich weiter die Mauer emporzog. Zu seiner Linken schäumte der Fluss und von einer Weide starrte ihn eine Krähe so misstrauisch an, als wollte sie ihn im nächsten Moment bei dem Müller verraten. Farids Atem ging schwer, als er die Schultern durch die enge Maueröffnung zwängte. Als er die Füße auf die mehlweißen Holzbohlen setzte, knarrten sie verräterisch, aber das Rauschen des Wassers übertönte das Geräusch. Auf dem Bauch kroch Farid auf den Trichter zu und lugte hindurch. Da stand er, neben dem Mühlstein, gleich unter ihm: Basta … und ihm gegenüber, auf der anderen Seite des Steins, musste Staubfinger mit Meggie stehen. Farid konnte ihn nicht sehen, aber er konnte sich nur zu gut vorstellen, woran Staubfinger dachte: an Fenoglios Worte, die von seinem Tod erzählten.

»Pack dir den Marder, Schlitzer!«, sagte Basta zu dem Mann neben sich. »Nun mach schon.«

»Mach es selber. Meinst du, ich will mir die Tollwut holen?«

»Gwin, komm her!« Das war Staubfingers Stimme. Was tat er? Wollte er seiner eigenen Angst ins Gesicht lachen, so wie er es manchmal tat, wenn das Feuer ihm in die Haut biss? Gwin sprang von dem Stein. Er würde sich auf Staubfingers Schulter setzen und Basta anstarren. Dummer Gwin. Wusste nichts von den Worten …

»Schöne neue Kleider, Basta!«, sagte Staubfinger. »Tja, wenn der Diener einen neuen Herrn findet, muss er eben neue Kleider anziehen, stimmt's?«

»Diener? Wer ist hier ein Diener? Hört ihn euch an. So frech, als hätte er mein Messer noch nie zu spüren bekommen! Hast du schon vergessen, wie du geschrien hast, als es dir das Gesicht zerschnitten hat?« Basta setzte einen Stiefel auf den Mühlstein. »Untersteh dich, auch nur einen Finger zu rühren. Hoch mit den Händen. Los, streck sie in die Luft! Ich weiß, was du in dieser Welt mit dem Feuer anstellen kannst. Ein Flüstern von dir, ein Schnipsen, und mein Messer steckt der kleinen Hexe in der Brust.«

Ein Schnipsen. Ja, geh endlich an die Arbeit, Farid! Suchend sah er sich um, drehte hastig etwas Stroh zu einer Fackel zusammen und begann zu flüstern. »Komm schon!«, lockte er, schnalzte und zischte, so wie Staubfinger es ihm gezeigt hatte, nachdem er ihm zum ersten Mal etwas Feuerhonig in den Mund geschoben hatte. Jeden Abend hatte er sie mit ihm geübt, hinter Roxanes Haus, die Sprache des Feuers, knisternde Worte … Farid flüsterte sie alle, bis aus dem Stroh eine winzige Flamme leckte.

»Buuu! Siehst du, wie die kleine Hexe mich anstarrt, Schlitzer?«, rief Basta unter ihm mit gespieltem Entsetzen. »Nur schade, dass sie Buchstaben braucht, um zu hexen. Aber von einem Buch ist hier weit und breit nichts zu sehen. War es nicht nett von ihr, uns höchstpersönlich aufzuschreiben, wo man euch finden kann?« Basta verstellte die Stimme, bis sie hoch wie die eines Mädchens klang: *»Die Männer vom Natternkopf haben sie alle mitgenom-*

men, meine Eltern und die Spielleute. Schreib etwas, Fenoglio! Na ja, oder so ähnlich ... Weißt du, dass dein Vater noch lebt, hat mich wirklich enttäuscht. Ja, guck nicht so ungläubig, kleine Hexe, ich kann immer noch nicht lesen, ich hab auch nicht vor, es zu lernen, aber es laufen genug Dummköpfe herum, die es können, auch in dieser Welt. Gleich vorm Stadttor von Ombra ist uns ein Schreiberlein in die Arme gelaufen. Es hat etwas gedauert, bis es dein Gekritzel entziffern konnte, aber um vor euch hier zu sein, hat es allemal gereicht. Wir waren sogar rechtzeitig zur Stelle, um den Boten des Alten zu töten, der euch warnen sollte.«

»Du bist ja noch geschwätziger als früher, Basta!« Staubfingers Stimme klang gelangweilt. Wie gut er seine Angst verbergen konnte! Farid bewunderte ihn dafür stets aufs Neue, fast noch mehr als für seine Kunstfertigkeit mit dem Feuer.

Langsam, ganz langsam zog Basta sein Messer aus dem Gürtel. Staubfinger mochte keine Messer. Seins steckte meist im Rucksack und der lehnte draußen an der Mauer. Wie oft hatte Farid ihn schon gebeten, es am Gürtel zu tragen, aber nein, er wollte nichts davon hören!

»Geschwätzig, so, so.« Basta betrachtete sein Spiegelbild in der blanken Messerklinge. »Ja, das kann man von dir nicht behaupten. Aber weißt du was? Weil wir uns schon so lange kennen, werde ich deiner Frau die Nachricht von deinem Tod höchstpersönlich überbringen! Was hältst du davon, Feuerfresser? Denkst du, Roxane wird sich freuen, mich wiederzusehen?« Liebkosend strich er mit zwei Fingern an der Messerschneide entlang. »Und was dich betrifft, kleine Hexe ... ich fand es zu nett, dass du deinen Brief einem alten Seiltänzer anvertraut hast, der mit seinem steifen Bein nicht halb so schnell war wie mein Messer.«

»Wolkentänzer? Du hast Wolkentänzer umgebracht?« Jetzt klang Staubfingers Stimme nicht mehr gelangweilt.

Bleib stehen, bitte!, flüsterte Farid. Bitte, bleib stehen. Hastig fütterte er die Flamme mit weiteren Halmen.

»Ah, das wusstest du also noch nicht!« Bastas Stimme wurde weich vor Zufriedenheit. »Ja, es hat sich ausgetanzt für deinen alten Freund. Frag den Schlitzer, er war dabei.«

»Du lügst!« Meggies Stimme zitterte.

Farid beugte sich vorsichtig vor. Er sah, wie Staubfinger sie unsanft hinter sich schob und mit den Augen einen Fluchtweg suchte, aber es gab keinen. Hinter ihm und Meggie stapelten sich die Säcke voll Mehl, rechts versperrte ihnen der Schlitzer den Weg, links der Knecht mit dem dummen Grinsen und vor dem Fenster, durch das Farid hineingespäht hatte, stand der Müller selbst. Zu ihren Füßen aber lag Stroh, sehr viel Stroh, und das würde fast so gut brennen wie Papier.

Basta lachte. Mit einem Satz sprang er auf den Mühlstein und sah auf Staubfinger herab. Gleich neben der Schütte stand er nun. Beeil dich, nun mach schon, flüsterte Farid, zündete ein weiteres Strohbündel an dem ersten an und hielt sie beide über die Schütte. Hoffentlich begann das Holz des Trichters nicht zu brennen. Hoffentlich rutschte das Stroh durch. Hoffentlich. Er verbrannte sich die Finger, als er die brennenden Bündel hineinstopfte, aber er achtete nicht darauf. Staubfinger saß in der Falle und Meggie war bei ihm. Was zählten da ein paar verbrannte Finger?

»Ja, der arme Wolkentänzer war viel zu langsam«, schnurrte Basta, während er das Messer von einer Hand in die andere warf. »Du bist schneller, Feuerfresser, ich weiß, aber trotzdem wirst du nicht davonkommen. Und diesmal werd ich dir nicht nur das Gesicht zerschneiden, diesmal schneid ich dir die Haut in Streifen vom Kopf bis zu den Füßen.«

Jetzt! Farid ließ das brennende Stroh los. Der Trichter fraß es wie einen Sack Korn und spuckte es Basta auf die Stiefel.

»Feuer! Woher kommt das Feuer?« Das war die Stimme des Müllers. Der Knecht schrie auf wie ein Ochse, der das Schlachtbeil sieht.

Farids Finger schmerzten, die Haut schlug schon Blasen, aber das Feuer tanzte – es tanzte hinauf an Bastas Beinen, leckte nach seinen Armen. Erschrocken stolperte er zurück, fiel rücklings von dem Mühlstein und schlug sich den Kopf blutig an der Kante. O ja, Basta fürchtete das Feuer, er fürchtete es mehr als das Unglück, vor dem ihn seine Amulette schützen sollten.

Farid aber sprang die Treppe hinunter, die nach unten führte, stieß den Knecht aus dem Weg, der ihn anstarrte, als wäre er ein Geist, sprang auf Meggie zu und riss sie mit sich, auf das Fenster zu.

»Spring!«, rief er ihr zu. »Spring raus! Schnell!«

Meggie zitterte, ihr Haar war voll Mehl und sie schloss die Augen, bevor sie sprang. Aber sie sprang.

Farid sah sich nach Staubfinger um. Er sprach mit den Flammen, während der Müller und der Knecht mit leeren Säcken verzweifelt auf das brennende Stroh schlugen, aber das Feuer tanzte. Es tanzte für Staubfinger.

Farid hockte sich in das offene Fenster. »Komm!«, rief er Staubfinger zu. »Nun komm doch schon!«

Wo war Basta?

Staubfinger stieß den Müller zur Seite und lief durch Rauch und Flammen auf ihn zu. Farid schwang sich aus dem Fenster, klammerte sich schon draußen an den Sims, als er sah, wie Basta sich benommen am Mühlstein hochzog. Seine Hand war voll Blut, als er sich an den Hinterkopf griff. »Halt ihn fest!«, schrie er dem Schlitzer zu. »Halt den Feuerfresser fest!«

»Schnell!«, rief Farid, während seine Zehen draußen an der Mauer nach Halt suchten, aber Staubfinger stolperte über einen leeren Sack, als er auf ihn zulief. Gwin sprang von seiner Schulter und huschte auf Farid zu, und als Staubfinger sich wieder aufrichtete, stand der Schlitzer zwischen ihm und dem Fenster, hustend, das Schwert in der Hand.

»So komm doch!«, hörte Farid Meggie rufen, gleich unter dem Fenster stand sie, die Augen weit aufgerissen vor Angst, und starrte zu ihm hinauf. Aber Farid hangelte sich zurück in die brennende Mühle.

»Was soll das? Verschwinde!«, rief Staubfinger ihm zu, während er mit einem brennenden Sack nach dem Schlitzer schlug. Dessen Hose hatte Feuer gefangen. Taumelnd schlug er mit dem Schwert um sich, mal nach den Flammen, mal nach Staubfinger und schlitzte ihm, gerade als Farid erneut in das brennende Stroh sprang, mit der scharfen Klinge das Bein auf. Staubfinger taumelte, presste die Hand auf den Oberschenkel, während der Schlitzer erneut das Schwert hob, halb rasend vor Wut und Schmerz.

»Nein!« Farid gellte die eigene Stimme in den Ohren, als er ihn ansprang. Er biss ihm in die Schulter, trat ihn, bis er das Schwert fallen ließ, das schon auf Staubfingers Brust zufuhr. In die Flammen stieß er den Schlitzer, obwohl er mehr als einen Kopf größer war, aber Verzweiflung macht stark. Auch auf Basta wollte er los, als der hustend aus dem Rauch auftauchte, doch Staubfinger zerrte ihn zurück und zischte den Flammen zu, bis sie auf Basta losfuhren wie zornige Vipern. Farid hörte ihn schreien, aber er wandte sich nicht um. Er stolperte nur auf das Fenster zu, Staubfinger an seiner Seite, der fluchend die Finger auf sein blutendes Bein presste. Aber er lebte.

Während das Feuer Basta fraß.

Die beste aller Nächte

»Iss«, sagte Merlot.
»Das kann ich auf keinen Fall«, sagte Despereaux und wich von dem Buch zurück.
»Warum nicht?«
»Es würde die Geschichte zerstören«, sagte Despereaux.
Kate DiCamillo, Despereaux – Von einem, der auszog, das Fürchten zu verlernen

Keiner von ihnen wusste später, wie sie von der Mühle fortgekommen waren. Farid erinnerte sich nur an Bilder, an Meggies Gesicht, als sie zum Fluss hinunterstolperten, an das Blut auf dem Wasser, als Staubfinger hineinsprang, an den Rauch, den sie noch in den Himmel steigen sahen, als sie schon mehr als eine Stunde durch das kalte Wasser gewatet waren. Aber niemand kam ihnen nach, weder der Schlitzer noch der Müller oder sein Knecht und auch Basta nicht. Nur Gwin tauchte irgendwann am Ufer auf. Dummer Gwin.

Es war tiefe Nacht, als Staubfinger aus dem Wasser stieg, das Gesicht blass vor Erschöpfung. Während er sich ins Gras fallen ließ, lauschte Farid besorgt in die Dunkelheit, aber alles, was er hörte, war ein Rauschen, laut und stetig, wie das Atmen eines riesigen Tieres.

»Was ist das?«, flüsterte er.

»Das Meer. Hast du schon vergessen, wie es klingt?«

Das Meer. Gwin sprang auf Farids Rücken, als er sich Staubfingers Bein ansah, aber er scheuchte ihn fort. »Verschwinde!«, fuhr er den Marder an. »Geh jagen! Für heute hast du genug angerichtet.« Dann ließ er Schleicher aus dem Rucksack und suchte nach etwas, mit dem er die Wunde verbinden konnte. Meggie wrang ihr nasses Kleid aus und hockte sich neben sie.

»Ist es schlimm?«

»Ach was!«, sagte Staubfinger, aber er zuckte zusammen, als Farid den tiefen Schnitt säuberte. »Armer Wolkentänzer!«, murmelte er. »Da ist er dem Tod einmal entkommen und nun holt der Kalte Mann ihn sich doch noch. Wer weiß. Vermutlich mögen die Weißen Frauen es nicht, wenn man ihnen so knapp durch die Finger schlüpft.«

»Es tut mir leid.« Meggie sprach so leise, dass Farid sie kaum verstand. »Es tut mir so leid. Es ist alles meine Schuld und er ist ganz umsonst gestorben. Denn wo soll Fenoglio uns nun erreichen, selbst wenn er etwas geschrieben hat?«

»Fenoglio.« Staubfinger sprach den Namen aus wie den einer Krankheit.

»Hast du sie auch gespürt?« Meggie sah ihn an. »Ich dachte, ich spüre seine Worte auf der Haut. Ich dachte, jetzt töten sie Staubfinger und wir können nichts dagegen tun!«

»Konnten wir aber doch«, sagte Farid trotzig.

Staubfinger jedoch lehnte sich zurück und blickte hinauf zu den Sternen. »Tatsächlich? Wir werden sehen. Vielleicht hat der Alte ja inzwischen etwas anderes für mich vorgesehen. Vielleicht wartet der Tod schon an einer anderen Ecke?«

»Soll er warten!«, sagte Farid nur und fischte einen Beutel aus Staubfingers Rucksack. »Ein bisschen Feenstaub kann niemals schaden«, murmelte er, während er das glitzernde Pulver auf die

Wunde rieseln ließ. Dann zog er sich das Hemd über den Kopf, trennte mit seinem Messer einen Streifen ab und schlang ihn vorsichtig um Staubfingers Bein. Das war nicht leicht mit verbrannten Fingern, aber er tat sein Bestes. Auch wenn der Schmerz ihn das Gesicht verziehen ließ.

Staubfinger griff nach seiner Hand und betrachtete sie mit gerunzelter Stirn. »Himmel, deine Finger haben ja so viel Blasen, als hätten Feuerelfen darauf getanzt«, stellte er fest. »Schätze, wir brauchen wohl beide einen Bader. Roxane ist ja leider nicht hier.« Mit einem Seufzer ließ er sich wieder auf den Rücken fallen und blickte zum dunklen Himmel hinauf. »Weißt du was, Farid?«, sagte er, als spreche er mit den Sternen. »Eins ist schon wirklich seltsam. Hätte Meggies Vater mich nicht aus meiner Geschichte gepflückt, dann hätte ich wohl nie einen so fabelhaften Wachhund wie dich bekommen.« Er zwinkerte Meggie zu. »Hast du gesehen, wie er zugebissen hat? Ich wette, der Schlitzer dachte, der Bär des Prinzen knabbert ihm an der Schulter.«

»Ach, hör schon auf!« Farid wusste nicht, wo er hinsehen sollte. Verlegen zupfte er sich einen Grashalm zwischen den nackten Zehen hervor.

»Ja, aber Farid ist klüger als der Bär!«, sagte Meggie. »Viel klüger.«

»Allerdings. Er ist auch klüger als ich!«, stellte Staubfinger fest. »Und was er mit dem Feuer anstellt, macht mir langsam wirklich Sorgen.«

Farid konnte nicht mehr anders, er musste grinsen. Das Blut schoss ihm in die Ohren vor Stolz, aber zum Glück würde das in der Dunkelheit niemand sehen.

Staubfinger betastete sein Bein und stellte sich vorsichtig auf die Füße. Beim ersten Schritt verzog er das Gesicht, aber dann humpelte er ein paar Mal am Flussufer auf und ab. »Na bitte«, sagte er. »Etwas langsamer als sonst, aber es wird gehen. Es muss.« Dann blieb er vor Farid stehen. »Ich denke, ich bin dir etwas schuldig«, sagte er. »Wie soll ich bezahlen? Vielleicht, indem ich dir etwas Neues zeige? Ein Spiel mit dem Feuer, das niemand außer mir kann? Wie wäre das?«

Farid hielt den Atem an. »Was für ein Spiel ist das?«, fragte er.

»Man kann es nur am Meer zeigen«, antwortete Staubfinger, »aber da müssen wir sowieso hin, denn wir brauchen beide einen Bader. Und der beste wohnt am Meer. Im Schatten der Nachtburg.«

Sie beschlossen, abwechselnd Wache zu halten. Farid übernahm die erste, und während Meggie und Staubfinger hinter ihm schliefen, unter den tief herabhängenden Zweigen einer Steineiche, saß er im Gras und sah hinauf zum Himmel, an dem die Sterne zahlreicher leuchteten als die Glühwürmchen, die über dem Fluss schwirrten. Farid versuchte, sich an eine Nacht zu erinnern, irgendeine, in der er sich so gefühlt hatte wie in dieser, so ganz und gar zufrieden mit sich selbst, aber nicht eine fiel ihm ein. Diese war die beste – trotz all der Schrecken, die hinter ihm lagen, trotz seiner verbrannten Finger, die immer noch schmerzten, obwohl Staubfinger sie mit Feenpulver und der kühlenden Paste bestrichen hatte, die Roxane ihm angerührt hatte.

Er fühlte sich so lebendig. Lebendig wie das Feuer.

Er hatte Staubfinger gerettet. Er war stärker gewesen als die Wörter. Alles war gut.

Hinter ihm stritten die beiden Marder, vermutlich um irgendeine Beute. »Wenn der Mond über dem Hügel da steht, dann weckst du mich!«, hatte Staubfinger gesagt, doch als Farid zu ihm ging, schlief er tief und fest, das Gesicht so friedvoll, dass Farid beschloss, ihn schlafen zu lassen, und zurückkehrte zu seinem Platz unter den Sternen.

Als er kurz darauf Schritte hinter sich hörte, war es nicht Staubfinger, sondern Meggie, die hinter ihm stand. »Ich wache immer wieder auf«, sagte sie. »Ich kann einfach nicht aufhören zu denken.«

»Wie Fenoglio dich nun finden soll?«

Sie nickte.

Wie sehr sie immer noch an die Wörter glaubte. Farid glaubte an andere Dinge, an sein Messer, an List und Mut. Und an Freundschaft.

Meggie lehnte den Kopf gegen seine Schulter und sie schwiegen beide, wie die Sterne über ihnen. Irgendwann kam ein Wind auf, kalt und böig, salzig wie Meerwasser, und Meggie setzte sich auf und schlang fröstelnd die Arme um ihre Knie.

»Diese Welt«, sagte sie. »Gefällt sie dir eigentlich?«

Was für eine Frage. Farid stellte sich nie solche Fragen. Es gefiel ihm, wieder bei Staubfinger zu sein. Wo das war, war ihm egal.

»Sie ist grausam, findest du nicht?«, fuhr Meggie fort. »Mo hat das oft zu mir gesagt: dass ich zu leicht vergesse, wie grausam sie ist.«

Farid strich ihr mit seinen verbrannten Fingern über das helle Haar. Selbst in der Dunkelheit schimmerte es. »Sie sind alle grausam«, sagte er. »Die, aus der ich komme, die, aus der du stammst, und diese hier. In deiner Welt sieht man die Grausamkeit vielleicht nicht gleich, sie ist versteckter, aber da ist sie trotzdem.«

Er schlang seinen Arm um sie, spürte ihre Angst, ihre Sorge, ihren Zorn ... es war fast, als könnte er ihr Herz flüstern hören, deutlich wie die Stimme des Feuers.

»Weißt du, was seltsam ist?«, fragte sie. »Selbst wenn ich es genau jetzt könnte – ich würde nicht zurückgehen. Das ist verrückt, oder? Es ist fast, als wollte ich immer hierher, an einen Ort wie diesen. Warum? Er ist schrecklich!«

»Schrecklich und schön«, sagte Farid und küsste sie. Es schmeckte gut, sie zu küssen. Viel besser als Staubfingers Feuerhonig. Viel besser als alles, was er je geschmeckt hatte. »Du kannst sowieso nicht zurück«, flüsterte er ihr zu. »Sobald wir deinen Vater befreit haben, werde ich ihm das erklären.«

»Was erklären?«

»Na, dass er dich leider hierlassen muss. Weil du jetzt zu mir gehörst und ich bei Staubfinger bleibe.«

Sie lachte und presste verlegen das Gesicht gegen seine Schulter. »Davon will Mo sicher nichts hören.«

»Na und? Sag ihm, hier heiraten die Mädchen, wenn sie so alt sind wie du.«

Sie lachte noch einmal, doch dann wurde ihr Gesicht wieder ernst. »Vielleicht bleibt Mo ja auch«, sagte sie leise. »Vielleicht bleiben wir alle ... Resa und Fenoglio. Und Elinor und Darius holen wir auch noch nach. Und dann leben wir glücklich bis an unser Lebensende.« Die Traurigkeit hatte sich zurück in ihre Stimme geschlichen. »Sie dürfen Mo nicht aufhängen, Farid!«, flüsterte sie. »Wir retten ihn, ja? Und meine Mutter und die anderen. In den Geschichten ist es doch auch immer so: Es passieren schlimme Sachen, aber dann geht alles gut aus. Und das hier ist eine Geschichte.«

»Sicher!«, sagte Farid, auch wenn er sich dieses gute Ende beim besten Willen noch nicht vorstellen konnte. Glücklich war er trotzdem.

Irgendwann schlief Meggie neben ihm ein. Und er saß da und bewachte sie – sie und Staubfinger, die ganze Nacht hindurch. Die beste aller Nächte.

Die richtigen Worte

In solchem Tempel kann nichts Böses wohnen.
Denn hätt das Böse solche schöne Wohnung,
Dann würd das Gute bei ihm leben wolln.
William Shakespeare, Der Sturm

Der Stallknecht war ein dummer Kerl, brauchte eine Ewigkeit, um das verfluchte Pferd zu satteln. Einen wie den hätte ich nie erfunden!, dachte Fenoglio. Ein Glück, dass ich so gute Laune habe. O ja, er hatte die allerbeste Laune. Seit Stunden schon pfiff er leise vor sich hin, denn er hatte es geschafft. Er hatte die Lösung gefunden! Die Wörter waren ihm aufs Papier geflossen, als hätten sie nur darauf gewartet, dass er sie endlich aus dem Meer der Buchstaben fischte. Die richtigen. Die einzig richtigen. Nun konnte die Geschichte weitergehen und alles würde sich zum Guten wenden. Er war eben doch ein Zauberer, ein Wortzauberer allererster Güte. Keiner konnte ihm das Wasser reichen, nun ja, ein paar wenige vielleicht, aber nicht in dieser Welt, in seiner Welt. Wenn dieser dumme Knecht sich nur etwas beeilen würde. Schließlich wurde es allerhöchste Zeit, dass er zu Roxane kam, sonst würde sie doch noch ohne den Brief losreiten – und wie sollte Meggie ihn dann bekommen? Schließlich gab es von dem jungen Heißsporn, den er ihr nachgeschickt hatte, immer noch kein Lebenszeichen. Hatte sich vermutlich im Weglosen Wald verirrt, der Milchbart ...

Er tastete nach dem Brief unter seinem Umhang. Nur gut, dass Wörter eine federleichte Sache waren, selbst die gewichtigsten.

Roxane würde nicht schwer zu tragen haben, wenn sie Meggie das Todesurteil für den Natternkopf brachte. Und noch etwas würde sie hinübertragen in das Fürstentum am Meer – den sicheren Sieg für Cosimo. Falls der nicht loszog, bevor Meggie überhaupt etwas zu lesen bekam!

Cosimo brannte vor Ungeduld, er fieberte dem Tag entgegen, an dem er seine Soldaten auf die andere Seite des Waldes führen würde. »Weil er herausfinden will, wer er ist!«, flüsterte die leise Stimme in Fenoglios Kopf (oder saß sie in seinem Herzen?). »Weil er leer ist wie eine Schachtel ohne Inhalt, dein schöner Racheengel. Ein paar geliehene Erinnerungen, ein paar steinerne Abbilder, das ist alles, was der arme Junge hat, und deine Geschichten über seine Heldentaten, nach deren Echo er so verzweifelt in seinem leeren Herzen sucht. Du hättest eben doch versuchen müssen, den echten Cosimo zurückzuholen, geradewegs aus dem Reich des Todes, aber das hast du dich nicht getraut!«

Still! Fenoglio schüttelte unmutig den Kopf. Warum kamen diese lästigen Gedanken nur immer wieder? Alles würde gut sein, wenn Cosimo nur erst auf dem Thron des Natternkopfes saß. Dann würde er seine eigenen Erinnerungen haben und neue hinzubekommen mit jedem Tag. Und bald würde die Leere vergessen sein.

Na endlich. Sein Pferd war gesattelt. Mit spöttisch verzogenem Mund half der Stallknecht ihm in den Sattel. Was für ein Dummkopf! Fenoglio wusste genau, dass er keine sonderlich gute Figur auf einem Pferd machte. Na und? Unheimliche Biester waren sie, diese Pferde, viel zu stark für seinen Geschmack, aber ein Dichter, der auf der Burg seines Fürsten lebte, ging eben nicht zu Fuß wie ein Bauer. Außerdem war er auf diese Weise nun mal schneller – wenn das Biest in die gleiche Richtung wollte wie er. Was für einen Aufstand man allein machen musste, um es in Bewegung zu setzen …

Die Hufe klapperten über den gepflasterten Hof, vorbei an Pechfässern und Eisenspießen, die Cosimo auf die Mauern hatte pflanzen lassen. Immer noch hallte die Burg nachts wider vom Hämmern der Schmiede, und in den Holzverschlägen entlang der Mauer schliefen Cosimos Soldaten, dicht gedrängt wie Larven in einem Ameisennest. Wahrhaftig, einen kriegerischen Engel hatte er da geschaffen, aber waren Engel nicht schon immer kriegerisch gewesen? Tja, aufs Erfinden von friedlichen Figuren versteh ich mich eben einfach nicht!, dachte Fenoglio, während er über den Hof trabte. Meinen Guten folgt entweder das Unglück wie Staubfinger oder sie gehen unter die Räuber wie der Schwarze Prinz. Hätte er jemanden wie Mortimer erfinden können? Vermutlich nicht.

Als Fenoglio auf das Äußere Tor zuritt, schwang es auf, sodass er im ersten Moment tatsächlich annahm, die Wächter würden endlich etwas Ehrerbietung für den Dichter ihres Fürsten zeigen, doch daran, wie tief sie die Köpfe beugten, erkannte er, dass unmöglich er gemeint sein konnte.

Cosimo kam ihm durch das weit offene Tor entgegen, auf einem weißen Pferd, so weiß, dass es fast unwirklich aussah. In der Dunkelheit erschien er noch schöner als bei Tageslicht, aber war nicht auch das bei allen Engeln so? Nur sieben Soldaten folgten ihm, mehr nahm er nie als Wachen mit auf seine nächtlichen Ausritte. Doch an seiner Seite ritt noch jemand: Brianna, Staubfingers Tochter, nicht länger in einem Kleid ihrer Herrin, der armen Violante, wie es früher so oft gewesen war, sondern in einem der Kleider, die Cosimo ihr geschenkt hatte. Er überhäufte sie mit Geschenken, während er seiner Frau nicht einmal mehr erlaubte, die Burg zu verlassen, ebenso wenig wie ihrem gemeinsamen Sohn. Aber Brianna blickte trotz all der Liebesbeweise nicht sonderlich glücklich drein. Wie auch? Wer war schon fröhlich, wenn der Geliebte plante, in den Krieg zu ziehen?

Cosimos Laune schien diese Aussicht nicht zu trüben. Im Gegenteil. Er blickte so unbeschwert, als könnte die Zukunft nur Gutes bringen. Jede Nacht ritt er aus, schien kaum Schlaf zu brauchen und ritt, wie man Fenoglio berichtet hatte, so halsbrecherisch, dass kaum einer seiner Leibwächter ihm folgen konnte – wie ein Mann, dem man erzählt hatte, dass der Tod ihn ohnehin nicht festhalten konnte. Was machte es da schon, dass er sich weder an den Tod noch an sein Leben erinnerte?

Tag und Nacht versah Balbulus Texte über dieses verlorene Leben mit den wunderbarsten Bildern. Mehr als ein Dutzend Schreiber lieferten ihm die handgeschriebenen Seiten. »Betreten will mein Mann die Bibliothek immer noch nicht!«, hatte Violante bitter festgestellt, als Fenoglio sie das letzte Mal sah. »Aber er füllt alle Lesepulte – mit Büchern über sich selbst.«

Ja, leider war es nur zu deutlich: Die Worte, aus denen Fenoglio und Meggie ihn erschaffen hatten, reichten Cosimo nicht. Es waren einfach nicht genug gewesen. Und alles, was er über sich hörte, schien einem anderen zu gehören. Vielleicht liebte er Staubfingers Tochter deshalb so sehr: weil sie nicht dem Mann gehört hatte, der er angeblich vor seinem Tod gewesen war. Fenoglio musste ihm immer neue inbrünstige Liebeslieder auf Brianna dichten. Meist stahl er sie von anderen Dichtern. Er hatte sich Verse schon immer gut merken können, und Meggie war ja nicht da, um ihn bei diesen Diebstählen zu ertappen. Brianna hatte jedes Mal Tränen in den Augen, wenn ihr einer der Spielleute, die nun wieder gern gesehene Gäste auf der Burg waren, eins der Lieder vortrug.

»Fenoglio!« Cosimo zügelte sein Pferd, und Fenoglio beugte den Kopf so selbstverständlich, wie er es nur vor dem jungen Fürsten tat. »Wo willst du hin, Dichter? Es ist alles zum Aufbruch bereit!« Er klang so ungestüm wie sein Pferd, das hin und her tänzelte und Fenoglios Pferd mit seiner Unruhe anzustecken drohte. »Oder ziehst du es nun doch vor, hierzubleiben und deine Federn für all die Lieder zu spitzen, die du über meinen Sieg wirst schreiben müssen?«

Aufbruch? Bereit?

Fenoglio sah sich verwirrt um, aber Cosimo lachte. »Denkst du, ich ließe die Truppen in der Burg versammeln? Dafür sind es längst zu viele. Nein, sie lagern unten am Fluss. Ich warte nur noch auf eine Schar Söldner, die ich im Norden habe anwerben lassen. Vielleicht treffen sie morgen schon ein!«

Morgen schon? Fenoglio warf Brianna einen schnellen Blick zu. Also deshalb blickte sie so traurig. »Ich bitte Euch, Euer Gnaden!« Fenoglio konnte die Sorge in seiner Stimme nicht verbergen. »Das ist viel zu früh! Wartet noch!«

Aber Cosimo lächelte nur. »Der Mond ist rot, Dichter! Die Wahrsager halten das für ein gutes Zeichen. Ein Zeichen, das man nicht verstreichen lassen darf, sonst schlägt es in Unheil um.«

Was für ein Unsinn! Fenoglio senkte den Kopf, damit Cosimo ihm den Ärger nicht vom Gesicht ablas. Er wusste ohnehin, dass ihm die Vorliebe des jungen Königs für Wahrsager und Kartenleger ein Ärgernis war, dass er sie alle für eine Bande goldgieriger Betrüger hielt. »Ich sage es noch einmal, Euer Gnaden!« Wie oft hatte Fenoglio die Warnung nun schon wiederholt, langsam schmeckte sie schal. »Das Einzige, was Euch Unglück bringen wird, ist ein zu früher Aufbruch!«

Aber Cosimo schüttelte nur nachsichtig den Kopf. »Ihr seid ein alter Mann, Fenoglio«, sagte er, »Euer Blut fließt schon langsam, aber ich bin jung! Worauf soll ich warten? Dass der Natternkopf ebenfalls Söldner anwirbt und sich auf der Nachtburg verbarrikadiert?«

Vermutlich hat er das längst getan, dachte Fenoglio. Und deshalb musst du auf die Worte warten, auf meine Worte, und dass Meggie sie liest, so wie sie dich hergelesen hat. Warte auf ihre Stimme! »Nur ein, zwei Wochen noch, Euer Gnaden!«, sagte er eindringlich. »Eure Bauern müssen die Ernte einbringen. Wovon sollen sie sonst im Winter leben?«

Aber solche Dinge wollte Cosimo nicht hören. »Das ist wahrlich das Gerede eines alten Mannes!«, sagte er ärgerlich. »Wo sind Eure feurigen Worte hin? Von den Vorräten des Natternkopfes werden sie leben, vom Glück unseres Sieges, von dem Silber auf der Nachtburg, das ich in den Dörfern verteilen lassen werde!«

Silber können sie nicht essen, Euer Gnaden, dachte Fenoglio, aber er sprach die Worte nicht aus. Stattdessen blickte er zum Himmel hinauf. Gott, wie hoch der Mond schon stand!

Aber Cosimo hatte noch etwas anderes auf dem Herzen.

»Was ich Euch schon lange fragen wollte«, sagte er, gerade als Fenoglio sich mit irgendeiner gestammelten Entschuldigung verabschieden wollte. »Ihr habt doch so gute Verbindungen zu den Spielleuten. Alle reden von diesem Feuerspucker, der angeblich mit den Flammen reden kann …«

Fenoglio sah aus dem Augenwinkel, wie Brianna den Kopf senkte. »Redet Ihr von Staubfinger?«

»Ja, so ist sein Name. Ich weiß, er ist Briannas Vater.« Cosimo warf ihr einen zärtlichen Blick zu. »Aber sie will nicht über ihn reden. Außerdem sagt sie, dass sie nicht weiß, wo er ist. Aber vielleicht wisst Ihr es?« Cosimo tätschelte seinem Pferd den Hals. Sein Gesicht schien zu brennen vor Schönheit.

»Warum? Was wollt Ihr von ihm?«

»Nun, liegt das nicht auf der Hand? Er kann mit dem Feuer sprechen! Sie sagen, er kann die Flammen wachsen lassen, meterhoch, ohne dass sie ihn verbrennen.«

Fenoglio begriff, bevor Cosimo es aussprach. »Ihr wollt Staubfinger für Euren Krieg.« Er konnte es nicht verhindern, er lachte laut auf.

»Was ist daran so komisch?« Cosimo runzelte die Stirn.

Staubfinger, der Feuertänzer, als Waffe! Fenoglio schüttelte den Kopf.

»Nun«, sagte er. »Ich kenne Staubfinger recht gut.« Er sah, wie erstaunt Brianna ihn ansah. »Und er ist vieles, aber ganz gewiss kein Krieger. Er würde Euch auslachen.«

»Nun, das sollte er besser nicht.« Der Ärger in Cosimos Stimme war nicht zu überhören. Brianna aber sah Fenoglio an, als hätte sie tausend Fragen auf der Zunge. Als ob dafür jetzt Zeit wäre!

»Euer Hoheit«, sagte er hastig. »Entschuldigt mich jetzt bitte! Eins von Minervas Kindern ist krank, und ich habe versprochen, ihr bei Briannas Mutter ein paar Kräuter zu besorgen.«

»Ach so. Sicher. Sicher, reitet, wir sprechen später.« Cosimo nahm seine Zügel wieder auf. »Wenn es nicht besser wird, sagt mir Bescheid, dann schicke ich ihr einen Bader.«

»Ich danke Euch«, sagte Fenoglio, aber bevor er sich endgültig auf den Weg machte, musste er selbst noch eine Frage stellen. »Ich habe gehört, Eurer Frau geht es auch nicht gut?« Balbulus hatte es ihm erzählt. Er war zurzeit der Einzige, der zu Violante vorgelassen wurde.

»Oh, sie ist nur wütend.« Cosimo griff nach Briannas Hand, als müsste er sie dafür trösten, dass von seiner Frau die Rede war. »Violante wird schnell wütend. Das hat sie von ihrem Vater. Sie will einfach nicht begreifen, warum ich sie nicht aus der Burg lasse. Dabei ist es doch offensichtlich, dass die Spitzel ihres Vaters überall sind, und wen werden sie zuerst versuchen auszuhorchen? Violante und Jacopo.«

Es fiel schwer, nicht jedes Wort zu glauben, das von diesen schönen Lippen kam, vor allem, wenn es mit so viel ehrlicher Überzeugung geäußert wurde. »Nun, vermutlich habt Ihr recht! Aber bitte vergesst nicht, dass Eure Frau ihren Vater hasst.«

»Man kann jemanden hassen und ihm dennoch gehorchen. Ist das nicht so?« Cosimo sah Fenoglio an, mit diesem blanken Ausdruck in den Augen, blank wie der eines sehr jungen Kindes.

»Doch, doch, vermutlich«, antwortete er unbehaglich. Jedes Mal, wenn Cosimo ihn so ansah, war es Fenoglio, als hätte er eine leere Seite in einem Buch entdeckt, ein Mottenloch im fein gewebten Wort-Teppich.

»Euer Hoheit!«, sagte er, neigte ein weiteres Mal den Kopf und brachte sein Pferd wenig elegant dazu, endlich zum Tor hinauszutraben.

Brianna hatte ihm den Weg zum Hof ihrer Mutter gut beschrieben. Gleich nach Roxanes Besuch hatte er sie danach gefragt, in aller Unschuld, angeblich, weil ihn ein Knochenreißen plagte. Ein seltsames Kind war Staubfingers Tochter. Wollte nichts von ihrem Vater wissen und offenbar auch nicht viel von ihrer Mutter. Vor der Gans hatte sie ihn zum Glück gewarnt, so hatte er sein Pferd schon fest am Zügel, als sie ihm schnatternd entgegenkam.

Roxane saß vor ihrem Haus, als er auf ihren Hof geritten kam. Es war ein ärmliches Haus. Ihre Schönheit schien ebenso wenig hineinzupassen wie ein Schmuckstück an den Hut eines Bettlers. Ihr Sohn schlief neben ihr auf der Schwelle, zusammengerollt wie ein junger Hund, den Kopf auf ihrem Schoß.

»Er will mitkommen«, sagte sie, während Fenoglio ungeschickt vom Pferd rutschte. »Die Kleine hat auch geweint, als ich ihr sagte, dass ich fortmuss. Aber ich kann sie nicht mitnehmen, nicht zum Natternkopf. Er hat auch schon Kinder hängen lassen. Eine Freundin wird auf sie aufpassen, auf sie, auf ihn, auf die Pflanzen und Tiere …«

Sie strich ihrem Sohn über das dunkle Haar, und für einen Augenblick wollte Fenoglio nicht, dass sie ritt. Aber was würde dann aus seinen Worten werden? Wer sonst sollte Meggie finden? Sollte er Cosimo erneut um einen Reiter bitten, der dann doch nicht zurückkam? Nun, wer weiß, vielleicht kommt auch Roxane nicht zurück, flüsterte es erneut hämisch in ihm. Und deine kostbaren Worte sind verloren. »Unsinn!«, sagte er ärgerlich. »Natürlich habe ich eine Abschrift gemacht.«

»Was sagst du?« Erstaunt sah Roxane ihn an.

»Ach nichts, nichts!« Himmel, jetzt führte er schon Selbstgespräche. »Ich muss Euch noch etwas erzählen. Reitet nicht zu der Mühle! Ein Spielmann, der für Cosimo singt, hat mir Nachricht vom Schwarzen Prinzen gebracht.«

Roxane presste die Hand vor den Mund.

»Nein, nein. Es ist halb so schlimm!«, beschwichtigte Fenoglio sie schnell. »Nun ja, Meggies Vater ist offenbar ein Gefangener des Natternkopfes, aber das hatte ich ehrlich gesagt schon befürchtet. Und Staubfinger und Meggie – also, um es kurz zu machen: Die Mühle, bei der Meggie auf meinen Brief warten wollte, ist offenbar abgebrannt. Der Müller soll herumerzählen, dass ein Marder Feuer von der Decke hat regnen lassen, während ein Hexer mit Narben im Gesicht mit den Flammen sprach. Er soll einen Dämon dabeigehabt haben in Gestalt eines dunkelhäutigen Jungen, der ihn rettete, als er verwundet wurde, und ein Mädchen.«

Roxane sah ihn so abwesend an, als müsste sie den Sinn seiner Worte erst suchen. »Verwundet?«

»Ja, aber sie sind entkommen! Das ist doch die Hauptsache! Roxane, denkt Ihr, Ihr könnt sie wirklich finden?«

Roxane strich sich über die Stirn. »Ich werd es versuchen.«

»Macht Euch keine Sorgen!«, sagte Fenoglio. »Ihr habt es doch gehört. Staubfinger hat jetzt einen Dämon, der ihn schützt. Außerdem – ist er nicht immer bestens allein zurechtgekommen?«

»O ja! Das ist er.«

Fenoglio verfluchte jede einzelne Falte in seinem alten Gesicht, so schön war sie. Warum hatte er nicht Cosimos Gesicht? Obwohl – würde ihr das gefallen? Staubfinger gefiel ihr, Staubfinger, der eigentlich längst tot sein sollte, wäre es danach gegangen, was er einst geschrieben hatte. Fenoglio!, dachte er. Das geht zu weit. Du benimmst dich ja wie ein eifersüchtiger Liebhaber!

Aber Roxane beachtete ihn ohnehin nicht. Sie blickte auf den Jungen hinab, der in ihrem Schoß schlief. »Brianna war furchtbar wütend, als sie erfuhr, dass ich ihrem Vater hinterherreite«, sagte sie. »Ich hoffe nur, Cosimo passt auf sie auf, und dass er seinen Krieg nicht beginnt, bevor ich zurück bin.«

Dazu schwieg Fenoglio. Wozu sollte er ihr von Cosimos Plänen erzählen? Damit sie sich noch mehr Sorgen machte? Nein. Er zog den Brief für Meggie unter dem Umhang hervor. Buchstaben, die sich in Klang verwandeln konnten, mächtigen Klang ... Nie zuvor hatte er Rosenquarz einen Brief sorgsamer versiegeln lassen.

»Dieser Brief kann Meggies Eltern retten«, sagte er eindringlich, »er kann ihren Vater retten. Er kann uns alle retten, also gebt gut acht auf ihn!«

Roxane drehte und wendete das versiegelte Pergament, als schiene es ihr allzu klein für so große Worte. »Ich habe noch nie von einem Brief gehört, der die Kerker der Nachtburg öffnet«, sagte sie. »Findet Ihr es richtig, dem Mädchen falsche Hoffnung zu machen?«

»Es ist keine falsche Hoffnung«, sagte Fenoglio, etwas gekränkt darüber, dass sie seinen Worten so wenig Glauben schenkte.

»Nun gut. Wenn ich Staubfinger finde und das Mädchen noch bei ihm ist, wird sie Euren Brief bekommen.« Roxane strich ihrem Sohn noch einmal übers Haar, so sacht, als würde sie ein Blatt fortwischen. »Liebt sie ihren Vater?«

»O ja, sie liebt ihn sehr.«

»Das tut meine Tochter auch. Brianna liebt Staubfinger so sehr, dass sie kein Wort mit ihm wechselt. Wenn er früher fortging, einfach fort, in den Wald, ans Meer, wohin ihn das Feuer oder der Wind gerade lockte, dann versuchte sie, ihm nachzulaufen auf ihren kleinen Füßen. Ich glaube, er hat es nicht mal bemerkt, so schnell war er immer verschwunden, schnell wie ein Fuchs, der ein

Huhn gestohlen hat. Aber geliebt hat sie ihn trotzdem. Warum? Dieser Junge liebt ihn auch. Er denkt sogar, er braucht ihn, aber Staubfinger braucht niemanden, nur das Feuer.«

Nachdenklich sah Fenoglio sie an. »Da irrt Ihr Euch!«, sagte er. »Er war kreuzunglücklich, als er so lange fort von Euch war. Ihr hättet ihn sehen sollen.«

Wie ungläubig sie ihn musterte. »Ihr wisst, wo er war?«

Was nun? Alter Narr, was hatte er da nur wieder geredet? »Nun ja«, stammelte er. »Ja. Ja. Ich war ja selbst dort.« Her mit den Lügen. Wo waren sie? Mit der Wahrheit war in diesem Fall wenig anzufangen. Ein paar schöne Lügen mussten her, die alles erklärten. Warum sollte er zur Abwechslung nicht mal ein paar gute Worte für Staubfinger finden – auch wenn er ihn um seine Frau beneidete?

»Er sagt, er konnte nicht zurückkommen.« Sie glaubte es nicht, aber man hörte Roxanes Stimme an, wie gern sie es getan hätte.

»Genau so war es! Er hatte eine schlimme Zeit! Capricorn hat ihn von Basta jagen lassen, sie haben ihn verschleppt, weit, weit fort ... haben versucht, ihm zu entlocken, wie man mit dem Feuer spricht.« Da kamen sie, die Lügen. Und wer konnte es schon sagen? Vielleicht kamen sie der Wahrheit ja ganz nahe? »Glaubt mir, Basta hat sich gründlich dafür gerächt, dass Ihr Staubfinger ihm vorgezogen habt! Sie haben ihn eingesperrt, jahrelang, schließlich ist er entkommen, aber sie haben ihn bald gefunden. Haben ihn halb totgeschlagen.« Davon hatte Meggie ihm erzählt. Ein bisschen Wahrheit konnte nicht schaden, und Roxane musste ja nicht wissen, dass es wegen Resa gewesen war. »Es war furchtbar, so furchtbar!« Fenoglio spürte, wie sie mit ihm durchging, die Lust am Erzählen, die Lust daran, zu beobachten, wie Roxanes

Augen sich weiteten, wie sie an seinen Lippen hing, sehnsüchtig auf seine nächsten Worte wartend. Sollte er Staubfinger vielleicht doch noch etwas schlecht machen? Nein, er hatte ihn schon umgebracht, heute würde er ihm einen Gefallen tun. Heute würde er seine Frau dazu bringen, ihm ein für alle Mal zu verzeihen, dass er zehn Jahre fort gewesen war. Manchmal kann ich doch wahrlich ein netter Mensch sein!, dachte Fenoglio.

»Er dachte, er würde sterben. Er dachte, er würde Euch nie wieder sehen, das war das Schlimmste für ihn.« Fenoglio musste sich räuspern. Er war gerührt von seinen eigenen Worten – und Roxane war es auch. O ja. Er sah, wie das Misstrauen aus ihren Augen verschwand, wie sie weich wurden, weich vor Liebe. »Danach ist er umhergestrichen durch fremde Länder wie ein vor die Tür gesetzter Hund, auf der Suche nach einem Weg, an dessen Ende nicht Basta oder Capricorn, sondern Ihr auf ihn warten würdet.« Jetzt kamen die Worte wie von selbst, als wüsste er tatsächlich, was Staubfinger all die Jahre empfunden hatte. »Er war verloren, wahrlich verloren, sein Herz kalt wie ein Stein von all der Einsamkeit. Nichts als Sehnsucht hatte noch Platz darin, Sehnsucht nach Euch. Und nach seiner Tochter.«

»Er hatte zwei Töchter.« Roxanes Stimme war kaum zu verstehen.

Verflucht, das hatte er vergessen. Natürlich, zwei! Aber Roxane war schon so eingesponnen in seine Worte, dass sein Fehler das Netz nicht zerriss.

»Woher wisst Ihr das alles?«, fragte sie. »Er hat mir nie erzählt, dass Ihr Euch so gut kennt.«

Oh, niemand kennt ihn besser!, dachte Fenoglio. Das versichere ich Euch, meine Schöne.

Roxane strich sich das schwarze Haar aus dem Gesicht. Eine Spur von Grau entdeckte Fenoglio darin, als hätte sie sich mit einem staubigen Kamm gekämmt. »Ich reite morgen in aller Frühe«, sagte sie.

»Bestens.« Fenoglio zog das Pferd an seine Seite. Warum war es nur so schwer, halbwegs anständig auf die Biester hinaufzukommen? Roxane musste denken, dass er wahrlich schon ein steifer alter Mann war. »Passt auf Euch auf!«, sagte er, als er endlich oben saß. »Auf Euch und den Brief. Und grüßt Meggie von mir. Sagt ihr, alles wird gut. Ich verspreche es!«

Als er davonritt, stand sie mit nachdenklichem Gesicht neben ihrem schlafenden Sohn und sah ihm nach. Er hoffte wirklich, dass sie Staubfinger finden würde, nicht nur, damit Meggie seine Worte bekam. Nein. Ein bisschen Glück konnte dieser Geschichte nicht schaden und Roxane war nun mal nicht glücklich ohne Staubfinger. So hatte er es eingerichtet.

Verdient hat er sie trotzdem nicht!, dachte Fenoglio erneut, während er auf die Lichter von Ombra zuritt, nicht so hell leuchtend und nicht so zahllos wie in seiner alten Welt, aber mindestens ebenso einladend. Bald würden die Häuser hinter den schützenden Mauern ohne Männer sein. Ja, alle würden sie mit Cosimo gehen: Minervas Mann – obwohl sie ihn gebeten hatte zu bleiben – und der Schuster, der neben ihm seine Werkstatt hatte. Selbst der Lumpensammler, der jeden Dienstag durch den Ort zog, wollte gegen den Natternkopf kämpfen. Ob sie Cosimo ebenso bereitwillig folgen würden, wenn ich ihn hässlich gemacht hätte?, dachte Fenoglio. Hässlich wie den Natternkopf mit seinem Schlachtergesicht … Nein, einem schönen Gesicht glaubte man so viel leichter die edlen Absichten – und deshalb hatte er klug daran getan, einen Engel auf den Thron zu setzen. Ja, sehr klug, überaus klug. Fenoglio ertappte sich dabei, dass er leise vor sich hin summte, während das Pferd ihn an den Wachen vorbeitrug. Ohne ein Wort ließen sie ihn passieren, den Dichter ihres Fürsten, den Mann, der ihre Welt in Worte fasste, der sie aus Worten erschaffen hatte. Ja, beugt eure Köpfe vor Fenoglio!

Auch die Wachen würden mit Cosimo ziehen, und die Soldaten oben auf der Burg, die Knechte, kaum so alt wie der Junge, der mit Staubfinger herumzog. Selbst Ivo, Minervas Sohn, wäre gegangen, wenn sie ihn gelassen hätte. Sie werden schon alle zurückkommen, dachte Fenoglio, während er auf die Ställe zuritt. Zumindest die meisten. Alles wird gut werden, ja, das wird es. Ach was, nicht nur gut. Vortrefflich!

Wütender Orpheus

> Alle Wörter sind mit derselben Tinte geschrieben,
> »Fleur« (Blume) und »peur« (Furcht) sind fast gleich,
> Und ich kann »sang« (Blut) auf einer ganzen Seite
> schreiben,
> Von oben bis unten, es wird sie nicht beflecken,
> Und mich auch nicht verletzen.
> *Philippe Jaccottet, Parlet*

Elinor lag auf ihrer Luftmatratze und starrte die Decke an. Sie hatte wieder mit Orpheus gestritten. Obwohl sie wusste, dass die Strafe dafür der Keller war. Früh ins Bett, Elinor!, dachte sie bitter. So hat dich dein Vater früher auch bestraft, wenn er dich wieder einmal mit einem Buch erwischt hatte, das seiner Meinung nach nicht deinem Alter entsprach. Ja, früh ins Bett, manchmal schon um fünf Uhr nachmittags. Besonders im Sommer war das schlimm gewesen, wenn draußen die Vögel sangen und ihre Schwester unter dem Fenster herumtollte – ihre Schwester, die überhaupt nichts von Büchern hielt, aber nichts so sehr liebte, wie Elinor zu verpetzen, wenn sie statt mit ihr zu spielen den Kopf in ein Buch steckte, das der Vater ihr verboten hatte.

»Elinor, streite nicht mit Orpheus!« Wie oft hatte Darius ihr das eingeschärft, aber nein! Sie konnte sich nicht beherrschen! Wie auch, wenn sein elender Hund einige ihrer wertvollsten Bücher vollsabberte, weil sein Herr nichts davon hielt, sie zurück ins Regal zu stellen, nachdem er seinen Spaß mit ihnen gehabt hatte!

Seit Neuestem zog er allerdings kein einziges mehr aus den Regalen, was wenigstens ein kleiner Trost war. »Er liest nur noch in *Tintenherz!*«, hatte Darius ihr zugeraunt, als sie oben in der Küche zusammen den Abwasch erledigten. Ihre Spülmaschine war kaputtgegangen. Als wäre es nicht schon genug, dass sie wie eine Küchenmagd in ihrem eigenen Haus arbeiten musste, jetzt quollen ihre Hände auch noch auf vom Abwasch! »Er scheint sich Wörter herauszusuchen«, hatte Darius ihr zugeraunt, »Wörter, die er neu zusammensetzt, er schreibt sie auf, schreibt und schreibt, der ganze Papierkorb ist schon voll. Er versucht es immer wieder, dann liest er laut, was er geschrieben hat, und wenn nichts passiert –«

»Dann was?«

»Nichts!«, hatte Darius ausweichend geantwortet und emsig an einer fettverkrusteten Pfanne herumgeschrubbt, aber Elinor wusste, dass »nichts« ihn nicht so verlegen und mundtot gemacht hätte.

»Was?«, hatte sie wiederholt – und Darius hatte es ihr schließlich mit rot angelaufenen Ohren erzählt: Orpheus warf ihre Bücher gegen die Wände, ihre wunderbaren Bücher! Er warf sie auf den Boden vor Wut, ja, ab und zu flog sogar eins aus dem Fenster, und das alles nur deshalb, weil ihm nicht gelang, was Meggie gelungen war: *Tintenherz* blieb verschlossen für ihn, sosehr er auch gurrte und flehte mit seiner samtenen Stimme und wieder und wieder die Sätze las, zwischen die er so sehnlichst zu schlüpfen wünschte.

Natürlich war sie losgerannt, als sie ihn hatte schreien hören. Um ihre gedruckten Kinder zu retten! »Nein!«, hatte Orpheus geschrien, so laut, dass man es bis in die Küche hörte. »Nein, nein,

nein! Lass mich endlich hinein, du dreimal verfluchtes Ding! Ich war es, der Staubfinger zurückgeschickt hat! Begreif das doch endlich! Was wärst du denn ohne ihn? Ich hab dir Mortola zurückgegeben und Basta! Dafür habe ich mir doch wohl eine Belohnung verdient, oder?«

Der Schrankmann stand nicht vor der Bibliothekstür, um Elinor aufzuhalten. Vermutlich strich er gerade wieder durchs Haus, um zu sehen, ob er nicht doch etwas zum Stehlen fand (dass die Bücher das mit Abstand Wertvollste in diesem Haus waren, darauf wäre er in hundert Jahren nicht gekommen). Elinor wusste später nicht mehr, mit welchen Schimpfwörtern sie Orpheus bedacht hatte. Nur an das Buch erinnerte sie sich, das er in der erhobenen Hand gehalten hatte, eine wunderschöne Ausgabe von William Blakes Gedichten. Und er warf es trotz ihrer wüsten Beschimpfungen aus dem Fenster, während der Schrankmann sie von hinten packte und zur Kellertreppe zerrte.

O Meggie!, dachte Elinor, während sie auf ihrer Luftmatratze lag und den bröckelnden Putz an ihrer Kellerdecke anstarrte. Warum hast du mich nicht mitgenommen? Warum hast du mich nicht wenigstens gefragt?

Der Schleierkauz

Und das soll ein jeglicher Arzt wissen, daß Gott ein groß arcanum in das Kraut gelegt hat, allein wegen der Geister und wirren Phantasien, die den Menschen in Verzweiflung bringen, und diese Hilfe geschieht nicht durch den Teufel, sondern von Natur aus.
Paracelsus, Medizinische Schriften

Das Meer. Meggie hatte es nicht mehr gesehen seit dem Tag, an dem sie von Capricorns Dorf zu Elinor gefahren waren, zusammen mit Feen und Kobolden, die nun Asche waren. »Hier lebt der Bader, von dem ich erzählt habe«, sagte Staubfinger, als die Bucht hinter den Bäumen auftauchte. Sie war so schön. Die Sonne ließ das Wasser schimmern wie grünes Glas, schäumendes Glas, das der Wind in immer neue Falten legte. Es war ein kräftiger Wind, er trieb Wolkenschleier über den blauen Himmel und roch nach Salz und fernen Inseln. Er hätte das Herz leicht gemacht, wäre da nicht in der Ferne der kahle Hügel gewesen, der sich über den bewaldeten Kuppen erhob, und auf ihm die Burg, grobschlächtig wie das Gesicht ihres Herrn, trotz der versilberten Dächer und Zinnen.

»Ja, das ist sie«, sagte Staubfinger, als er Meggies erschrockenen Blick bemerkte. »Die Nachtburg. Und den Hügel, auf dem sie steht, nennt man den Natternberg, wie sonst? Kahl wie der Kopf eines alten Mannes, damit niemand sich im Schutz der Bäume nähern kann. Aber keine Sorge, sie ist nicht ganz so nah, wie es erscheint.«

»Die Türme«, sagte Farid, »ist das wirklich alles echtes Silber?«

»O ja«, antwortete Staubfinger. »Aus dem Berg gegraben, aus diesem und aus anderen. Gebratene Vögel, junge Frauen, fruchtbares Land ... und Silber – der Natternkopf hat auf vieles Appetit.«

Ein weiter sandiger Strand säumte die Bucht. Dort, wo er zu den Bäumen anstieg, erhoben sich eine lang gestreckte Mauer und ein Turm. Kein Mensch war am Strand zu entdecken, kein Boot lag auf dem blassen Sand, nur diese Gebäude – der flache Turm, lang gestreckte Ziegeldächer, kaum zu sehen hinter der Mauer. Ein Weg wand sich darauf zu, wie die Kriechspur einer Viper, aber Staubfinger führte sie im Schutz der Bäume zur Rückseite der Gebäude. Ungeduldig winkte er ihnen zu, bevor er im Schatten der Mauer verschwand. Das Holz der Pforte, vor der er auf sie wartete, war verwittert und die Glocke, die darüber hing, rostig vom Salzwind. Wilde Blumen wuchsen neben der Tür, verwelkte Blüten und braune Samenstände, an denen eine Fee naschte. Ihre Haut war heller als die ihrer Schwestern im Wald.

Alles schien so friedlich. Das Summen einer Wespe drang an Meggies Ohr und mischte sich in das Rauschen des Meeres, aber sie erinnerte sich zu gut daran, wie friedlich ihr die Mühle erschienen war. Staubfinger hatte es auch nicht vergessen. Lauschend stand er da, bevor er schließlich die Hand ausstreckte und an der Kette der rostigen Glocke zog. Sein Bein blutete wieder, Meggie sah, wie er die Hand darauf presste, aber auf dem Weg hierher hatte er sie trotzdem immer wieder zur Eile angetrieben. »Es gibt keinen besseren Bader«, hatte er nur gesagt, als Farid ihn gefragt hatte, wohin er sie führte, »und keinen, dem wir mehr trauen können. Außerdem ist es von dort nicht mehr weit zur Nachtburg, und da will Meggie doch wohl immer noch hin, oder?« Blätter hatte er ihnen zu essen gegeben, pelzig und bitter. »Runter damit!«, hatte er gesagt, als sie angeekelt die Gesichter verzogen hatten. »Dort, wo wir hingehen, könnt ihr nur bleiben, wenn ihr mindestens fünf davon im Magen habt.«

Die Holztür öffnete sich einen Spalt und eine Frau lugte hindurch. »Bei allen guten Geistern!«, hörte Meggie sie flüstern, dann öffnete die Pforte sich und eine Hand, schmal und runzlig, winkte sie herein.

Die Frau, die hastig wieder hinter ihnen zusperrte, war ebenso runzlig und dünn wie ihre Hand, und sie starrte Staubfinger an, als wäre er geradewegs vom Himmel gefallen. »Gestern! Gestern noch hat er es gesagt!«, stieß sie hervor. »›Du wirst sehen, Bella, er ist zurück, wer sonst soll die Mühle angesteckt haben? Wer sonst spricht mit dem Feuer?‹ Die ganze Nacht hat er kein Auge zugetan. Er hat sich Sorgen gemacht, aber es geht dir gut, oder? Was ist mit deinem Bein?«

Staubfinger legte den Finger an den Mund, doch Meggie sah, dass er lächelte. »Dem könnte es besser gehen«, sagte er leise. »Und du redest immer noch genauso schnell wie früher, Bella, aber könntest du uns jetzt zum Schleierkauz bringen?«

»Ja. Ja, natürlich!« Bella klang etwas gekränkt. »Vermutlich hast du den abscheulichen Marder dadrin?«, fragte sie mit einem misstrauischen Blick auf Staubfingers Rucksack. »Wehe, du lässt ihn heraus.«

»Natürlich nicht«, versicherte Staubfinger und warf Farid einen Blick zu, der ihm ganz offensichtlich riet, nichts von dem zweiten Marder zu sagen, der in seinem Rucksack schlief.

Die alte Frau winkte sie ohne ein weiteres Wort hinter sich her, einen dunklen, schmucklosen Säulengang hinunter. Sie ging mit kleinen hastigen Schritten, als wäre sie ein Eichhörnchen in einem langen, grob gewebten Kleid. »Es ist gut, dass du hintenherum gekommen bist«, sagte sie mit gesenkter Stimme, während sie ihre Gäste an einer Reihe verschlossener Türen vorbeiführte. »Ich fürchte, der Natternkopf hat selbst hier inzwischen seine Ohren, aber zum Glück bezahlt er seine Spitzel nicht so gut, dass sie in dem Flügel arbeiten wollen, in dem wir die Ansteckenden behandeln. Du hast den beiden doch hoffentlich genug von den Blättern gegeben?«

»Sicher!« Staubfinger nickte, aber Meggie sah, dass er sich unbehaglich umsah und unauffällig noch eins von den Blättern in den Mund schob, die er auch ihnen gegeben hatte. Nicht erst, als sie an den gebrechlichen Gestalten vorbeikamen, die auf dem Hof, um den der Säulengang herumführte, in der Sonne saßen, begriff Meggie, wohin Staubfinger sie gebracht hatte. Es war ein Siechenhaus. Farid presste sich erschrocken die Hand vor den Mund, als ihnen ein alter Mann entgegenkam, der so bleich war, als hätte der Tod ihn längst geholt, und sein zahnloses Lächeln erwiderte er nur mit einem entsetzten Nicken.

»Nun schau nicht so, als würdest du gleich tot umfallen!«, raunte Staubfinger ihm zu, obwohl auch er dreinblickte, als würde er sich nicht sonderlich wohl in seiner Haut fühlen. »Deine Finger werden hier bestens versorgt, und außerdem sind wir hier verhältnismäßig sicher, was man nicht von vielen Orten auf dieser Seite des Waldes sagen kann.«

»Ja, denn wenn der Natternkopf etwas fürchtet«, fügte Bella mit wissender Stimme hinzu, »dann sind es der Tod und all die Krankheiten, die zu ihm führen. Trotzdem solltet ihr euch so wenig wie möglich sehen lassen, weder bei den Kranken noch den

Pflegern. Wenn ich eins in meinem Leben gelernt habe, dann, dass man niemandem trauen kann. Den Schleierkauz natürlich ausgenommen!«

»Und was ist mit mir, Bella?«, fragte Staubfinger.

»Dir am allerwenigsten!«, antwortete sie nur – und blieb vor einer schlichten Holztür stehen. »Es ist wirklich schade, dass dein Gesicht so unverkennbar ist«, raunte sie Staubfinger zu. »Sonst hättest du den Kranken eine Vorstellung geben können. Nichts heilt besser als ein bisschen Freude.« Dann klopfte sie an die Tür und trat mit einem Nicken zur Seite.

Der Raum dahinter war dunkel, denn das einzige Fenster verschwand hinter Stapeln von Büchern. Es war ein Raum, wie Mo ihn geliebt hätte. Er mochte es, wenn Bücher so aussahen, als hätte sie jemand gerade erst aus der Hand gelegt. Ganz im Gegensatz zu Elinor fand er nichts dabei, wenn sie aufgeschlagen dalagen, wartend auf den nächsten Leser. Dem Schleierkauz schien es ebenso zu gehen. Er war kaum zu entdecken zwischen all den Stapeln – ein kleiner Mann mit kurzsichtigen Augen und breiten Händen. Wie ein Maulwurf kam er Meggie vor, nur dass sein Haar grau war.

»Hab ich es nicht gesagt?« Er stieß zwei Bücher von ihren Stapeln, als er auf Staubfinger zuhastete. »Er ist zurück, aber sie wollte es nicht glauben. Offenbar lassen die Weißen Frauen neuerdings immer mehr Tote ins Leben zurück!«

Die beiden Männer umarmten sich, dann trat der Schleierkauz einen Schritt zurück und nahm Staubfinger gründlich in Augenschein. Der Bader war schon ein alter Mann, älter als Fenoglio, aber seine Augen blickten so jung drein wie die von Farid. »Du siehst aus, als ginge es dir gut«, stellte er befriedigt fest. »Bis auf dein Bein. Was ist damit? Hast du dir das an der Mühle eingefangen?

Gestern haben sie eine meiner Heilfrauen auf die Burg geholt, damit sie da oben zwei Männer versorgt, die das Feuer gebissen hat. Sie brachte eine seltsame Geschichte mit, über einen Hinterhalt und einen gehörnten Marder, der Feuer spuckt …«

Auf der Burg? Meggie machte unwillkürlich einen Schritt auf den Bader zu. »Hat sie auch die Gefangenen gesehen?«, fiel sie ihm ins Wort. »Sie müssen sie gerade erst dorthin gebracht haben, Spielleute, Männer und Frauen … Mein Vater und meine Mutter sind dabei.«

Der Schleierkauz blickte sie voll Mitgefühl an. »Bist du das Mädchen, von dem die Männer des Prinzen erzählt haben? Dein Vater –«

»– ist der Mann, den sie für den Eichelhäher halten«, vollendete Staubfinger den Satz. »Weißt du, wie es ihm und den anderen Gefangenen geht?«

Bevor der Schleierkauz antworten konnte, schob ein Mädchen den Kopf durch die Tür. Erschrocken starrte sie die Fremden an. An Meggie blieb ihr Blick so lange hängen, dass der Schleierkauz sich schließlich räusperte.

»Was gibt es, Carla?«, fragte er.

Das Mädchen biss sich nervös auf die blassen Lippen. »Ich soll fragen, ob wir noch Augentrost haben«, sagte sie mit eingeschüchterter Stimme.

»Sicher. Geh zu Bella, sie gibt dir welchen, doch jetzt lass uns allein.«

Das Mädchen verschwand mit einem hastigen Nicken, aber sie ließ die Tür offen stehen. Mit einem Seufzer verschloss der Schleierkauz sie und schob zusätzlich den Riegel vor. »Wo waren wir? Ach ja, die Gefangenen. Der Bader, der für die Kerker zuständig ist, kümmert sich um sie. Er ist ein furchtbarer Stümper, aber wer würde es auch sonst dort oben aushalten? Statt zu heilen, begutachtet er Auspeitschungen und Prügelstrafen. Zu deinem Vater lassen sie ihn zum Glück nicht, und der Bader, der den Natternkopf versorgt, macht sich seine Finger nicht an einem Gefangenen schmutzig, also geht jeden Tag meine beste Heilerin auf die Burg, um nach ihm zu sehen.«

»Wie geht es meinem Vater?« Meggie versuchte, nicht wie ein kleines Mädchen zu klingen, das nur mühsam die Tränen zurückhielt, aber es gelang ihr nur halbwegs.

»Er hat eine schlimme Wunde, aber ich denke, das weißt du?«

Meggie nickte. Da waren sie wieder, die Tränen, liefen und liefen, als wollten sie ihr alles aus dem Herzen waschen, den Kummer, die Sehnsucht, die Angst ... Farid schlang seinen Arm um ihre Schultern, aber er erinnerte sie damit nur noch mehr an Mo – an all die Jahre, die er sie beschützt und gehalten hatte. Und jetzt, wo es ihm schlecht ging, war sie nicht bei ihm.

»Er hat viel Blut verloren und ist noch schwach, aber es geht ihm recht gut, viel besser jedenfalls, als wir den Natternkopf glauben lassen.« Man hörte es dem Schleierkauz an, dass er oft mit Menschen reden musste, die Angst um jemanden hatten, den sie liebten. »Meine Heilerin hat ihm geraten, es niemand merken zu lassen, damit wir Zeit gewinnen. Also musst du dir im Moment wirklich keine Sorgen machen.«

Meggies Herz wurde leicht, so leicht. Es wird alles gut!, sagte etwas in ihr, zum ersten Mal, seit Staubfinger ihr Resas Zettel gegeben hatte. Alles wird gut. Verlegen wischte sie sich die Tränen vom Gesicht.

»Die Waffe, mit der dein Vater verwundet wurde – meine Heilerin sagt, es muss ein furchtbares Ding sein«, fuhr der Schleierkauz fort. »Hoffentlich ist es nicht irgendeine teuflische Erfindung, an der die Schmiede des Natternkopfes heimlich arbeiten!«

»Nein, diese Waffe stammte von einem ganz anderen Ort.« Von dort kommt nichts Gutes, sagte Staubfingers Gesicht, doch Meggie wollte jetzt nicht darüber nachdenken, was eine Flinte in dieser Welt anrichten konnte. Ihre Gedanken waren bei Mo.

»Mein Vater«, sagte sie zum Schleierkauz, »würde dieses Zimmer sehr mögen. Er liebt Bücher und die Euren sind wirklich wunderschön. Vermutlich würde er Euch allerdings sagen, dass einige neu gebunden werden müssen und dass das da nicht mehr lange lebt, wenn Ihr nicht bald etwas gegen die Käfer unternehmt, die an ihm fressen.«

Der Schleierkauz nahm das Buch in die Hand, auf das sie gezeigt hatte, und strich über die Seiten, auf dieselbe Weise, auf die Mo es auch immer tat. »Der Eichelhäher liebt Bücher?«, fragte er. »Ungewöhnlich für einen Räuber.«

»Er ist kein Räuber«, sagte Meggie. »Er ist ein Arzt wie Ihr, nur dass er keine Menschen heilt, sondern Bücher.«

»Tatsächlich? Dann ist es also wahr, dass der Natternkopf den Falschen gefangen hat? Vermutlich stimmt dann auch nicht, was man sich noch über deinen Vater erzählt – dass er Capricorn getötet hat?«

»O doch, das ist wahr.« Staubfinger blickte aus dem Fenster, als läge Capricorns Festplatz davor. »Und alles, was er dazu brauchte, war seine Stimme. Du solltest dir irgendwann mal von ihm oder seiner Tochter vorlesen lassen. Glaub mir, danach wirst du deine Bücher mit ganz anderen Augen betrachten. Vermutlich wirst du sie mit Schlössern versehen.«

»Tatsächlich?« Der Schleierkauz musterte Meggie so interessiert, als würde er gern mehr über Capricorns Tod erfahren, doch es klopfte erneut. Diesmal war es eine Männerstimme, die durch die verriegelte Tür drang. »Meister, kommt Ihr? Wir haben alles vorbereitet, aber es ist besser, wenn Ihr schneidet.«

Meggie sah, wie Farid blass wurde.

»Ich komme gleich!«, sagte der Schleierkauz. »Geh schon vor.«

»Ich hoffe, dass ich deinen Vater eines Tages in diesem Raum begrüßen kann«, sagte er zu Meggie, während er zur Tür ging. »Denn du hast recht: Meine Bücher könnten wahrlich einen Arzt gebrauchen. Hat der Schwarze Prinz irgendeinen Plan, was die Gefangenen betrifft?« Fragend sah er Staubfinger an.

»Nein. Nein, ich glaube nicht. Hast du irgendetwas über die anderen Gefangenen gehört? Meggies Mutter ist unter ihnen.« Es gab Meggie einen Stich, dass nicht sie, sondern Staubfinger nach Resa fragte.

»Nein, über die anderen weiß ich nichts«, antwortete der Schleierkauz. »Aber nun müsst ihr mich entschuldigen. Bella hat euch sicherlich schon gesagt, dass ihr euch besser nur in diesem Teil des Hauses aufhaltet. Der Natternkopf gibt immer mehr von seinem Silber für Spitzel aus. Kein Ort ist vor ihnen sicher, nicht einmal dieser.«

»Ich weiß.« Staubfinger griff nach einem der Bücher, die auf dem Tisch des Baders lagen. Es war ein Kräuterbuch. Meggie konnte sich vorstellen, wie Elinor es gemustert hätte – voller Begierde, es zu besitzen, und Mo wäre mit dem Finger über die gemalten Blätter gefahren, als könnte er auf die Art den Pinsel fühlen, der sie so fein auf das Papier gebannt hatte. Woran aber dachte Staubfinger? An die Kräuter auf Roxanes Feldern? »Glaub mir, ich wäre nicht hergekommen, wenn das bei der Mühle nicht passiert wäre«, sagte er. »Dies ist kein Ort, an den man die Gefahr bringen will, und wir werden noch heute wieder verschwinden.«

Aber davon wollte der Schleierkauz nichts hören. »Ach was, ihr bleibt, bis dein Bein und die Finger des Jungen verheilt sind«, sagte er. »Du weißt genau, dass ich sehr froh bin, dass du gekommen bist. Und ich freue mich, dass der Junge bei dir ist. Er hat noch nie einen Schüler gehabt, weißt du?«, sagte er zu Farid. »Ich habe ihm immer gesagt, dass man seine Kunst weitergeben muss, aber er wollte nichts davon hören. Ich gebe meine an viele weiter und deshalb muss ich euch jetzt auch verlassen. Ich muss einem Schüler zeigen, wie man einen Fuß abschneidet, ohne den Mann, der daran hängt, zu töten.«

Farid starrte ihn mit entgeistertem Gesicht an. »Abschneiden?«, flüsterte er. »Wieso abschneiden?« Aber der Schleierkauz hatte die Tür schon hinter sich zugezogen.

»Hab ich dir das nicht erzählt?«, sagte Staubfinger, während er sich über den verletzten Schenkel strich. »Der Schleierkauz ist ein erstklassiger Knochensäger. Aber ich denke, unsere Finger und Füße können wir behalten.«

Nachdem Bella Farids Brandblasen und Staubfingers Bein versorgt hatte, brachte sie alle drei in einer abgelegenen Kammer unter, gleich bei der Pforte, durch die sie gekommen waren. Meggie gefiel die Aussicht, wieder unter einem Dach zu schlafen, aber Farid behagte der Gedanke gar nicht. Mit unglücklichem Gesicht hockte er auf dem mit Lavendel bestreuten Boden und kaute hektisch eins der bitteren Blätter. »Können wir heute Nacht nicht am Strand schlafen? Der Sand ist bestimmt schön weich«, fragte er Staubfinger, als der sich auf einem der Strohsäcke ausstreckte. »Oder im Wald?«

»Ja, meinetwegen«, antwortete Staubfinger. »Aber jetzt lass mich schlafen. Und hör auf dreinzublicken, als hätte ich dich zu Menschenfressern gebracht, sonst zeig ich dir morgen Nacht doch nicht, was ich dir versprochen habe.«

»Morgen?« Farid spuckte das Blatt in die Hand. »Wieso erst morgen?«

»Weil es zu windig ist«, sagte Staubfinger und kehrte ihm den Rücken zu, »und weil das verdammte Bein schmerzt … Brauchst du noch mehr Begründungen?«

Farid schüttelte zerknirscht den Kopf, schob sich das Blatt wieder in den Mund und starrte zur Tür, als würde im nächsten Moment der Tod höchstpersönlich hereinspazieren.

Meggie aber saß da, in der kahlen Kammer, und wiederholte sich immer wieder, was der Schleierkauz über Mo gesagt hatte: *Es geht ihm recht gut, viel besser jedenfalls, als wir den Natternkopf glauben lassen … Also musst du dir im Moment wirklich keine Sorgen machen.*

Als es draußen dämmerte, hinkte Staubfinger nach draußen. Er lehnte sich an eine Säule und sah zu dem Hügel hinüber, auf dem die Nachtburg stand. Reglos blickte er auf die silbernen Türme – und Meggie fragte sich bestimmt zum hundertsten Mal, ob er ihr nur ihrer Mutter wegen half. Vielleicht wusste Staubfinger die Antwort selbst nicht.

Im Kerker der Nachtburg

Auf meine Stirne tritt kaltes Metall,
Spinnen suchen mein Herz.
Es ist ein Licht, das in meinem Mund erlöscht.
Georg Trakl, De profundis

Mina weinte schon wieder. Resa nahm sie in den Arm, als wäre die schwangere Frau selbst noch ein Kind, summte ein Lied und wiegte sie, wie sie es bei Meggie manchmal tat, obwohl die inzwischen schon fast so groß war wie Resa selbst.

Zweimal am Tag kam ein Mädchen, ein mageres, verhuschtes Ding, jünger als Meggie, und brachte ihnen Brot und Wasser. Manchmal gab es auch Getreidebrei, klebrig und kalt, aber er machte satt – und erinnerte Resa an die Zeiten, in denen Mortola sie eingesperrt hatte, für irgendetwas, das sie getan oder nicht getan hatte. Der Brei hatte genauso geschmeckt.

Als sie das Mädchen nach dem Eichelhäher fragte, zog es nur erschrocken den Kopf ein und ließ Resa zurück mit der Angst – mit der Angst, dass Mo längst tot war, dass sie ihn aufgehängt hatten dort oben an dem riesigen Galgen und er als Letztes in dieser Welt nicht ihr Gesicht, sondern die silbernen Natternköpfe gesehen hatte, die von den Mauern herabzüngelten. Manchmal sah sie es so deutlich vor sich, dass sie die Hände vor die Augen presste, aber die Bilder blieben.

Und die Dunkelheit, die sie umgab, gaukelte ihr vor, dass alles andere nur ein Traum gewesen war: der Augenblick auf Capricorns Festplatz, in dem sie Mo plötzlich neben Meggie hatte stehen sehen, das Jahr in Elinors Haus, all das Glück ... nur ein Traum.

Wenigstens war sie nicht allein. Auch wenn die Blicke der anderen oft feindselig waren, so rissen ihre Stimmen sie doch wenigstens für kurze Zeit aus ihren finsteren Gedanken ...

Ab und zu erzählte einer eine Geschichte, damit sie das Weinen aus den anderen Zellen nicht hörten, das Rascheln der Ratten, die Schreie, das Gestammel, das schon lange keinen Sinn mehr ergab. Meist waren es die Frauen. Sie erzählten von Liebe und Tod, von Verrat und Freundschaft, aber alle Geschichten endeten gut, Lichter in der Dunkelheit, wie die Kerzen in Resas Tasche, deren Dochte feucht geworden waren.

Resa erzählte Märchen, die Mo ihr vorgelesen hatte, vor langer, langer Zeit, als Meggies Finger noch weich und winzig gewesen waren und die Buchstaben ihnen noch keine Angst gemacht hatten.

Die Spielleute aber erzählten von der Welt, die sie umgab: von Cosimo dem Schönen und seinem Kampf gegen die Brandstifter und vom Schwarzen Prinzen – wie er seinen Bären gefunden hatte und seinen Freund, den Feuertänzer, der Funken regnen und Feuerblumen blühen ließ in schwärzester Nacht.

Benedicta sang ein Lied über den Feuertänzer, mit leiser Stimme, ein wunderschönes Lied, in das sogar der Zweifinger schließlich einfiel, bis der Wärter mit dem Stock gegen die Gitter schlug und ihnen befahl, still zu sein.

»Ich habe ihn einmal gesehen!«, flüsterte Benedicta, als der Wärter wieder fort war. »Vor vielen Jahren, als ich noch ein kleines Mädchen war. Es war wunderbar. Das Feuer leuchtete so sehr, dass selbst meine Augen es sehen konnten. Sie sagen, er ist tot.«

»Ist er nicht«, sagte Resa leise. »Oder wer, glaubt ihr, hat den Baum auf der Straße brennen lassen?« Wie ungläubig sie alle ansahen! Aber sie war zu müde, mehr zu erzählen. Sie war zu müde, um irgendetwas zu erklären. Lasst mich zu meinem Mann, das war alles, was sie sagen wollte. Lasst mich zu meinem Kind. Erzählt mir keine Geschichten mehr, erzählt mir, wie es ihnen geht. Bitte.

Jemand erzählte ihr schließlich von Meggie und Mo, doch aus jedem anderen Mund hätte Resa es lieber gehört. Die anderen schliefen, als Mortola kam. Sie hatte zwei Soldaten dabei. Resa war wach, weil sie wieder die Bilder sah, Bilder von Mo, wie sie ihn auf den Hof brachten, ihm den Strick um den Hals legten ... Er ist tot, und sie ist gekommen, um es mir zu sagen! Das war ihr erster Gedanke, als die Elster mit triumphierendem Lächeln vor ihr stehen blieb.

»Sieh an, die treulose Magd!«, sagte Mortola, während Resa mühsam auf die Füße kam. »Du scheinst eine ebensolche Hexe zu sein wie deine Tochter. Wie hast du ihn nur am Leben erhalten? Nun gut, vielleicht war ich etwas zu hastig beim Zielen. Was soll's. Ein paar Wochen noch, und er wird kräftig genug für seine Hinrichtung sein!«

Am Leben.

Resa wandte den Kopf ab, damit Mortola das Lächeln nicht sah, das sich auf ihre Lippen stahl, aber die Elster sah ihr nicht ins Gesicht. Sie musterte voll Genuss das zerrissene Kleid, die blutigen, nackten Füße.

»Der Eichelhäher!« Mortola senkte die Stimme. »Natürlich habe ich den Natternkopf nicht darüber aufgeklärt, dass er den falschen Mann hinrichten wird, wozu sollte ich? Es kommt alles so, wie ich es wollte. Und deine Tochter bekomme ich auch noch.«

Meggie. Das Glücksgefühl, das Resa für einen Moment das Herz gewärmt hatte, verschwand ebenso abrupt, wie es gekommen war. Neben ihr setzte sich Mina auf, geweckt von Mortolas heiserer Stimme.

»Ja. Ich habe mächtige Freunde in dieser Welt«, fuhr die Elster mit selbstzufriedenem Lächeln fort. »Der Natternkopf hat deinen Mann für mich eingefangen, warum soll er nicht dasselbe auch mit deiner Hexentochter tun? Weißt du, wie ich ihn davon überzeugt habe, dass sie eine Hexe ist? Indem ich ihm ein Foto von ihr gezeigt habe. Ja, Resa, ich habe Basta die Fotos deiner Kleinen mitnehmen lassen, all die schönen silbergerahmten Fotos, die bei der Bücherfresserin herumstanden. Der Natternkopf hält sie natürlich für Zauberbilder, Spiegelbilder, auf Papier gebannt. Seine Soldaten haben Angst, sie anzufassen, aber sie müssen sie überall herumzeigen. Nur schade, dass wir sie nicht vervielfältigen können, wie es in deiner Welt möglich war! Aber deine Tochter hat sich ja glücklicherweise mit Staubfinger zusammengetan und von dem braucht man kein Zauberbild. Jeder Bauer hat von ihm gehört, von ihm und seinen Narben.«

»Er wird sie beschützen!«, sagte Resa. Irgendetwas musste sie sagen.

»Ach ja? So wie er *dich* beschützt hat, damals, als dich die Schlange gebissen hat?«

Resa krallte die Finger in ihr schmutziges Kleid. Es gab niemanden, weder in dieser noch in der anderen Welt, den sie so sehr hasste wie die Elster. Nicht einmal Basta. Mortola hatte sie das Hassen erst gelehrt. »Hier ist alles anders«, brachte sie hervor. »Hier gehorcht ihm das Feuer, und er ist nicht allein, wie er es in der anderen Welt war. Er hat Freunde.«

»Freunde! Ach, du meinst wohl die anderen Gaukler, den

Schwarzen Prinzen, wie er sich nennt, und all die anderen abgerissenen Gestalten!« Verächtlich musterte die Elster die übrigen Gefangenen. Fast alle waren aufgewacht. »Sieh sie dir an, Resa!«, sagte Mortola hämisch. »Wie sollen sie dir hier heraushelfen? Mit ein paar bunten Bällen oder ein paar rührseligen Liedern? Einer von ihnen hat euch verraten, wusstest du das? Und Staubfinger – was soll er tun? Soll er das Feuer loslassen, um dich zu retten? Es würde dich auch verbrennen, und das wird er doch sicherlich nicht riskieren, so verliebt, wie er immer in dich war.« Mit einem Lächeln beugte sie sich vor. »Hast du deinem Mann eigentlich je erzählt, was für gute Freunde ihr zwei wart?«

Resa antwortete ihr nicht. Sie kannte Mortolas Spiele. Sie kannte sie so gut.

»Nun, was meinst du? Soll ich es ihm erzählen?«, raunte Mortola ihr zu, lauernd wie die Katze vor dem Mauseloch.

»Sicher«, flüsterte Resa zurück. »Erzähl es ihm. Du kannst ihm nichts sagen, was er nicht schon weiß. Ich habe ihm die Jahre zurückgegeben, die ihr uns gestohlen habt, Wort für Wort, Tag für Tag. Mo weiß auch, dass dein eigener Sohn dich in seinem Keller hat wohnen lassen und alle Welt glauben ließ, du seist seine Haushälterin.«

Mortola versuchte, sie zu schlagen, wie sie es so oft getan hatte, wie sie es bei all ihren Mägden getan hatte, ins Gesicht, mitten ins Gesicht, aber Resa wehrte ihre Hand ab.

»Er lebt, Mortola!«, flüsterte sie der Elster zu. »Diese Geschichte ist noch nicht zu Ende, und sein Tod steht nirgendwo geschrieben, aber deinen wird meine Tochter dir ins Ohr flüstern für das, was du ihrem Vater angetan hast. Du wirst es sehen. Eines Tages. Und dann werde ich *dir* beim Sterben zusehen.«

Diesmal konnte sie Mortolas Hand nicht festhalten, und ihre Wange brannte noch lange, nachdem die Elster wieder fort war. Sie spürte die Blicke der anderen Gefangenen wie Finger auf ihrem Gesicht, als sie sich wieder auf den kalten Boden hockte. Mina war die Erste, die etwas sagte. »Woher kennst du die Alte? Das ist Capricorns Giftmischerin.«

»Ich weiß!«, antwortete Resa tonlos. »Ich gehörte ihr. Viele Jahre lang.«

Ein Brief von Fenoglio

Es gibt also eine Welt,
deren unabhängiges Schicksal ich bestimme?
Eine Zeit, die ich mit Ketten von Zeichen binde?
Eine Existenz, die beständig ist durch meine Verfügung?
Wislawa Szymborska, Freude am Schreiben

Staubfinger schlief, als Roxane kam. Draußen war es schon dunkel. Farid und Meggie waren an den Strand gegangen, aber er hatte sich hingelegt, weil sein Bein schmerzte. Als er Roxane in der Tür stehen sah, dachte er zuerst, seine Phantasie würde ihm einen Streich spielen, wie sie es bei Nacht so gerne tat. Schließlich war er vor langer Zeit schon einmal mit ihr hier gewesen. Die Kammer damals hatte fast genauso ausgesehen, und er hatte auf genau so einem Strohsack gelegen, das Gesicht zerschnitten und verklebt vom eigenen Blut.

Roxane trug das Haar offen. Vielleicht brachte sie deshalb die Erinnerung zurück an jene andere Nacht. Sein Herz begann immer noch zu stolpern, wenn er nur daran dachte. Rasend vor Schmerz und Angst war er gewesen, hatte sich verkrochen wie ein verwundetes Tier, bis Roxane ihn gefunden und hierher gebracht hatte. Der Schleierkauz hatte ihn zuerst kaum erkannt. Er hatte ihm etwas eingeflößt, das ihn schlafen ließ, und als er wieder erwacht war, hatte Roxane in der Tür gestanden, genau wie sie es jetzt tat. In den Wald war sie mit ihm gegangen, als die Schnitte trotz der Kunst des Baders nicht hatten heilen wollen, tiefer und tiefer hinein zu den Feen – und war bei ihm geblieben, bis sein Gesicht so weit verheilt war, dass er sich wieder unter Menschen traute. Es gab wohl nicht viele Männer, denen man die Liebe zu einer Frau mit einem Messer ins Gesicht geschrieben hatte.

Aber wie begrüßte er sie, als sie plötzlich dastand?

»Was machst du hier?«, fragte er. Die Zunge hätte er sich abbeißen können. Warum sagte er nicht, dass er sie vermisst hatte, so sehr, dass er ein Dutzend Mal fast umgekehrt wäre?

»Ja, was mache ich hier?«, fragte Roxane zurück. Früher hätte sie ihm für die Frage den Rücken zugekehrt, aber nun lächelte sie nur, so spöttisch, dass er verlegen wie ein Junge wurde.

»Wo hast du Jehan gelassen?«

»Bei einer Freundin.« Sie küsste ihn. »Was ist mit deinem Bein? Fenoglio hat mir schon gesagt, dass du verwundet bist.«

»Es wird schon besser. Was hast du mit Fenoglio zu schaffen?«

»Du magst ihn nicht. Warum?« Roxane strich ihm übers Gesicht.

Wie schön sie aussah. So schön.

»Sagen wir, er hatte Pläne für mich, die ich gar nicht mochte. Hat der Alte dir zufällig etwas für Meggie mitgegeben? Einen Brief vielleicht?«

Wortlos zog sie ihn unter dem Umhang hervor. Da waren sie, die Worte – Worte, die Wahrheit werden wollten. Roxane hielt ihm das versiegelte Pergament hin, aber Staubfinger schüttelte den Kopf. »Den gibst du besser Meggie«, sagte er. »Sie ist am Strand.«

Verwundert sah Roxane ihn an. »Du siehst fast so aus, als hättest du Angst vor einem Stück Pergament.«

»Ja«, sagte Staubfinger und griff nach ihrer Hand. »Ja, das habe ich wohl. Vor allem, wenn Fenoglio es beschrieben hat. Komm, lass uns Meggie suchen.«

Meggie schenkte Roxane ein verlegenes Lächeln, als sie ihr den Brief reichte, und sah für einen Moment neugierig von ihr zu Staubfinger, doch dann hatte sie nur noch Augen für Fenoglios Brief. Sie brach das Siegel so hastig, dass sie das Pergament fast einriss. Es waren drei Bögen, dicht beschrieben. Der erste war ein Brief an sie, Meggie schob ihn achtlos unter ihren Gürtel, nachdem sie ihn gelesen hatte. Die Worte, auf die sie so sehnsüchtig gewartet hatte, füllten die anderen beiden Bögen. Meggies Augen wanderten so schnell über die Zeilen, dass Staubfinger kaum glauben konnte, dass sie wirklich las. Schließlich hob sie den Kopf, blickte hinauf zur Nachtburg – und lächelte.

»Nun, was schreibt der alte Teufel?«, fragte Staubfinger.

Meggie hielt ihm die beiden Bögen hin. »Es ist anders, als ich erwartet hatte. Ganz anders, aber es ist gut. Hier, sieh selbst.«

Zögernd nahm er das Pergament entgegen, mit spitzen Fingern, als könnte er sich daran leichter als an einer Flamme verbrennen.

»Seit wann kannst du lesen?« Roxanes Stimme klang so überrascht, dass er lächeln musste.

»Meggies Mutter hat es mir beigebracht.« Dummkopf. Wieso erzählte er ihr das? Roxane warf Meggie einen langen Blick zu, während er sich abmühte, Fenoglios Schrift zu entziffern. Resa hatte meist in Druckbuchstaben geschrieben, um es ihm leichter zu machen.

»Es könnte gehen, nicht wahr?« Meggie blickte ihm über die Schulter.

Das Meer rauschte, als würde es ihr zustimmen. Ja, vielleicht würde es so tatsächlich gehen ... Staubfinger folgte den Buchstaben wie einem gefährlichen Pfad. Aber es war ein Pfad und er führte mitten hinein in das Herz des Natternkopfes. Die Rolle, die der Alte Meggie dabei zugedacht hatte, gefiel Staubfinger allerdings gar nicht. Schließlich hatte ihre Mutter ihn gebeten, auf sie aufzupassen.

Farid blickte mit unglücklichem Gesicht auf die Buchstaben. Er konnte immer noch nicht lesen. Manchmal hatte Staubfinger das Gefühl, dass er die winzigen schwarzen Zeichen der Hexerei verdächtigte. Was sollte er auch sonst über sie denken, nach all dem, was er erlebt hatte?

»Nun erzählt schon!« Ungeduldig trat Farid von einem Fuß auf den anderen. »Was schreibt er?«

»Meggie wird auf die Burg müssen. Geradewegs in den Bau der Natter.«

»Was?« Entgeistert starrte der Junge erst ihn und dann das Mädchen an. »Aber das geht nicht!« Er fasste Meggie an den Schultern, drehte sie unsanft zu sich herum. »Du kannst nicht dorthin. Das ist viel zu gefährlich!«

Armer Kerl. Natürlich würde sie gehen. »Fenoglio hat es so geschrieben«, sagte sie und schob Farids Hände von ihren Schultern.

»Nun lass sie schon«, sagte Staubfinger und gab Meggie die Bögen zurück. »Wann willst du es lesen?«

»Jetzt gleich.«

Natürlich. Sie wollte keine Zeit verlieren. Warum auch? Je eher die Geschichte eine neue Wendung nahm, desto besser. Schlimmer konnte es kaum werden. Oder?

»Was bedeutet das alles?« Roxane blickte sie ratlos an, einen nach dem anderen. Farid musterte sie am wenigsten freundlich, sie mochte ihn immer noch nicht. Vermutlich würde sich das erst ändern, wenn irgendetwas sie davon überzeugte, dass er nicht Staubfingers Sohn war. »Erklärt es mir!«, sagte sie. »Fenoglio hat behauptet, dieser Brief könnte ihre Eltern retten. Was kann ein Brief für jemanden tun, der im Kerker der Nachtburg steckt?«

Staubfinger strich ihr das Haar zurück. Es gefiel ihm, dass sie es wieder offen trug. »Hör zu!«, sagte er. »Ich weiß, es ist schwer zu glauben, aber wenn etwas die Kerkertüren der Nachtburg öffnen kann, dann die Worte in diesem Brief – und Meggies Zunge. Sie kann Tinte zum Atmen bringen, Roxane, so wie du es mit einem Lied vermagst. Ihr Vater besitzt dieselbe Gabe. Wüsste der Natternkopf davon, dann hätte er ihn vermutlich längst aufgehängt. Die Worte, mit denen Meggies Vater Capricorn getötet hat, sahen ebenso harmlos aus wie diese.«

Wie sie ihn ansah! Genauso ungläubig, wie sie es früher getan hatte, wenn er ihr wieder einmal versucht hatte zu erklären, wo er wochenlang gewesen war.

»Du sprichst von Zauberei!«, flüsterte sie.

»Nein. Ich spreche vom Vorlesen.«

Natürlich verstand sie kein Wort. Wie auch? Vielleicht würde sie es tun, wenn sie Meggie lesen hörte, wenn sie die Worte plötzlich in der Luft zittern sah, sie riechen und auf der Haut spüren konnte …

»Ich möchte allein sein, wenn ich lese«, sagte Meggie und sah Farid dabei an. Dann drehte sie sich um und ging zum Siechenhaus zurück, Fenoglios Brief in der Hand. Farid wollte ihr nach, aber Staubfinger hielt ihn fest.

»Lass sie!«, sagte er. »Denkst du, sie wird zwischen den Worten verschwinden? Das ist Unsinn. Wir stecken ohnehin alle bis zum Hals in der Geschichte, die sie lesen wird. Sie will nur dafür sorgen, dass der Wind sich dreht, und das wird er – wenn der Alte ihr die richtigen Worte geschrieben hat!«

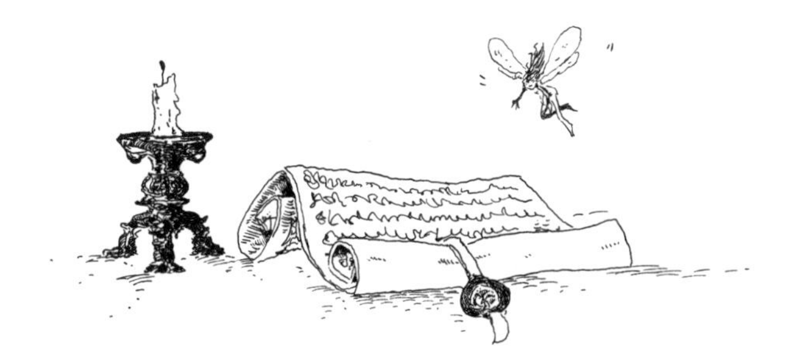

Die falschen Ohren

Schläft ein Lied in allen Dingen,
Die da träumen fort und fort,
Und die Welt hebt an zu singen,
Triffst du nur das Zauberwort.
Joseph von Eichendorff, Wünschelrute

Roxane brachte Meggie eine Öllampe, bevor sie sie in der Kammer allein ließ, in der sie schliefen. »Buchstaben brauchen Licht, das ist unpraktisch an ihnen«, sagte sie. »Aber wenn diese tatsächlich so wichtig sind, wie ihr alle sagt, kann ich verstehen, dass du sie allein lesen willst. Ich habe auch immer geglaubt, dass meine Stimme am schönsten klingt, wenn ich allein bin.« Sie stand schon in der Tür, als sie hinzusetzte: »Deine Mutter – kennen sie und Staubfinger sich gut?«

Ich weiß nicht, hätte Meggie fast geantwortet. Ich habe meine Mutter nie gefragt. »Sie waren Freunde«, sagte sie schließlich. Nichts über den Groll, den sie immer noch empfand, wenn sie daran dachte, dass Staubfinger all die Jahre gewusst hatte, wo Resa war, und es Mo nicht erzählt hatte ... Aber Roxane fragte nicht weiter. »Wenn du Hilfe brauchst«, sagte sie nur, bevor sie ging, »ich bin beim Schleierkauz.«

Meggie wartete, bis ihre Schritte draußen auf dem dunklen Gang verklungen waren. Dann setzte sie sich auf einen der Strohsäcke und legte das Pergament auf ihren Schoß. Wie wäre es, musste sie denken, während die Buchstaben sich vor ihr spreizten, wenn ich es einfach nur zum Spaß tun würde, nur ein einziges Mal. Wie wäre es, den Zauber der Worte auf der Zunge zu spüren, ohne dass Tod oder Leben an ihnen hing, Glück oder Unglück ... In Elinors Haus hatte sie der Versuchung einmal fast nicht widerstehen können – als sie sich ein Buch angesehen hatte, das sie als kleines Kind sehr geliebt hatte – ein Buch mit Mäusen in Rüschenkleidern und winzigen Anzügen, die Marmelade kochten und Picknicks veranstalteten. Sie hatte das erste Wort schon auf den Lippen gespürt, als sie das Buch doch noch zugeschlagen hatte, weil sie plötzlich ein paar abscheuliche Bilder gesehen hatte: eine der bekleideten Mäuse in Elinors Garten, umstellt von ihren wilden Verwandten, die nie auf die Idee kommen würden, Marmelade zu kochen, das Bild eines Rüschenkleidchens samt grauem Schwanz zwischen den Zähnen einer der Katzen, die regelmäßig Elinors Rhododendronbüsche durchstreiften ... Nein, Meggie hatte noch nie etwas nur zum Spaß aus den Worten gelockt, und auch heute Abend würde es nicht so sein.

»Das Atmen, Meggie«, hatte Mo einmal zu ihr gesagt, »ist das ganze Geheimnis. Es gibt deiner Stimme Kraft und füllt sie mit deinem Leben. Aber nicht nur mit deinem. Manchmal kommt es mir fast so vor, als nehme man mit einem Atemzug alles auf, was einen umgibt, alles, was die Welt ausmacht und bewegt, und auch das fließt dann in die Worte.«

Sie versuchte es. Sie versuchte, so ruhig und tief zu atmen wie das Meer, dessen Rauschen von draußen hereindrang, ein und aus, ein und aus, als könnte sie auf die Art seine Kraft in ihre Stimme bannen. Die Öllampe, die Roxane gebracht hatte, verbreitete ein warmes Licht in der Kammer, und draußen ging auf leisen Sohlen eine der Heilerinnen vorbei.

»Ich erzähle sie nur weiter!«, flüsterte Meggie. »Ich erzähle die Geschichte weiter, sie wartet schon darauf. Na los!« Sie stellte sich die massige Gestalt des Natternkopfes vor, wie er oben in der Nachtburg schlaflos auf und ab ging, ohne eine Ahnung, dass es ein Mädchen gab, das vorhatte, in ebendieser Nacht dem Tod seinen Namen ins Ohr zu flüstern.

Sie zog den Brief aus dem Gürtel, den Fenoglio ihr geschrieben hatte. Es war gut, dass Staubfinger ihn nicht gelesen hatte.

Liebe Meggie, hieß es darin, *ich hoffe, du wirst nicht enttäuscht sein von dem, was ich dir schicke. Es ist seltsam, aber ich habe festgestellt, dass ich offenbar nur schreiben kann, was nicht dem widerspricht, was ich bisher über die Tintenwelt geschrieben habe. Ich muss die Regeln befolgen, die ich selbst festgelegt habe, auch wenn ich das oft ganz unbewusst getan habe.*

Ich hoffe, deinem Vater geht es gut. Nach dem, was ich gehört habe, ist er inzwischen ein Gefangener auf der Nachtburg – und ich bin nicht ganz unschuldig daran. Ja, ich gebe es zu. Schließlich habe ich ihn, wie du inzwischen sicherlich herausgefunden hast, als lebende Vorlage für den Eichelhäher benutzt. Es tut mir leid, aber ich hielt das wirklich für einen guten Einfall. Dein Vater gab einen sehr edlen Räuber ab in meiner Phantasie, und wie konnte ich ahnen, dass er jemals tatsächlich in meine Geschichte hineingeraten würde? Wie auch immer – er ist hier, und der Natternkopf wird ihn nicht freilassen, nur weil ich es schreibe. So habe ich ihn nicht erschaffen, Meggie. Die Geschichte muss sich selber treu bleiben, das ist der einzige Weg, und deshalb kann ich dir nur diese Worte senden, die die Hinrichtung deines Vaters zunächst zwar lediglich aufhalten, zum guten Schluss aber hoffentlich doch zu seiner Befreiung führen werden. Vertrau mir. Ich glaube, die Worte, die ich beifüge, sind die einzig möglichen, um dieser Geschichte zu einem wahrhaft guten Ende zu verhelfen, und du liebst doch Geschichten mit einem guten Ende, oder?

Erzähl meine Geschichte weiter, Meggie! Bevor sie es selber tut!

Ich hätte dir die Worte gern selbst gebracht, aber ich muss mich um Cosimo kümmern. Ich fürchte fast, dass wir es uns in seinem Fall etwas zu leicht gemacht haben. Pass auf dich auf, grüß deinen Vater von mir, wenn du ihn wiedersiehst (was hoffentlich bald ist), und den Jungen, der den Boden unter deinen Füßen anbetet – ach ja, und sag Staubfinger, auch wenn er das sicherlich nicht hören will, dass seine Frau viel zu schön für ihn ist.

Sei umarmt!

Fenoglio

PS: *Da dein Vater noch lebt, habe ich mich gefragt, ob die Worte, die ich dir für ihn mit in den Wald gegeben habe, vielleicht doch gewirkt haben? Sollte das so sein, Meggie, dann vermutlich nur deshalb, weil ich in gewisser Weise aus ihm eine meiner Figuren gemacht habe – womit an der ganzen Eichelhäher-Geschichte doch etwas Gutes wäre, oder?*

Ach, Fenoglio. Was für ein Meister er doch darin war, alles zu seinen Gunsten sprechen zu lassen. Ein Windzug fuhr durchs Fenster und ließ die Pergamentbögen erzittern, als würde die Geschichte ungeduldig, als wollte sie endlich die neuen Worte hören. »Ja, ja, schon gut. Ich fang ja schon an«, flüsterte Meggie.

Sie hatte ihren Vater nicht oft lesen hören, doch sie erinnerte sich sehr genau daran, wie Mo jedem Wort den richtigen Klang gegeben hatte, jedem einzelnen … In der Kammer war es still, so still. Die ganze Tintenwelt, jede Fee, jeder Baum, selbst das Meer, schien auf ihre Stimme zu warten.

»Seit vielen Nächten schon«, begann Meggie, *»konnte der Natternkopf keine Ruhe finden. Seine Frau schlief tief und fest. Die fünfte war es, jünger als seine drei ältesten Töchter. Ihr Leib wölbte sich unter der Decke, schwanger mit seinem Kind. Diesmal musste es ein Junge werden, zwei Töchter hatte sie ihm schon geboren. Wenn auch dieses Kind ein Mädchen war, würde er sie verstoßen, so wie er schon drei andere Frauen verstoßen hatte. Zurück zu ihrem Vater würde er sie schicken oder auf irgendeine einsame Burg in den Bergen.*

Warum konnte sie schlafen, obwohl sie ihn fürchtete, während er auf und ab ging in der prächtigen Kammer wie ein alter Tanzbär in seinem Käfig?

Weil die große Angst nur zu ihm kam. Die Angst vor dem Tod.

Sie wartete draußen vor den Fenstern, vor den Scheiben aus Glas, die er mit seinen kräftigsten Bauern bezahlt hatte. Sie drückte ihr hässliches Gesicht dagegen, sobald die Dunkelheit seine Burg verschlang wie die Schlange die Maus. Jede Nacht ließ er mehr Fackeln entzünden, mehr Kerzen, und doch kam die Angst – ließ ihn schlottern und auf die Knie fallen, weil sie allzu sehr zitterten, ließ ihn seine Zukunft sehen: wie das Fleisch ihm von den Knochen welkte, wie die Würmer ihn fraßen und die Weißen Frauen ihn fortzerrten.

Der Natternkopf presste die Hände vor den Mund, damit der Wächter vor der Tür sein Schluchzen nicht hörte. Angst. Angst vor dem Ende aller Tage, Angst vor dem Nichts, Angst, Angst, Angst. Angst, dass der Tod schon in seinem Körper nistete, un-

sichtbar, irgendwo, wuchs und wucherte und an ihm fraß! – Der einzige Feind, den er nicht erschlagen konnte, nicht verbrennen, erstechen, aufhängen, der einzige, vor dem es kein Entkommen gab.

Eines Nachts, schwarz und endlos wie keine zuvor, war die Angst besonders schlimm, und er ließ sie alle wecken, wie er es öfter tat, all die, die friedlich in ihren Betten schliefen, statt wie er zu zittern und zu schwitzen, seine Frau, die nutzlosen Bader, die Bittsteller, Schreiber, Verwalter, seinen Herold und den silbernasigen Spielmann. Er ließ die Köche in die Küche treiben, damit sie ihm ein Festmahl kochten, doch als er an seiner Tafel saß, die Finger triefend vom frisch gebratenen fetten Fleisch, kam ein Mädchen auf die Nachtburg. Furchtlos schritt sie an den Wachen vorbei und bot ihm einen Handel an, einen Handel mit dem Tod …«

Ja. So würde es passieren. Weil sie es las. Wie die Worte Meggie über die Lippen drängten. Als webten sie die Zukunft. Jeder Klang, jeder Buchstabe ein Faden … Meggie vergaß alles um sich her: das Siechenhaus, den Strohsack, auf dem sie saß, selbst Farid und sein unglückliches Gesicht, als er ihr nachgeblickt hatte … Sie spann Fenoglios Geschichte weiter, nur dazu war sie noch da, spann sie mit ihrem Atem und ihrer Stimme aus klingenden Fäden – um ihren Vater zu retten und ihre Mutter. Und diese ganze seltsame Welt, die sie verzaubert hatte.

Als Meggie die aufgeregten Stimmen hörte, dachte sie zunächst, sie kämen aus den Worten. Widerstrebend hob sie den Kopf. Noch hatte sie nicht alles gelesen. Ein paar Sätze warteten noch, warteten darauf, dass sie ihnen das Atmen beibrachte. Sieh auf die Buchstaben, Meggie!, dachte sie. Konzentrier dich – und fuhr zusammen, als ein dumpfes Klopfen durch das Siechenhaus schallte.

Die Stimmen wurden lauter, hastige Schritte klangen zu ihr herein und Roxane erschien in der Tür. »Sie kommen von der Nachtburg!«, flüsterte sie. »Sie haben ein Bild von dir, ein seltsames Bild. Schnell, komm mit mir!«

Meggie versuchte, das Pergament mit den letzten Sätzen in ihren Ärmel zu schieben, doch dann überlegte sie es sich anders und schob es in den Ausschnitt ihres Kleides. Unter dem festen Stoff würde es sich hoffentlich nicht abzeichnen. Sie schmeckte die Worte immer noch auf der Zunge, sah sich immer noch vor dem Natternkopf stehen, wie sie es gelesen hatte, aber Roxane griff nach ihrer Hand und zog sie mit sich. Eine Frauenstimme drang den Säulengang hinunter, Bellas Stimme, und dann die eines Mannes, laut und herrisch. Roxane ließ Meggies Hand nicht los, zerrte sie weiter, vorbei an den Türen, hinter denen die Kranken schliefen oder schlaflos ihrem eigenen schweren Atem lauschten. Die Kammer des Schleierkauzes war leer. Roxane zog Meggie mit sich hinein, schob den Riegel vor und sah sich um. Das Fenster war vergittert und die Schritte kamen näher. Meggie glaubte, die Stimme des Schleierkauzes zu hören und eine andere, grob und drohend. Dann war es plötzlich still. Sie waren stehen geblieben, vor der Tür. Roxane schlang Meggie den Arm um die Schulter.

»Sie werden dich mitnehmen!«, flüsterte sie ihr zu, während draußen der Schleierkauz auf die Eindringlinge einredete. »Wir werden dem Schwarzen Prinzen Bescheid geben, er hat Spione auf der Burg. Wir werden versuchen, dir zu helfen, hörst du?«

Meggie nickte nur.

Jemand hämmerte gegen die Tür. »Mach auf, kleine Hexe, oder sollen wir dich holen?«

Bücher, nichts als Bücher. Meggie wich zwischen die Stapel zurück. Nicht eins war dabei, aus dem sie sich Hilfe hätte holen können, selbst wenn sie gewollt hätte. Das Wissen, das sie verwahrten, konnte ihr nicht helfen. Hilfe suchend blickte sie Roxane an – und sah dieselbe Ratlosigkeit in ihrem Gesicht.

Was würde geschehen, wenn sie sie mitnahmen? Wie viele Sätze waren noch ungelesen? Verzweifelt versuchte Meggie, sich zu erinnern, wo genau sie unterbrochen worden war ...

Wieder schlugen sie gegen die Tür. Das Holz ächzte, bald würde es splittern und brechen. Meggie trat auf die Tür zu, schob den Riegel zurück und öffnete. Sie konnte so schnell nicht zählen, wie viele Soldaten auf dem schmalen Korridor standen. Es waren viele, sehr viele. Ihr Anführer war der Brandfuchs. Meggie erkannte ihn trotz des Tuches, das er sich vor Mund und Nase gebunden hatte. Sie alle trugen Tücher vorm Gesicht und ihre unverdeckten Augen waren voll Angst. Ich hoffe, ihr habt euch hier alle die Pest geholt, dachte Meggie. Ich hoffe, ihr sterbt wie die Fliegen. Der Soldat neben dem Brandfuchs stolperte zurück, als hätte er ihre Gedanken gehört, doch es war Meggies Gesicht, vor dem er erschrak. »Hexe!«, stieß er hervor und starrte auf das, was der Brandfuchs in der Hand hielt. Meggie erkannte den schmalen Silberrahmen sofort. Es war ihr Foto, aus Elinors Bibliothek.

Ein Murmeln erhob sich unter den bewaffneten Männern. Der Brandfuchs aber griff ihr grob unters Kinn, bis sie ihm das Gesicht zuwandte. »Wusste ich's doch. Du bist die Kleine aus dem Stall«, sagte er. »Ich geb zu, dort kamst du mir nicht wie eine Hexe vor!«

Meggie versuchte, den Kopf abzuwenden, aber die Hand des Brandfuchses ließ nicht los. »Gut gemacht!«, sagte er zu einem Mädchen, das verloren zwischen all den Bewaffneten stand, mit bloßen Füßen und dem schlichten Kittel, den alle trugen, die in dem Siechenhaus arbeiteten. Carla. War das nicht ihr Name gewesen?

Sie hielt den Kopf gesenkt und betrachtete das Silberstück, das der Soldat ihr in die Hand drückte, als hätte sie eine so schöne, glänzende Münze noch nie gesehen. »Er hat gesagt, ich bekomme Arbeit«, flüsterte sie kaum hörbar. »Arbeit in der Burgküche. Der mit der Silbernase hat es gesagt.«

Der Brandfuchs zuckte nur höhnisch die Achseln. »Da redest du mit dem Falschen«, sagte er und wandte ihr achtlos den Rücken zu. »Diesmal soll ich dich auch mitnehmen, Steinschneider«, sagte er zum Schleierkauz. »Du hast einmal zu oft die falschen Besucher durch dein Tor gelassen. Ich habe dem Natternkopf gesagt, dass es Zeit wird, hier ein Feuer zu machen, ein großes Feuer, ich kann so etwas immer noch sehr gut, aber er wollte nichts davon hören. Irgendjemand hat ihm erzählt, dass sein Tod aus dem Feuer kommen wird. Seitdem lässt er uns nur noch Kerzen anzünden.« Die Verachtung für die Milde seines Herrn war nicht zu überhören.

Der Schleierkauz blickte Meggie an. Es tut mir leid, sagte sein Blick. Und eine Frage las sie auch noch heraus: Wo ist Staubfinger? Ja, wo?

»Lasst mich mit ihr gehen.« Roxane trat an Meggies Seite und versuchte, ihr den Arm um die Schultern zu legen, aber der Brandfuchs stieß sie grob zurück.

»Nur das Mädchen auf dem Hexenbild«, sagte er. »Und der Bader.«

Roxane, Bella und ein paar der anderen Frauen folgten ihnen bis an die Pforte, die zum Meer hinausführte. Die Gischt leuchtete im Mondlicht, und der Strand lag verlassen da, bis auf ein paar Fußspuren, die sich zum Glück niemand genauer ansah. Die Soldaten hatten Pferde für ihre Gefangenen mitgebracht, und das von Meggie legte die Ohren an, als einer der Soldaten sie auf den hageren Rücken hob. Erst als es mit ihr auf die Berge zutrottete, wagte sie, sich unauffällig umzusehen. Aber von Staubfinger und Farid war nichts zu entdecken. Bis auf die Fußspuren im Sand.

Feuer und Wasser

Und was ist Wortwissen denn anderes als ein Schatten
des wortlosen Wissens?
Khalil Gibran, Der Prophet

Hinter den Mauern des Siechenhauses war es still, als Staubfinger Farid zwischen den Bäumen hervorwinkte. Kein Weinen, kein Fluchen über die, die von der Nachtburg gekommen waren. Die meisten Frauen waren zurückgekehrt zu den Kranken und Sterbenden. Nur Roxane stand noch am Strand und blickte dorthin, wo die Soldaten verschwunden waren.

Mit müden Schritten ging Staubfinger auf sie zu.

»Ich lauf ihnen nach!«, stammelte Farid neben ihm, die braunen Fäuste geballt. »Man kann sie schließlich nicht verfehlen, die verfluchte Burg!«

»Was redest du da, verdammt noch mal?«, fuhr Staubfinger ihn an. »Glaubst du, du kannst einfach durch das Tor spazieren? Das ist die Nachtburg. Dort schmücken sie die Zinnen mit abgeschlagenen Köpfen.«

Farid zog den Kopf ein und starrte hinauf zu den Silbertürmen. Sie bohrten sich in den Himmel, als wollten sie die Sterne aufspießen. »Aber – aber Meggie …«, stammelte er.

»Ja, ja, schon gut, wir werden ihr folgen«, sagte Staubfinger mit gereizter Stimme. »Auch wenn mein Bein sich jetzt schon auf den steilen Weg freut. Aber wir stolpern nicht einfach los. Vorher wirst du noch etwas lernen.«

Wie erleichtert der Junge ihn ansah – als freute er sich schon darauf, der Natter ins Nest zu kriechen. Staubfinger schüttelte nur den Kopf über so viel Unverstand.

»Lernen? Was?«

»Das, was ich dir ohnehin zeigen wollte.« Staubfinger ging aufs Wasser zu. Wenn dieses Bein bloß endlich heilen würde …

Roxane kam ihm nach. »Was redest du da?« Zorn und Angst mischten sich auf ihrem Gesicht, als sie sich zwischen ihn und den Jungen schob. »Du kannst nicht auf die Burg! Es ist alles verloren. Euer fabelhafter Brief hat nichts zum Guten gewendet, gar nichts!«

»Das werden wir sehen«, erwiderte Staubfinger darauf nur. »Es kommt alles darauf an, ob und wie viel Meggie gelesen hat.«

Er versuchte, sie zur Seite zu schieben, aber Roxane stieß seine Hände zurück. »Lass uns dem Prinzen Bescheid geben!« Wie verzweifelt sie klang. »Hast du all die Brandstifter vergessen, die dort oben auf der Burg sind? Du wirst tot sein, bevor die Sonne aufgeht! Was ist mit Basta? Was ist mit dem Brandfuchs und dem Pfeifer? Irgendwer wird dein Gesicht erkennen!«

»Wer sagt denn, dass ich mein Gesicht zeigen will?«, erwiderte Staubfinger.

Roxane wich vor ihm zurück. Sie warf Farid einen so feindseligen Blick zu, dass der Junge das Gesicht abwandte. »Das ist unser Geheimnis, nur mir hast du es bisher gezeigt. Und du hast selbst gesagt, dass niemand außer dir es kann!«

»Der Junge wird es auch können!«

Der Sand knirschte unter seinen Schritten, als er auf die Wellen zuging, und er blieb erst stehen, als die Brandung an seinen Stiefeln leckte.

»Wovon redet sie?«, fragte Farid. »Was wirst du mir zeigen? Ist es sehr schwer?«

Staubfinger sah sich um. Roxane ging mit langsamen Schritten zum Siechenhaus zurück. Ohne sich noch einmal umzudrehen, verschwand sie hinter dem einfachen Tor.

»Was ist es?« Farid zupfte ihn ungeduldig am Ärmel. »Nun sag schon.«

Staubfinger wandte sich zu ihm um. »Wasser und Feuer«, sagte er, »verstehen sich nicht sonderlich. Man könnte sagen, sie passen nicht zueinander. Aber wenn sie sich lieben, dann mit Leidenschaft.«

Die Worte, die er dann flüstern musste, hatte er lange nicht gebraucht. Aber das Feuer verstand. Eine Flamme leckte zwischen den feuchten Kieseln, die das Meer auf den Sand geschwemmt hatte. Staubfinger bückte sich und lockte sie in seine hohle Hand wie einen jungen Vogel, raunte ihr zu, was er von ihr wollte, versprach ihr ein nächtliches Spiel, wie sie es nie gespielt hatte, und als sie knisternd antwortete, aufloderte, so heiß, dass sie ihm die Haut verbrannte, warf er sie in die schäumende Gischt, die Finger ausgestreckt, als hielte er das Feuer immer noch an unsichtbaren Bändern. Das Wasser schnappte nach der Glut wie ein Fisch nach einer Fliege, aber die Flamme brannte nur noch heller, während Staubfinger am Ufer die Arme ausbreitete.

Zischend und lodernd tat das Feuer es ihm nach, fuhr nach links und rechts die Welle entlang, weiter und weiter, bis die Gischt, gesäumt von Flammen, auf das Ufer zurollte und Staubfinger ein Feuerband vor die Füße schwemmte wie ein Liebespfand. Mit beiden Händen griff er in die glühende Gischt, und als er sich wieder aufrichtete, flatterte zwischen seinen Fingern eine Fee. Sie war blau wie ihre Schwestern aus dem Wald, doch ein feuriger Schimmer umgab sie, und ihre Augen waren rot wie die Flammen, die sie geboren hatten. Staubfinger umschloss sie wie einen seltenen Falter mit seinen Händen, wartete auf das Prickeln der Haut, die Hitze, die an den Armen hinauflief, als flösse einem plötzlich Feuer statt Blut durch die Adern. Erst als es ihn bis unter die Achseln verbrannte, ließ er das winzige Ding wieder fliegen, schimpfend und unflätig fluchend, wie sie es immer taten, wenn man sie herbeilockte, indem man das Meer mit dem Feuer spielen ließ.

»Was ist das?«, fragte Farid erschrocken, als er Staubfingers geschwärzte Hände und Arme sah.

Staubfinger zog ein Tuch aus dem Gürtel und verrieb den Ruß sorgfältig auf der Haut. »Das«, sagte er, »ist etwas, das uns in die Burg bringen wird. Aber der Ruß wirkt nur, wenn du ihn dir selbst von den Feen besorgt hast. Also mach dich an die Arbeit.«

Farid blickte ihn ungläubig an. »Ich kann das nicht!«, stammelte er. »Ich weiß nicht, wie du es gemacht hast.«

»Unsinn!« Staubfinger trat vom Wasser zurück und hockte sich in den feuchten Sand. »Natürlich kannst du es! Denk einfach an Meggie!«

Farid blickte unschlüssig hinauf zu der Burg, während die Wellen an seinen nackten Zehen leckten, als wollten sie ihn zum Spielen auffordern.

»Sieht man das Feuer dort oben nicht?«

»Die Burg ist weiter entfernt, als es scheint. Glaub mir, deine Füße werden das bezeugen, wenn wir hinaufsteigen. Und falls die Wachen doch etwas sehen, werden sie denken, es blitzt oder Feuerelfen tanzen über dem Wasser. Aber seit wann denkst du so viel nach, bevor du zu spielen beginnst? Ich weiß nur eins – wenn du noch länger überlegst, fällt mir bestimmt wieder ein, was für ein Wahnsinn es ist, dort hinaufzugehen.«

Das überzeugte Farid.

Dreimal erlosch ihm die Flamme, als er sie in die Gischt warf. Aber beim vierten Mal säumte sie ihm die Wellen, wie er es verlangte – vielleicht nicht ganz so lodernd, wie sie es für Staubfinger getan hatte, aber das Meer brannte auch für Farid. Und das Feuer spielte ein zweites Mal in dieser Nacht mit dem Wasser.

»Gut gemacht«, sagte Staubfinger, als der Junge stolz den Ruß auf seinen Armen betrachtete. »Verteil ihn gut, auf deiner Brust, auf deinen Beinen, im Gesicht.«

»Warum?« Mit großen Augen sah Farid ihn an.

»Weil er uns unsichtbar machen wird«, antwortete Staubfinger, während er selbst sich den Ruß ins Gesicht rieb. »Bis die Sonne aufgeht.«

Unsichtbar wie der Wind

»Verzeihung vielmals, Eure Blutigkeit, Herr Baron, Sir«, sagte er schleimig. »Meine Schuld, ganz meine Schuld – ich hab Sie nicht gesehen – natürlich nicht, Sie sind unsichtbar – verzeihen Sie dem alten Peeves diesen kleinen Scherz, Sir.«
Joanne K. Rowling, Harry Potter und der Stein der Weisen

Es war ein seltsames Gefühl, unsichtbar zu sein. Farid fühlte sich allmächtig und verloren zugleich. Als gäbe es ihn nirgends und überall. Das Schlimmste war, dass er Staubfinger nicht sehen konnte. Er konnte sich nur auf sein Gehör verlassen. »Staubfinger?«, flüsterte er immer wieder, während er ihm durch die Nacht folgte, und jedes Mal kam es leise zurück: »Ich bin hier, gleich vor dir.«

Die Soldaten, die Meggie und den Schleierkauz mitgenommen hatten, würden einer Straße folgen müssen, einer schlechten, an vielen Stellen fast zugewachsenen Straße, die sich in weiten Windungen die Hügel hinaufwand. Staubfinger dagegen suchte sich seinen Weg querfeldein, Hänge hinauf, die zu steil für ein Pferd waren, vor allem, wenn es einen gepanzerter Reiter tragen musste. Farid versuchte, nicht daran zu denken, wie sehr Staubfingers Bein dabei schmerzen musste. Ab und zu hörte er ihn leise fluchen, und immer wieder blieb er stehen, unsichtbar, nichts als ein Atmen in der Nacht.

Die Burg war tatsächlich weiter entfernt, als es vom Strand aus geschienen hatte, aber schließlich ragten ihre Mauern direkt vor ihnen in den Himmel. Gegen diese Festung kam Farid die Burg von Ombra wie ein Spielzeug vor, gebaut von einem Fürsten, der gern aß und trank, aber nicht ans Kriegführen dachte. Bei der Nachtburg schien jeder Stein mit dem Gedanken an Krieg gemeißelt worden zu sein, und während Farid Staubfingers keuchendem Atem folgte, stellte er sich voll Grauen vor, wie es sein müsste, den steilen Hang hinaufzustürmen, während oben von den Zinnen das heiße Pech herunterrann und die Bolzen der Armbrüste einem entgegenflogen.

Der Morgen war noch fern, als sie das Burgtor erreichten. Ihre Unsichtbarkeit würde noch einige kostbare Stunden vorhalten, aber das Tor war verschlossen und Farid spürte, wie ihm Tränen der Enttäuschung in die Augen stiegen. »Es ist zu!«, stammelte er. »Sie haben sie schon reingebracht! Was nun?« Jeder Atemzug schmerzte ihn, so schnell waren sie gelaufen. Aber was half es ihnen nun, dass sie durchsichtig waren wie Glas, unsichtbar wie der Wind?

Er spürte Staubfingers Körper neben sich, so warm in der windigen Nacht. »Ja, sicher ist es zu!«, raunte seine Stimme ihm zu. »Was hast du gedacht? Dass wir zwei sie einholen? Das hätten wir nicht mal geschafft, wenn ich nicht hinken würde wie eine alte Frau! Aber du wirst sehen – für irgendwen werden sie das Tor heute Nacht bestimmt noch mal öffnen. Und wenn es nur für einen ihrer Spitzel ist.«

»Vielleicht können wir auch klettern?« Farid blickte hoffnungsvoll an den fahlgrauen Mauern hinauf. Er sah die Posten zwischen den Zinnen, lanzenbewehrt.

»Klettern? Du scheinst ja wirklich sehr verliebt zu sein. Siehst du, wie glatt und hoch diese Mauern sind? Vergiss es. Wir warten.«

Vor ihnen ragten sechs Galgen auf. An vieren davon hing ein Toter, Farid war sehr dankbar dafür, dass die Nacht sie nur wie Bündel alter Kleider aussehen ließ. »Verdammt!«, hörte er Staubfinger murmeln. »Warum lässt dieses Feengift die Angst nicht ebenso verschwinden wie den Körper?« Ja, das hätte Farid auch gefallen. Aber er hatte keine Angst vor den Wachen, vor Basta oder dem Brandfuchs. Er hatte Angst um Meggie, furchtbare Angst. Dass er unsichtbar war, machte es nur schlimmer. Es schien nichts von ihm übrig zu sein als der Schmerz in seinem Herzen.

Es wehte ein kühler Wind, und Farid wärmte sich gerade die unsichtbaren Finger an seinem eigenen Atem, als Hufschläge durch die Nacht drangen.

»Na bitte!«, flüsterte Staubfinger. »Scheint, dass wir zur Abwechslung einmal Glück haben! Denk dran, was auch immer passiert: Vor Tagesanbruch müssen wir wieder fort sein. Die Sonne wird uns fast so schnell sichtbar machen, wie du das Feuer rufen kannst.«

Die Hufschläge wurden lauter und ein Reiter tauchte aus der Dunkelheit auf, nicht im blassen Silber des Natternkopfes, sondern gekleidet in Rot und Schwarz. »Nun sieh einer an!«, flüsterte Staubfinger. »Wenn das nicht der Rußvogel ist.«

Eine der Wachen rief etwas von den Zinnen herunter und der Rußvogel antwortete.

»Komm!«, zischte Staubfinger Farid zu, als das Tor ächzend aufschwang. Sie folgten dem Rußvogel so dicht, dass Farid den Schweif seines Pferdes hätte berühren können. Verräter!, dachte er. Schmutziger Verräter. Er hätte ihn zu gern aus dem Sattel gerissen, ihm sein Messer an den Hals gehalten und gefragt, welche Nachricht er auf die Nachtburg brachte, aber Staubfinger stieß ihn weiter, durch das riesige Tor und auf den Hof. Er zog ihn mit sich, während der Rußvogel auf die Ställe der Burg zuritt. Es wimmelte von Gepanzerten dort. Offenbar war die Nachtburg ebenso schlaflos, wie man es ihrem Herrn nachsagte.

»Hör zu!«, raunte Staubfinger, während er Farid unter einen Torbogen zog. »Diese Burg ist groß wie eine Stadt und verwinkelt wie ein Labyrinth. Markier dir deinen Weg mit Ruß, ich will dich nachher nicht suchen müssen, weil du dich verlaufen hast wie ein Kind im Wald, verstanden?«

»Aber was ist mit dem Rußvogel? Er war es, der das Geheime Lager verraten hat, oder?«

»Vermutlich. Vergiss ihn jetzt. Denk an Meggie.«

»Aber er war unter den Gefangenen!« Ein Trupp Soldaten marschierte an ihnen vorbei. Farid wich erschrocken zurück. Er konnte immer noch nicht glauben, dass sie ihn tatsächlich nicht sahen.

»Na und?« Staubfingers Stimme klang, als spräche der Wind selbst. »Die älteste Verräter-Tarnung der Welt. Wo verbirgst du deinen Spitzel? Zwischen deinen Opfern. Vermutlich hat der Pfeifer ihm ein paar Mal erzählt, was für ein fabelhafter Feuerspucker er ist, und schon war er sein bester Freund. Der Rußvogel hatte schon immer einen seltsamen Geschmack, was Freunde betraf. Aber jetzt komm, oder wir stehen hier immer noch, wenn die Sonne uns die Unsichtbarkeit von den Gliedern leckt.«

Seine Worte ließen Farid unwillkürlich zum Himmel blicken. Es war eine dunkle Nacht. Selbst der Mond schien verloren in all dem Schwarz und er konnte den Blick nicht von den Silbertürmen wenden.

»Das Nest der Natter!«, flüsterte er. Dann spürte er, wie Staubfingers unsichtbare Hand ihn erneut unsanft mit sich zog.

Der Natternkopf

Todesgedanken
Sammeln sich über meinem Glück
Wie dunkle Wolken
Über der Silbersichel des Mondes.
Sterling A. Brown, Thoughts of Death

Der Natternkopf war beim Essen, als der Brandfuchs Meggie zu ihm brachte. Genau, wie sie es gelesen hatte. Der Saal, in dem er speiste, war so prächtig, dass der Thronsaal des Speckfürsten dagegen schlicht wie das Haus eines Bauern erschien. Die Fliesen, über die der Brandfuchs Meggie auf seinen Herrn zuzerrte, waren mit weißen Rosenblättern bestreut. Ein Meer von Kerzen brannte in klauenfüßigen Leuchtern und die Säulen, zwischen denen sie standen, waren verkleidet mit Silberschuppen. Das Kerzenlicht ließ sie schimmern wie Schlangenhaut. Unzählige Diener huschten zwischen diesen schuppigen Säulen umher, lautlos, die Köpfe gesenkt. Dienerinnen warteten, demütig aufgereiht, auf einen Wink ihres Herrn. Müde sahen sie alle aus, aus dem Schlaf gerissen, wie Fenoglio es beschrieben hatte. Einige lehnten den Rücken unauffällig gegen die teppichgeschmückten Wände.

Neben dem Natternkopf, an einem Tisch, der für hundert Gäste gedeckt schien, saß eine Frau, blass wie eine Porzellanpuppe, mit so kindlichem Gesicht, dass Meggie sie für die Tochter des Natternkopfs gehalten hätte, hätte sie es nicht besser gewusst. Der Silberfürst selbst aß mit Gier, als könnte er mit dem Essen, das in unzähligen Schalen auf dem mit schwarzem Tuch bedeckten Tisch stand, auch die eigene Angst verschlingen, doch seine Frau rührte nichts an. Es schien Meggie, dass der Anblick ihres gierig essenden Mannes ihr Übelkeit verursachte, immer wieder strich sie mit den beringten Händen über ihren gewölbten Leib. Seltsamerweise ließ sie die Schwangerschaft noch mehr wie ein Kind aussehen, ein Kind mit einem schmalen, bitteren Mund und kühlen Augen.

Hinter dem Natternkopf, den Fuß auf einem Schemel, die Laute auf den Schenkel gestützt, stand der Pfeifer mit seiner Silbernase und sang mit leiser Stimme, während seine Finger gelangweilt an den Saiten zupften. Aber Meggies Blick blieb nicht lange an ihm hängen. Sie hatte am Ende des Tisches jemanden entdeckt, der ihr nur zu bekannt war. Ihr Herz stolperte wie die Füße einer alten Frau, als Mortola ihren Blick erwiderte, mit einem Lächeln, das so voller Triumph war, dass Meggies Knie zu zittern begannen. Neben Mortola hockte der Mann, der Staubfinger in der Mühle verwundet hatte. Seine Hände waren bandagiert und über der Stirn hatte das Feuer ihm eine Schneise ins Haar gebrannt. Basta hatte es noch schlimmer erwischt. Er saß neben Mortola, das Gesicht so verquollen und rot, dass Meggie ihn fast nicht erkannt hätte. Aber er war dem Tod erneut entkommen. Vielleicht taugten die Amulette doch etwas, die er immer trug …

Der Brandfuchs hielt Meggies Arm fest umklammert, während er in seinem schweren Fuchsmantel auf den Natternkopf zuschritt – als wollte er auf die Art zeigen, dass er den Vogel höchstpersönlich gefangen hatte. Grob stieß er sie vor die gedeckte Tafel und warf das gerahmte Foto zwischen die Schüsseln.

Der Natternkopf hob den Kopf und sah sie an mit seinen blutunterlaufenen Augen, in denen Meggie immer noch die Spuren der schlimmen Nacht entdeckte, die Fenoglios Worte ihm beschert hatte. Als er die fettige Hand hob, verstummte der Pfeifer hinter ihm und lehnte die Laute gegen die Wand.

»Da ist sie!«, verkündete der Brandfuchs, während sein Herr sich mit einem bestickten Tuch das Fett von Fingern und Lippen wischte. »Ich wünschte, wir hätten von allen, die wir suchen, so ein Hexenbild, dann würden uns die Spitzel nicht ständig die Falschen bringen.«

Der Natternkopf hatte nach dem Foto gegriffen. Abschätzend verglich er es mit Meggie. Sie versuchte, den Kopf zu senken, doch der Brandfuchs zwang ihr Gesicht hoch.

»Erstaunlich!«, stellte der Natternkopf fest. »Meine besten Maler hätten das Mädchen nicht annähernd so gut treffen können.« Gelangweilt griff er nach einem Silberstäbchen und stocherte damit in den Zähnen. »Mortola sagt, du bist eine Hexe. Ist das so?«

»Ja!«, antwortete Meggie und sah ihm direkt in die Augen. Nun musste sich zeigen, ob Fenoglios Worte erneut wahr werden würden. Wenn sie doch nur bis ganz ans Ende hätte lesen können! Sie war weit gekommen, aber unter ihrem Kleid spürte sie die Worte, die immer noch warteten. Vergiss sie, Meggie!, dachte sie. Jetzt musst du erst mal die Worte wahr machen, die du schon gelesen hast – und hoffen, dass der Natternkopf seine Rolle ebenso spielt wie du.

»Ja?«, wiederholte der Natternkopf. »Du gibst es also zu? Weißt du nicht, was ich gewöhnlich mit Hexen und Zauberern mache? Ich verbrenne sie.«

Die Worte. Er sprach Fenoglios Worte. Genau so, wie er sie ihm in den Mund gelegt hatte. Genau so, wie sie sie vor wenigen Stunden im Siechenhaus gelesen hatte.

Sie wusste, was sie antworten musste. Ganz selbstverständlich kamen ihr die Worte in den Sinn, als wären es ihre eigenen und nicht die von Fenoglio. Meggie blickte zu Basta und dem anderen Mann hinüber. Fenoglio hatte nichts von ihnen geschrieben, aber die Antwort passte dennoch genau. »Die Letzten, die gebrannt haben«, sagte sie mit ruhiger Stimme, »waren deine Männer. Dem Feuer befiehlt in dieser Welt nur einer, und das bist nicht du.«

Der Natternkopf stierte sie an – lauernd wie ein fetter Kater, der noch nicht wusste, wie er das Spiel mit der Maus, die er gefangen hatte, am vergnüglichsten gestalten sollte. »Ah!«, sagte er mit seiner schweren klebrigen Stimme. »Du redest vermutlich von dem Feuertänzer. Umgibt sich gern mit Wilderern und Wegelagerern. Was denkst du, wird er kommen und versuchen, dich zu retten? Dann könnte ich ihn endlich an das Feuer verfüttern, das ihm angeblich so gut gehorcht.«

»Mich muss niemand retten«, erwiderte Meggie. »Denn ich wäre auf jeden Fall zu dir gekommen. Auch wenn du mich nicht hättest herbringen lassen.«

Gelächter erhob sich zwischen den silbernen Säulen. Der Natternkopf aber lehnte sich über den Tisch und musterte sie mit unverhohlener Neugier.

»Ach was!«, sagte er. »Tatsächlich? Warum? Um mich anzuflehen, deinen Vater freizulassen? Er ist doch dein Vater, dieser Räuber, nicht wahr? Zumindest behauptet Mortola das. Sie sagt sogar, dass wir auch deine Mutter gefangen haben.«

Mortola! An die hatte Fenoglio nicht gedacht. Mit keinem Wort hatte er sie erwähnt, doch da saß sie, mit ihrem Elsterblick. Denk nicht dran, Meggie. Kalt! Sei kalt bis ins Herz, so wie damals, in der Nacht, als du den Schatten gerufen hast. Aber wo sollte sie nun die passende Antwort hernehmen? Improvisiere, Meggie, wie eine Schauspielerin, die ihren Text vergessen hat, dachte sie. Nun mach schon! Such dir eigene Worte und mische sie einfach unter die, die Fenoglio geschrieben hat, wie ein neues Gewürz.

»Die Elster hat recht«, erwiderte sie dem Natternkopf. Und tatsächlich, ihre Stimme klang ruhig und fest, als klopfte ihr das Herz nicht in der Brust wie ein gehetztes kleines Tier. »Du hast meinen Vater gefangen, nachdem sie ihn fast getötet hat, und meine Mutter hältst du in deinem Kerker gefangen. Trotzdem bin ich nicht hier, um dich um Milde anzuflehen. Ich will dir einen Handel vorschlagen.«

»Nun hör sich einer die kleine Hexe an!« Bastas Stimme zitterte vor Hass. »Warum schneid ich sie nicht einfach in feine Scheiben und Ihr verfüttert sie an Eure Hunde?«

Aber der Natternkopf beachtete ihn nicht. Er wandte den Blick nicht von Meggies Gesicht, als suchte er darin nach dem, was sie nicht aussprach. Denk an Staubfinger, dachte sie. Ihm sieht man auch nicht an, was er denkt oder fühlt. Versuch es! So schwer kann das doch nicht sein.

»Einen Handel?« Der Natternkopf griff nach der Hand seiner Frau, so beiläufig, als hätte er sie gerade neben seinem Teller gefunden. »Was willst du mir verkaufen, was ich mir nicht einfach nehmen kann?«

Seine Männer lachten. Und Meggie versuchte, nicht zu beachten, dass ihre Finger taub vor Angst waren. Erneut waren es Fenoglios Worte, die ihr über die Lippen kamen. Worte, die sie vorgelesen hatte.

»Mein Vater«, fuhr sie mit mühsam beherrschter Stimme fort, »ist kein Räuber. Er ist ein Buchbinder und ein Zauberer. Er ist der

Einzige, der den Tod nicht fürchtet. Hast du nicht seine Wunde gesehen? Haben die Bader dir nicht gesagt, dass die Verletzung ihn hätte töten müssen? *Nichts* kann ihn töten. Mortola hat es versucht und ist er gestorben? Nein. Er hat Cosimo den Schönen zurückgeholt, obwohl die Weißen Frauen ihn schon dem Tod übergeben hatten, und wenn du ihn und meine Mutter freilässt, wirst *du* sie auch nicht mehr fürchten müssen, denn mein Vater –«, Meggie ließ sich Zeit mit den letzten Worten, »– kann dich unsterblich machen.«

Es wurde sehr still in dem großen Saal.

Bis Mortolas Stimme die Stille zerschnitt. »Sie lügt!«, rief sie. »Die kleine Hexe lügt! Glaubt ihr kein Wort. Es ist ihre Zunge, ihre verhexte Zunge. Sie ist ihre einzige Waffe. Ihr Vater kann sehr wohl sterben, o ja! Bringt ihn her und ich beweise es Euch. Ich töte ihn selbst, vor Euren Augen, und diesmal mache ich es richtig!«

Nein! Meggies Herz begann zu rasen, als wollte es ihr aus der Brust springen. Was hatte sie angerichtet? Der Natternkopf starrte sie an, doch als er endlich sprach, schien es, als hätte er Mortolas Worte gar nicht gehört. »Wie?«, fragte er nur. »Wie sollte dein Vater zustande bringen, was du versprichst?« Er dachte schon jetzt an die nächste Nacht. Meggie sah es in seinen Augen. Er dachte an die Angst, die auf ihn wartete: noch größer als in der vergangenen Nacht, noch unerbittlicher …

Meggie beugte sich über den gedeckten Tisch. Sie sprach die Worte, als würde sie sie erneut vorlesen: »Mein Vater wird dir ein Buch binden!«, sagte sie so leise, dass außer dem Natternkopf höchstens seine puppenzarte Frau sie hören konnte. »Er wird es dir mit meiner Hilfe binden, ein Buch aus fünfhundert unbeschriebenen Blättern. Er wird es in Holz und Leder kleiden, mit Messingschließen versehen, und du wirst deinen Namen eigenhändig auf die erste Seite schreiben. Zum Dank aber wirst du ihn ziehen lassen, sobald er dir das Buch übergeben hat, und mit ihm alle, deren Leben er von dir fordert, und du wirst das Buch an einem Ort verbergen, den nur du kennst, denn wisse: Solange es dieses Buch gibt, wirst du unsterblich sein. Nichts wird dich töten können, keine Krankheit, keine Waffe – solange das Buch unbeschädigt bleibt.«

»Tatsächlich!« Der Natternkopf starrte sie an mit seinen blutunterlaufenen Augen. Sein Atem roch süß, wie nach zu schwerem Wein. »Und wenn es jemand verbrennt oder zerreißt? Papier ist keineswegs so haltbar wie Silber.«

»Du musst eben gut darauf aufpassen«, antwortete Meggie leise – und töten wird es dich trotzdem, setzte sie in Gedanken hinzu. Es war ihr, als hörte sie ihre eigene Stimme Fenoglios Worte noch einmal lesen (wie gut sie auf der Zunge geschmeckt hatten!): *Doch eins verriet das Mädchen dem Natternkopf nicht: dass das Buch ihn nicht nur unsterblich machen, sondern auch töten konnte, nur dadurch, dass jemand drei Wörter auf seine weißen Seiten schrieb: Herz, Blut, Tod.*

»Was flüstert sie da?« Mortola war aufgestanden, sie stützte die knochigen Fäuste auf den Tisch. »Hört nicht auf sie!«, fuhr sie den Natternkopf an. »Sie ist eine Hexe und eine Lügnerin! Wie oft noch soll ich Euch das sagen? Tötet sie, sie und ihren Vater, bevor sie Euch töten! Wahrscheinlich hat der Alte ihr all die Worte geschrieben, der Alte, von dem ich Euch erzählt habe!«

Zum ersten Mal wandte der Natternkopf sich zu ihr um, und für einen Augenblick fürchtete Meggie, er würde Mortola vielleicht doch glauben. Doch dann sah sie den Zorn in seinem Gesicht. »Sei still!«, fuhr er die Elster an. »Vielleicht hat Capricorn auf dich gehört, aber der ist fort, ebenso wie der Schatten, der ihn mächtig machte, und du bist an diesem Hof nur geduldet, weil du mir einige Dienste erwiesen hast! Aber ich will nichts mehr hören von deinem Gefasel über Zauberzungen und alte Männer, die Buchstaben zum Leben erwecken. Kein Wort mehr, oder ich stecke dich dorthin, wo du einst hergekommen bist – in die Küche zu den Mägden.«

Mortola wurde so weiß, als hätte sie kein Blut mehr in den Adern.

»Ich habe Euch gewarnt!«, sagte sie mit heiserer Stimme. »Vergesst das nicht!« Dann setzte sie sich mit versteinertem Gesicht wieder an ihren Platz. Basta warf ihr einen beunruhigten Blick zu, doch Mortola beachtete ihn nicht. Sie starrte nur Meggie an, so hasserfüllt, dass es ihr vorkam, als brenne ihr der Blick ein Loch ins Gesicht.

Der Natternkopf aber spießte mit seinem Messer einen der winzigen gebratenen Vögel auf, die vor ihm auf einer Silberplatte lagen, und schob ihn sich genüsslich zwischen die Lippen. Offenbar hatte ihm der Streit mit Mortola Appetit gemacht. »Habe ich dich richtig verstanden? Du würdest deinem Vater bei der Arbeit helfen?«, fragte er, während er einem Diener, der hastig hinzutrat, die feinen Knochen in die Hand spuckte. »Heißt das, er hat einer Tochter seine Kunst beigebracht, so wie ein Meister es gewöhnlich mit seinen Söhnen tut? Du weißt sicherlich, dass das in meinem Reich verboten ist, oder?«

Meggie sah ihn furchtlos an. Selbst diese Worte stammten aus Fenoglios Feder, jedes einzelne, und sie wusste, was der Natternkopf als Nächstes sagen würde – weil sie auch das gelesen hatte …

»Handwerkern, die gegen dieses Gesetz verstoßen, mein hübsches Kind«, fuhr er fort, »lasse ich gewöhnlich die rechte Hand abhacken. Aber nun gut, in diesem Fall werde ich eine Ausnahme machen. Weil es zu meinem Vorteil ist.«

Er tut es!, dachte Meggie. Er lässt mich zu Mo, genau wie Fenoglio es geplant hat. Das Glück machte sie verwegen. »Meine Mutter«, sagte sie, obwohl Fenoglio davon nichts geschrieben hatte. »Sie kann auch helfen, dann würde es noch schneller gehen.«

»Nein, nein!« Der Natternkopf lächelte so genüsslich, als schmeckte ihm die Enttäuschung in Meggies Augen besser als alles, was vor ihm auf den silbernen Platten wartete. »Deine Mutter bleibt im Kerker, als ein kleiner Ansporn für euch zwei, schnell zu arbeiten.« Ungeduldig gab er dem Brandfuchs ein Zeichen. »Worauf wartest du noch? Bringt sie zu ihrem Vater! Und sagt dem Bibliothekar, dass er noch heute Nacht alles beschaffen soll, was ein Buchbinder für seine Arbeit braucht.«

»Zu ihrem Vater?« Der Brandfuchs griff nach Meggies Arm, aber er tat keinen Schritt. »Ihr glaubt ihr das Hexengeschwätz doch nicht etwa!«

Meggie vergaß fast zu atmen. Was geschah nun? Nichts, was sie gelesen hatte. Kein Fuß rührte sich mehr in dem Saal, selbst die Diener verharrten dort, wo sie gerade standen, man konnte die Stille greifen. Aber der Brandfuchs sprach weiter: »Ein Buch, in das man den Tod sperrt! Nur ein Kind würde eine solche Geschichte glauben, und ein Kind hat sie sich einfallen lassen, um seinen Vater zu retten. Mortola hat recht. Hängt ihn endlich auf, bevor wir zum Gespött der Bauern werden! Capricorn hätte es längst getan.«

»Capricorn?« Der Natternkopf spie den Namen aus wie einen der feinen Knochen, die er dem Diener in die Hand gespuckt hatte.

Er sah den Brandfuchs nicht an, während er sprach, doch seine plumpen Finger ballten sich auf dem Tisch zur Faust. »Seit Mortola zurück ist, höre ich diesen Namen sehr oft. Doch soweit ich weiß, ist Capricorn tot – auch seine Leib-und-Magen-Hexe hat das nicht verhindern können –, und du, Brandfuchs, hast offenbar vergessen, wer dein neuer Herr ist. Ich bin der Natternkopf! Meine Familie herrscht über dieses Land seit mehr als sieben Generationen, während dein alter Herr nur der uneheliche Sohn eines rußverschmierten Schmiedes war! Du warst ein Brandstifter, ein Totschläger, nichts weiter, und ich habe dich zu meinem Herold gemacht. Etwas mehr Dankbarkeit wäre da schon angebracht, denke ich, oder willst du dir einen neuen Herrn suchen?«

Das Gesicht des Brandfuchses färbte sich fast ebenso rot wie sein Haar. »Nein, Euer Gnaden«, sagte er kaum hörbar. »Nein, das will ich nicht.«

»Gut!« Der Natternkopf spießte einen weiteren Vogel auf. Aufgeschichtet wie Kastanien warteten sie in ihrer Silberschale. »Dann tu jetzt, was ich gesagt habe. Bring das Mädchen zu ihrem Vater und sorge dafür, dass er sich bald an die Arbeit macht. Habt ihr diesen Bader mitgebracht, wie ich es befohlen habe, den Schleierkauz?«

Der Brandfuchs nickte, ohne seinen Herrn anzusehen.

»Gut. Lasst ihn zweimal am Tag nach ihrem Vater sehen. Wir wollen doch, dass es unseren Gefangenen gut geht, verstanden?«

»Verstanden«, antwortete der Brandfuchs heiser.

Er sah weder nach links noch nach rechts, als er Meggie aus dem Saal zerrte. Alle Augen folgten ihr – und wichen ihr aus, sobald sie die Blicke erwiderte. Hexe. So war sie schon einmal genannt worden, damals in Capricorns Dorf. Vielleicht stimmte es ja. In diesem Moment fühlte sie sich mächtig, so mächtig, als gehorchte die ganze Tintenwelt ihrer Zunge. Sie bringen mich zu Mo, dachte sie. Sie bringen mich zu ihm. Und für den Natternkopf wird das der Anfang von seinem Ende sein. Aber als die Diener die Saaltüren hinter ihnen geschlossen hatten, trat dem Brandfuchs ein Soldat in den Weg.

»Mortola lässt Euch etwas ausrichten!«, sagte er. »Ihr sollt das Mädchen durchsuchen, nach einem Blatt Papier oder sonst etwas Beschriebenem. Sie sagt, ihr sollt zuerst in den Ärmeln nachsehen, dort hat sie schon einmal etwas versteckt.«

Bevor Meggie ganz begriff, packte der Brandfuchs sie schon und schob ihr grob die Ärmel hoch. Als er dort nichts fand, wollte er ihr ins Kleid greifen, doch sie stieß seine Hände zurück und zog selbst das Pergament hervor. Der Brandfuchs riss es ihr aus den Fingern, starrte für einen Moment mit dem verständnislosen Blick eines Menschen, der nicht lesen kann, auf die Buchstaben und reichte das Pergament dann wortlos dem Soldaten.

Meggie war schwindlig vor Angst, als er sie weiterzerrte. Was, wenn Mortola das Blatt dem Natternkopf zeigte? Was, wenn, was, wenn ...?

»Nun, geh schon!«, knurrte der Brandfuchs und stieß sie eine Treppe hinauf. Wie betäubt stolperte Meggie die steilen Stufen empor. Fenoglio, dachte sie, Fenoglio, hilf mir. Mortola weiß von unserem Plan.

»Bleib stehen!« Der Brandfuchs griff ihr grob ins Haar. Vier Soldaten, Gepanzerte, bewachten eine dreifach verriegelte Tür. Mit einem Kopfnicken befahl der Brandfuchs, ihnen zu öffnen.

Mo!, dachte Meggie. Sie bringen mich tatsächlich zu ihm. Und dieser Gedanke löschte alle anderen. Selbst den an Mortola.

Feuer an der Wand

Und sieh! und sieh! an weißer Wand
Da kam's hervor wie Menschenhand.
Und schrieb, und schrieb an weißer Wand
Buchstaben von Feuer, und schrieb und schwand.
Heinrich Heine, Belsazar

Es war still in den weiten, dunklen Korridoren, als Staubfinger und Farid sich in die Nachtburg schlichen. Nur das Wachs tropfte von tausend Kerzen auf die Steinfliesen, die alle das Wappen des Natternkopfs trugen. Diener hasteten auf leisen Sohlen an ihnen vorbei, Mägde, die Köpfe gesenkt. Wachen standen auf endlosen Gängen und vor Türen, so hoch, als wären sie für Riesen und nicht für Menschen gedacht. Auf jeder einzelnen prangte in geschupptem Silber das Wappentier des Natternkopfes, die Beute schlagende Schlange, und neben den Türen hingen mächtige Spiegel, vor denen Farid immer wieder stehen blieb, um sich in dem polierten Metall davon zu überzeugen, dass er tatächlich unsichtbar war.

Staubfinger ließ eine eichelgroße Flamme auf seiner Hand tanzen, damit der Junge ihm folgen konnte. Aus einem der Säle, an dem sie vorbeikamen, trugen Diener Köstlichkeiten, deren Duft Staubfinger schmerzhaft an seinen unsichtbaren Magen erinnerte, und als er sich lautlos wie die Schlange des Natternkopfes an den Männern vorbeischob, hörte er, dass sie mit gedämpften Stimmen von einer jungen Hexe sprachen und einem Handel, der den Eichelhäher vor dem Galgen retten sollte. Staubfinger lauschte ihnen, unsichtbar wie ihre Stimmen, und wusste nicht recht, welches Gefühl in seinem Innern das stärkere war: die Erleichterung darüber, dass Fenoglios Worte offenbar erneut Wirklichkeit wurden, oder die Furcht vor ihnen und den unsichtbaren Fäden, die der alte Mann spann, Fäden, die selbst den Natternkopf einfingen und ihn träumen ließen von der Unsterblichkeit, während Fenoglio längst seinen Tod niedergeschrieben hatte. Aber hatte Meggie die tötenden Worte auch wirklich gelesen, bevor man sie fortgeschleppt hatte?

»Was jetzt?«, flüsterte Farid ihm zu. »Hast du gehört? Sie haben Meggie zu Zauberzunge gesperrt, in einen der Türme! Wie komm ich da hin?« Wie seine Stimme bebte. Himmel, die Liebe war eine Plage. Jeder, der etwas anderes behauptete, hatte es noch nie gespürt, das verfluchte Herzzittern.

»Vergiss es!«, flüsterte Staubfinger dem Jungen zu. »Die Kerker im Turm haben feste Türen, durch die kommst du auch unsichtbar nicht. Außerdem wird es da oben von Wachen wimmeln. Schließlich glauben sie immer noch, den Eichelhäher gefangen zu haben. Schleich lieber in die Küche und belausch die Diener und Mägde, dabei erfährt man immer das Interessanteste. Aber sei vorsichtig! Ich sag's dir noch mal: Unsichtbar heißt nicht unsterblich.«

»Und du?«

»Ich werd mich in die Kerker unter der Burg wagen, zu den weniger feinen Gefangenen, zum Schleierkauz und Meggies Mutter. Siehst du den marmornen Fettwanst dort? Vermutlich irgendein Vorfahre der Natter. Dort treffen wir uns wieder. Und komm nicht auf die Idee, mir nachzuschleichen! Farid?« Aber der Junge war schon fort. Staubfinger unterdrückte einen leisen Fluch. Wenn sie nur sein verliebtes Herz nicht schlagen hörten!

Es war ein weiter, dunkler Weg zu den Kerkern. Eine der Heilerinnen, die für den Schleierkauz arbeiteten, hatte ihm beschreiben können, wo der Eingang lag. Nicht einer der Wächter, an denen er vorbeikam, wandte auch nur den Kopf, wenn Staubfinger sich an ihm vorbeischob. Gleich zwei lungerten vor dem feuchten, nur von einer Fackel erleuchteten Gang herum, an dessen Ende die Tür lag, hinter der es hinunterging, hinunter in die tödlichen Eingeweide der Nachtburg, die Menschen verdauten wie ein steinerner Magen und ab und zu ein paar Tote ausschieden. Auch auf der Tür, durch die keiner gehen wollte, prangte eine Schlange, doch auf dieser wand sich die silberne Natter um einen Totenkopf.

Die Wächter stritten miteinander, es ging um den Brandfuchs, aber Staubfinger hatte keine Zeit, sie zu belauschen. Er war nur froh, dass sie miteinander beschäftigt waren, als er sich an ihnen vorbeischlich. Die Tür ächzte leise, als er sie öffnete, gerade weit genug, um hindurchzuschlüpfen – das Herz blieb ihm fast stehen dabei –, aber die Wachen drehten sich nicht um. Was hätte er darum gegeben, ein so furchtloses Herz wie Farid zu haben, auch wenn es leichtsinnig machte.

Hinter der Tür war es so finster, dass er das Feuer rief, gerade rechtzeitig, bevor seine unsichtbaren Füße die Treppe hinunterstolperten, die dahinter lag, steil und ausgetreten. Verzweiflung und Angst stiegen ihm wie Rauch aus der Tiefe entgegen. Angeblich führte die Treppe genauso weit in den Hügel hinab, wie die Türme der Burg in den Himmel ragten, aber Staubfinger war noch keinem begegnet, der die Geschichte hätte bestätigen können. Von denen, die er gekannt hatte und die dort hinuntergebracht worden waren, hatte er nicht einen lebendig wiedergesehen.

Staubfinger, Staubfinger, dachte er, bevor er sich an den Abstieg machte, das ist ein gefährlicher Weg, nur um zwei alten Freunden guten Tag zu sagen, noch dazu, wo ihnen dein Besuch wenig nützen wird. Aber nun gut, dem Schleierkauz war er viele Jahre ebenso hinterhergelaufen, wie Farid es nun bei ihm tat, und was Resa betraf – vielleicht dachte er ihren Namen zuletzt, um sich selbst davon zu überzeugen, dass er ganz gewiss nicht wegen ihr die dreimal verfluchte Treppe hinunterstieg.

Leider machen auch unsichtbare Füße Geräusche, aber zum Glück kam ihm nur ein einziges Mal jemand entgegen. Drei Aufseher waren es, sie gingen so dicht an ihm vorbei, dass ihr Knoblauchatem ihm übers Gesicht strich und er es nur knapp schaffte, sich gegen die Wand zu pressen, bevor der dickste ihn anrempelte. Den Rest des dunklen Abstiegs begegnete ihm niemand. An den grob behauenen Wänden, so anders als die fein gemeißelten oben in der Burg, brannte alle paar Meter eine Fackel. Zweimal kam Staubfinger an einer Kammer vorbei, in der Wachtposten saßen, aber sie hoben nicht einmal den Kopf, als er vorbeischlich, leiser als ein Luftzug und ebenso unsichtbar.

Als die Treppe endlich ein Ende nahm, stolperte er fast in einen Aufseher hinein, der mit gelangweiltem Gesicht einen von Kerzen erhellten Korridor auf und ab schritt. Lautlos schob er sich an ihm vorbei, spähte in Verliese, die kaum mehr als ein Loch waren, zu niedrig, um darin zu stehen, und andere, die groß genug waren, um fünfzig Männer hineinzusperren. Sicherlich war es ein Leichtes, hier unten einen Gefangenen einfach zu vergessen, und Staubfingers Herz zog sich zusammen, als er sich vorstellte, wie Resa sich fühlen musste in dieser Finsternis. So viele Jahre war sie immer wieder eine Gefangene gewesen und auch diesmal hatte die Freiheit kaum ein Jahr gedauert.

Er hörte Stimmen und folgte ihnen, einen weiteren Gang hinunter, bis sie lauter wurden. Ein Mann kam ihm entgegen, klein und kahlköpfig. Er ging so dicht an ihm vorbei, dass Staubfinger den Atem anhielt, aber der andere bemerkte ihn nicht, murmelte nur irgendetwas von dummen Weibern und verschwand um die Ecke. Staubfinger presste den Rücken gegen die feuchte Wand und lauschte. Jemand weinte – eine Frau, und eine andere sprach beruhigend auf sie ein. Nur eine Zelle lag am Ende des Ganges, ein dunkles, vergittertes Loch, neben dem eine Fackel brannte. Wie sollte er durch das verdammte Gitter kommen? Er schob sich ganz dicht an die Stäbe. Da saß Resa, strich einer anderen Frau tröstend übers Haar, während der Zweifinger daneben saß und auf einer kleinen Flöte eine traurige Melodie spielte. Kein Mann konnte das mit zehn Fingern auch nur halb so gut wie er mit seinen sieben. Die anderen kannte Staubfinger nicht, weder die Frauen, die bei Resa saßen, noch die anderen Männer. Vom Schleierkauz war nichts zu entdecken. Wo hatten sie ihn hingebracht? Hatten sie ihn etwa zu Zauberzunge gesperrt?

Er blickte sich um, lauschte. Irgendwo lachte ein Mann, vermutlich einer der Aufseher. Staubfinger hielt einen Finger in die brennende Fackel, flüsterte Feuerworte, bis eine Flamme ihm auf die Fingerkuppe sprang wie ein Sperling, der Krümel pickt. Als er Farid zum ersten Mal gezeigt hatte, wie er seinen Namen mit Feuer an eine Wand schreiben konnte, waren dem Jungen fast die schwarzen Augen aus dem Kopf gesprungen. Dabei war es ganz leicht. Staubfinger schob die Hand durch die Stäbe und fuhr mit dem Finger über den rauen Stein. *Resa* schrieb er und sah, wie der Zweifinger die Flöte sinken ließ und die brennenden Buchstaben anstarrte. Resa drehte sich um. Himmel, sah sie traurig aus! Er hätte früher kommen müssen. Gut, dass ihre Tochter sie nicht so sah.

Sie stand auf, machte einen Schritt auf ihren Namen zu und zögerte. Staubfinger zog mit dem Finger eine Linie aus Feuer, wie einen Pfeil, der zu ihm wies. Sie trat an das Gitter, starrte in die leere Luft, ungläubig, ratlos.

»Es tut mir leid«, flüsterte er. »Mein Gesicht bekommst du heute nicht zu sehen. Aber es ist immer noch so narbig wie früher.«

»Staubfinger?« Sie griff in die leere Luft und er fasste mit seinen unsichtbaren Fingern nach ihrer Hand. Tatsächlich, sie sprach! Der Schwarze Prinz hatte ihm erzählt, dass sie sprechen konnte, aber er hatte ihm nicht geglaubt.

»Was für eine schöne Stimme!«, flüsterte er. »So ähnlich hatte ich sie mir immer vorgestellt. Wann hast du sie zurückbekommen?«

»Als Mortola auf Mo schoss.«

Der Zweifinger starrte immer noch zu ihr herüber. Auch die Frau, die Resa getröstet hatte, wandte sich zu ihnen um. Solange sie nur nichts sagte ...

»Wie geht es dir?«, flüsterte sie. »Wie geht es Meggie?«

»Gut. Sicherlich besser als dir. Sie und der Dichter haben sich zusammengetan, um diese Geschichte zum Guten zu wenden.«

Resa umklammerte mit der einen Hand die Stäbe, mit der anderen seine Hand. »Wo ist sie jetzt?«

»Vermutlich bei ihrem Vater.« Er sah den Schrecken in ihrem Gesicht. »Ja, ich weiß, er sitzt oben im Turm, aber sie wollte es so. Es gehört alles zu dem Plan, den Fenoglio ausgeheckt hat.«

»Wie geht es ihm? Wie geht es Mo?«

Die Eifersucht stach immer noch, das Herz war so ein dummes

Ding. »Es soll ihm besser gehen, und dank Meggie wird er wohl auch fürs Erste nicht aufgehängt, also schau nicht so traurig drein. Deine Tochter und Fenoglio haben sich etwas recht Kluges einfallen lassen, um ihn zu retten. Ihn und dich und all die anderen ...« Schritte näherten sich. Staubfinger ließ Resas Hand los und trat zurück, doch die Schritte entfernten sich wieder.

»Bist du noch da?« Ihre Augen suchten die Dunkelheit ab.

»Ja.« Er umschloss ihre Finger erneut mit seiner Hand. »Wir scheinen uns neuerdings nur noch in Kerkern zu treffen! Wie lange braucht dein Mann, um ein Buch zu binden?«

»Ein Buch?«

Wieder hörte er Schritte, aber diesmal verklangen sie rascher.

»Ja. Es ist eine verrückte Geschichte, aber da Fenoglio sie geschrieben und deine Tochter sie gelesen hat, wird sie wohl wahr werden.«

Sie streckte die Hand durchs Gitter, bis sie mit den Fingern auf sein Gesicht stieß. »Du bist wirklich unsichtbar! Wie machst du das?« Neugierig wie ein kleines Mädchen klang sie. Sie war auf alles neugierig, was sie nicht kannte. Er hatte das immer an ihr geliebt.

»Nur ein alter Feentrick!« Ihre Finger strichen ihm über die narbige Wange. Warum kannst du ihr nicht helfen, Staubfinger? Sie wird noch verrückt werden hier unten! Was, wenn er einen der Wächter niederschlug? Aber da war noch die Treppe, die endlose Treppe, und danach die Burg, der weite Hof und die kahle Hügelkuppe – kein Ort, sich zu verstecken, kein Baum, sie zu verbergen. Nur Steine und Soldaten.

»Was ist mit deiner Frau?« Ihre Stimme klang wirklich schön. »Hast du sie wiedergefunden?«

»Ja.«

»Was hast du ihr erzählt?«

»Worüber?«

»Über die Zeit, die du fort warst.«

»Nichts.«

»Ich habe Mo alles erzählt.«

Ja, vermutlich hatte sie das. »Nun, Zauberzunge weiß, wovon du redest, aber Roxane hätte mir wohl kaum geglaubt, oder?«

»Nein, vermutlich nicht.« Für einen Moment senkte sie den Kopf, als erinnerte sie sich, erinnerte sich an die Zeit, von der er nicht erzählen konnte. »Der Prinz hat mir gesagt, dass du auch eine Tochter hast«, flüsterte sie. »Warum hast du mir nie von ihr erzählt?«

Der Zweifinger und die Frau mit dem verweinten Gesicht starrten weiter zu ihnen herüber. Hoffentlich glaubten sie inzwischen, dass sie sich die Feuerbuchstaben eingebildet hatten. An der Wand war nur noch eine feine Rußspur zu sehen, und dass Menschen anfangen, mit der Luft zu reden, kam in Kerkern schließlich häufig vor.

»Ich hatte zwei Töchter.« Staubfinger fuhr zusammen, als irgendwo jemand aufschrie. »Die ältere ist so alt wie Meggie, aber sie ist nicht gut auf mich zu sprechen. Sie will hören, wo ich die zehn Jahre war. Vielleicht weißt du eine schöne Geschichte, die ich ihr erzählen kann?«

»Was ist mit der zweiten?«

»Sie ist tot.«

Resa schwieg und drückte seine Hand. »Das tut mir leid.«

»Ja. Mir auch.« Er drehte sich um. Einer der Aufseher stand vor dem Eingang des Ganges, rief einem anderen etwas zu und schlurfte dann mit mürrischem Gesicht weiter.

»Drei, vielleicht vier Wochen!«, flüsterte Resa. »So lang würde Mo brauchen, je nachdem, wie dick das Buch ist.«

»Gut, das ist doch gar nicht so schlimm.« Er schob die Hand durch das Gitter und strich ihr übers Haar. »Ein paar Wochen sind nichts gegen all die Jahre in Capricorns Haus, Resa! Denk daran, jedes Mal, wenn du glaubst, deinen Kopf gegen das Gitter schlagen zu müssen. Versprich's mir.«

Sie nickte. »Sag Meggie, es geht mir gut!«, flüsterte sie. »Und sag es Mo, ja? Du wirst doch auch mit ihm sprechen, oder?«

»Sicher!«, log Staubfinger. Was schadete es schon, es ihr zu versprechen? Was konnte er sonst tun, um ihr zu helfen? Die andere Frau begann wieder zu schluchzen. Ihr Weinen hallte von den schimmligen Wänden wider, lauter und lauter.

»Verdammt noch mal. Still da!«

Staubfinger drückte sich eng an die Wand, als der Aufseher auf die Tür zukam. Er war ein fetter Kerl, ein Klotz von einem Mann, und Staubfinger hielt den Atem an, als er direkt neben ihm stehen blieb. Für einen abscheulichen Augenblick starrte der Zweifinger so genau in seine Richtung, als könnte er ihn sehen, doch dann schweiften seine Augen weiter, suchten die Dunkelheit ab, vielleicht nach einem feurigen Buchstaben an der Wand.

»Hör auf zu heulen!« Resa versuchte, die Frau zu beruhigen, als der Aufseher mit dem Stock gegen das Gitter schlug. Staubfinger fand kaum noch einen Winkel, um sich hineinzupressen. Die weinende Frau presste das Gesicht in Resas Rock, und der Aufseher drehte sich mit einem Grunzen um und stapfte wieder davon. Staubfinger wartete, bis seine Schritte verklangen, bevor er erneut an das Gitter trat. Resa kniete neben der Frau, die immer noch das Gesicht in ihr Kleid presste, und sprach leise auf sie ein.

»Resa!«, flüsterte er. »Ich muss fort. Haben sie heute Nacht einen alten Mann hier heruntergebracht? Einen Bader, Schleierkauz nennt er sich.«

Noch einmal trat sie an das Gitter. »Nein«, flüsterte sie, »aber die Aufseher haben über einen verhafteten Bader geredet, der jeden Kranken auf der Burg behandeln muss, bevor sie ihn zu uns sperren.«

»Das wird er sein. Grüß ihn von mir.« Es fiel ihm schwer, sie so allein zu lassen in der Dunkelheit. Er hätte sie gern aus ihrem Käfig befreit, so wie er es mit den Feen auf den Märkten tat, aber Resa würde nicht davonfliegen können.

Am Fuß der Treppe spotteten zwei Aufseher über den Henker, dem der Brandfuchs zu gern seine Arbeit abnahm. Staubfinger schlüpfte geschwind wie eine Eidechse an ihnen vorbei, aber trotzdem drehte der eine sich mit verwirrtem Gesicht zu ihm um. Vielleicht war ihm der Geruch von Feuer in die Nase gezogen, den Staubfinger trug wie einen zweiten Mantel.

Im Turm der Nachtburg

Du kamst niemals so heraus, wie du hineingegangen warst.
Francis Spufford, The Child That Books Built

Mo schlief, als sie Meggie zu ihm brachten. Nur das Fieber ließ ihn schlafen, es betäubte die Gedanken, die ihn wach hielten, Stunde um Stunde, Tag für Tag, während er seinem eigenen Herzschlag lauschte in der zugigen Zelle, in die sie ihn gesperrt hatten, hoch oben in einem der Silbertürme. Durch die vergitterten Fenster schien noch der Mond, als die nahenden Schritte ihn aufschreckten.

»Aufwachen, Eichelhäher!« Der Schein einer Fackel fiel in die Zelle und der Brandfuchs stieß eine schmale Gestalt durch die Tür.

Resa? Was für eine Art Traum war das? Zur Abwechslung ein guter?

Aber es war nicht seine Frau, die sie gebracht hatten. Es war seine Tochter. Mo richtete sich mühsam auf. Er schmeckte Meggies Tränen auf seinem Gesicht, als sie ihn so heftig umarmte, dass er vor Schmerz den Atem einzog. Meggie. Sie hatten sie also auch gefangen.

»Mo? Sag doch was!« Sie griff nach seiner Hand, sah ihm besorgt ins Gesicht. »Wie geht es dir?«, flüsterte sie.

»Nun sieh einer an!«, höhnte der Brandfuchs. »Der Eichelhäher hat tatsächlich eine Tochter. Bestimmt wird sie dir gleich erzählen, dass sie freiwillig hier ist, so wie sie es schon dem Natternkopf weismachen wollte. Einen Handel hat sie mit ihm abgeschlossen, einen Handel, der deinen Hals retten soll. Du hättest die Märchen hören sollen, die sie erzählt hat. An die Spielleute kannst du sie verkaufen mit der Engelszunge.«

Mo fragte nicht einmal, wovon er sprach. Er zog Meggie an sich, sobald die Wache hinter dem Brandfuchs die Tür verriegelte, küsste ihr Haar, ihre Stirn, nahm ihr Gesicht zwischen seine Hände, von dem er so sicher gewesen war, dass er es in dem Stall im Wald zum letzten Mal gesehen hatte. »Meggie, um Gottes willen«, sagte er, während er den Rücken gegen die kalte Mauer lehnte, weil er immer noch kaum stehen konnte. Er war so froh, dass sie da war. So froh und so verzweifelt zugleich. »Wie haben sie dich gefangen?«

»Das macht gar nichts. Es wird alles gut, glaub mir!« Sie strich über sein Hemd, dort, wo immer noch das trockene Blut klebte. »In dem Stall sahst du so krank aus … ich dachte, ich seh dich nie wieder.«

»Das hab ich schon gedacht, als ich den Brief auf deinem Kissen fand.« Er strich ihr die Tränen von den Wimpern, wie er es so oft schon getan hatte, so viele Jahre lang. Wie groß sie war, kaum noch ein Kind, obwohl er das Kind immer noch deutlich sah. »Himmel, es tut so gut, dich zu sehen, Meggie. Ich weiß, das sollte ich nicht sagen. Ein guter Vater würde sagen: Liebste Tochter, musst du dich jedes Mal einsperren lassen, wenn ich es tue?«

Sie musste lachen. Aber er sah die Sorge in ihren Augen. Sie fuhr ihm mit den Fingern übers Gesicht, als entdeckte sie dort Schatten, die es vorher nicht gegeben hatte. Vielleicht hatten die Weißen Frauen ihre Fingerabdrücke hinterlassen, auch wenn sie ihn nicht mit sich genommen hatten.

»Nun sieh mich nicht so besorgt an! Es geht mir besser, viel besser, und du weißt, warum.« Er strich ihr das Haar aus der Stirn, das so sehr dem Haar ihrer Mutter glich. Der Gedanke an Resa schmerzte wie ein Dorn. »Das waren mächtige Worte. Hat Fenoglio sie dir geschrieben?«

Meggie nickte. »Er hat mir noch mehr geschrieben!«, flüsterte sie ihm ins Ohr. »Worte, die dich retten werden. Dich und Resa und all die anderen.«

Worte. Sein ganzes Leben schien aus ihnen gewebt, sein Leben ebenso wie der Tod.

»Sie haben deine Mutter und die anderen in die Kerker unter der Burg gebracht.« Er erinnerte sich nur zu gut an Fenoglios Beschreibung: *Die Kerker der Nachtburg, wo die Angst wie Schimmel an den Wänden klebte und nie ein Sonnenstrahl die schwarzen Steine wärmte ...* Welche Worte sollten Resa dort herausholen? Und ihn aus diesem silbernen Turm?

»Mo?« Meggie legte ihm die Hand auf die Schulter. »Meinst du, dass du arbeiten kannst?«

»Arbeiten? Warum?« Er musste lächeln. Zum ersten Mal seit langer, langer Zeit. »Glaubst du, der Natternkopf vergisst, dass er mich aufhängen will, wenn ich ihm seine Bücher restauriere?«

Er unterbrach sie nicht ein einziges Mal, als sie ihm mit leiser Stimme erzählte, was Fenoglio sich zu seiner Rettung hatte einfallen lassen. Er setzte sich auf den Strohsack, auf dem er die letzten Tage und Nächte gelegen und die Kerben gezählt hatte, die andere Unglückliche in die Mauern geritzt hatten, und hörte Meggie zu. Und je mehr sie erzählte, desto verrückter erschien Fenoglios Plan, doch als sie geendet hatte, schüttelte Mo den Kopf – und lächelte.

»Nicht dumm!«, sagte er leise. »Nein, der alte Fuchs ist wahrlich nicht dumm, er kennt seine Geschichte.« Nur schade, dass Mortola die geänderte Fassung nun wohl auch kennt, setzte er in Gedanken hinzu. Und dass du unterbrochen wurdest, bevor du zu Ende gelesen hattest. Meggie schien ihm, wie so oft, die Gedanken von der Stirn zu lesen. Er sah es in ihren Augen. Er strich ihr mit dem Zeigefinger über den Nasenrücken, wie er es immer getan hatte, als sie noch klein war, so klein, dass ihre Hand kaum hatte seinen Finger umschließen können. Kleine Meggie, große Meggie, tapfere Meggie ...

»Himmel, du bist so viel tapferer als ich«, sagte er. »Handelst mit dem Natternkopf. Das hätte ich wirklich gern gesehen.«

Sie schlang ihm die Arme um den Hals, streichelte ihm das müde Gesicht. »Du wirst es sehen, Mo!«, flüsterte sie. »Fenoglios Worte werden immer wahr, in dieser Welt noch viel mehr als in unserer. Schließlich haben sie dich auch wieder gesund gemacht, oder?«

Er nickte nur. Hätte er etwas gesagt, sie hätte seiner Stimme nur angehört, dass es ihm schwerfiel, wie sie an ein gutes Ende zu glauben. Selbst als Meggie noch jünger gewesen war, hatte sie ihm immer sofort angemerkt, wenn ihn etwas bedrückte, doch damals war es leicht gewesen, sie durch einen Scherz abzulenken, ein Wortspiel, eine Geschichte. Inzwischen war das nicht mehr so einfach. Niemand konnte Mo so leicht ins Herz blicken wie Meggie, mit Ausnahme ihrer Mutter. Resa hatte die gleiche Art, ihn anzusehen.

»Du hast sicher gehört, warum sie mich hierher geschleppt haben, oder?«, fragte er. »Ich soll ein berühmter Räuber sein. Erinnerst du dich daran, wie wir immer Robin Hood gespielt haben?«

Meggie nickte. »Du wolltest immer Robin sein.«

»Und du der Sheriff von Nottingham. Die Bösen sind stärker, Mo, hast du immer gesagt. Kluges Kind. Weißt du, wie sie mich nennen? Der Name wird dir gefallen.«

»Den Eichelhäher.« Meggie flüsterte den Namen fast.

»Ja. Genau. Was denkst du? Es besteht wohl wenig Hoffnung, dass der echte Eichelhäher seinen Namen noch vor meiner Hinrichtung zurückverlangt, oder?«

Wie ernst sie ihn ansah. Als wüsste sie etwas, das er nicht wusste.

»Es gibt keinen anderen, Mo«, sagte sie leise. »*Du* bist der Eichelhäher.« Ohne ein weiteres Wort griff sie nach seinem Arm, streifte ihm den Ärmel hoch, strich mit dem Finger über die Narbe, die Bastas Hunde hinterlassen hatten. »Die Wunde heilte gerade, als wir in Fenoglios Haus waren. Er hat dir eine Salbe gegeben, damit sie besser vernarbt, erinnerst du dich?«

Er verstand nichts. Kein Wort. »Ja, und?«

»*Du* bist der Eichelhäher!« Sie sagte es noch einmal. »Niemand sonst. Fenoglio hat die Lieder über ihn geschrieben. Sie sind alle erfunden, weil er fand, dass seiner Welt ein Räuber fehlte – und er hat dich als Vorbild genommen! *Er gab einen sehr edlen Räuber ab in meiner Phantasie,* so hat er es mir geschrieben.«

Es dauerte eine ganze Weile, bis Mos Verstand den Sinn dieser Worte wirklich begriff. Und plötzlich musste er lachen. So laut, dass die Wache die vergitterte Klappe in der Tür öffnete und misstrauisch hereinstarrte. Mo wischte sich das Lachen vom Gesicht und starrte zurück, bis der Wächter mit einem Fluch wieder verschwand. Dann lehnte er den Kopf gegen die Wand in seinem Rücken und schloss die Augen.

»Es tut mir leid, Mo«, flüsterte Meggie. »So leid. Manchmal ist Fenoglio ein ziemlich furchtbarer alter Mann!«

»Oh. Na ja.«

Vielleicht war es Orpheus deshalb so leichtgefallen, ihn herzulesen. Weil er ohnehin schon in der Geschichte gesteckt hatte. »Was denkst du?«, sagte er. »Soll ich mich nun geehrt fühlen oder Fenoglio den alten Hals umdrehen?«

Meggie legte ihm die Hand auf die Stirn. »Du bist ganz heiß. Leg dich hin. Du musst dich ausruhen.«

Wie oft hatte er dasselbe zu ihr gesagt, wie viele Nächte an ihrem Bett gesessen – Masern, Windpocken, Scharlach ... »Herrgott, Meggie«, hatte er gestöhnt, als sie auch noch Keuchhusten bekommen hatte. »Kannst du nicht wenigstens eine Kinderkrankheit auslassen?«

Das Fieber goss ihm heißes Blei in die Adern, und als Meggie sich über ihn beugte, dachte er für einen Moment, Resa säße neben ihm. Aber Meggies Haar war heller.

»Wo stecken Staubfinger und Farid? Sie waren doch bei dir, oder? Haben sie die auch gefangen?« Das Fieber machte seine Zunge schwer.

»Nein. Ich glaube nicht. Wusstest du, dass Staubfinger eine Frau hat?«

»Ja. Ihretwegen hat Basta ihm das Gesicht zerschnitten. Hast du sie gesehen?«

Meggie nickte. »Sie ist sehr schön. Farid ist eifersüchtig auf sie.«

»Tatsächlich? Ich dachte, er ist in dich verliebt.«

Sie wurde rot. So rot.

»Meggie?« Mo richtete sich auf. Himmel, wann würde dieses Fieber endlich verschwinden, es machte ihn kraftlos wie einen alten Mann. »O nein!«, sagte er leise. »Da hab ich wohl etwas verpasst. Meine Tochter verliebt sich und ich verpasse es! Noch ein Grund mehr, dieses verdammte Buch zu verfluchen. Du hättest bei Farid bleiben sollen! Ich wäre schon zurechtgekommen.«

»Wärst du nicht! Sie hätten dich aufgehängt!«

»Das kann immer noch passieren. Der Junge macht sich jetzt bestimmt schreckliche Sorgen um dich. Armer Kerl. Hat er dich geküsst?«

»Mo!« Sie wandte das Gesicht ab vor Verlegenheit, aber sie lächelte.

»Ich muss das wissen. Ich glaube, ich muss es sogar erlauben, oder?«

»Mo, hör auf!« Sie stieß ihm den Ellbogen in die Seite, wie sie es immer tat, wenn er sie neckte – und erschrak, als er vor Schmerz das Gesicht verzog. »Entschuldige«, flüsterte sie.

»Na ja, solange es wehtut, bin ich am Leben.«

Der Wind trug das Geräusch von Hufen herauf. Waffen klirrten und Stimmen schallten durch die Nacht.

»Weißt du was?«, sagte Mo leise. »Lass uns unser altes Spiel spielen. Wir stellen uns vor, in einer anderen Geschichte zu sein. Vielleicht in Hobbingen, da ist es ziemlich friedlich, oder bei den Wildgänsen mit Wart. Was meinst du?«

Sie schwieg. Eine ganze Weile. Dann griff sie nach seiner Hand und flüsterte: »Ich würde mir gern vorstellen, dass wir zusammen im Weglosen Wald sind. Du und ich und Resa. Dann könnte ich euch die Feen zeigen, die Feuerelfen, die Flüsternden Bäume und – oder nein, warte! Balbulus' Werkstatt! Ja. Dort möchte ich mit dir sein. Er ist ein Buchmaler, Mo! Auf der Burg von Ombra! Der allerbeste. Du könntest die Pinsel sehen und die Farben …«

Wie aufgeregt sie plötzlich klang. Sie konnte es immer noch, alles vergessen wie ein Kind – die verriegelte Tür und den Galgen auf dem Hof. Es reichte der Gedanke an ein paar feine Pinsel.

»Also gut«, sagte Mo und strich ihr noch einmal über das helle Haar. »Wie du meinst. Stellen wir uns vor, dass wir auf der Burg von Ombra sind. Diese Pinsel würde ich wirklich gern sehen.«

Was nun?

I dreamed a limitless book,
A book unbound,
Its leaves scattered in fantastic abundance
On every line there was a new horizon drawn,
New heavens supposed;
New states, new souls.
Clive Barker, Abarat

Farid wartete schon bei dem Standbild, wie verabredet. Er hatte sich dahinter versteckt, offenbar fiel es ihm immer noch schwer zu glauben, dass er unsichtbar war – und er hatte Meggie nicht zu Gesicht bekommen. Staubfinger hörte es seiner Stimme an. Sie klang heiser vor Enttäuschung. »In den Turm bin ich hineingekommen. Ich hab sogar die Zelle gesehen, aber sie ist einfach zu gut bewacht. Und in der Küche haben sie gesagt, dass sie eine Hexe ist und dass man sie töten wird, zusammen mit ihrem Vater!«

»Na und? Was hast du gedacht, was sie reden? Sonst noch was?«

»Ja, irgendwas über den Brandfuchs. Dass er Cosimo zu den Toten zurückschicken wird.«

»Aha. Nichts über den Schwarzen Prinzen?«

»Nur, dass sie ihn suchen, aber nicht finden. Sie sagen, der Bär und er können die Gestalt wechseln, sodass manchmal der Bär der Prinz und der Prinz der Bär ist. Und dass er fliegen und sich unsichtbar machen kann und den Eichelhäher retten wird!«

»Tatsächlich?« Staubfinger lachte leise. »Das wird dem Prinzen gefallen. Gut. Komm, Zeit zu verschwinden.«

»Verschwinden?« Staubfinger spürte, wie Farids Finger sich an seinen Arm klammerten. »Wieso? Wir könnten uns verstecken, die Burg ist so groß, niemand würde uns finden!«

»Ach ja? Und was willst du hier? Meggie würde nicht mit dir kommen, selbst wenn du sie durch die vergitterten Türen zaubern könntest. Hast du vergessen, welchen Handel sie mit dem Natternkopf vorhat? Resa sagt, es dauert Wochen, ein Buch zu binden. Und der Natternkopf wird den beiden wohl kaum ein Haar krümmen, bis er das Buch hat, oder? Also komm endlich! Es wird Zeit, den Prinzen zu suchen. Wir müssen ihm vom Rußvogel erzählen.«

Draußen war es immer noch so dunkel, als würde es nie wieder Morgen werden. Diesmal schlüpften sie mit einer Schar Gepanzerter aus dem Burgtor. Staubfinger hätte zu gern gewusst, wohin sie aufbrachen so spät in der Nacht. Hoffentlich nicht zur Prinzenjagd, dachte er und verfluchte den Rußvogel für sein verräterisches Herz.

Die Gepanzerten galoppierten davon, über die Straße, die vom Natternberg in den Wald führte. Staubfinger stand da und blickte ihnen nach, als ihn plötzlich etwas Pelziges ansprang. Der Schreck ließ ihn gegen einen der Galgen stolpern. Zwei Füße schwangen über ihm hin und her. In seinen Arm aber krallte sich Gwin, so selbstverständlich, als wäre sein Herr schon immer unsichtbar gewesen.

»Verflucht!« Das Herz schlug ihm bis zum Hals, als er den Marder packte. »Du willst mich doch noch umbringen, du Biest, stimmt's?«, zischte er ihm zu. »Wo kommst du her?«

Wie zur Antwort löste Roxane sich aus dem Schatten der Burgmauern. »Staubfinger?«, flüsterte sie, während ihre Augen nach seinem unsichtbaren Gesicht suchten. Schleicher tauchte hinter ihren Beinen auf und hob witternd die Nase.

»Ja, wer sonst.« Er zog sie mit sich, drückte sie dicht an die Mauer, damit die Posten auf den Zinnen sie nicht sehen konnten. Diesmal fragte er nicht, warum sie ihnen gefolgt war. Er war zu froh, dass sie da war. Auch wenn ihn ihr erleichtertes Gesicht für einen Augenblick an das von Resa erinnerte – und an die Traurigkeit darin. »Wir können hier fürs Erste nichts tun«, flüsterte er ihr zu. »Aber wusstest du, dass der Rußvogel ein willkommener Gast auf der Nachtburg ist?«

»Der Rußvogel?«

»Ja. Böse Neuigkeiten. Reite du nach Ombra zurück und kümmre dich um Jehan und Brianna. Ich werde den Schwarzen Prinzen suchen und ihm von dem Kuckucksei erzählen.«

»Und wie willst du ihn finden?« Roxane lächelte, als könnte sie sein ratloses Gesicht sehen. »Soll ich dich zu ihm bringen?«

»Du?«

»Ja.« Oben riefen die Wachen sich etwas zu. Roxane zog Staubfinger näher an die Mauer. »Der Prinz sorgt sehr gut für sein Buntes Volk«, flüsterte sie. »Und du kannst dir sicherlich denken, dass er das Gold, das er für Krüppel und Alte braucht, für Witwen und Waisen, nicht nur mit Kunststücken auf den Märkten verdient. Seine Männer sind geschickte Wilderer und der Schrecken der Steuereintreiber, sie haben Verstecke überall im Wald und oft Verwundete oder Kranke … Die Nessel will aber nichts von Räubern wissen, die Moosweibchen ebenso wenig, und den meisten Badern trauen die Räuber nicht. Also kommen sie irgendwann zu mir. Ich habe keine Angst vor dem Wald, ich bin in den finstersten Winkeln gewesen. Pfeilwunden, gebrochene Knochen, ein böser Husten, ich weiß, wie man das alles kuriert, und der Prinz traut mir. Für ihn war ich immer Staubfingers Frau, selbst als ich mit einem anderen verheiratet war. Vielleicht hatte er recht.«

»Hatte er?« Staubfinger fuhr herum. Ein Räuspern drang durch die Nacht.

»Hast du nicht gesagt, wir müssen fort sein, bevor die Sonne aufgeht?« Farids Stimme klang vorwurfsvoll.

Feen und Feuer – er hatte den Jungen vergessen. Und Farid hatte recht. Der Morgen konnte nicht mehr fern sein, und der Schatten der Nachtburg war sicher nicht der beste Ort, um über verstorbene Ehemänner zu sprechen.

»Schon gut. Fang die Marder ein!«, zischte Staubfinger in die Nacht. »Aber untersteh dich und erschreck mich noch mal so zu Tode, verstanden? Sonst erlaub ich dir nie wieder, dich unsichtbar zu machen.«

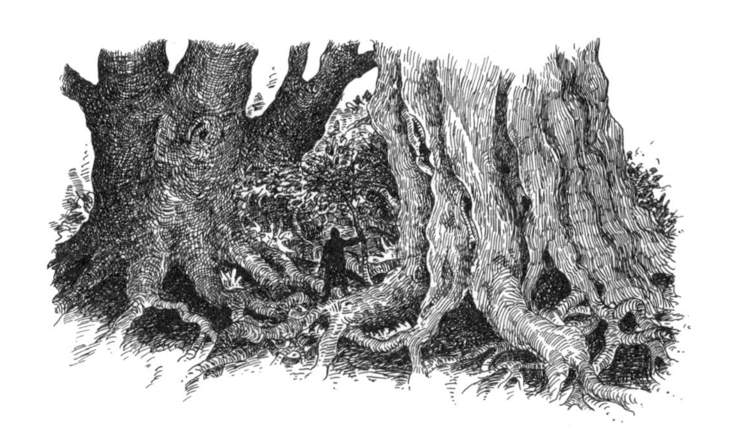

Der Dachsbau

»Oh, Sara. Das klingt ja wie eine Geschichte.«
»Das ist eine Geschichte – wir alle sind eine Geschichte – du, ich, Miss Minchin!«
Frances Hodgson Burnett, A Little Princess

Farid folgte Staubfinger und Roxane durch die Nacht mit einem Gesicht, das sicherlich ebenso finster war wie der Himmel über ihnen. Es tat weh, Meggie auf der Burg zurückzulassen, egal, wie vernünftig es war. Und nun kam auch noch Roxane mit ihnen. Auch wenn er zugeben musste, dass sie genau zu wissen schien, wo sie hinwollte. Auf den ersten Unterschlupf, gut verborgen hinter dornigem Gestrüpp, stießen sie schon bald. Aber er war verlassen. Beim nächsten trafen sie zwei Männer. Misstrauisch zogen sie die Messer und schoben sie erst zurück in die Gürtel, nachdem Roxane eine ganze Weile mit ihnen gesprochen hatte. Vielleicht spürten sie die Gegenwart von Staubfinger und Farid trotz der Unsichtbarkeit. Zum Glück hatte Roxane einem der beiden wohl irgendwann ein böses Geschwür geheilt, und so verriet er ihr schließlich, wo sie den Schwarzen Prinzen finden würde.

Dachsbau. Zweimal glaubte Farid, das Wort zu hören. »Ihr Hauptversteck«, sagte Roxane nur. »Bei Tagesanbruch müssten wir dort sein. Aber sie haben mich gewarnt. Es sollen Soldaten unterwegs sein, viele Soldaten.«

Von da an glaubte Farid manchmal, das Klirren von Schwertern in der Ferne zu hören, das Schnauben von Pferden, Stimmen, marschierende Füße – aber vielleicht bildete er sich das auch nur ein. Bald drangen durch das Blätterdach über ihnen die ersten Sonnenstrahlen und ihre Körper wurden langsam wieder sichtbar, wie Spiegelungen auf dunklem Wasser. Es tat gut, die eigenen Hände und Füße nicht mehr suchen zu müssen und Staubfinger wieder vor sich zu sehen. Auch wenn er neben Roxane ging.

Ab und zu spürte Farid, wie sie ihn ansah, als suchte sie in seinem dunklen Gesicht immer noch nach irgendeiner Ähnlichkeit mit Staubfinger. Auf ihrem Hof hatte sie ihn ein-, zweimal nach seiner Mutter gefragt. Farid hätte ihr zu gern erzählt, dass seine Mutter eine Prinzessin gewesen sei, viel, viel schöner als Roxane, und dass Staubfinger sie so sehr geliebt hätte, dass er zehn Jahre bei ihr geblieben war, bis der Tod sie von seiner Seite riss und ihm nur den Sohn ließ, den dunkelhäutigen, schwarzäugigen Sohn, der ihm nun folgte wie ein Schatten. Aber mit seinem Alter kam das nicht so ganz hin, und außerdem wäre Staubfinger wohl furchtbar wütend geworden, hätte Roxane ihn nach der Wahrheit hinter dieser Geschichte gefragt, also hatte Farid ihr schließlich nur geantwortet, dass seine Mutter tot sei – was vermutlich stimmte. Wenn Roxane so dumm war zu glauben, Staubfinger sei nur deshalb zu ihr zurückgekehrt, weil er eine andere Frau verloren hatte ... umso besser. Jeder Blick, den Staubfinger ihr zuwarf, füllte Farid das Herz bis an den Rand mit Eifersucht. Was, wenn er irgendwann ganz bei ihr blieb, auf dem Hof mit den duftenden Feldern? Was, wenn er keine Lust mehr verspürte, von Marktplatz zu Marktplatz zu ziehen, sondern lieber bei ihr blieb, sie küsste und mit ihr lachte, wie er es jetzt schon viel zu oft tat, und darüber das Feuer und Farid vergaß?

Der Wald wurde immer dichter und die Nachtburg schien nur noch ein böser Traum, als plötzlich rings um sie her mehr als ein

Dutzend Männer zwischen den Bäumen standen, bewaffnete Männer in zerlumpten Kleidern. Sie tauchten so lautlos auf, dass selbst Staubfinger sie nicht gehört hatte. Mit feindseligen Gesichtern standen sie da, Messer und Schwerter in den Fäusten, und starrten auf die zwei an Brust und Armen immer noch fast durchsichtigen Körper.

»He, Schnapper, erkennst du mich nicht?«, fragte Roxane und trat auf einen von ihnen zu. »Wie geht es deinen Fingern?«

Das Gesicht des Mannes hellte sich auf. Er war ein grobschlächtiger Kerl mit einer Narbe am Hals. »Ah, die Kräuterhexe«, sagte er. »Natürlich. Was schleichst du so früh im Wald herum? Und was sind das für Geister da?«

»Wir sind keine Geister. Wir suchen den Schwarzen Prinzen.« Als Staubfinger an Roxanes Seite trat, richteten sich alle Waffen auf ihn.

»Was soll das?«, fuhr Roxane die Männer an. »Seht euch sein Gesicht an. Habt ihr noch nie etwas vom Feuertänzer gehört? Der Prinz wird seinen Bären auf euch loslassen, wenn er erfährt, dass ihr ihn bedroht habt.«

Die Männer steckten die Köpfe zusammen und musterten beunruhigt Staubfingers narbiges Gesicht.

»Drei Narben, blass wie Spinnweben«, raunte der Schnapper. »Ja, von dem haben wir alle gehört, aber nur in Liedern …«

»Wer sagt denn, dass man den Liedern nicht glauben kann?« Staubfinger hauchte in die kühle Morgenluft und raunte Feuerworte, bis eine Flamme seinen dampfenden Atem fraß. Die Räuber wichen zurück und starrten ihn an, als wären sie nun nur umso sicherer, dass er ein Geist war. Staubfinger aber griff mit beiden Händen in die Luft und drückte die Flamme aus, als wäre nichts leichter. Dann bückte er sich und kühlte sich die Handflächen am taufeuchten Gras.

»Habt ihr das gesehen?« Der Schnapper sah die anderen an. »Genauso hat der Prinz es uns immer erzählt – er fängt das Feuer so, wie ihr ein Kaninchen fangt, und spricht mit ihm wie mit einer Geliebten.«

Die Räuber nahmen sie in die Mitte. Farid musterte ihre Gesichter voll Unbehagen, während er zwischen ihnen ging. Sie erinnerten ihn an andere Gesichter, Gesichter aus einem früheren Leben, aus einer nicht gern erinnerten Welt, und er hielt sich, so dicht es ging, an Staubfingers Seite.

»Du bist sicher, dass diese Kerle zum Prinzen gehören?«, fragte Staubfinger Roxane mit leiser Stimme.

»O ja«, flüsterte sie zurück. »Er kann sich die Männer nicht immer aussuchen, die ihm folgen.«

Farid fand die Antwort wenig beruhigend.

Die Räuber, bei denen Farid früher gelebt hatte, hatten Höhlen voller Schätze ihr Eigen genannt, prächtiger als die Säle der Nachtburg. Mit diesen Höhlen konnte sich der Unterschlupf, zu dem der Schnapper sie brachte, nicht messen. Der Eingang, verborgen in einer Erdspalte zwischen hohen Buchen, war so eng, dass man sich hindurchzwängen musste, und in dem Gang dahinter musste selbst Farid den Kopf einziehen. Die Höhle, zu der er führte, war nicht viel besser. Weitere Gänge zweigten ab von ihr, die offenbar noch tiefer in den Schoß der Erde führten.

»Willkommen im Dachsbau!«, sagte der Schnapper, während die Männer, die in der Höhle auf dem Boden hockten, sie misstrauisch betrachteten. »Wer sagt, dass sich nur der Natternkopf in die Erde graben kann? Hier gibt es einige Männer, die Jahre in seinen Bergwerken geschuftet haben. Seither wissen sie sehr gut, wie man sich einnistet im Schoß der Erde, ohne dass sie einem auf den Kopf fällt.«

Der Schwarze Prinz war allein, in einer Höhle abseits von den anderen, nur sein Bär war bei ihm, und er sah müde aus. Aber bei Staubfingers Anblick hellte sein Gesicht sich auf und die Nachrichten, die sie brachten, waren nicht so neu für ihn, wie sie gedacht hatten. »Ah ja, der Rußvogel«, sagte er, während der Schnapper sich bei der Erwähnung dieses Namens den Finger über die Kehle zog. »Ich hätte mich schon viel eher fragen müssen, wie er sich die Pülverchen der Alchemisten leisten kann, die er für seine Feuerspiele braucht. Wohl kaum von den paar Münzen, die er auf den Märkten verdient. Aber leider hab ich ihn erst nach dem Überfall auf das Geheime Lager beobachten lassen. Er hat sich schon bald von den anderen getrennt, die wir befreit haben, und sich an der Grenze mit Spitzeln des Natternkopfes getroffen. Während die, die er verraten hat, im Kerker der Nachtburg sitzen. Und ich kann nichts für sie tun! Sitze hier fest in einem Wald, der von Soldaten wimmelt. Oben an der Straße lässt der Natternkopf sie zusammenziehen, an der Straße, die nach Ombra führt.«

»Cosimo?« Roxane sprach den Namen aus und der Prinz nickte.

»Ja. Drei Boten hab ich ihm geschickt, drei Warnungen. Einer ist zurückgekehrt, nur um zu berichten, dass Cosimo ihn ausgelacht hat. So dumm hatte ich ihn nicht in Erinnerung. Das Jahr, das er fort war, scheint ihm den Verstand geraubt zu haben. Will Krieg führen gegen den Natternkopf mit einem Heer aus Bauern. Das ist fast so, als würden wir gegen ihn in die Schlacht ziehen.«

»Wir hätten bessere Chancen«, sagte der Schnapper.

»Ja, vermutlich.« Der Schwarze Prinz klang so mutlos, dass es Farid das Herz zusammenzog. Er hatte heimlich immer auf ihn gehofft, weit mehr als auf Fenoglios Worte, doch was sollte diese Schar zerlumpter Männer, die sich im Wald eingruben wie Karnickel, gegen die Nachtburg ausrichten?

Man brachte ihnen zu essen und Roxane sah sich Staubfingers Bein an. Sie bestrich die Wunde mit einer Paste, die es in der Höhle für einen Moment nach Frühling riechen ließ. Und Farid musste an Meggie denken. Eine Geschichte fiel ihm ein, die er in einer kalten Wüstennacht an einem Feuer gehört hatte. Von einem Dieb hatte sie gehandelt, der sich in eine Prinzessin verliebte, er erinnerte sich noch sehr gut. Die beiden liebten sich so sehr, dass sie miteinander sprechen konnten, über viele Meilen hinweg. Sie konnten die Gedanken des anderen hören, auch wenn Mauern sie trennten, spüren, ob der andere traurig oder glücklich war ... Doch sosehr Farid auch in sich hineinlauschte, er spürte gar nichts. Ja, er hätte nicht einmal sagen können, ob Meggie überhaupt noch lebte. Sie schien fort zu sein, einfach fort, aus seinem Herzen, aus der Welt. Als er sich die Tränen aus den Augen wischte, spürte er, dass Staubfinger ihn ansah.

»Ich muss dies verfluchte Bein ausruhen, sonst heilt es nie«, sagte er leise. »Aber wir werden zurückgehen. Wenn es Zeit ist ...«

Roxane runzelte die Stirn, doch sie sagte nichts. Der Prinz und Staubfinger begannen zu reden, so leise, dass Farid ganz dicht an sie heranrücken musste, um etwas zu verstehen. Roxane legte den Kopf auf Staubfingers Schoß und schlief bald ein. Farid aber rollte sich an seiner Seite zusammen wie ein Hund, schloss die Augen und lauschte den beiden Männern.

Der Schwarze Prinz wollte alles über Zauberzunge wissen – ob die Hinrichtung schon angesetzt war, wo sie ihn gefangen hielten, wie es um seine Wunde stand …

Staubfinger erzählte ihm, was er wusste. Er erzählte auch von dem Buch, das Meggie dem Natternkopf als Lösegeld für ihren Vater angeboten hatte.

»Ein Buch, das den Tod festhält?« Der Prinz lachte ungläubig. »Glaubt der Natternkopf neuerdings an Märchen?«

Darauf sagte Staubfinger nichts. Nichts von Fenoglio, nichts davon, dass sie alle Teil einer Geschichte waren, die ein alter Mann geschrieben hatte. Farid hätte es an seiner Stelle auch nicht getan. Der Schwarze Prinz würde wohl kaum glauben, dass es Worte gab, die auch sein Schicksal bestimmen konnten, Worte, die wie unsichtbare Wege waren, von denen es kein Entkommen gab.

Der Bär grunzte im Schlaf und Roxane wandte unruhig den Kopf. Sie hielt Staubfingers Hand, als wollte sie ihn noch mit in ihre Träume nehmen.

»Du hast dem Jungen erzählt, dass ihr in die Burg zurückkehren werdet«, sagte der Prinz. »Ihr könnt mit uns gehen.«

»Ihr wollt zur Nachtburg? Wozu? Willst du sie stürmen mit den paar Männern? Oder dem Natternkopf erzählen, dass er den falschen Mann gefangen hat? Mit der hier auf der Nase.« Staubfinger griff zwischen die Decken, die auf dem Boden lagen, und hielt eine Vogelmaske in der Hand. Eichelhäherfedern auf brüchiges Leder genäht. Er zog sich die Maske über das narbige Gesicht.

»Viele von uns haben diese Maske schon getragen«, sagte der Prinz. »Und nun wollen sie wieder einen Unschuldigen hängen für die Taten, die wir begangen haben. Das kann ich nicht zulassen! Diesmal ist es ein Buchbinder. Beim letzten Mal haben sie, nachdem wir einen ihrer Silbertransporte überfallen hatten, einen Köhler aufgehängt, nur weil er einen vernarbten Arm hatte! Seine Frau weint vermutlich immer noch.«

»Es sind nicht nur eure Taten, die meisten hat Fenoglio frei erfunden!« Staubfingers Stimme klang gereizt. »Verflucht, Prinz, du kannst Zauberzunge nicht retten. Du wirst nur ebenfalls sterben. Oder glaubst du allen Ernstes, der Natternkopf lässt ihn laufen, nur weil du dich stellst?«

»Nein, so dumm bin ich nicht. Aber irgendetwas muss ich tun.« Der Prinz schob seinem Bären die Hand ins Maul, wie er es so oft tat, und wie jedes Mal kam die schwarze Hand wie durch ein Wunder wieder heil zwischen den Bärenzähnen hervor.

»Ja, ja, schon gut.« Staubfinger seufzte. »Du und deine ungeschriebenen Regeln. Du kennst Zauberzunge nicht mal! Wie kannst du für jemanden sterben wollen, den du nicht kennst?«

»Für wen würdest du sterben?«, fragte der Prinz zurück.

Farid sah, wie Staubfinger Roxanes schlafendes Gesicht betrachtete – und sich zu ihm umwandte. Schnell schloss er die Augen.

»Du würdest für Roxane sterben«, hörte er den Prinzen sagen.

»Vielleicht«, sagte Staubfinger, und Farid sah durch seine geschlossenen Wimpern, wie er Roxane mit dem Finger über die dunklen Brauen fuhr. »Vielleicht aber auch nicht. Hast du viele Spitzel auf der Nachtburg?«

»Sicher. Küchenmädchen, Stallburschen, ein paar Wachen, obwohl die sehr teuer sind, und was das Nützlichste ist, einer der Falkner schickt mir ab und zu eine Nachricht mit einem seiner schlauen Vögel. Ich werde es sofort erfahren, wenn sie den Tag der Hinrichtung festgelegt haben. Du weißt ja, der Natternkopf lässt so etwas nicht mehr auf irgendeinem Marktplatz oder vor Publikum auf dem Burghof stattfinden, seit du ihm meine Bestrafung so gründlich verdorben hast. Er war ohnehin nie ein Freund solcher Spektakel. Eine Hinrichtung ist eine ernste Angelegenheit bei ihm. Für einen armen Spielmann reicht der Galgen vor dem Tor, dafür wird kein Aufhebens gemacht, aber der Eichelhäher wird hinter dem Tor sterben.«

»Ja. Wenn seine Tochter ihm dieses Tor nicht mit ihrer Stimme aufschließt«, erwiderte Staubfinger. »Mit ihrer Stimme und einem Buch voller Unsterblichkeit.«

Farid hörte, wie der Schwarze Prinz lachte. »Das klingt ja fast wie ein neues Lied vom Tintenweber!«

»Ja«, antwortete Staubfinger mit heiserer Stimme. »Es klingt ganz nach ihm, nicht wahr?«

Alles verloren

's ist Krieg! 's ist Krieg! O Gottes Engel wehre,
Und rede Du darein!
's ist leider Krieg – und ich begehre
Nicht schuld daran zu sein.
Matthias Claudius, Kriegslied

Nach ein paar Tagen Ruhe ging es Staubfingers Bein viel besser, und Farid erzählte den beiden Mardern gerade, wie sie sich nun bald alle in die Nachtburg schleichen und Meggie und ihre Eltern retten würden, als schlimme Nachrichten den Dachsbau erreichten. Einer der Männer brachte sie, die die Straße nach Ombra beobachteten. Das Blut lief ihm übers Gesicht und er konnte kaum stehen.

»Sie bringen sie um!«, stammelte er nur immer wieder. »Sie bringen sie alle um.«

»Wo?«, fragte der Prinz. »Wo genau?«

»Keine zwei Stunden von hier«, brachte der Bote heraus. »Immer nach Norden.«

Der Prinz ließ zehn Männer beim Dachsbau. Roxane versuchte, Staubfinger zu überzeugen, ebenfalls zu bleiben. »Dein Bein wird nie heilen, wenn du es nicht schonst«, sagte sie. Aber er hörte nicht auf sie, und so kam sie auch mit auf dem hastigen, schweigsamen Marsch durch den Wald.

Sie hörten den Kampfeslärm schon lange, bevor sie etwas sahen. Schreie drangen an Farids Ohren, Schmerzensschreie und das Wiehern von Pferden, schrill vor Angst. Irgendwann gab der Prinz ihnen ein Zeichen, langsamer zu gehen. Ein paar geduckte Schritte, und vor ihnen fiel die Erde steil zu der Straße ab, die irgendwann, nach vielen Meilen, vor dem Tor von Ombra endete. Staubfinger zog Farid und Roxane zu Boden, obwohl niemand in ihre Richtung sah. Hunderte von Männern kämpften unter ihnen zwischen den Bäumen, aber es waren keine Räuber darunter. Räuber tragen keine Kettenhemden, keine Brustpanzer, keine Helme, geschmückt mit Pfauenfedern, sie haben selten Pferde und niemals Wappen, auf seidene Mäntel gestickt.

Staubfinger drückte Roxane fest an sich, als sie zu schluchzen begann. Die Sonne senkte sich hinter die Hügel, während die Soldaten des Natternkopfes Cosimos Männer erschlugen, einen nach dem anderen. Vermutlich ging der Kampf schon lange. Die Straße war bedeckt von Toten. Dicht an dicht lagen sie. Nur eine kleine Schar hielt sich immer noch auf den Pferden, inmitten des großen Sterbens. Cosimo selbst war unter ihnen, das schöne Gesicht verzerrt von Wut und Angst. Für einen Moment schien es fast, als könnten die wenigen Reiter sich eine Bresche bahnen, doch dann fuhr der Brandfuchs zwischen sie mit einer Schar Gepanzerter, glänzend wie tödliche Käfer. Sie mähten Cosimo und seine Gefolgschaft nieder wie trockenes Gras, während die Sonne hinter den Hügeln versank, so rot, als spiegelte sich das vergossene Blut am Himmel. Der Brandfuchs selbst stach Cosimo vom Pferd, und Staubfinger verbarg sein Gesicht in Roxanes Haar, als wäre er es müde, dem Tod bei der Arbeit zuzusehen. Farid aber wandte den Kopf nicht ab. Mit starrem Gesicht sah er dem Gemetzel zu und musste an Meggie denken – Meggie, die vermutlich immer noch glaubte, in dieser Welt könnte etwas Tinte alles heilen. Würde sie es auch noch glauben, wenn ihre Augen sehen müssten, was seine gerade sahen?

Nur wenige von Cosimos Männern überlebten ihren Fürsten. Kaum ein Dutzend floh zwischen die Bäume. Keiner gab sich die Mühe, ihnen zu folgen. Die Soldaten des Natternkopfes brachen in Siegesgeschrei aus und begannen, die Leichen zu plündern wie ein Schwarm Geier in Menschengestalt. Nur Cosimos Leiche bekamen sie nicht. Der Brandfuchs selbst scheuchte seine Soldaten fort, ließ den schönen Toten auf ein Pferd laden und fortschaffen.

»Warum tun sie das?«, flüsterte Farid.

»Warum? Weil seine Leiche der Beweis ist, dass er diesmal wirklich tot ist!«, antwortete Staubfinger bitter.

»Ja, das ist er wohl«, flüsterte der Schwarze Prinz. »Vermutlich hält man sich für unsterblich, wenn man einmal von den Toten zurückgekommen ist! Aber er war es nicht, ebenso wenig wie seine Männer, und nun besteht fast ganz Ombra aus Witwen und Waisen.«

Es dauerte viele Stunden, bis die Soldaten des Natternkopfes endlich davonzogen, beladen mit dem, was sie den Toten hatten rauben können. Es wurde schon wieder dunkel, als es endlich still wurde zwischen den Bäumen, so still, wie es nur in Anwesenheit des Todes wird.

Roxane war die Erste, die sich einen Weg den Hang hinunter suchte. Sie weinte nicht länger. Ihr Gesicht war starr, ob vor Zorn oder Schmerz, hätte Farid nicht sagen können. Die Räuber folgten ihr nur zögernd, denn unten zwischen den Toten standen schon die ersten Weißen Frauen.

Der Herr der Geschichte

Heisa! vor dem Tod beschützen
Keine stolzen Eisenmützen,
Und das Heldenblut zerrinnt
Und der schlechtre Mann gewinnt.
Heinrich Heine, Walküren

Fenoglio irrte zwischen den Toten umher, als die Räuber ihn fanden. Die Nacht kam, aber er wusste nicht, welche. Er wusste auch nicht mehr, wie viele Tage vergangen waren, seit er mit Cosimo durch das Tor von Ombra geritten war. Er wusste nur eins: dass sie alle tot waren – Minervas Mann, sein Nachbar und der Vater des Jungen, der ihn so oft um eine Geschichte angebettelt hatte ... Alle tot. Und er selbst wäre es wohl auch gewesen, hätte sein Pferd nicht gescheut und ihn abgeworfen. Fortgekrochen war er, zwischen die Bäume, hatte sich versteckt wie ein Tier und zugesehen beim Morden.

Seit die Soldaten des Natternkopfes fort waren, stolperte er von einer Leiche zur anderen, verfluchte sich selbst, verfluchte seine Geschichte, verfluchte die Welt, die er erschaffen hatte. Als er die Hand auf der Schulter spürte, dachte er für einen Moment tatsächlich, Cosimo wäre noch einmal auferstanden, aber es war der Schwarze Prinz, der hinter ihm stand.

»Was willst du denn hier?«, fuhr er ihn an, ihn und die Männer, die bei ihm waren. »Willst du auch noch sterben? Verschwindet, versteckt euch und lasst mich in Ruhe.« Er schlug sich gegen die

Stirn. Verdammter Kopf, der sie alle erfunden hatte und mit ihnen all das Unglück, in dem sie wateten wie in schwarzem, stinkendem Wasser! Er fiel auf die Knie, neben einem Toten, der mit offenen Augen in den Himmel starrte, beschimpfte sich wüst, sich, den Natternkopf, Cosimo und seine Hast – und schwieg abrupt, als er Staubfinger neben dem Prinzen stehen sah.

»Du!«, stammelte er und kam taumelnd wieder auf die Füße. »Du lebst noch! Du bist immer noch nicht tot, obwohl ich es so geschrieben habe.« Er griff nach Staubfingers Arm, klammerte sich fest daran.

»Ja, enttäuschend, nicht wahr?«, erwiderte Staubfinger, während er die Hand unsanft zurückstieß. »Tröstet es dich, dass ich vermutlich genauso kalt daläge wie die hier, wenn Farid nicht gewesen wäre? Schließlich hattest du den nicht vorgesehen.«

Farid. Ach ja, der Junge, den Mortimer aus der Wüstengeschichte gepflückt hatte. Er stand neben Staubfinger und starrte Fenoglio an, als wollte er ihn mit seinen Blicken töten. Nein, der Junge gehörte wahrhaftig nicht hierher. Wer immer ihn Staubfinger als Beschützer gesandt hatte, er, Fenoglio, war es nicht gewesen! Aber das war das Elend an der ganzen Sache! Alle mischten sie sich ein in seine Geschichte. Wie sollte das gut gehen?

»Ich finde Cosimo nicht!«, murmelte er. »Ich suche schon seit Stunden nach ihm. Hat einer von euch ihn gesehen?«

»Der Brandfuchs hat ihn fortschaffen lassen«, erwiderte der Prinz. »Vermutlich werden sie die Leiche öffentlich ausstellen, damit diesmal keiner behaupten kann, Cosimo sei noch am Leben.«

Fenoglio starrte ihn an, bis der Bär zu knurren begann. Dann schüttelte er den Kopf, immer wieder. »Ich versteh es nicht!«, stammelte er. »Wie konnte das passieren? Hat Meggie denn nicht gelesen, was ich geschrieben habe? Hat Roxane sie nicht gefunden?« Verzweifelt sah er Staubfinger an. Wie gut er sich noch an den Tag erinnerte, an dem er seinen Tod geschildert hatte. Eine gute Szene, eine der besten, die er je geschrieben hatte.

»Doch, Roxane hat Meggie den Brief gegeben. Frag sie selbst, wenn du mir nicht glaubst. Obwohl ihr zurzeit wohl kaum nach Reden zumute ist.« Staubfinger wies auf die Frau, die zwischen den Leichen umherging. Roxane. Wunderschöne Roxane. Sie beugte sich über die Toten, blickte ihnen in die starren Gesichter und kniete schließlich neben einem Mann nieder, dem sich eine Weiße Frau näherte. Schnell hielt sie ihm die Ohren zu, beugte sich über sein Gesicht und winkte die zwei Räuber zu sich, die ihr mit Fackeln in den Händen folgten. Nein, ihr war bestimmt nicht nach Reden zumute.

Staubfinger sah ihn an. Was schaust du so vorwurfsvoll drein?, wollte Fenoglio ihn anfahren. Deine Frau habe ich schließlich auch erschaffen! Aber er schluckte die Worte hinunter. »Gut. Roxane hat Meggie den Brief gegeben«, sagte er stattdessen. »Aber hat sie ihn auch laut gelesen?«

Staubfinger musterte ihn voll Abscheu. »Sie hat es versucht, aber in derselben Nacht hat der Natternkopf sie auf die Nachtburg bringen lassen.«

»O Gott!« Fenoglio sah sich um. Die toten Gesichter von Cosimos Männern starrten ihn an. »Aber das ist es!«, rief er. »Ich dachte, das alles hier wäre nur passiert, weil Cosimo zu früh aufbrechen wollte, aber nein! Die Worte, meine schönen Worte … Meggie kann sie nicht gelesen haben, sonst wäre alles gut geworden!«

»Gar nichts wäre gut!« Staubfingers Stimme wurde so scharf,

dass Fenoglio unwillkürlich zurückfuhr. »Nicht einer von denen, die hier liegen, wäre tot, wenn du Cosimo nicht zurückgebracht hättest!«

Der Prinz und seine Männer starrten Staubfinger ungläubig an. Natürlich, sie verstanden nicht, wovon er redete. Aber Staubfinger wusste es offenbar nur zu gut. Hatte Meggie ihm von Cosimo erzählt oder war es der Junge gewesen?

»Was starrt ihr ihn so an?«, fuhr Farid die Räuber an, während er sich an Staubfingers Seite stellte. »Es ist genau, wie er sagt! Fenoglio hat Cosimo von den Toten zurückgeholt. Ich war dabei!«

Wie die Dummköpfe zurückwichen! Nur der Schwarze Prinz blickte Fenoglio nachdenklich an.

»Was für ein Unsinn!«, stieß der hervor. »Keiner kommt in dieser Welt von den Toten zurück! Was wäre das für ein Durcheinander? Ich habe einen neuen Cosimo geschaffen, einen ganz neuen, und alles hätte sich zum Guten gefügt, wäre Meggie nicht beim Lesen unterbrochen worden! Mein Cosimo wäre ein wunderbarer Fürst geworden, ein –«

Bevor er weitersprechen konnte, presste ihm der Prinz die schwarze Hand auf den Mund. »Schluss jetzt!«, sagte er. »Genug von dem Gerede, während die Toten um uns herumliegen. Dein Cosimo ist tot, wo immer er herkam, und der Mann, den sie deiner Lieder wegen für den Eichelhäher halten, ist es vielleicht auch schon bald. Du scheinst gern mit dem Tod zu spielen, Tintenweber.«

Fenoglio wollte protestieren, aber der Schwarze Prinz hatte sich schon seinen Männern zugewandt. »Sucht weiter nach Verwundeten!«, befahl er. »Beeilt euch! Es wird Zeit, dass wir von der Straße herunterkommen.«

Knapp zwei Dutzend Überlebende fanden sie. Zwei Dutzend zwischen Hunderten von Toten. Als die Räuber sich mit den Verwundeten wieder auf den Weg machten, stolperte Fenoglio ihnen schweigend nach, ohne zu fragen, wohin es ging. »Der Alte folgt uns!«, hörte er Staubfinger zu dem Prinzen sagen. »Wo soll er sonst hin?«, erwiderte der Prinz nur – und Staubfinger schwieg. Doch er hielt sich fern von Fenoglio. Als wäre er der Tod selbst.

Unbeschriebenes Papier

Wir machen die Sachen, die nimmer vergehen,
Aus Tüchern die Bücher, die immer bestehen,
Wir schicken zu drükken den Drukkern von Hier,
Die geben das Leben dem toten Papier.
Michael Kongehl, Gedicht über die Weiße Kunst

Als Mortola sich Mos Zelle aufschließen ließ, erzählte Meggie ihm gerade vom Fest des Speckfürsten, vom Schwarzen Prinzen und Farids Fackelspielen. Mo legte schützend den Arm um sie, als draußen die Riegel zurückgeschoben wurden und Mortola in die Zelle trat, flankiert von Basta und dem Pfeifer. Das Licht der hereinfallenden Sonne ließ Bastas Gesicht aussehen wie gekochtes Hummerfleisch.

»Sieh an, welch eine Idylle! Tochter und Vater wiedervereint«, höhnte Mortola. »Wahrhaft rührend!«

»Beeilt Euch!«, raunte ihr der Wächter durch die Tür zu. »Wenn der Natternkopf erfährt, dass ich Euch zu ihm gelassen habe, stehe ich drei Tage am Pranger!«

»Nun, wenn das passiert, so habe ich gut dafür bezahlt, oder?«, erwiderte Mortola nur, während Basta mit bösem Lächeln auf Mo zutrat.

»Na, Zauberzunge«, schnurrte er, »hab ich dir nicht gesagt, dass ihr uns alle noch in die Falle geht?«

»Du siehst eher so aus, als wärst du Staubfinger in die Falle gegangen«, erwiderte Mo und schob Meggie rasch hinter sich, als Basta zur Antwort sein Messer aufschnappen ließ.

»Basta! Lass das!«, fuhr Mortola ihn an. »Wir haben keine Zeit für deine Spiele.«

Meggie trat hinter Mos Rücken hervor, als Mortola auf sie zukam. Sie wollte ihr zeigen, dass sie keine Angst vor ihr hatte (auch wenn das natürlich nur eine tapfere Lüge war).

»Das waren interessante Worte, die du da unter deinen Kleidern versteckt hattest«, raunte Mortola ihr zu. »Den Natternkopf interessierte speziell der Teil, in dem von drei ganz besonderen Wörtern die Rede ist. Oh, seht nur, wie blass sie um ihre hübsche Nase wird! Ja, der Natternkopf weiß von deinen Plänen, Täubchen, und dass Mortola doch nicht so dumm ist, wie er dachte. Das Buch, das du ihm versprochen hast, will er leider trotzdem immer noch haben. Der Narr glaubt tatsächlich, dass ihr zwei seinen Tod in ein Buch sperren könnt.« Die Elster rümpfte die Nase über so viel fürstliche Dummheit und trat noch dichter an Meggie heran. »Ja, er ist ein leichtgläubiger Dummkopf, wie alle Fürsten!«, flüsterte sie Meggie zu. »Wir beide wissen das, nicht wahr? Denn die Worte, die du bei dir trugst, erzählen auch, dass Cosimo der Schöne diese Burg erobern und den Natternkopf töten wird – mithilfe des Buches, das dein Vater für ihn binden soll. Wie aber soll das gehen? Cosimo ist tot, und diesmal endgültig. Ja, da siehst du mich erschrocken an, du Hexe, nicht wahr?« Grob kniffen ihre knochigen Finger in Meggies Wangen.

Mo wollte ihre Hand zurückstoßen, aber Basta hielt ihm das Messer entgegen.

»Deine Zunge hat ihre Zauberkraft verloren, Schätzchen!«, raunte die Elster. »Die Worte sind nichts als Worte geblieben. Das Buch, das dein Vater dem Natternkopf binden soll, wird nur ein leeres Buch sein – und wenn der Silberfürst das endlich begriffen hat, wird euch zwei nichts mehr vor dem Henker retten. Und Mortola hat endlich ihre Rache.«

»Lass sie in Ruhe, Mortola!« Mo griff nach Meggies Hand, trotz Bastas Messer. Meggie schloss ihre Finger ganz fest um die seinen, während in ihrem Kopf die Gedanken übereinanderstolperten. Cosimo war tot? Zum zweiten Mal? Was bedeutete das? Gar nichts, dachte sie. Gar nichts, Meggie. Weil du die Worte, die ihn schützen sollten, nie vorgelesen hast!

Mortola schien ihre Erleichterung zu bemerken, die Augen der Elster wurden schmal wie ihre Lippen. »Ach, sieh an, das beunruhigt dich nicht? Denkst du, ich lüge dich an? Oder glaubst du etwa selbst an dieses Unsterblichkeits-Buch? Weißt du was?« Die Elster bohrte Meggie die mageren Finger in die Schulter. »Es ist ein Buch und du und dein Vater, ihr erinnert euch doch sicherlich daran, was mein Sohn mit Büchern zu tun pflegte! Capricorn wäre nie so dumm gewesen, sein Leben einem Buch anzuvertrauen, auch wenn du ihm dafür die Unsterblichkeit versprochen hättest! Außerdem ... die drei Wörter, die man angeblich nicht hineinschreiben darf ... die kenne ich ja nun auch ...«

»Was heißt das, Mortola?«, fragte Mo leise. »Träumst du etwa davon, Basta auf den Thron des Natternkopfes zu setzen? Oder gar dich selbst?«

Die Elster warf einen raschen Blick auf den Wächter vor der Zellentür, doch er kehrte ihnen den Rücken zu und sie wandte sich mit ausdruckslosem Gesicht erneut Mo zu. »Was auch immer ich vorhabe, Zauberzunge«, zischte sie ihm zu, »du wirst es nicht mehr erleben. Für dich ist diese Geschichte zu Ende. Warum ist er nicht in Ketten?«, fuhr sie den Pfeifer an. »Noch ist er ein Gefangener, oder? Fessle ihm wenigstens die Hände für den Weg.«

Meggie wollte protestieren, aber Mo warf ihr einen warnenden Blick zu.

»Glaub mir, Zauberzunge!«, raunte Mortola, während der Pfeifer ihm unsanft die Hände auf den Rücken band. »Selbst wenn der Natternkopf dich freilässt, nachdem du ihm sein Buch gemacht hast – du wirst nicht weit kommen. Und auf Mortolas Worte ist mehr Verlass als auf die Worte eines Dichters. Bringt die beiden in die Alte Kammer!«, befahl sie, während sie wieder auf die Tür zuging. »Aber bewacht sie gut, während sie das Buch binden.«

Die Alte Kammer lag im abgelegensten Teil der Nachtburg, weit entfernt von den Sälen, in denen der Natternkopf Hof hielt. Verstaubt und verlassen waren die Korridore, durch die Basta und der Pfeifer sie führten. Kein Silber zierte Säulen oder Türen, kein Glas verschloss die zugigen Fensterhöhlen.

Die Kammer, deren Tür der Pfeifer schließlich mit einer spöttischen Verbeugung vor Mo öffnete, schien schon seit Langem nicht mehr bewohnt. Den blassroten Stoff, mit dem das Bett verhängt war, hatten die Motten zerfressen. Die Blumensträuße, die in Krügen in den Fensternischen standen, waren längst vertrocknet. Staub hing in den verblassten Blüten und bedeckte schmutzig weiß die Truhen, die unter den Fenstern standen. Mitten im Raum war ein Tisch aufgebaut, eine lange Holzplatte, auf Böcke gelegt. Dahinter stand ein Mann, blass wie Papier, mit weißem Haar und Tintenflecken an den Fingern. Meggie streifte er nur mit einem Blick, doch Mo musterte er so eingehend, als hätte ihn jemand gebeten, ein Gutachten über ihn auszustellen.

»Das ist er?«, fragte er den Pfeifer. »Der Mann sieht aus, als hätte er nie in seinem Leben ein Buch in der Hand gehabt, ganz zu schweigen davon, dass er auch nur die Spur einer Ahnung hat, wie man sie bindet.«

Meggie sah, wie sich ein Lächeln auf Mos Gesicht stahl. Ohne ein Wort trat er auf den Tisch zu und musterte die Werkzeuge, die darauf lagen.

»Mein Name ist Taddeo. Ich bin der Bibliothekar hier«, fuhr der Fremde mit gereizter Stimme fort. »Ich nehme an, dass dir nicht einer dieser Gegenstände etwas sagt, aber ich kann dir versichern, dass allein das Papier, das du dort siehst, mehr wert ist als dein armseliges Räuberleben. Allerfeinste Schöpfarbeit von der besten Papiermühle in tausend Meilen Umkreis, genug, um mehr als zwei Bücher mit fünfhundert Blättern zu binden. Wobei natürlich ein echter Buchbinder Pergament jedem noch so guten Papier vorziehen würde.«

Mo hielt dem Pfeifer die gefesselten Hände hin. »Darüber lässt sich streiten«, sagte er, während die Silbernase ihm mit mürrischer Miene die Fesseln löste. »Freu dich, dass ich Papier verlange. Das Pergament für dieses Buch würde ein Vermögen kosten. Ganz abgesehen von den Hunderten von Ziegen, die dafür ihr Leben lassen müssten. Und was die Qualität dieser Blätter betrifft, so ist sie keineswegs so gut, wie du behauptest. Es ist recht grob geschöpft, aber wenn es kein besseres gibt, muss es eben damit gehen. Ich hoffe, es ist wenigstens gut geleimt. Was den Rest betrifft«, Mo strich mit fachkundigen Fingern über die Werkzeuge, die bereitlagen, »so sieht alles recht brauchbar aus.«

Messer und Falzbeine, Hanf, Zwirn und Nadeln zum Heften der Blätter, Leim und ein Topf, in dem man ihn erhitzen konnte, Buchenholz für die Buchdeckel, Leder für den Bezug ... Mo nahm alles in die Hand, so wie er es auch in seiner Werkstatt tat, bevor er sich an die Arbeit machte. Dann sah er sich suchend um. »Was ist mit der Presse und der Heftlade? Und womit soll ich den Leim erhitzen?«

»Du … bekommst alles, was du brauchst, noch vor dem Abend«, antwortete Taddeo verwirrt.

»Die Schließen sind in Ordnung, aber ich brauche noch eine Feile und außerdem Leder und Pergament für die Bänder.«

»Sicher, sicher. Alles, was du sagst.« Der Bibliothekar nickte dienstfertig, während ein ungläubiges Lächeln auf seinem blassen Gesicht erschien.

»Gut.« Mo stützte sich mit beiden Händen auf den Tisch. »Entschuldige, aber ich bin noch etwas schwach auf den Beinen. Das Leder ist hoffentlich geschmeidiger als das Papier, und was den Leim betrifft«, er griff nach dem Tiegel und schnupperte daran, »nun ja, es wird sich zeigen, ob er gut genug ist. Bring mir auch Kleister. Den Leim werde ich nur für den Einband benutzen. Er schmeckt den Bücherwürmern allzu gut.«

Meggie weidete sich an den überraschten Gesichtern. Selbst der Pfeifer starrte Mo ungläubig an. Nur Bastas Miene blieb ungerührt. Er wusste, dass er dem Bibliothekar einen Buchbinder und keinen Räuber gebracht hatte.

»Mein Vater braucht einen Stuhl«, sagte Meggie mit einem auffordernden Blick zu dem Bibliothekar. »Seht Ihr nicht, dass er verwundet ist? Soll er etwa im Stehen arbeiten?«

»Im Stehen? Nein … nein, natürlich nicht! Keineswegs. Ich werde sofort einen Lehnstuhl bringen lassen«, antwortete der Bibliothekar mit abwesender Stimme, während er Mo immer noch musterte. »Ihr … ähm … wisst erstaunlich viel über die Kunst des Bücherbindens für einen Wegelagerer.«

Mo schenkte ihm ein Lächeln. »Ja, nicht wahr?«, sagte er. »Vielleicht war der Wegelagerer irgendwann mal ein Buchbinder? Sagt man nicht, dass sich unter den Gesetzlosen die verschiedensten Berufe finden? Bauern, Schuster, Bader, Spielmänner …«

»Egal, was er mal war«, fuhr der Pfeifer dazwischen, »ein Mörder ist er allemal, also fall nicht auf seine sanfte Stimme herein, Bücherwurm. Er tötet, ohne mit der Wimper zu zucken. Frag Basta, wenn du mir nicht glaubst.«

»Ja, allerdings!« Basta rieb sich die verbrannte Haut. »Er ist gefährlicher als ein Nest von Vipern. Und seine Tochter ist keinen Deut besser. Ich hoffe, die Messer da bringen dich nicht auf dumme Ideen«, sagte er zu Mo. »Die Wachen werden sie regelmäßig zählen, und für jedes, das verschwindet, werden sie deiner Tochter einen Finger abschneiden. Für jede Dummheit, die du versuchst, werden sie das Gleiche tun. Hast du verstanden?«

Mo antwortete ihm nicht, aber er blickte zu den Messern, als wollte er sie vorsichtshalber zählen. »Schafft jetzt endlich einen Stuhl her!«, sagte Meggie ungeduldig zu dem Bibliothekar, als er sich erneut auf den Tisch stützte.

»Ja, natürlich! Sofort!« Taddeo schoss eilfertig davon. Der Pfeifer aber stieß ein hässliches Lachen aus.

»Hört euch die kleine Hexe an! Kommandiert hier herum wie ein Fürstenbalg! Nun ja, wen wundert's, schließlich behauptet sie, die Tochter eines Mannes zu sein, der den Tod zwischen zwei Holzdeckel sperren kann! Was ist mit dir, Basta? Glaubst du ihr die Geschichte?«

Basta griff nach dem Amulett, das ihm um den Hals hing. Es war keine Kaninchenpfote, wie er sie in Capricorns Diensten getragen hatte, sondern ein Knochen, der verdächtig einem menschlichen Finger glich. »Wer weiß!«, murmelte er.

»Ja, wer weiß?«, wiederholte Mo, ohne sich zu den beiden umzudrehen. »Auf jeden Fall kann ich den Tod rufen, nicht wahr, Basta? Und Meggie kann es auch.«

Der Pfeifer warf Basta einen schnellen Blick zu.

Dessen verbrannte Haut hatte blasse Flecken bekommen. »Ich weiß nur eins«, knurrte er, die Hand immer noch an seinem Amulett. »Dass du längst tot und begraben sein solltest, Zauberzunge. Und dass der Natternkopf besser daran täte, auf Mortola statt auf deine Hexentochter zu hören. Aus der Hand gefressen hat er ihr, der Silberfürst. Ist hereingefallen auf ihre Lügen.«

Der Pfeifer richtete sich auf, angriffslustig wie die Viper auf dem Wappen seines Herrn. »Hereingefallen?«, fragte er mit seiner seltsam gepressten Stimme. Er war einen ganzen Kopf größer als Basta. »Der Natternkopf fällt auf niemanden herein. Er ist ein großer Fürst, größer als alle anderen. Der Brandfuchs vergisst das bisweilen, ebenso wie Mortola. Mach du nicht denselben Fehler. Und jetzt verschwinde. Der Natternkopf hat angeordnet, dass niemand, der früher für Capricorn gearbeitet hat, diesen Raum bewacht. Kann das vielleicht bedeuten, dass er euch nicht traut?«

Bastas Stimme gerann zu einem Zischen. »Du selbst hast einmal für Capricorn gearbeitet, Pfeifer!«, stieß er zwischen den Lippen hervor. »Du wärst nichts ohne ihn.«

»Ach ja? Siehst du diese Nase?« Der Pfeifer strich über seine Silbernase. »Einst hatte ich eine wie du, ein plumpes, gewöhnliches Ding. Es tat weh, sie zu verlieren, aber der Natternkopf hat mir eine bessere machen lassen, und seither singe ich nicht mehr für betrunkene Brandstifter, sondern nur noch für ihn – einen echten Fürsten, dessen Familie älter ist als die Türme dieser Burg. Wenn du ihm nicht dienen willst, dann geh zurück zu Capricorns Festung. Vielleicht streicht sein Geist noch zwischen den verbrannten Mauern herum, aber du fürchtest dich ja vor Geistern, nicht wahr, Basta?«

Die beiden Männer standen sich so nah gegenüber, dass Bastas Messerklinge kaum Platz zwischen ihnen gehabt hätte.

»Ja, ich fürchte mich vor ihnen«, zischte er. »Aber ich liege wenigstens nicht jede Nacht auf den Knien und winsele, weil ich Angst habe, die Weißen Frauen könnten mich holen, so wie dein feiner neuer Herr es tut.«

Der Pfeifer schlug ihm so heftig ins Gesicht, dass Bastas Kopf gegen den Türrahmen stieß. Blut lief ihm rot die verbrannte Wange hinunter. Er wischte es mit dem Handrücken ab. »Hüte dich vor dunklen Korridoren, Pfeifer!«, flüsterte er. »Deine Nase hast du nicht mehr, aber irgendwas zum Abschneiden findet sich immer.«

Als der Bibliothekar mit dem Lehnstuhl zurückkam, war Basta fort, und auch der Pfeifer verschwand, nachdem er zwei Wachen vor der Tür postiert hatte. »Keiner kommt herein und keiner heraus, bis auf den Bibliothekar!«, hörte Meggie ihn barsch befehlen, bevor er ging. »Und kontrolliert regelmäßig, ob der Eichelhäher arbeitet.«

Taddeo lächelte Mo verlegen zu, während die Schritte des Pfeifers draußen verklangen, als müsste er sich für die Soldaten vor der Tür entschuldigen. »Verzeiht!«, sagte er leise und schob ihm den Stuhl an den Tisch. »Aber ich habe da ein paar Bücher, die seltsame Schäden aufweisen. Könntet Ihr Euch die vielleicht einmal ansehen?«

Meggie musste ein Lächeln unterdrücken, aber Mo tat, als hätte der Bibliothekar ihm die selbstverständlichste Frage der Welt gestellt. »Sicher«, sagte er.

Taddeo nickte und warf einen Blick zur Tür, vor der eine der Wachen mit mürrischer Miene auf und ab ging. »Mortola darf nichts davon erfahren, deshalb werde ich wiederkommen, wenn es dunkel ist«, raunte er Mo zu. »Zum Glück geht sie früh schlafen. Es gibt wunderbare Bücher auf dieser Burg, aber leider niemanden, der sie zu schätzen weiß. Früher war das anders, aber früher ist vergessen und vergangen. Ich habe gehört, dass es auf der Burg des Speckfürsten inzwischen auch nicht viel besser steht, aber dort ist wenigstens Balbulus. Wir waren damals alle sehr erbost, als der Natternkopf seiner Tochter als Mitgift ausgerechnet den besten unserer Buchmaler mitgab! Seither ist es mir nicht erlaubt, mehr als zwei Schreiber zu beschäftigen und einen mehr als mäßigen Illuminator. Die einzigen Abschriften, die ich in Auftrag geben darf, sind Manuskripte, die sich mit den Ahnen des Natternkopfes beschäftigen, dem Abbau und der Verarbeitung von Silber oder der Kunst der Kriegsführung. Im letzten Jahr, als das Holz wieder einmal knapp war, hat der Brandfuchs sogar mit einigen meiner schönsten Bücher den kleinen Festsaal geheizt.« In Taddeos trübe Augen traten Tränen.

»Bringt mir die Bücher, wann Ihr wollt«, sagte Mo.

Der alte Bibliothekar fuhr sich mit dem Saum seines dunkelblauen Kittels über die Augen. »Ja!«, stammelte er. »Ja, das werde ich. Ich danke Euch.«

Dann war er fort. Und Mo setzte sich mit einem Seufzer in den Lehnstuhl, den er ihm gebracht hatte. »Gut«, seufzte er. »Dann machen wir uns mal an die Arbeit. Ein Buch, das den Tod fernhält, was für eine Idee. Nur schade, dass es für diesen Schlächter sein soll. Du wirst mir helfen müssen, Meggie, beim Falzen und Heften, beim Pressen ...«

Sie nickte nur. Natürlich würde sie ihm helfen. Es gab nicht viele Dinge, die sie lieber tat.

Es fühlte sich so vertraut an, Mo wieder bei der Arbeit zu sehen – wie er das Papier zurechtlegte, es falzte, zuschnitt und heftete. Er arbeitete langsamer als sonst, und immer wieder wanderte seine Hand an die Brust, dorthin, wo Mortola ihn verwundet hatte. Aber Meggie spürte, dass es ihm guttat, die gewohnten Handgriffe zu tun, auch wenn einiges Werkzeug anders beschaffen war, als er es gewohnt war. Die Handbewegungen waren dieselben, seit Hunderten von Jahren, in dieser wie in der anderen Welt …

Schon nach wenigen Stunden bekam die Alte Kammer etwas seltsam Vertrautes, wie eine Zuflucht und nicht nur ein weiteres Gefängnis. Als es draußen dämmerte, brachte der Bibliothekar ihnen mit einem Diener ein paar Öllampen. Das warme Licht gab dem staubigen Raum fast den Anschein, als sei er schon seit Langem wieder mit Leben erfüllt.

»Es ist lange her, dass in dieser Kammer Lampen entzündet wurden!«, sagte Taddeo, während er Mo eine zweite auf den Tisch stellte.

»Wer hat in dieser Kammer zuletzt gewohnt?«, fragte Mo.

»Unsere erste Fürstin«, antwortete Taddeo. »Ihre Tochter hat den Sohn des Speckfürsten geheiratet. Ich frage mich, ob Violante schon weiß, dass Cosimo zum zweiten Mal gestorben ist.« Mit traurigem Gesicht blickte er zum Fenster. Ein feuchter Wind strich herein und Mo beschwerte das Papier mit einem Stück Holz. »Violante kam mit einem Geburtsmal zur Welt, das ihr Gesicht entstellte«, fuhr der Bibliothekar fort, mit so abwesender Stimme, als erzählte er nicht ihnen, sondern einem fernen Zuhörer die Geschichte. »Alle sagten, es sei eine Strafe, ein Fluch der Feen, weil ihre Mutter sich in einen Spielmann verliebt hätte. Der Natternkopf ließ sie gleich nach der Geburt in diesen Teil der Burg verbannen, und sie lebte hier zusammen mit dem Kind, bis sie starb … sehr plötzlich starb.«

»Das ist eine traurige Geschichte«, sagte Mo.

»Glaubt mir, würde man all die traurigen Geschichten, die diese Mauern gesehen haben, in Bücher schreiben«, erwiderte Taddeo bitter, »dann könnte man jeden Raum dieser Burg mit ihnen füllen.«

Meggie blickte sich um, als könnte sie die Bücher sehen, all die traurigen Bücher. »Wie alt war Violante, als sie mit Cosimo verlobt und nach Ombra geschickt wurde?«, fragte sie.

»Sieben. Die Töchter unserer derzeitigen Fürstin waren sogar erst sechs, als man sie verlobte und fortschickte. Wir hoffen alle, dass sie diesmal einen Sohn bekommt!« Taddeo ließ den Blick über das Papier schweifen, das Mo zugeschnitten hatte, das Werkzeug … »Es ist schön, wieder Leben in dieser Kammer zu sehen!«, sagte er leise. »Ich komme mit den Büchern zurück, sobald ich sicher sein kann, dass Mortola schläft.«

»Sechs Jahre alt, sieben Jahre, mein Gott, Meggie«, sagte Mo, als er fort war. »Du bist schon dreizehn, und ich habe dich immer noch nicht weggeschickt, geschweige denn verlobt.«

Es tat gut zu lachen. Auch wenn es seltsam widerhallte in dem hohen Raum.

Taddeo kam erst nach Stunden zurück. Mo arbeitete immer noch, obwohl er sich immer häufiger an die Brust griff und Meggie ihn schon ein paar Mal hatte überreden wollen, sich endlich schlafen zu legen. »Schlafen?«, sagte er nur. »Ich hab noch nicht eine Nacht richtig geschlafen in dieser Burg. Außerdem will ich deine Mutter wiedersehen, und das werde ich erst, wenn ich dieses Buch fertig habe.«

Der Bibliothekar brachte ihm zwei Bücher. »Seht Euch das an!«, flüsterte er, als er Mo das erste hinschob. »Diese Fraßstellen am Einband! Und immer sieht es fast so aus, als roste die Tinte. Das Pergament wird löchrig. Manche Worte kann man kaum noch lesen! Was kann das sein? Würmer? Käfer? Ich habe mich nie um so etwas gekümmert. Ich hatte einen Helfer, der sich mit all diesen Bücherkrankheiten auskannte, doch eines Morgens war er verschwunden, man sagt, er sei zu den Räubern in den Wald gegangen.«

Mo nahm das erste Buch in die Hand, schlug es auf und strich über die Seiten. »Himmel!«, sagte er. »Wer hat das gemalt? Ich habe noch nie so schöne Illuminationen gesehen.«

»Balbulus«, antwortete Taddeo. »Der Illuminator, der mit Violante fortgeschickt wurde. Er war noch sehr jung, als er dies gemalt hat. Seht her, seine Schrift ist noch etwas unfertig, aber inzwischen ist seine Meisterschaft ohne Makel.«

»Woher wisst Ihr das?«, fragte Meggie.

Der Bibliothekar senkte die Stimme. »Violante lässt mir ab und zu ein Buch schicken. Sie weiß, wie sehr ich Balbulus' Kunst bewundere und dass es auf der Nachtburg außer mir niemanden mehr gibt, der Bücher liebt. Nicht, seit ihre Mutter tot ist. Seht Ihr die Truhen dort?« Er wies auf die schweren staubigen Holzkisten neben der Tür und unter den Fenstern. »Darin verbarg Violantes Mutter ihre Bücher. Sie versteckte sie zwischen ihren Kleidern. Nur abends holte sie sie hervor und zeigte sie der Kleinen, obwohl die damals vermutlich kaum ein Wort von dem verstand, was ihre Mutter ihr vorlas. Doch dann, kurz nachdem Capricorn verschwunden war, kam Mortola her, weil der Natternkopf sie gebeten hatte, die Mägde in der Küche auszubilden, worin, darüber sprach keiner. Violantes Mutter bat mich daraufhin, ihre Bücher in der Bibliothek zu verstecken, denn Mortola ließ mindestens einmal am Tag ihre Kammer durchsuchen, wonach, erfuhr sie nie. Dieses –«, er zeigte auf das Buch, in dem Mo immer noch blätterte, »– war eins ihrer Lieblingsbücher. Die Kleine zeigte auf ein Bild und ihre Mutter erzählte ihr eine Geschichte dazu. Ich wollte es Violante mitgeben, als sie sie fortschickten, aber sie ließ es in dieser Kammer zurück. Vielleicht weil sie keine Erinnerung an diesen traurigen Ort mit in ihr neues Leben nehmen wollte. Ich würde es trotzdem gern retten, als Andenken an ihre Mutter. Wisst Ihr, ich glaube, dass ein Buch immer etwas von seinen Besitzern zwischen seinen Seiten bewahrt.«

»O ja, das glaube ich auch«, sagte Mo. »Ganz sicher ist das so.«

»Und?« Der alte Mann sah ihn hoffnungsvoll an. »Wisst Ihr, wie ich es vor weiterem Schaden bewahren kann?«

Mo klappte das Buch behutsam wieder zu. »Ja, aber es ist nicht leicht. Holzwürmer, Tintenfraß, wer weiß, was noch … Sieht das zweite genauso aus?«

»Oh, das –«, der Bibliothekar warf erneut einen nervösen Blick zur Tür, »um das steht es noch nicht so schlimm. Aber ich dachte mir, Ihr würdet es vielleicht gern einmal sehen. Balbulus hat es erst vor Kurzem vollendet, im Auftrag von Violante. Es –«, er sah Mo unsicher an, »– enthält alle Lieder, die die Spielleute über den Eichelhäher singen. Soweit ich weiß, gibt es nur zwei Exemplare. Eines besitzt Violante, das andere liegt vor Euch und ist eine Abschrift, die sie eigens für mich anfertigen ließ. Der Verfasser der

Lieder soll angeblich nicht wollen, dass sie niedergeschrieben werden, aber für ein paar Münzen kann man sie von jedem Spielmann hören. Auf die Art hat Violante sie gesammelt und von Balbulus aufzeichnen lassen. Ja, die Spielleute ... sie sind wandelnde Bücher in dieser bücherarmen Welt! Wisst Ihr«, raunte er Mo zu, während er das Buch aufschlug, »manchmal glaube ich, dass diese Welt längst ihr Gedächtnis verloren hätte, gäbe es das Bunte Volk nicht. Leider lässt der Natternkopf sie allzu gern aufhängen! Ich habe schon oft vorgeschlagen, dass man ihnen vor der Hinrichtung einen Schreiber schickt, der all die schönen Lieder auf Papier bannt, bevor die Worte mit ihnen sterben, aber auf einen alten Bibliothekar hört niemand auf dieser Burg.«

»Nein, vermutlich nicht«, murmelte Mo, aber Meggie hörte seiner Stimme an, dass er nichts von dem gehört hatte, was Taddeo gesagt hatte. Mo steckte tief zwischen den Buchstaben, den wunderschönen Buchstaben, die vor ihm über das Pergament flossen wie ein feiner Bachlauf aus Tinte.

»Verzeiht meine Neugier«, Taddeo räusperte sich verlegen. »Ich habe gehört, Ihr leugnet, der Eichelhäher zu sein, aber wenn Ihr erlaubt«, er nahm Mo das Buch aus der Hand und schlug eine Seite auf, die Balbulus reich illuminiert hatte. Zwischen zwei Bäumen, so wunderbar gemalt, dass Meggie glaubte, die Blätter rauschen zu hören, stand ein Mann, eine Vogelmaske über dem Gesicht. »So hat Balbulus den Eichelhäher gemalt«, raunte Taddeo, »wie die Lieder ihn beschreiben: das dunkle Haar, der hohe Wuchs ... Sieht er Euch nicht ähnlich?«

»Ich weiß nicht«, sagte Mo. »Er trägt eine Maske, nicht wahr?«

»Ja, ja, sicherlich.« Taddeo blickte ihn immer noch eindringlich an. »Aber wisst Ihr, man sagt noch etwas über den Eichelhäher.

Dass er eine sehr schöne Stimme hat, ganz im Gegensatz zu dem Vogel, dessen Namen er trägt. Es heißt, dass er Bären und Wölfe mit wenigen Worten besänftigen kann. Verzeiht meine Dreistigkeit, aber –«, er senkte verschwörerisch die Stimme, »*Ihr* habt eine sehr schöne Stimme, Mortola erzählt eigenartige Dinge über sie. Und wenn Ihr nun auch noch die Narbe habt …« Er starrte auf Mos Arm.

»Oh, Ihr meint die hier, nicht wahr?« Mo legte den Finger unter eine Zeile, neben die Balbulus ein Rudel weißer Hunde gemalt hatte: »*Trägt die Narbe bis zum Tode, hoch am linken Arm* … ja, ich habe so eine Narbe, nur waren es andere Hunde als die, von denen dieses Lied erzählt.« Er griff sich an den Arm, als erinnerte er sich an den Tag, an dem Basta sie bei der Hütte gefunden hatte, der verfallenen Hütte voller Scherben und zerbrochener Schindeln.

Der alte Bibliothekar jedoch machte einen Schritt zurück. »Dann seid Ihr es doch!«, hauchte er. »Die Hoffnung der Armen, der Schrecken der Schlächter, Rächer und Räuber, im Wald zu Hause wie die Bären und Wölfe!«

Mo klappte das Buch zu und klemmte die metallenen Schließen in den lederbezogenen Einband. »Nein«, sagte er. »Nein, ich bin es nicht, aber ich danke Euch dennoch sehr für das Buch. Ich habe lange keins mehr in den Händen gehalten, und es wird guttun, endlich wieder einmal etwas zum Lesen zu haben. Nicht wahr, Meggie?«

»Ja«, sagte sie nur, während sie ihm das Buch aus der Hand nahm. Die Lieder über den Eichelhäher. Was Fenoglio wohl gesagt hätte, wenn er gewusst hätte, dass Violante sie heimlich hatte niederschreiben lassen – und was sich womöglich an Hilfe darin verbarg! Ihr Herz tat einen Sprung, als sie an die Möglichkeiten dachte, doch Taddeo machte ihre Hoffnungen auf einen Schlag zunichte. »Ich bedaure sehr«, sagte er und zog ihr das Buch sanft, aber entschieden wieder aus den Händen. »Doch ich kann Euch keins der beiden hierlassen. Mortola war bei mir, sie war bei allen, die mit der Bibliothek zu tun haben. Sie hat jedem von uns gedroht, denjenigen blenden zu lassen, der auch nur ein Buch in diese Kammer bringt. Blenden, stellt Euch das vor! Welch eine Drohung, wo doch nur die Augen uns die Welt der Buchstaben erschließen. Ich habe schon viel zu viel riskiert, indem ich überhaupt herkam, aber ich hänge so sehr an diesen Büchern, dass ich Euch einfach um Rat fragen musste. Bitte! Sagt mir, was ich tun muss, um sie zu retten!«

Meggie war so enttäuscht, dass sie seine Bitte abgeschlagen hätte, aber Mo sah das natürlich anders. Mo dachte nur an die kranken Bücher. »Sicher«, sagte er zu Taddeo. »Am besten schreibe ich es Euch auf. Es braucht seine Zeit, Wochen, Monate, und ich weiß nicht, ob Ihr all die Stoffe, die Ihr braucht, besorgen könnt, aber einen Versuch wird es wert sein. Ich gebe diesen Rat nicht gern, aber ich fürchte, Ihr werdet zumindest das eine Buch auseinandernehmen müssen, denn um es zu retten, müssen die Seiten in der Sonne bleichen. Solltet Ihr nicht wissen, wie Ihr das am pfleglichsten anstellt, so mache ich es gern für Euch. Mortola kann ja zusehen, wenn sie sichergehen will, dass ich nichts Gefährliches anstelle.«

»Oh, ich danke Euch!« Der alte Mann verbeugte sich tief, während er die zwei Bücher fest unter den hageren Arm klemmte. »Ich danke Euch vielmals. Ich hoffe wirklich inständig, dass der Natternkopf Euch am Leben lässt, und falls doch nicht, dass er Euch einen schnellen Tod gewährt.«

Darauf hätte Meggie ihm gern eine passende Antwort gegeben, aber Taddeo hastete zu schnell davon auf seinen Heuschreckbeinen.

»Mo! Hilf ihm nicht!«, sagte sie, als die Wache draußen erneut die Riegel vorgeschoben hatte. »Warum solltest du? Er ist ein elender Feigling!«

»Oh, ich kann ihn gut verstehen. Ich würde auch nur ungern ohne meine Augen auskommen, obwohl es in unserer Welt immerhin etwas so Nützliches wie die Blindenschrift gibt.«

»Trotzdem! Ich würde ihm nicht helfen.« Meggie liebte ihren Vater für sein seltsam weiches Herz, doch das ihre konnte für Taddeo kein Mitgefühl aufbringen. Sie äffte seine Stimme nach: »Ich hoffe, dass er Euch einen schnellen Tod gewährt! Wie kann man nur so etwas sagen?«

Aber Mo hörte ihr gar nicht zu. »Hast du jemals so schöne Bücher gesehen, Meggie?«, fragte er, während er sich auf dem Bett ausstreckte.

»Ja, allerdings!«, antwortete sie trotzig. »Jedes, das ich lesen darf, ist schöner, oder etwa nicht?«

Aber Mo antwortete nicht. Er hatte ihr den Rücken zugedreht und atmete tief und ruhig. Offenbar hatte der Schlaf ihn endlich doch gefunden.

Güte und Barmherzigkeit

Seht her, hier baumeln wir, fünf Kameraden,
und wenn wir auch den Leib noch in der Sonne baden,
den fetten Leib genährt mit Fleisch und Weizenbrot;
bald frißt uns auf mit Haar und Haut der Tod.
François Villon, Die Ballade von den Galgenbrüdern

Wann gehen wir zurück?« Mehrmals am Tag stellte Farid Staubfinger die Frage, und jedes Mal bekam er dieselbe Antwort: »Noch nicht.« »Aber wir sind schon so lange hier.« Fast zwei Wochen waren seit dem Gemetzel im Wald verstrichen und er war es leid, so leid, im Dachsbau zu sitzen. »Was ist mit Meggie? Du hast versprochen, dass wir zurückgehen!« »Wenn du weiter so drängst, vergess ich das Versprechen«, sagte Staubfinger darauf nur – und ging zu Roxane.

Tag und Nacht kümmerte sie sich um die Verwundeten, die sie zwischen den Toten entdeckt hatten, in der Hoffnung, dass wenigstens diese Männer nach Ombra zurückkehren würden, doch auch von ihnen pflegte sie einige vergebens. Er wird bei ihr bleiben, dachte Farid jedes Mal, wenn er Staubfinger neben ihr sitzen sah. Und ich werd allein zur Nachtburg zurückgehen müssen. Der Gedanke tat so weh, als würde das Feuer ihn beißen.

Am fünfzehnten Tag, als Farid schon das Gefühl hatte, er würde den Geruch von Mäusedreck und bleichen Pilzen nie wieder von der Haut waschen können, brachten gleich zwei Spitzel des Schwarzen Prinzen dieselbe Nachricht: Dem Natternkopf war ein

Sohn geboren worden. Und zur Feier dieses Ereignisses, so verkündeten es seine Ausrufer auf jedem Marktplatz, würde er in genau zwei Wochen, um seine große Güte und Barmherzigkeit zu beweisen, alle Gefangenen, die auf der Nachtburg eingekerkert waren, freilassen. Einschließlich des Eichelhähers.

»Unsinn!«, sagte Staubfinger, als Farid ihm davon erzählte. »Der Natternkopf hat eine gebratene Wachtel dort, wo andere ihr Herz haben. Er würde niemals irgendjemanden aus Barmherzigkeit freilassen und wenn ihm noch so viele Söhne geboren werden. Nein, falls er wirklich vorhat, sie freizulassen, dann, weil Fenoglio es so geschrieben hat. Aus keinem anderen Grund.«

Fenoglio schien der gleichen Ansicht zu sein. Seit dem Gemetzel hatte er meist mit trübsinnigem Blick in irgendeiner dunklen Ecke des Dachsbaus gehockt und kaum ein Wort von sich gegeben, aber nun verkündete er mit trotziger Stimme jedem, der es hören wollte, dass nur ihm die guten Nachrichten zu verdanken seien.

Keiner hörte ihm zu, keiner wusste, wovon er redete – bis auf Staubfinger, der ihn immer noch mied wie die Mensch gewordene Pest. »Hör dir den Alten an! Wie er prahlt und sich brüstet!«, sagte er zu Farid. »Cosimo und seine Männer sind kaum kalt und er hat sie schon vergessen. Der Schlag soll ihn treffen!«

Natürlich glaubte der Schwarze Prinz ebenso wenig an die Gnade des Natternkopfes wie Staubfinger, trotz Fenoglios Beteuerungen, dass genau das eintreten würde, was die Spitzel berichteten. Bis tief in die Nacht saßen die Räuber zusammen, um zu beratschlagen, was sie tun würden. Farid erlaubten sie nicht, dabei zu sein, aber Staubfinger schon.

»Was haben sie vor? Nun sag schon!«, fragte Farid ihn, als er endlich aus der Höhle kam, in der die Räuber seit Stunden die Köpfe zusammensteckten.

»In einer Woche brechen sie auf.«

»Wohin? Zur Nachtburg?«

»Ja.« Staubfinger schien darüber nicht halb so erfreut wie Farid. »Himmel, du zappelst ja herum wie das Feuer, wenn der Wind hineinfährt«, fuhr er ihn gereizt an. »Mal sehen, ob du dich immer noch so freust, wenn wir erst mal da sind. Wie die Würmer werden wir wieder unter die Erde kriechen müssen und dort sehr viel tiefer als hier ...«

»Noch tiefer?«

Natürlich. Farid sah den Natternberg vor sich: kein Fleck, an dem man sich verbergen konnte, kein Busch, kein Baum.

»Es gibt da eine verlassene Mine, am Fuß des Nordhangs.« Staubfinger verzog das Gesicht, als verursachte schon der Gedanke an diesen Ort ihm Übelkeit. »Irgendein Vorfahre des Natternkopfes hat dort wohl zu tief graben lassen und etliche Stollen sind eingestürzt, doch das ist schon so lange her, dass offenbar nicht einmal der Natternkopf sich noch an die Mine erinnert. Kein netter Ort, aber ein gutes Versteck, das einzige auf dem Natternberg. Der Bär hat den Einstieg entdeckt.«

Eine Mine. Farid schluckte. Schon der Gedanke ließ ihn nach Luft ringen. »Und dann?«, fragte er. »Wenn wir dort sind, was machen wir dann?«

»Warten. Warten, ob der Natternkopf sein Versprechen tatsächlich hält.«

»Warten? Nichts weiter?«

»Alles Weitere erfährst du früh genug.«

»Dann gehen wir mit?«

»Hast du etwas anderes vor?«

Farid umarmte ihn so fest, wie er es seit Langem nicht mehr getan hatte. Auch wenn er wusste, dass Staubfinger Umarmungen nicht sonderlich mochte.

»Nein!«, sagte Roxane, als der Schwarze Prinz ihr anbot, sie vor ihrem Aufbruch von einem seiner Männer zurück nach Ombra bringen zu lassen. »Ich komme mit euch. Wenn du einen Mann entbehren kannst, schick ihn zu meinen Kindern und lass ihnen ausrichten, dass ich bald nach Hause komme.«

Bald! Farid fragte sich, wann das sein sollte, aber er sagte nichts. Obwohl nun feststand, wann sie losgehen würden, vergingen die Tage weiterhin quälend langsam und fast jede Nacht träumte er von Meggie, schlimme Träume, voll Dunkelheit und Angst. Als der Tag des Aufbruchs endlich gekommen war, blieb ein halbes Dutzend Räuber im Dachsbau, um sich weiter um die Verwundeten zu kümmern. Der Rest machte sich auf den Weg zur Nachtburg: dreißig Männer, zerlumpt, aber gut bewaffnet. Und Roxane. Und Fenoglio.

»Ihr nehmt den Alten mit?«, fragte Staubfinger den Prinzen entgeistert, als er Fenoglio zwischen den Männern entdeckte. »Seid ihr verrückt geworden? Schickt ihn zurück nach Ombra. Bringt ihn sonst wohin, am besten geradewegs zu den Weißen Frauen, aber schickt ihn fort!«

Doch der Prinz wollte davon nichts wissen. »Was hast du bloß gegen ihn?«, fragte er. »Und komm mir nicht wieder damit, dass er Tote zurückholt! Er ist ein harmloser alter Mann. Selbst mein Bär mag ihn. Er hat uns ein paar schöne Lieder geschrieben, und er kann wunderbare Geschichten erzählen, auch wenn ihm zurzeit die Lust daran vergangen ist. Außerdem will er nicht zurück nach Ombra.«

»Nun, das wundert mich nicht, bei all den Witwen und Waisen, die es dort seinetwegen gibt«, erwiderte Staubfinger bitter, und als Fenoglio in seine Richtung sah, warf er ihm einen so eisigen Blick zu, dass der Alte den Kopf schnell wieder abwandte.

Es wurde ein schweigsamer Marsch. Über ihren Köpfen flüsterten die Bäume, als wollten sie sie davor warnen, auch nur einen Schritt weiter nach Süden zu gehen, und ein paar Mal musste Staubfinger das Feuer rufen, um Wesen fortzuscheuchen, die keiner von ihnen sah, aber alle spürten. Farid war müde, todmüde, sein Gesicht und seine Arme waren zerkratzt von Dornen, als über den Baumwipfeln endlich die silbernen Türme auftauchten. »Wie eine Krone auf einem kahlen Kopf«, flüsterte einer der Räuber, und für einen Augenblick glaubte Farid, die Angst greifen zu können, die jeder der zerlumpten Männer beim Anblick der gewaltigen Festung verspürte. Vermutlich waren sie alle froh, als der Prinz sie zum Nordhang des Natternberges führte und die Turmspitzen wieder verschwanden. Die Erde schlug Falten wie ein zerknittertes Gewand auf dieser Seite und die wenigen Bäume duckten sich, als hörten sie zu oft den Klang von Äxten. Farid hatte solche Bäume noch nie gesehen. Ihr Laub schien schwarz wie die Nacht selbst und ihre Rinde war stachlig wie der Pelz eines Igels. Rote Beeren wuchsen an den Zweigen. »Mortolas Beeren!«, raunte Staubfinger ihm zu, als er im Vorbeigehen eine Handvoll pflückte. »Sie soll sie überall am Fuß des Hügels verteilt haben, bis die Erde gespickt mit ihnen war. Die Bäume wachsen sehr schnell, sie schießen wie Pilze aus dem Boden und halten alle anderen Bäume fern. Die Beißenden Bäume nennt man sie, alles an ihnen ist giftig, Beeren, Blätter, und ihre Rinde verbrennt dir die Haut schlimmer, als das Feuer es tut.« Farid ließ die Beeren fallen und wischte sich die Hand an der Hose ab.

Kurze Zeit später, es war schon stockdunkel, liefen sie fast in eine der Patrouillen hinein, die der Natternkopf regelmäßig ausschickte, aber der Bär warnte sie. Wie Silberkäfer tauchten die Reiter zwischen den Bäumen auf. Das Mondlicht spiegelte sich auf ihren Brustpanzern, und Farid wagte kaum zu atmen, während er sich neben Staubfinger und Roxane in einen Erdspalt duckte und darauf wartete, dass die Hufschläge verklangen. Wie Mäuse unter den Augen einer Katze, so schlichen sie weiter, bis sie ihr Ziel endlich erreicht hatten.

Teufelszwirn und Geröll verbargen den Einstieg, durch den der Prinz sich als Erster in den Schoß der Erde zwängte. Farid zögerte, als er sah, wie steil es in die Dunkelheit hinabging. »Nun komm schon!«, flüsterte Staubfinger ihm ungeduldig zu. »Die Sonne geht bald auf und die Soldaten der Natter werden dich sicherlich nicht für ein Eichhörnchen halten.«

»Aber es riecht wie in einer Gruft«, sagte Farid und blickte sehnsüchtig zum Himmel hinauf.

»Ah, der Junge hat eine feine Nase!«, sagte der Schnapper. »Ja, da unten gibt es viele Tote. Der Berg hat sie gefressen, weil sie zu tief gegraben haben. Man sieht sie nicht, aber man riecht sie. Sollen die Stollen verstopfen wie eine Ladung toter Fische.«

Farid sah ihn entsetzt an, aber Staubfinger gab ihm nur einen Stoß in den Rücken. »Wie oft muss ich dir noch sagen, dass du dich nicht vor den Toten, sondern vor den Lebenden fürchten sollst. Los, lass ein paar Funken auf deinen Fingern tanzen, damit wir Licht haben.«

Die Räuber hatten sich in die Stollen eingenistet, die nicht verschüttet waren. Decken und Wände hatten sie zusätzlich abgestützt, aber Farid traute den Balken nicht, die sich gegen Stein und Erde stemmten. Wie sollten sie das Gewicht eines ganzen Berges tragen? Er glaubte, ihn seufzen und stöhnen zu hören, und während er es sich notdürftig auf den schmutzigen Decken bequem machte, die die Räuber auf den harten Boden gebreitet hatten, fiel ihm plötzlich wieder der Rußvogel ein. Aber der Prinz lachte nur, als er ihn besorgt nach ihm fragte. »Nein, der Rußvogel kennt diesen Ort nicht. Er kennt keins unserer Verstecke. Er hat uns oft überreden wollen, ihn mitzunehmen, aber wer traut schon jemandem, der ein so hundsmiserabler Feuerschlucker ist? Vom Geheimen Lager wusste er nur, weil er ein Spielmann ist.«

Sicher fühlte Farid sich trotzdem nicht. Fast eine Woche noch, bis der Natternkopf die Gefangenen freilassen wollte! Das würde eine lange Zeit werden. Er sehnte sich schon jetzt nach dem Mäusedreck im Dachsbau zurück. In der Nacht starrte er unentwegt das Geröll an, das den Stollen, in dem sie schliefen, verschloss. Er glaubte zu hören, wie bleiche Finger an den Steinen kratzten. »Dann halt dir eben die Ohren zu!«, sagte Staubfinger nur, als er ihn deswegen wachrüttelte, und schlang die Arme wieder um Roxane.

Staubfinger träumte wieder schlecht, so wie er es auch in der anderen Welt oft getan hatte, aber nun war es Roxane, die ihn beruhigte und wieder in den Schlaf flüsterte. Ihre leise Stimme, weich vor Zärtlichkeit, erinnerte Farid an Meggies Stimme und er vermisste sie so sehr, dass er sich dafür schämte. Es war schwer, in dieser Dunkelheit, umgeben von Toten, daran zu glauben, dass sie ihn auch vermisste. Was, wenn sie ihn vergessen hatte, so wie Staubfinger ihn oft vergaß, seit Roxane gekommen war …? Nur Meggie hatte ihn die Eifersucht vergessen lassen, aber Meggie war nicht da.

In der zweiten Nacht kam ein Junge in die Mine, der in den Ställen auf der Nachtburg arbeitete und für den Schwarzen Prinzen spionierte, seit der Pfeifer seinen Bruder hatte aufhängen lassen. Er berichtete, der Natternkopf wolle die Gefangenen auf der Straße ziehen lassen, die hinunter zu den Häfen führte, unter der Bedingung, dass sie dort ein Schiff besteigen und nie zurückkehren würden.

»Die Straße zu den Häfen, so, so!«, sagte der Prinz nur, als der Spitzel wieder fort war – und machte sich noch in derselben Nacht mit Staubfinger auf den Weg. Farid fragte erst gar nicht, ob er mitdürfte. Er folgte ihnen einfach.

Die Straße war kaum mehr als ein Fußweg zwischen den Bäumen. Schnurgerade kam sie den Natternberg herab, als hätte sie es eilig, endlich wieder unter ein Blätterdach zu schlüpfen. »Der Natternkopf hat schon einmal eine Schar Gefangener begnadigt und auf diese Straße entlassen«, sagte der Schwarze Prinz, als sie unter den Bäumen am Straßenrand standen. »Sie sind auch wirklich ohne Zwischenfall bis ans Meer gekommen, wie er es versprochen hatte, doch das Schiff, das bereitlag, war ein Sklavenschiff, und der Natternkopf soll ein besonders schönes Silberzaumzeug für das knappe Dutzend Menschen bekommen haben.«

Sklaven? Farid erinnerte sich an Märkte, auf denen Menschen verkauft wurden, begafft und betastet wie Vieh. Mädchen mit blondem Haar waren sehr begehrt gewesen.

»Nun schau nicht so drein, als wäre Meggie schon verkauft!«, sagte Staubfinger. »Dem Prinzen wird schon etwas einfallen. Oder?«

Der Schwarze Prinz versuchte es mit einem Lächeln, aber er konnte nicht verbergen, dass er die Straße voller Sorge hinaufsah. »Bis zu diesem Schiff dürfen sie nie kommen«, sagte er. »Und wir können nur hoffen, dass der Natternkopf ihnen nicht allzu viele Soldaten zum Geleit mitgibt. Wir müssen sie rasch verstecken, am besten erst einmal in der Mine, bis sich alles wieder beruhigt hat. Vermutlich«, setzte er fast beiläufig hinzu, »werden wir das Feuer brauchen.«

Staubfinger blies auf seine Finger, bis Flammen zart wie Falterflügel darauf tanzten. »Warum, glaubst du, bin ich noch hier?«, fragte er. »Das Feuer wird da sein. Aber ich werde kein Schwert in die Hand nehmen, falls du das hoffst. Du weißt, ich bin nicht sonderlich geschickt mit so einem Ding.«

Besuch

Wenn ich nicht aus diesem Hause entkommen kann,
dachte er, bin ich ein toter Mann!
Robert L. Stevenson, Der Schwarze Pfeil

Als Meggie aus dem Schlaf fuhr, wusste sie im ersten Moment nicht, wo sie war. Elinor?, dachte sie. Fenoglio? Doch dann sah sie Mo, tief über den großen Tisch gebeugt, ein Buch bindend. DAS Buch. Fünfhundert leere Blätter. Sie waren auf der Nachtburg und morgen sollte Mo fertig sein … Ein Blitz erhellte die rußgeschwärzte Decke, und der Donner, der ihm folgte, klang bedrohlich laut, doch es war nicht das Gewitter, das Meggie geweckt hatte. Sie hatte Stimmen gehört. Die Wachtposten. Jemand war vor der Tür. Mo hatte es auch gehört.

»Meggie, er darf nicht so lange arbeiten. Das bringt das Fieber zurück!«, hatte der Schleierkauz noch am Morgen zu ihr gesagt, bevor sie ihn wieder hinunter in die Kerker brachten. Aber was sollte sie dagegen tun? Mo schickte sie ins Bett, sobald sie allzu oft gähnte. (»Das war das dreiundzwanzigste Mal, Meggie. Los, ins Bett, oder du fällst mir noch tot um, bevor dieses verfluchte Buch fertig ist.«) Er selbst aber ging dann noch lange nicht schlafen. Er schnitt, falzte und heftete, bis der Morgen dämmerte. Wie auch in dieser Nacht.

Als eine der Wachen die Tür aufstieß, glaubte Meggie für einen schrecklichen Moment, Mortola wäre gekommen – um Mo doch noch zu töten, bevor der Natternkopf ihn freiließ. Doch es war nicht die Elster. Der Natternkopf stand schwer atmend in der Tür, hinter sich zwei Diener, bleich vor Müdigkeit, mit Silberleuchtern in den Händen, von denen das Wachs auf die Dielen tropfte. Mit schwerfälligen Schritten trat ihr Herr auf den Tisch zu, an dem Mo arbeitete, und starrte auf das fast fertige Buch.

»Was wollt Ihr hier?« Mo hielt das Papiermesser noch in der Hand. Der Natternkopf starrte ihn an. Seine Augen waren noch blutunterlaufener als in der Nacht, in der Meggie ihren Handel mit ihm geschlossen hatte.

»Wie lange noch?«, stieß er hervor. »Mein Sohn schreit. Er schreit die ganze Nacht. Er spürt die Weißen Frauen genau wie ich. Jetzt wollen sie ihn auch holen, ihn und mich gleich dazu. In Gewitternächten sind sie besonders hungrig.«

Mo legte das Messer zur Seite. »Ich bin morgen fertig, wie abgemacht. Ich wäre sogar noch eher fertig geworden, aber das Leder für den Bezug hatte Dornenlöcher und Risse, das hat aufgehalten, und das Papier war auch nicht das beste.«

»Ja, ja, schon gut, der Bibliothekar hat mir deine Beschwerden überbracht!« Die Stimme des Natternkopfes klang, als hätte er sie heiser geschrien. »Wenn es nach Taddeo ginge, würdest du den Rest deines Lebens in dieser Kammer verbringen und all meine Bücher neu binden. Aber ich werde mein Wort halten! Ich werde euch gehen lassen, dich, deine Tochter, deine Frau und das Spielmannsgesindel ... Sie können alle gehen, ich will nur das Buch! Mortola hat mir von den drei Wörtern erzählt, die deine Tochter mir so hinterlistig verschwiegen hat, aber das ist mir egal – ich werde schon aufpassen, dass keiner sie hineinschreibt! Ich will ihm endlich ins Gesicht lachen können, dem Kalten Mann und seinen bleichen Weibern! Noch eine Nacht und ich schlage meinen Kopf gegen die Wand, ich töte meine Frau, ich töte mein Kind, ich töte euch alle. Hast du verstanden, Eichelhäher oder wie sonst dein Name ist? Du musst fertig sein, bevor es noch einmal dunkel wird!«

Mo strich über den Holzdeckel, den er am Tag zuvor erst mit Leder bezogen hatte. »Ich werde fertig sein, sobald die Sonne wieder aufgeht. Aber Ihr schwört mir beim Leben Eures Sohnes, dass Ihr uns dann auf der Stelle gehen lasst.«

Der Natternkopf blickte sich um, als stünden die Weißen Frauen schon hinter ihm. »Ja, ja, ich schwöre, bei was und bei wem du willst! Bei Sonnenaufgang, das klingt gut!« Er machte einen Schritt auf Mo zu und starrte auf seine Brust. »Zeig es mir!«, flüsterte er. »Zeig mir, wo Mortola dich verwundet hat. Mit dieser Zauberwaffe, die mein Waffenmeister so gründlich auseinandergenommen hat, dass keiner sie wieder zusammensetzen kann. Aufhängen lassen hab ich den Schwachkopf dafür.«

Mo zögerte, doch schließlich öffnete er sein Hemd.

»So dicht am Herzen!« Der Natternkopf presste seine Hand gegen Mos Brust, als wollte er sichergehen, dass das Herz darin auch wirklich noch schlug. »Ja!«, sagte er. »Ja, du musst wahrhaftig ein Rezept gegen den Tod wissen, sonst wärst du nicht mehr am Leben.«

Abrupt drehte er sich um und winkte die beiden Diener zur Tür. »Also – kurz nach Sonnenaufgang werde ich dich holen lassen, dich und das Buch«, sagte er über die Schulter. »Schafft mir etwas zu essen in die Halle!«, hörte Meggie ihn vor der Tür bellen, während die Wachen erneut die Riegel vorschoben. »Weckt die Köche, die Mägde und den Pfeifer. Weckt sie alle! Ich will essen und ein paar finstere Lieder hören. Der Pfeifer soll sie so laut singen, dass ich das Kind nicht schreien höre.«

Dann entfernten sich seine Schritte und nur das Grollen des Donners blieb. Ein Blitz ließ die Seiten des fast fertigen Buches aufleuchten, als hätten sie ihr eigenes Leben. Mo war ans Fenster getreten. Reglos stand er da und blickte hinaus.

»Bis Sonnenaufgang? Schaffst du das?«, fragte Meggie besorgt.

»Sicher«, sagte er, ohne sich umzudrehen. Über dem Meer flackerten die Blitze wie ein fernes Licht, das jemand an- und ausschaltete – nur dass es ein solches Licht in dieser Welt nicht gab. Meggie trat an Mos Seite und er legte den Arm um sie. Er wusste, dass sie Angst vor Gewittern hatte. Schon als sie ganz klein gewesen war, hatte er ihr, wenn sie zu ihm ins Bett gekrochen war, immer dieselbe Geschichte erzählt: dass der Himmel sich immerfort nach der Erde sehnte und in Gewitternächten die feurigen Finger ausstreckte, um sie zu berühren.

Heute aber erzählte Mo die Geschichte nicht.

»Hast du die Angst auf seinem Gesicht gesehen?«, flüsterte Meggie ihm zu. »Genau so hat Fenoglio es geschrieben.«

»Ja, selbst der Natternkopf muss die Rolle spielen, die Fenoglio ihm geschrieben hat«, erwiderte Mo. »Aber wir auch, Meggie. Gefällt dir der Gedanke?«

Die Nacht davor

Stimmt. Ich sprech von Träumen,
Den Kindern unbeschäftigter Gehirne,
Erzeugt aus Blasen eitler Phantasie,
Die als Substanz so dünn ist wie die Luft …
William Shakespeare, Romeo und Julia

Es war die letzte Nacht vor dem Tag, an dem der Natternkopf seine Barmherzigkeit beweisen wollte. In wenigen Stunden, noch vor Morgengrauen, würden sie alle an der Straße liegen. Wann genau die Gefangenen kommen sollten, das hatte keiner der Spitzel zu sagen gewusst – nur dass dies der Tag sein würde. Die Räuber hockten zusammen und erzählten sich mit lauten Stimmen alte Abenteuer. Vermutlich war das ihre Art, die Angst fernzuhalten, doch Staubfinger war weder nach Reden noch nach Zuhören zumute. Immer wieder schreckte er aus dem Schlaf, doch nicht der lauten Stimmen wegen, die zu ihm herüberdrangen. Bilder weckten ihn, schlimme Bilder, wie sie ihm schon seit Tagen den Schlaf raubten.

Diesmal waren sie besonders schlimm gewesen, so wirklich, dass er hochgefahren war, als wäre Gwin ihm auf die Brust gesprungen. Das Herz schlug ihm immer noch bis zum Hals, während er dasaß und in die Dunkelheit starrte. Träume – schon in der anderen Welt hatten sie ihn oft den Schlaf gekostet, aber er konnte sich an keinen erinnern, der so schlimm gewesen war wie dieser. »Es sind die Toten. Sie bringen die schlimmen Träume«, sagte Farid immer.

»Sie flüstern dir schreckliche Dinge zu und dann legen sie sich dir auf die Brust, um dein rasendes Herz zu spüren. Das gibt ihnen das Gefühl, wieder lebendig zu sein!«

Die Erklärung gefiel Staubfinger. Er fürchtete den Tod, aber nicht die Toten. Doch was, wenn es ganz anders war, was, wenn die Träume ihm eine Geschichte zeigten, die irgendwo schon auf ihn wartete? Die Wirklichkeit war ein zerbrechliches Ding, das hatte ihn Zauberzunges Stimme für alle Zeiten gelehrt.

Neben ihm regte Roxane sich im Schlaf. Sie wandte den Kopf und murmelte die Namen ihrer Kinder, der lebenden wie der toten. Es gab keine Nachrichten aus Ombra. Selbst der Prinz hatte noch nichts gehört, weder von der Burg noch aus der Stadt, kein Wort darüber, was passiert war, nachdem der Natternkopf seiner Tochter Cosimos Leiche hatte bringen lassen, zusammen mit der Nachricht, dass auch von den Männern, die ihm gefolgt waren, kaum einer zurückkehren würde.

Roxane flüsterte erneut Briannas Namen. Jeder Tag, den sie bei ihm blieb, zerschnitt ihr das Herz, das wusste Staubfinger nur zu gut. Warum also ging er nicht einfach mit ihr? Kehrte diesem verfluchten Hügel den Rücken, um endlich wieder an einem Ort zu sein, an dem man sich nicht unter der Erde verstecken musste wie ein Tier … Oder wie ein Toter, setzte er in Gedanken hinzu.

Du weißt, warum!, dachte er. Nur die Träume sind es. Die verfluchten Träume. Er flüsterte Feuerworte. Weg mit der Dunkelheit, in der Träume so schreckliche Blüten trieben. Schläfrig leckte eine Flamme neben ihm aus der Erde. Er streckte die Hand aus und ließ sie an seinen Armen emportanzen, an seinen Fingern schlecken und an seiner Stirn in der Hoffnung, sie würde die bösen Bilder einfach fortbrennen. Doch selbst der Schmerz nahm sie nicht fort und Staubfinger löschte die Flamme mit der flachen Hand. Rußig und heiß war seine Haut danach, als hätte das Feuer seinen schwarzen Atem hinterlassen, der Traum aber war immer noch da, ein Schrecken in seinem Herzen, zu schwarz und stark selbst für das Feuer.

Wie konnte er einfach fortgehen, wenn er nachts solche Bilder sah – Bilder von Toten, immer wieder, nichts als Blut und Tod? Die Gesichter wechselten. Mal war es Resas Gesicht, das er sah, mal das von Meggie, dann wieder das vom Schleierkauz. Auch den Schwarzen Prinzen hatte er schon im Traum gesehen, Blut auf der Brust. Und heute – heute war es Farids Gesicht gewesen. Genau wie in der Nacht zuvor. Staubfinger schloss die Augen, als die Bilder zurückkamen, so deutlich, so klar ... Natürlich hatte er versucht, den Jungen zu überreden, bei Roxane in der Mine zu bleiben. Aber es war hoffnungslos.

Staubfinger lehnte den Rücken gegen den feuchten Stein, in den längst verschwundene Hände die engen Stollen geschlagen hatten, und blickte zu dem Jungen hinüber. Farid hatte sich zusammengerollt wie ein kleines Kind, die Knie an die Brust gezogen, neben sich die beiden Marder. Sie schliefen immer öfter an Farids Seite, wenn sie von der Jagd kamen, vielleicht, weil sie wussten, dass Roxane sie nicht mochte.

Wie friedlich der Junge dalag, so anders, als Staubfinger ihn noch eben in seinen Träumen gesehen hatte. Es huschte sogar ein Lächeln über sein dunkles Gesicht. Vielleicht träumte er ja von Meggie, Resas Meggie, ihrer Mutter so ähnlich wie eine Flamme der anderen und doch so verschieden. »Du denkst doch auch, dass es ihr gut geht, oder?« Wie oft am Tag er das fragte. Staubfinger erinnerte sich noch gut an das Gefühl, zum ersten Mal verliebt zu sein. Er war kaum älter gewesen als Farid. Wie wehrlos sein Herz plötzlich gewesen war, so ein zittriges zuckendes Ding, glücklich und furchtbar unglücklich zugleich.

Ein kalter Windzug fuhr durch den Stollen, und Staubfinger sah, wie der Junge im Schlaf schauderte. Gwin hob den Kopf, als er aufstand, sich den Mantel von den Schultern zog und Farid damit zudeckte. »Was siehst du mich so an?«, flüsterte er dem Marder zu. »In dein Herz hat er sich doch genauso geschlichen wie in meins. Wie konnte uns das nur passieren, Gwin?«

Der Marder leckte sich die Pfote und sah ihn an mit seinen dunklen Augen. Wenn er träumte, dann sicher nur von der Jagd und nicht von toten Jungen.

Was, wenn der Alte die Träume schickte? Der Gedanke ließ Staubfinger schaudern, während er sich wieder neben Roxane auf dem harten Boden ausstreckte. Ja, vielleicht saß Fenoglio in irgendeiner Ecke, so wie er es in den letzten Tagen oft getan hatte, und spann für ihn ein paar böse Träume. Schließlich hatte er es mit der Angst des Natternkopfes nicht anders gemacht! Unsinn!, dachte Staubfinger ärgerlich und schlang den Arm um Roxane. Meggie ist nicht hier. Ohne sie sind die Worte des Alten nichts als Tinte. Und jetzt versuch endlich zu schlafen, oder du wirst noch einnicken, wenn du mit den anderen zwischen den Bäumen wartest.

Aber er schloss die Augen noch lange nicht.

Er lag nur da und lauschte dem Atem des Jungen.

Feder und Schwert

»Natürlich nicht«, sagte Hermine. »Alles, was wir brauchen, steht hier auf diesem Papier.«
Joanne K. Rowling, Harry Potter und der Stein der Weisen

Mo arbeitete die ganze Nacht, während das Gewitter draußen tobte, als wollte Fenoglios Welt nichts davon wissen, dass die Unsterblichkeit in sie einzog. Meggie hatte versucht, wach zu bleiben, aber schließlich war sie doch wieder eingenickt, den Kopf auf dem Tisch, und er hatte sie ins Bett gebracht, wie er es unzählige Male schon getan hatte. Und sich erneut darüber gewundert, wie groß sie geworden war. Fast schon erwachsen. Fast.

Meggie wurde wach, als er die Schließen zuschnappen ließ. »Guten Morgen!«, sagte er, als sie den Kopf vom Kissen hob – und hoffte, dass es ein guter Morgen werden würde. Draußen rötete der Himmel sich wie ein Gesicht, in das das Blut zurückströmte. Die Schließen griffen gut. Mo hatte sie gefeilt, bis nichts an ihnen mehr bohrte oder stach. Sie drückten die leeren Seiten zusammen, als steckte schon jetzt der Tod dazwischen. Das Leder, das man ihm für den Einband gegeben hatte, schimmerte rötlich und umschloss die hölzernen Deckel wie eine gewachsene Haut. Der Bund war sanft gerundet, die Heftung fest, der Buchblock sorgsam gehobelt. Aber all das würde bei diesem Buch keine Rolle spielen. Niemand würde darin lesen. Niemand würde es neben sein Bett legen, um wieder und wieder in seinen Seiten zu blättern. Das Buch war unheimlich in all seiner Schönheit, selbst Mo empfand es so, obwohl es das Werk seiner Hände war. Es schien eine Stimme zu haben, die kaum wahrnehmbar flüsterte, Wörter, die sich auf seinen leeren Seiten nicht fanden. Aber es gab sie. Fenoglio hatte sie aufgeschrieben, an einem fernen Ort, an dem nun Frauen und Kinder um ihre toten Männer und Väter weinten. Ja, die Schließen waren wichtig.

Schwere Schritte hallten über den Korridor vor der Tür. Soldatenschritte. Näher und näher kamen sie. Draußen verblasste die Nacht. Der Natternkopf nahm ihn beim Wort. *Sobald die Sonne aufgeht …*

Meggie stieg hastig aus dem Bett, fuhr sich übers Haar und strich sich das zerdrückte Kleid glatt.

»Ist es fertig?«, flüsterte sie.

Er nickte und nahm das Buch vom Tisch. »Meinst du, es wird dem Natternkopf gefallen?«

Der Pfeifer stieß die Tür auf, vier Soldaten im Gefolge. Die Silbernase saß ihm im Gesicht, als wäre sie ihm aus dem Fleisch gewachsen.

»Nun, Eichelhäher? Bist du fertig?«

Mo betrachtete das Buch von allen Seiten. »Ja, ja, ich denke schon!«, sagte er, aber als der Pfeifer die Hand danach ausstreckte, verbarg er es hinter dem Rücken. »O nein«, sagte er. »Das behalte ich, bis dein Herr seinen Teil des Handels erfüllt hat.«

»Ach ja?« Der Pfeifer lächelte höhnisch. »Glaubst du nicht, dass ich Wege wüsste, es dir abzunehmen? Aber halte dich ruhig noch eine Weile daran fest. Die Angst wird dir die Knie früh genug weich machen.«

Es war ein langer Weg von dem Teil der Nachtburg, in dem die Geister längst vergessener Frauen lebten, zu den Sälen, in denen der Natternkopf lebte und herrschte. Den ganzen Weg ging der Pfeifer hinter Mo, mit seinem seltsam hochmütigen Gang, steif wie ein Storch, so dicht hinter ihm, dass er seinen Atem im Nacken spürte. Die meisten Korridore, durch die sie kamen, hatte Mo nie zuvor betreten, und doch schien es ihm, als hätte er sie alle schon durchwandert – damals, mit Fenoglios Buch, als er es wieder und wieder gelesen hatte, um Resa zurückzuholen. Es war ein seltsames Gefühl, nun wirklich hier entlangzugehen – hinter den Buchstaben – und erneut nach ihr zu suchen.

Auch von dem Saal, dessen gewaltige Türen sich schließlich für sie öffneten, hatte Mo gelesen, und als er Meggies erschrockenen Blick sah, wusste er nur zu gut, an welchen anderen schlimmen Ort sie nun erinnert wurde. Capricorns rote Kirche war nicht halb so prächtig gewesen wie der Thronsaal des Natternkopfes, aber dank Fenoglios Beschreibung hatte Mo das Vorbild trotzdem gleich erkannt. Rot getünchte Wände, Säulen zu beiden Seiten, nur dass diese im Unterschied zu denen in Capricorns Kirche mit Schuppen aus Silber verkleidet waren. Sogar das Standbild hatte Capricorn dem Natternkopf abgeschaut, aber der Steinmetz, der den Silberfürsten verewigt hatte, verstand eindeutig mehr von seinem Handwerk.

Den Thron des Natternkopfes hatte Capricorn nicht nachzuahmen versucht. Er war geformt wie ein Nest silberner Vipern, von denen zwei sich mit starr aufgerissenen Mäulern emporreckten, damit die Hände des Natternkopfes auf ihren Köpfen ruhen konnten.

Der Herr der Nachtburg war prächtig gekleidet trotz der frühen Stunde, als wollte er seine Unsterblichkeit gebührend willkommen heißen. Er trug einen Mantel aus silbrig weißen Reiherfedern über Gewändern aus schwarzer Seide. Hinter ihm, wie eine Schar bunt gefiederter Vögel, wartete sein Hofstaat: Verwalter, Zofen, Diener und zwischen ihnen, aschgrau gekleidet, wie es ihrer Zunft entsprach, eine Schar von Badern.

Natürlich war auch Mortola anwesend. Sie stand im Hintergrund, fast unsichtbar in ihrem schwarzen Kleid. Hätte Mo nicht nach ihr Ausschau gehalten, er hätte sie übersehen. Von Basta war nichts zu entdecken, aber der Brandfuchs stand gleich neben dem Thronsessel, die Arme unter dem Fuchsmantel verschränkt. Feindselig starrte er ihnen entgegen, doch zu Mos Überraschung galten seine finsteren Blicke nicht ihm, sondern dem Pfeifer.

Es ist alles ein Spiel, Fenoglios Spiel, dachte Mo, während er an den silbernen Säulen entlangschritt. Wenn es sich nur nicht so echt angefühlt hätte. Wie still es war, trotz all der Menschen. Meggie sah ihn an, das Gesicht so blass unter dem hellen Haar. Er schenkte ihr das aufmunterndste Lächeln, das seine Lippen zustande brachten – und war nur froh, dass sie nicht hörte, wie schnell sein Herz schlug.

Neben dem Natternkopf saß seine Frau. Meggie hatte sie treffend beschrieben: eine Puppe aus elfenbeinfarbenem Porzellan. Hinter ihr stand die Amme mit dem so sehnlich erwarteten Sohn. Das Weinen des Kindes klang seltsam verloren in dem großen Saal.

Ein Spiel, dachte Mo noch einmal, als er vor den Thronstufen stehen blieb, nichts als ein Spiel. Wenn er nur mehr über die Regeln gewusst hätte. Es war noch jemand anwesend, den sie kannten. Taddeo, der Bibliothekar, stand mit demütig gesenktem Kopf gleich hinter dem Vipernthron und schenkte ihm ein besorgtes Lächeln.

Der Natternkopf sah noch übernächtigter aus als bei ihrer letzten Begegnung. Sein Gesicht war fleckig und voller Schatten, seine Lippen farblos, nur der Rubin in seinem Nasenwinkel leuchtete rot. Wer konnte sagen, seit wie vielen Nächten er nicht geschlafen hatte?

»Gut, du bist also tatsächlich fertig«, sagte er. »Natürlich, du hast es eilig, deine Frau wiederzusehen, nicht wahr? Mir wurde berichtet, dass sie jeden Tag nach dir fragt. Das ist vermutlich Liebe, nicht wahr?«

Ein Spiel, nur ein Spiel ... Es fühlte sich nicht so an. Nichts hatte sich je wirklicher angefühlt als der Hass, den Mo empfand, als er in das grobe, hochmütige Gesicht blickte. Und wieder spürte er es klopfen in seiner Brust: sein neues Herz, so kalt.

Der Natternkopf gab dem Pfeifer ein Zeichen und der Silbernasige trat auffordernd auf ihn zu. Es fiel schwer, das Buch in die behandschuhten Hände zu geben. Schließlich gab es nichts sonst, was sie retten konnte. Der Pfeifer spürte sein Widerstreben, lächelte ihm höhnisch zu – und brachte das Buch seinem Herrn. Dann stellte er sich, mit einem kurzen Blick auf den Brandfuchs, gleich neben den Thronsessel, mit so hochmütiger Miene, als gäbe es keinen wichtigeren Mann im Saal.

»Wunderschön. In der Tat!« Der Natternkopf strich über den ledernen Einband. »Ob er nun ein Räuber ist oder nicht, vom Bücherbinden versteht er etwas. Findest du nicht auch, Brandfuchs?«

»Es gibt viele Berufe unter den Räubern«, antwortete der Brandfuchs nur. »Warum nicht auch einen verfluchten Buchbinder?«

»Wie wahr, wie wahr. Habt ihr gehört?« Der Natternkopf wandte sich auffordernd zu seinem bunt gekleideten Gefolge um.

»Mir scheint, mein Herold glaubt immer noch, ich hätte mich von einem kleinen Mädchen betrügen lassen. Ja, er denkt, ich sei ein leichtgläubiger Dummkopf im Vergleich zu Capricorn, seinem alten Herrn.«

Der Brandfuchs wollte protestieren, aber der Natternkopf gebot ihm mit einer Handbewegung zu schweigen. »Schon gut!«, sagte er, so laut, dass jeder es hören konnte. »Stell dir vor, ich habe trotz meiner ganz offensichtlichen Dummheit einen Weg gefunden, zu beweisen, wer von uns beiden sich irrt.« Mit einem Kopfnicken befahl er Taddeo an seine Seite. Eilfertig trat der Bibliothekar zu ihm und zog Feder und Tinte aus dem weiten Gewand.

»Es ist ganz einfach, Brandfuchs!« Man hörte dem Natternkopf an, dass er gern seiner eigenen Stimme lauschte. »Nicht ich, sondern du wirst deinen Namen zuerst in dieses Buch schreiben! Taddeo hier hat mir versichert, dass man die Buchstaben mit einem Schaber, den Balbulus einst eigens entwickelt hat, so spurlos wieder entfernen kann, dass danach niemand auch nur den Schatten deines Namens auf den Seiten entdecken wird. Also, du schreibst deinen Namen – ich weiß, dass du das kannst – dann geben wir dem Eichelhäher ein Schwert in die Hand, und er darf es dir in in den Leib stoßen! Ist das nicht eine fabelhafte Idee? Wird so nicht eindeutig bewiesen werden, ob dieses Buch tatsächlich den unsterblich macht, dessen Name darin steht?«

Ein Spiel. Mo sah, wie sich auf dem Gesicht des Brandfuchses die Angst ausbreitete wie ein Ausschlag.

»Nun komm schon!«, höhnte der Natternkopf, während er mit dem Zeigefinger gedankenverloren über die Schließen des Buches fuhr. »Was siehst du plötzlich so blass aus? Ist so ein Spiel nicht genau nach deinem Geschmack? Komm und schreib deinen Namen hinein. Aber nicht den, den du dir selbst gegeben hast, sondern den, unter dem du geboren wurdest.«

Der Brandfuchs blickte sich um, als suchte er nach einem Gesicht, das Hilfe verhieß, doch niemand trat vor, nicht einmal Mortola. Die Lippen aufeinandergepresst, so fest, dass sie fast weiß waren, so stand sie da, und hätte ihr Blick ebenso töten können, wie ihr Gift es oft tat, dann hätte dem Natternkopf das Buch wohl nicht mehr geholfen. So aber lächelte er ihr nur zu – und drückte seinem Herold die Feder in die Hand. Der Brandfuchs starrte den gespitzten Kiel an, als wüsste er nicht, was er damit anfangen sollte. Dann tauchte er ihn umständlich in die Tinte – und schrieb.

Was nun, Mortimer?, dachte Mo, während der Soldat neben ihm die Hand ans Schwert legte. Was wirst du tun? Was? Er spürte Meggies entsetzten Blick, spürte ihre Angst wie Kälte neben sich.

»Bestens!« Der Pfeifer zog dem Brandfuchs das Buch aus der Hand, kaum dass er fertig war. Der Natternkopf aber winkte einem der Diener, die mit Schüsseln voller Obst und Kuchen am Fuß der Silbersäulen warteten. Der Honig troff ihm von den Fingern, als er sich einen der Kuchen zwischen die Lippen schob. »Nun, worauf wartest du noch, Brandfuchs?«, sagte er mit vollem Mund. »Versuch dein Glück! Nun mach schon.«

Der Brandfuchs stand da und starrte den Pfeifer an, der das Buch mit seinen langen Armen umschloss, als hielte er ein Kind. Mit bösem Lächeln erwiderte die Silbernase seinen Blick. Der Brandfuchs kehrte ihm abrupt den Rücken zu – und stieg die Treppe hinunter, an deren Fuß Mo wartete.

Rasch löste Mo Meggies Hand von seinem Arm und schob sie zur Seite, obwohl sie sich sträubte. Die Gepanzerten, die sie umstanden, wichen zurück, als räumten sie eine Bühne, bis auf einen, der auf einen Wink des Natternkopfes dem Brandfuchs in den Weg trat, ihm das Schwert aus der Scheide zog und den silbernen Knauf Mo hinhielt.

War dies immer noch Fenoglios Spiel?

Es war ihm gleich. Noch als er den Saal betreten hatte, hätte er einen Arm für ein Schwert gegeben, aber dieses wollte er nicht. Ebenso wenig wie die Rolle, die ihm irgendwer zuweisen wollte, sei es Fenoglio, sei es der Natternkopf.

»Nun nimm schon, Eichelhäher.« Der Soldat, der ihm das Schwert hinhielt, wurde ungeduldig, und Mo musste an die Nacht denken, in der er Bastas Schwert aufgehoben und ihn und Capricorn aus seinem Haus gejagt hatte. Er erinnerte sich noch genau daran, wie schwer die Waffe in der Hand gewogen, wie das Licht sich in der blanken Klinge gefangen hatte …

»Nein, danke«, sagte er und machte einen Schritt zurück. »Aber Schwerter gehören nicht zu meinem Handwerkszeug. Das habe ich doch wohl mit dem Buch da bewiesen, oder?«

Der Natternkopf wischte sich den Honig von den Fingern und musterte ihn von Kopf bis Fuß. »Aber Eichelhäher!«, sagte er mit leicht erstaunter Stimme. »Du hast es doch gehört. Wir verlangen keine sonderliche Kunstfertigkeit. Du sollst es ihm nur durch den Leib stoßen. Das ist doch nicht weiter schwer!«

Der Brandfuchs starrte Mo an. Seine Augen blickten trübe vor Hass. Sieh ihn dir an, du Dummkopf!, dachte Mo. Er würde dir das Schwert auf der Stelle durch den Leib stoßen, also warum tust du es nicht? Meggie verstand, warum er es nicht tat. Er sah es in ihren Augen. Vielleicht würde der Eichelhäher nach dem Schwert greifen, aber bestimmt nicht ihr Vater.

»Vergiss es, Natter!«, sagte er laut. »Wenn du eine Rechnung mit deinem Bluthund offen hast, begleiche sie selbst. Wir haben eine andere Abmachung.«

Der Natternkopf betrachtete ihn so interessiert, als hätte sich ein exotisches Tier in seinen Saal verirrt. Dann lachte er. »Die Antwort gefällt mir!«, rief er. »Ja, wirklich. Und weißt du was? Sie beweist mir endgültig, dass ich doch den Richtigen gefangen habe. Du bist der Eichelhäher, du bist es ohne Zweifel, er soll ein schlauer Fuchs sein. Aber trotzdem werde ich zu meinem Handel stehen.«

Und mit diesen Worten nickte er dem Gepanzerten zu, der Mo immer noch das Schwert hinhielt. Ohne Zögern wandte er sich um und stieß dem Herold seines Herrn die lange Klinge durch den Leib, so schnell, dass der Brandfuchs nicht einmal dazu kam, zurückzuweichen.

Meggie schrie auf. Mo zog sie an sich und verbarg ihr Gesicht an seiner Brust. Der Brandfuchs aber stand da und starrte fassungslos auf das Schwert, das ihm aus dem Körper ragte, als wäre es ein Teil von ihm.

Mit selbstzufriedenem Lächeln blickte der Natternkopf in die Runde, labte sich an dem stummen Entsetzen, das ihn umgab. Der Brandfuchs aber griff nach dem Schwert, das ihm aus dem Leib ragte, und zog die Klinge mit verzerrtem Gesicht wieder heraus, ganz langsam, ohne zu wanken.

Und in dem großen Saal wurde es so still, als hätten alle Anwesenden aufgehört zu atmen.

Der Natternkopf aber klatschte in die Hände. »Nun seht ihn euch an!«, rief er. »Ist irgendwer hier im Saal der Meinung, dass er diesen Schwertstoß hätte überleben können? Doch er ist nur etwas blass, nichts weiter. Stimmt's, Brandfuchs?«

Sein Herold antwortete nicht, er stand nur da und starrte auf das blutige Schwert in seinen Händen.

Der Natternkopf aber fuhr mit aufgeräumter Stimme fort: »Ja, ich denke, damit ist es bewiesen! Das Mädchen hat nicht gelogen, und der Natternkopf ist wohl doch kein leichtgläubiger Narr, der auf Kindermärchen hereinfällt, nicht wahr?« Wie ein Raubtier die Pfoten – so sorgsam setzte er die Worte. Nichts als Stille antwortete ihm. Und auch der Brandfuchs, das Gesicht weiß vom Schmerz, schwieg weiter, während er mit einem Zipfel seines Mantels das eigene Blut von der Schwertklinge wischte.

»Sehr gut!«, stellte der Natternkopf fest. »Dann wäre das wohl aus der Welt – und ich habe nun einen unsterblichen Herold! Zeit, dass ich dasselbe von mir behaupten kann. Pfeifer!«, sagte er und drehte sich zu dem Silbernasigen um. »Leer mir den Saal! Schaff alle hinaus. Diener, Frauen, Bader, Verwalter, alle. Nur zehn Gepanzerte bleiben, du, der Brandfuchs, der Bibliothekar und die zwei Gefangenen. Du gehst auch!«, fuhr er Mortola an, als sie protestieren wollte. »Bleib bei meiner Frau und sorg endlich dafür, dass das Kind nicht mehr weint.«

»Mo, was hat er vor?«, flüsterte Meggie, während um sie her die Gepanzerten die Menschen aus dem Saal trieben. Aber er konnte nur den Kopf schütteln. Er wusste die Antwort nicht. Er spürte nur, dass das Spiel noch lange nicht zu Ende war.

»Was ist mit uns?«, rief er dem Natternkopf zu. »Meine Tochter und ich haben unseren Teil der Abmachung erfüllt, also hol die Gefangenen aus dem Kerker und lass uns gehen.«

Doch der Natternkopf hob nur beschwichtigend die Hände. »Ja, sicher, sicher, Eichelhäher!«, gab er mit gönnerhafter Stimme zurück. »Da du dein Versprechen gehalten hast, halte ich das meine.

Natternehrenwort. Ich habe bereits ein paar Männer hinunter in die Kerker geschickt, aber es ist ein langer Weg von dort bis zum Tor, also leiste uns noch etwas Gesellschaft. Glaub mir, für deine Unterhaltung wird gesorgt sein.«

Ein Spiel. Mo sah sich um und beobachtete, wie die riesigen Türen sich hinter den letzten Dienern schlossen. Der Saal erschien leer nur noch größer.

»Wie fühlst du dich, Brandfuchs?« Der Natternkopf musterte seinen Herold mit kühlem Blick. »Wie fühlt es sich an, unsterblich zu sein? Fabelhaft? Beruhigend?«

Der Brandfuchs schwieg. Er hielt immer noch das Schwert in der Hand, das ihn durchbohrt hatte. »Ich hätte gern mein eigenes Schwert zurück«, sagte er heiser, ohne seinen Herrn aus den Augen zu lassen. »Dieses taugt nichts.«

»Ach was. Unsinn. Ich werde dir ein neues Schwert schmieden lassen, ein besseres, als Dank für den Dienst, den du mir heute erwiesen hast!«, entgegnete der Natternkopf. »Aber vorher bleibt noch eine Kleinigkeit zu erledigen, damit wir deinen Namen ohne Schaden wieder aus meinem Buch entfernen können.«

»Entfernen?« Der Blick des Brandfuchses wanderte zum Pfeifer, der das Buch immer noch in den Armen hielt.

»Entfernen, ja. Du erinnerst dich, dieses Buch sollte ursprünglich mich und nicht dich unsterblich machen. Aber damit das geschehen kann, muss der Schreiber noch drei Wörter hineinschreiben.«

»Wozu?« Der Brandfuchs wischte sich mit dem Ärmel den Schweiß von der Stirn.

Drei Wörter. Armer Teufel. Hörte er, wie die Falle zuschnappte? Meggie griff nach Mos Hand.

»Um Platz zu machen, könnte man sagen, Platz für mich«, erwiderte der Natternkopf. »Und weißt du was?«, fuhr er fort, als der Brandfuchs ihn verständnislos ansah. »Als Lohn dafür, dass du mir so selbstlos bewiesen hast, wie zuverlässig dieses Buch vor dem Tod beschützt, darfst du, sobald der Schreiber diese drei Wörter geschrieben hat, den Eichelhäher töten. Falls man ihn töten kann. Ist das ein Angebot?«

»Was? Was redest du da?« Meggies Stimme klang schrill vor Angst, aber Mo presste ihr schnell die Hand auf den Mund. »Meggie, bitte!«, raunte er ihr zu. »Hast du vergessen, was du über Fenoglios Worte gesagt hast? Es wird mir nichts geschehen.«

Aber sie wollte nicht hören. Sie schluchzte und hielt sich fest an ihm, bis zwei Gepanzerte sie grob zurückzerrten.

»Drei Wörter!« Der Brandfuchs trat auf ihn zu. Hatte er ihm nicht gerade noch leidgetan? Mortimer, du bist ein Dummkopf, dachte Mo. »Drei Wörter, zähl gut mit, Eichelhäher«, der Brandfuchs hob das Schwert, »beim vierten stoß ich zu, und das wird wehtun, ich versprech es dir, auch wenn es dich vielleicht nicht tötet. Ich weiß, wovon ich rede.«

Die Schwertklinge schien wie aus Eis im Licht der Kerzen und lang genug, um drei Männer damit aufzuspießen. An einigen Stellen klebte das Blut des Brandfuchses immer noch wie Rost auf dem blanken Metall.

»Wohlan, Taddeo«, sagte der Natternkopf. »Du erinnerst dich an die Wörter, die ich dir genannt habe? Schreib sie, eins nach dem anderen, aber sprich sie nicht aus. Zähl sie einfach.«

Der Pfeifer schlug das Buch auf und hielt es dem alten Mann hin. Mit bebenden Fingern tauchte Taddeo die Feder in das Tintenglas. »Eins«, sagte er und die Feder kratzte über das Papier.

»Zwei.«

Der Brandfuchs setzte Mo mit einem Lächeln die Schwertspitze auf die Brust.

Taddeo hob den Kopf, tauchte die Feder erneut in die Tinte – und sah den Natternkopf unsicher an.

»Hast du das Zählen verlernt, alter Mann?«, fragte der.

Taddeo schüttelte nur den Kopf und senkte die Feder erneut aufs Papier. »Drei!«, hauchte er.

Mo hörte Meggie seinen Namen rufen und starrte auf die Schwertspitze. Wörter, nichts als Wörter schützten ihn vor der blanken scharfen Schneide …

Aber in Fenoglios Welt war das genug.

Die Augen des Brandfuchses weiteten sich, erstaunt und entsetzt zugleich. Mo sah, wie er versuchte, mit seinem letzten Atemzug doch noch zuzustoßen, ihn mitzunehmen, dorthin, wo Feder und Tinte ihn hinschickten, aber das Schwert fiel ihm aus den Händen. Dann sackte er zusammen und fiel Mo vor die Füße.

Der Pfeifer blickte schweigend auf den Toten hinab, während Taddeo die Feder sinken ließ und von dem Buch, in das er eben noch geschrieben hatte, zurückwich, als könnte es auch ihn im nächsten Augenblick töten, mit leiser Stimme, mit einem einzigen Wort.

»Schafft ihn fort!«, befahl der Natternkopf. »Bevor die Weißen Frauen ihn sich noch aus meiner Burg holen. Nun macht schon!«

Drei Gepanzerte trugen den Brandfuchs hinaus. Die Fuchsschwänze an seinem Mantel schleiften über die Fliesen, als sie ihn fortschleppten, und Mo stand da und starrte auf das Schwert zu seinen Füßen. Er spürte, wie Meggie die Arme um ihn schlang. Ihr Herz schlug so heftig wie das eines verängstigten Vogels.

»Ja, wer will schon einen unsterblichen Herold?«, rief der Natternkopf dem toten Brandfuchs nach. »Wärst du etwas klüger gewesen, so hättest du das begriffen.« Der Rubin, der seinen Nasenflügel schmückte, glich mehr denn je einem Tropfen Blut.

»Soll ich seinen Namen nun tilgen, Euer Gnaden?« Taddeos Stimme klang so zaghaft, dass sie kaum zu hören war.

»Natürlich. Seinen Namen und die drei Wörter, versteht sich. Aber erledige das gründlich. Ich will, dass die Seiten wieder weiß sind wie frisch gefallener Schnee.«

Der Bibliothekar machte sich gehorsam an die Arbeit. Das Schaben klang seltsam laut in dem leeren Saal. Als Taddeo fertig war, strich er noch einmal mit der flachen Hand über das erneut weiße Papier. Dann zog der Pfeifer ihm das Buch aus den Händen und hielt es dem Natternkopf hin.

Mo sah, dass die plumpen Finger zitterten, als sie die Feder in die Tinte tauchten. Und bevor er zu schreiben begann, sah der Natternkopf noch einmal auf. »Du warst sicherlich nicht so dumm, noch irgendeinen zusätzlichen Zauber in dieses Buch zu binden, nicht wahr, Eichelhäher?«, fragte er lauernd. »Es gibt Arten, einen Mann zu Tode zu bringen – und nicht nur einen Mann, sondern auch seine Frau und seine Tochter –, die das Sterben zu einer sehr langen und sehr qualvollen Sache machen. Es kann Tage währen, viele Tage und Nächte.«

»Ein Zauber? Nein«, erwiderte Mo, während er immer noch auf das Schwert zu seinen Füßen starrte. »Aufs Zaubern verstehe ich mich nicht. Ich sage es noch einmal, das Buchbinden ist mein Handwerk, nichts sonst. Und alles, was ich darüber weiß, ist in dieses Buch geflossen. Nicht mehr und nicht weniger.«

»Nun gut.« Der Natternkopf tauchte noch einmal die Feder ein

– und hielt erneut inne. »Weiß!«, murmelte er, während er die leeren Seiten anstarrte. »Seht nur, wie weiß sie sind. Weiß wie die Frauen, die den Tod bringen, weiß wie die Knochen, die der Kalte Mann zurücklässt, wenn er sich an Fleisch und Blut satt gegessen hat.«

Dann schrieb er. Schrieb seinen Namen in das leere Buch. Und klappte es zu. »Erledigt!«, rief er triumphierend. »Erledigt, Taddeo! Schließ ihn ein, den Seelenschlürfer, den Feind, den man nicht töten kann. Nun kann er mich auch nicht mehr töten. Nun sind wir gleich. Zwei Kalte Männer, die zusammen diese Welt regieren. In alle Ewigkeit!«

Der Bibliothekar gehorchte, aber während er die Schließen einrasten ließ, sah er Mo an. Wer bist du?, schienen seine Augen zu fragen. Welche Rolle spielst du in diesem Spiel? Aber selbst wenn Mo gewollt hätte, er hätte ihm die Antwort nicht sagen können.

Der Natternkopf jedoch schien zu glauben, dass er sie kannte. »Weißt du, dass du mir gefällst, Eichelhäher?«, fragte er, während sein Echsenblick ihn nicht losließ. »Ja, wirklich, du würdest bestimmt einen guten Herold abgeben, aber die Rollen sind anders verteilt, nicht wahr?«

»Ja, das sind sie«, sagte Mo. Aber du weißt nicht, von wem. Ich schon, setzte er in Gedanken hinzu.

Der Natternkopf nickte den Gepanzerten zu. »Lasst ihn gehen!«, befahl er. »Ihn, das Mädchen und wen immer sonst er mitnehmen will.«

Die Soldaten traten auseinander, wenn auch widerstrebend.

»Komm, Mo!«, flüsterte Meggie und drückte seine Hand.

Wie blass sie war. Blass vor Angst und so wehrlos. Mo blickte an den Gepanzerten vorbei, dachte an den ummauerten Hof, der draußen auf sie wartete, die Silbervipern, die herabstarrten, die Pechklappen über dem Tor. Er dachte an die Armbrüste der Wachen auf den Zinnen, an die Lanzen der Torwächter – und an den Soldaten, der Resa in den Schmutz gestoßen hatte. Ohne ein Wort bückte er sich ... und hob das Schwert auf, das dem Brandfuchs aus der Hand gefallen war.

»Mo!« Meggie ließ seine Hand los und sah ihn entsetzt an. »Was tust du?«

Aber er zog sie nur wortlos an seine Seite, während die Gepanzerten wie ein Mann ihre Waffen zogen. Das Schwert des Brandfuchses wog schwer, schwerer als das, mit dem er Capricorn aus seinem Haus getrieben hatte.

»Sieh einer an!«, sagte der Natternkopf. »Du scheinst dich nicht auf mein Wort verlassen zu wollen, Eichelhäher!«

»Oh, ich verlasse mich darauf!«, sagte Mo, ohne das Schwert sinken zu lassen. »Aber jeder hier hat eine Waffe außer mir, also denk ich mir, ich behalte dieses herrenlose Schwert. Du behältst das Buch, und wenn wir beide Glück haben, sehen wir uns nach diesem Morgen niemals wieder.«

Selbst das Lachen des Natternkopfes klang, als sei es aus Silber, aus dunkel angelaufenem Silber. »Aber wieso denn?«, rief er. »Ich finde, es macht Spaß, mit dir zu spielen, Eichelhäher. Du bist ein guter Gegner. Weshalb ich auch weiterhin zu meinem Wort stehe. Lasst ihn gehen!«, rief er den Gepanzerten noch einmal zu. »Sagt es auch den Wächtern beim Tor. Der Natternkopf lässt den Eichelhäher ziehen, weil er ihn nie mehr fürchten muss, denn der Natternkopf – ist unsterblich!«

Die Worte hallten Mo in den Ohren, als er nach Meggies Hand griff. Taddeo hielt immer noch das Buch, er hielt es, als könnte es ihn beißen. Mo glaubte, das Papier noch zwischen den Fingern zu spüren, das Holz der Deckel, das Leder, die heftenden Fäden. Dann bemerkte er Meggies Blick. Sie starrte auf das Schwert in seiner Hand, als machte es ihn zu einem Fremden. »Komm«, sagte er und zog sie mit sich. »Lass uns zu deiner Mutter gehen!«

»Ja, geh, Eichelhäher, nimm deine Tochter, deine Frau und all die anderen!«, rief der Natternkopf ihnen nach. »Geh, bevor Mortola mich daran erinnert, wie dumm es ist, dich laufen zu lassen!«

Nur zwei Gepanzerte folgten ihnen auf dem langen Weg durch die Burg. Der Hof war noch fast menschenleer an diesem frühen Morgen. Der Himmel über der Nachtburg war grau und feiner Regen fiel, wie ein Schleier vor dem aufziehenden Tag. Die wenigen Knechte, die schon an der Arbeit waren, wichen erschrocken zurück, als sie das Schwert in Mos Hand sahen, und die Gepanzerten winkten sie wortlos aus dem Weg.

Die anderen Gefangenen warteten schon vor dem Tor, eine verlorene Schar, bewacht von einem Dutzend Soldaten. Mo konnte Resa zuerst nicht entdecken, aber plötzlich löste sich eine Gestalt von den anderen und lief auf ihn und Meggie zu. Keiner hielt sie auf. Vielleicht hatten die Soldaten schon gehört, wie es dem Brandfuchs ergangen war. Mo spürte, wie sie ihn anstarrten, voll Abscheu und Angst – den Mann, der den Tod zwischen weiße Seiten band und ein Räuber war dazu! Bewies das Schwert in seiner Hand das nicht für alle Zeit? Es war ihm egal, was sie dachten. Sollten sie ruhig Angst vor ihm haben. Er hatte mehr Angst gehabt, als für ein Leben gut war – all die Tage und Nächte, in denen er geglaubt hatte, er hätte alles verloren, seine Frau, seine Tochter, und dass ihm nichts bleiben würde als ein einsamer Tod in dieser Welt aus Worten.

Resa umarmte abwechselnd ihn und Meggie, sie erdrückte sie fast, und als sie ihn endlich wieder losließ, war sein Gesicht nass von ihren Tränen. »Komm, lass uns aus diesem Tor gehen, Resa!«, raunte er ihr zu. »Bevor der Herr dieser Burg es sich anders überlegt! Wir haben alle viel zu erzählen, aber lasst uns gehen!«

Die anderen Gefangenen schlossen sich ihnen schweigend an. Ungläubig beobachteten sie, wie das Tor sich vor ihnen öffnete, wie die eisenbeschlagenen Flügel aufschwangen und sie in die Freiheit entließen. Einige stolperten vor Hast über die eigenen Füße, als sie hinausdrängten. Doch immer noch kam ihnen keiner nach.

Die Wachen standen bloß da, Schwerter und Lanzen in der Hand, und starrten ihnen nach, wie sie unsicher davonschritten, die Beine steif von den Wochen im Kerker. Nur ein Gepanzerter kam mit aus dem Tor, wies ihnen wortlos die Straße, die sie nehmen sollten.

Was, wenn sie uns von den Zinnen nachschießen?, dachte Mo, als er sah, dass kein Baum und kein Strauch ihnen Schutz gewähren konnte, während sie der Straße den kahlen Abhang hinab folgten. Wie eine Fliege an der Wand kam er sich vor, so leicht totzuschlagen.

Aber nichts geschah. Sie gingen durch den grauen Morgen, durch den strömenden Regen, hinter sich die Burg bedrohlich wie ein Untier … und nichts geschah.

»Er hält sein Versprechen!« Immer öfter hörte Mo jemanden die Worte flüstern. »Der Natternkopf hält, was er versprochen hat.« Resa fragte ihn besorgt nach seiner Wunde, und er antwortete ihr mit leiser Stimme, dass es ihm gut ginge, während er darauf wartete, hinter ihnen Schritte zu hören, Soldatenschritte … aber es blieb still. Es schien, als seien sie schon endlos lange den kahlen Hang hinabgelaufen, als plötzlich Bäume vor ihnen auftauchten. Der Schatten, den die Zweige auf die Straße warfen, war so dunkel, als hätte sich die Nacht selbst darunter geflüchtet.

Nur ein Traum

Eines Tages sagte ein junger Mann: »Mir gefällt die Geschichte nicht, daß wir alle sterben müssen. Ich will hingehen und das Land suchen, wo man niemals stirbt.«
Das Land, wo man nie stirbt, Ital. Volksmärchen

Staubfinger lag zwischen den Bäumen, die Haut nass vom Regen. Farid lag neben ihm, fröstelnd, das schwarze Haar an die Stirn geklebt. Den anderen ging es sicher nicht besser, überall lagen sie am Straßenrand, unsichtbar im dichten Gestrüpp. Seit Stunden warteten sie schon, noch vor Sonnenaufgang hatten sie ihre Posten bezogen, und seither regnete es. Unter den Bäumen war es so dunkel, als wäre es nie Tag geworden. Und still. So still, als hielten nicht nur die Wartenden den Atem an. Nur der Regen leckte und schleckte an Ästen und Blättern, fiel und fiel. Farid fuhr sich mit dem Ärmel über die nasse Nase und irgendwo nieste jemand. Verdammter Dummkopf, halt dir die Nase zu!, dachte Staubfinger und fuhr zusammen, als er ein Rascheln auf der anderen Straßenseite hörte. Aber nur ein Kaninchen sprang aus dem Dickicht. Schnuppernd blieb es auf der Straße sitzen, mit zuckenden Ohren und weit aufgerissenen Augen. Vermutlich hat es nicht halb so viel Angst wie ich, dachte Staubfinger – und wünschte sich zu Roxane zurück, in die dunklen Stollen unter der Erde, die rochen wie eine Gruft, aber wenigstens trocken waren.

Er strich sich bestimmt zum hundertsten Mal das tropfende Haar aus der Stirn, als Farid neben ihm abrupt den Kopf hob.

Das Kaninchen sprang zwischen die Bäume und Schritte drangen durch das Rauschen des Regens. Sie kamen, endlich, eine kleine verlorene Schar, fast ebenso nass wie die Räuber, die auf sie warteten. Farid wollte aufspringen, aber Staubfinger packte ihn und zerrte ihn unsanft zurück an seine Seite. »Bleib, wo du bist, verstanden?«, zischte er ihm zu. »Ich hab die Marder nicht bei Roxane gelassen, um dafür dich einfangen zu müssen!«

Zauberzunge ging voran, neben sich Meggie und Resa. Er hielt ein Schwert in der Hand wie damals, in der Nacht, in der er Capricorn und Basta aus seinem Haus gejagt hatte. Neben Resa stolperte die schwangere Frau die Straße hinunter, die er im Kerker gesehen hatte. Ständig blickte sie zurück, hoch zu der Nachtburg, die immer noch bedrohlich groß hinter ihnen aufragte, obwohl sie schon so weit entfernt war. Es waren mehr Menschen als die, die sie bei dem umgestürzten Baum hatten zurücklassen müssen. Offenbar hatte der Natternkopf tatsächlich seine Kerker geleert. Einige schwankten, als könnten sie sich kaum auf den Beinen halten, andere blinzelten, als wäre selbst das Dämmerlicht dieses dunklen Tages zu viel für ihre Augen. Zauberzunge schien es gut zu gehen, trotz des blutigen Hemdes, und Resa schien schon nicht mehr ganz so blass wie im Kerker, aber vielleicht bildete er sich das auch nur ein.

Er hatte gerade den Schleierkauz zwischen den anderen entdeckt – wie alt und gebrechlich er aussah! –, als Farid erschrocken nach seinem Arm griff und auf die Männer zeigte, die plötzlich weiter unten auf der Straße standen. Es schien, als wüchsen sie aus dem Regen, mehr und mehr, so lautlos tauchten sie auf, und zuerst dachte Staubfinger, der Schwarze Prinz hätte doch noch Verstärkung bekommen. Aber dann sah er Basta.

Er hielt ein Schwert in der einen und sein Messer in der anderen Hand und die Blutlust war ihm auf das verbrannte Gesicht geschrieben. Von den Männern, die bei ihm waren, trug nicht einer das Wappen des Natternkopfes, aber was hieß das schon? Vielleicht hatte Mortola sie geschickt, vielleicht wollte der Natternkopf die Hände in Unschuld waschen, wenn man seine freigelassenen Gefangenen tot auf der Straße fand. Es waren viele Männer, das war das Einzige, was zählte. Weit mehr, als mit dem Schwarzen Prinzen zwischen den Bäumen lagen. Basta hob mit einem Lächeln die Hand, und sie kamen die Straße herauf, mit gezogenen Schwertern, ganz gemächlich, als wollten sie die Angst auf den Gesichtern der Freigelassenen noch etwas auskosten, bevor sie sie erschlugen.

Der Schwarze Prinz kam als Erster zwischen den Bäumen hervor, den Bären an seiner Seite. Die beiden stellten sich auf die Straße, als könnten sie ganz allein das Gemetzel aufhalten. Doch seine Männer folgten schnell. Schweigend bildeten sie einen Wall aus Leibern zwischen den Freigelassenen und denen, die gekommen waren, sie zu töten. Mit einem leisen Fluch richtete auch Staubfinger sich auf. O ja, es würde ein blutiger Morgen werden. Der Regen würde nicht schnell genug fließen, um all das Blut fortzuwaschen, und er würde das Feuer sehr zornig machen müssen, denn es mochte den Regen nicht. Die Feuchtigkeit machte es schläfrig – und es würde bissig sein müssen, sehr bissig.

»Farid!« Er zischte den Namen des Jungen, riss ihn noch gerade am Arm zurück. Er wollte zu Meggie, natürlich, aber er musste das Feuer mitnehmen. Sie mussten einen Ring legen, einen Ring aus Flammen um die, die nichts als ihre Hände hatten gegen all die Schwerter. Er hob einen kräftigen Ast auf, lockte das Feuer aus der feuchten Rinde, zischend und dampfend, und warf das brennende Holz dem Jungen zu. Der Damm aus Menschenfleisch würde nicht lange halten, das Feuer musste sie retten, das Feuer. Bastas Stimme drang durch die aufziehende Dämmerung, höhnisch und mordlustig, während Farid Funken auf die Erde regnen ließ. Er schüttete sie auf den feuchten Boden wie ein Bauer die Saat, während Staubfinger ihm nachlief und sie wachsen ließ. Die Flammen fuhren hoch, als Bastas Männer angriffen. Schwert schlug auf Schwert, Schreie erfüllten die Luft, Körper prallten gegeneinander, während Staubfinger und Farid das Feuer lockten und hegten, bis es die Schar der Gefangenen fast umgab.

Nur einen schmalen Pfad ließ Staubfinger frei, einen Fluchtweg in den Wald für den Fall, dass auch ihm die Flammen nicht mehr gehorchten, dass ihr Zorn sie schließlich alles beißen ließ, Freund und Feind.

Er sah Resas Gesicht und die Angst darauf, er sah, wie Farid über die Flammen zu den Freigelassenen sprang, wie sie es abgesprochen hatten. Ein Glück, dass es Meggie gab, sonst wäre er ihm vermutlich wieder nicht von der Seite gewichen. Staubfinger selbst blieb noch vor dem Feuer stehen. Er zog sein Messer – wenn Basta in der Nähe war, war es besser, eins in der Hand zu halten – und flüsterte mit dem Feuer, beharrlich, fast zärtlich, damit es nicht tat, was es wollte, nicht vom Freund zum Feind wurde. Immer weiter wurden die Räuber zurückgedrängt, immer näher kamen sie der Schar der Freigelassenen, von denen nur Zauberzunge eine Waffe hatte. Den Schwarzen Prinzen griffen gleich drei von Bastas Männern an, aber der Bär schützte seinen Herrn mit Klauen und Zähnen. Staubfinger wurde fast übel bei dem Anblick der Wunden, die die schwarzen Krallen schlugen.

Das Feuer knisterte ihm zu, es wollte spielen, tanzen, verstand nichts von der Angst, die es umgab, roch sie nicht, schmeckte sie nicht. Er hörte Schreie, einer klang so hell wie eine Jungenstimme. Staubfinger stieß sich einen Weg durch die kämpfenden Leiber, hob ein Schwert auf, das im Schlamm lag.

Wo war Farid?

Da. Stieß mit dem Messer um sich, flink wie eine Natter. Staubfinger packte ihn beim Arm, zischte den Flammen zu, dass sie sie durchlassen sollten, und zerrte ihn mit sich. »Verdammt noch mal! Ich hätte dich bei Roxane lassen sollen!«, schimpfte er, während er Farid durch das Feuer stieß. »Hab ich dir nicht gesagt, dass du bei Meggie bleiben sollst?« Den dünnen Hals hätte er ihm am liebsten umgedreht, so erleichtert war er, ihn unverletzt zu sehen.

Meggie lief Farid entgegen, griff nach seiner Hand. Seite an Seite standen sie da, starrten in das blutige Getümmel, doch Staubfinger versuchte, nichts zu hören, nichts zu sehen ... Nur das Feuer musste seine Sorge sein. Der Rest lag beim Prinzen.

Zauberzunge schlug sich gut mit dem Schwert, weit besser, als er selbst es zustande gebracht hätte, aber er sah erschöpft aus. Resa stand bei Meggie, auch sie war noch unverletzt. Noch. Der dreimal verfluchte Regen lief ihm in den Nacken, übertönte ihm die Stimme mit seinem Rauschen. Ein Schlaflied sang das Wasser den Flammen, ein uraltes Schlaflied, und Staubfinger hob die Stimme, rief lauter und lauter, um sie wieder zu wecken, um sie brüllen und beißen zu lassen. Ganz dicht trat er an den Feuerring, sah die kämpfenden Leiber immer näher drängen. Schon stolperten einige fast in die Glut.

Auch Farid hatte bemerkt, was der Regen anrichtete. Flink sprang er dorthin, wo die Flammen schläfrig wurden. Meggie lief ihm nach. Ein Toter fiel in den Feuerring, dort, wo der Junge stand, erstickte die Flammen mit seinem leblosen Körper, ein zweiter stolperte über ihn. Mit einem Fluch lief Staubfinger auf die tödliche Bresche zu, rief Zauberzunge zu Hilfe – und sah Basta zwischen den Flammen auftauchen, Basta, das Gesicht versengt, Hass in den Augen, Hass und die Angst vor dem Feuer. Was würde stärker sein? Suchend starrte er durch die Flammen, blinzelte in den Rauch, als suchte er nach einem Gesicht. Staubfinger konnte sich denken, welches. Unwillkürlich machte er einen Schritt zurück. Ein weiterer Toter fiel in die Flammen, zwei Männer, die Schwerter gezogen, sprangen über den Körper und griffen die Gefangenen an. Staubfinger schrillten die Schreie in den Ohren, er sah, wie Zauberzunge sich vor Resa stellte und Basta einen Fuß auf die Toten setzte wie auf eine Brücke. Her mit den Flammen. Staubfinger wollte erneut auf sie zu, damit sie ihn besser hören konnten, aber jemand packte seinen Arm und riss ihn herum. Der Zweifinger.

»Sie töten uns!«, stammelte er mit angstgeweiteten Augen. »Sie wollten uns von Anfang an töten! Und wenn sie uns nicht kriegen, rösten uns die Flammen!«

»Lass mich los!«, fuhr Staubfinger ihn an. Der Rauch biss ihm in die Augen, ließ ihn husten. Basta. Er starrte ihn an, durch den Rauch, als verbände sie ein unsichtbares Band. Die Flammen leckten vergebens nach ihm und er hob sein Messer. Auf wen zielte er? Und wieso lächelte er so?

Der Junge.

Staubfinger stieß den Zweifinger fort. Er schrie Farids Namen, aber der Lärm ringsum verschluckte seine Stimme. Der Junge hielt immer noch Meggies Hand, während seine andere das Messer umklammerte, das er ihm geschenkt hatte, in einem anderen Leben, in einer anderen Geschichte.

»Farid!« Er hörte ihn nicht – und Basta warf.

Staubfinger sah, wie das Messer in den schmalen Rücken fuhr. Er fing den Jungen auf, bevor er zu Boden fiel, aber er war schon tot. Und Basta stand da, den Fuß auf einem anderen Toten, und lächelte. Warum auch nicht? Er hatte sein Ziel getroffen, das Ziel, das er schon immer im Sinn gehabt hatte: Staubfingers Herz, sein dummes Herz. Es brach entzwei, als er Farid in den Armen hielt, brach einfach entzwei, obwohl er all die Jahre so gut darauf aufgepasst hatte. Er sah Meggies Gesicht, hörte sie Farids Namen rufen und überließ ihn ihren Armen. Seine Beine zitterten so sehr, dass er Mühe hatte, sich aufzurichten. Alles an ihm zitterte, selbst die Hand, in der er das Messer hielt, das er dem Jungen aus dem Rücken gezogen hatte. Er wollte auf Basta zu, durchs Feuer und die kämpfenden Leiber, aber Zauberzunge war schneller, Zauberzunge, der Farid aus seiner Geschichte gepflückt hatte und dessen Tochter nun dasaß und weinte, als hätte ihr jemand das Herz ebenso zerschnitten wie dem Jungen …

Er achtete nicht auf die Flammen, die ihm entgegenfuhren. Er stieß Basta das Schwert durch den Leib, als hätte er nie etwas anderes getan, als wäre nun das von jetzt an sein Handwerk: das Töten. Basta starb, die Überraschung noch auf dem Gesicht. Er fiel ins Feuer, und Staubfinger stolperte zurück zu Farid, den Meggie immer noch in den Armen hielt.

Was hatte er gedacht – dass der Junge wieder lebte, nur weil sein Mörder tot war? Nein, die schwarzen Augen blickten immer noch leer, leer wie ein verlassenes Haus. Nichts von der Freude war mehr in ihnen zu finden, die sonst so schwer daraus zu vertreiben gewesen war. Und Staubfinger kniete da, auf der zertretenen Erde, während Resa ihre weinende Tochter tröstete und um sie her gekämpft und getötet wurde, und wusste nichts mehr, gar nichts mehr – was er eigentlich hier tat, was um ihn her geschah, warum er je hergekommen war, unter diese Bäume, dieselben Bäume, die er im Traum gesehen hatte.

Im schlimmsten aller Träume.

Nun war er Wirklichkeit.

Getauscht

> Die Bläue meiner Augen ist erloschen in dieser Nacht,
> Das rote Gold meines Herzens.
> *Georg Trakl, Nachts*

Es entkamen fast alle. Das Feuer rettete sie, die Wut des Bären, die Männer des Schwarzen Prinzen – und Mo, der an diesem grauen Morgen das Töten übte, als wollte er ein Meister darin werden. Basta blieb tot unter den Bäumen zurück, ebenso wie der Schlitzer und so viele ihrer Männer, dass der Boden mit ihren Leibern bedeckt war wie mit welkem Laub. Zwei Spielleute wurden auch getötet – und Farid.

Farid.

Staubfinger war selbst bleich wie der Tod, als er ihn zurück zu der Mine trug. Meggie ging neben ihm, den ganzen dunklen Weg. Sie hielt Farids Hand, als könnte das helfen, und fühlte sich so wund im Innern, als würde es nie wieder gut.

Staubfinger schickte nur sie nicht fort, als er Farid in dem abgelegensten Stollen auf seinen Mantel bettete. Keiner wagte, ihn anzusprechen, als er sich über den toten Jungen beugte und ihm den Ruß von der Stirn wischte. Roxane versuchte, mit ihm zu sprechen, aber als sie den Ausdruck auf seinem Gesicht sah, ließ sie ihn allein. Nur Meggie – Meggie ließ er neben Farid sitzen, als hätte er in ihren Augen den eigenen Schmerz gesehen. Und so saßen sie beide da, im Bauch des Natternberges, wie am Ende aller Geschichten. Ohne ein einziges Wort, das noch zu sagen war.

Vielleicht war es draußen inzwischen Nacht geworden, als Meggie Staubfingers Stimme hörte. Wie von weit her drang sie zu ihr, durch den Nebel aus Schmerz, der sie einhüllte, als würde sie nie wieder hinausfinden.

»Du hättest ihn auch gern zurück, oder?«

Es fiel ihr schwer, den Blick von Farids Gesicht zu wenden. »Er kommt nie mehr zurück«, flüsterte sie und sah Staubfinger an. Sie hatte keine Kraft, lauter zu sprechen. All ihre Kraft war fort, als hätte Farid sie mitgenommen. Er hatte alles mitgenommen.

»Es gibt da so eine Geschichte«, Staubfinger sah auf seine Hände, als stünde dort geschrieben, worüber er sprach, »eine Geschichte über die Weißen Frauen.«

»Was für eine Geschichte?« Meggie wollte keine Geschichten mehr hören, nie wieder. Diese hatte ihr für alle Zeiten das Herz gebrochen. Aber trotzdem war da etwas in Staubfingers Stimme ...

Er beugte sich über Farid und wischte ihm etwas Ruß von der kalten Stirn. »Roxane kennt sie«, sagte er. »Sie wird sie dir erzählen. Geh einfach zu ihr ... und sag ihr, dass ich fortmusste. Sag ihr, ich will herausfinden, ob die Geschichte wahr ist.« Er sprach seltsam stockend, als wäre es unendlich schwer, die rechten Worte zu finden. »Und erinnere sie an mein Versprechen – dass ich immer einen Weg finde zurück zu ihr, egal, wo ich bin. Richtest du ihr das aus?«

Wovon sprach er? »Herausfinden?« Meggies Stimme war belegt von Tränen. »Was?«

»Oh, man erzählt sich so einiges über die Weißen Frauen. Manches ist nur Aberglaube, aber einiges ist sicherlich wahr. So ist es doch immer mit den Geschichten, oder? Fenoglio könnte mir vermutlich mehr darüber sagen, aber ehrlich gesagt habe ich keine Lust, ihn zu fragen. Nein, ich frage die Weißen Frauen lieber selbst.« Staubfinger richtete sich auf. Er stand da und sah sich um, als hätte er vergessen, wo er sich eigentlich befand.

Die Weißen Frauen.

»Sie kommen bald, oder?«, fragte Meggie besorgt. »Sie kommen, um Farid zu holen!«

Aber Staubfinger schüttelte den Kopf, und zum ersten Mal lächelte er, das seltsam traurige Lächeln, das Meggie nur von ihm kannte und das sie nie ganz verstanden hatte. »Nein, wozu? Sie sind sich seiner sicher. Sie kommen nur, wenn du noch am Leben hängst, wenn sie dich noch hinüberlocken müssen, mit einem Blick oder einem Wispern. Alles andere ist Aberglaube. Sie kommen, wenn du noch atmest, aber dem Tod schon ganz nahe bist. Wenn dein Herz immer schwächer schlägt, wenn sie deine Angst riechen oder Blut wie bei deinem Vater. Stirbst du so schnell wie Farid, dann gehst du ganz von selbst zu ihnen.«

Meggie strich über Farids Finger. Sie waren kälter als der Stein, auf dem sie saß. »Aber dann versteh ich nicht«, flüsterte sie. »Wenn sie gar nicht kommen, wie willst du sie dann fragen?«

»Ich werd sie rufen. Aber du bist besser nicht hier, wenn ich das tue, also geh zu Roxane und sag ihr, was ich dir aufgetragen habe, ja?« Er legte den Finger an die Lippen, als sie noch weiter fragen wollte. »Bitte, Meggie!« Er nannte sie nicht oft beim Namen. »Richte Roxane aus, was ich dir gesagt habe – und dass es mir leidtut. Nun geh schon.«

Meggie spürte, dass er Angst hatte, aber sie fragte ihn nicht, wovor, weil ihr Herz andere Fragen stellte: Wie es sein konnte, dass Farid tot war, und wie es sich anfühlen würde, ihn tot in ihrem Herzen zu haben für alle Zeit? Sie streichelte ein letztes Mal das starre Gesicht, bevor sie aufstand. Als sie sich am Eingang des Stollens noch einmal umsah, blickte Staubfinger auf Farid hinab. Und zum ersten Mal, seit sie ihn kannte, zeigte sein Gesicht all das, was es sonst verbarg: Zärtlichkeit, Liebe – und Schmerz.

Meggie wusste, wo sie nach Roxane suchen musste, aber sie verlief sich zweimal in den dunklen Stollen, bis sie sie endlich fand. Roxane kümmerte sich um die verletzten Frauen, während der Schleierkauz nach den Männern sah. Viele hatten Verletzungen davongetragen, und obwohl das Feuer sie alle gerettet hatte, hatte es auch so manchen böse verbrannt. Mo war nirgends zu sehen, ebenso wenig wie der Prinz, vermutlich hielten sie Wache oben am Mineneingang, aber Resa war bei Roxane. Sie verband gerade einen verbrannten Arm, während Roxane einer alten Frau einen Schnitt auf der Stirn mit derselben Paste bestrich, die sie einst für Staubfingers Bein benutzt hatte. Der Duft nach Frühling passte so gar nicht hierher.

Als Meggie aus dem dunklen Gang trat, hob Roxane den Kopf. Vielleicht hatte sie gehofft, es wären Staubfingers Schritte, die sie gehört hatte. Meggie lehnte den Rücken gegen die kalte Stollenwand. Es ist alles ein Traum, dachte sie, ein böser, böser Traum. Ihr war schwindlig vom Weinen.

»Was ist das für eine Geschichte?«, fragte sie Roxane. »Eine Geschichte über die Weißen Frauen … Staubfinger sagt, du sollst sie mir erzählen. Und dass er fortmuss, weil er herausfinden will, ob sie wahr ist …«

»Fort?« Roxane stellte die Salbe zur Seite. »Was redest du da?«

Meggie wischte sich über die Augen, aber es waren keine Tränen mehr da. Vermutlich hatte sie sie alle aufgebraucht. Woher kamen sie nur, all die Tränen? »Er sagt, er will sie rufen«, murmelte sie. »Und dass du an sein Versprechen denken sollst. Dass er immer zurückkommen wird, dass er einen Weg findet, wo immer er ist …« Die Worte ergaben immer noch keinen Sinn, als sie sie wiederholte. Aber für Roxane offenbar schon.

Sie richtete sich auf, ebenso wie Resa.

»Was redest du da, Meggie?«, fragte ihre Mutter und ihre Stimme klang besorgt. »Wo ist Staubfinger?«

»Bei Farid. Er ist immer noch bei Farid.« Es tat so weh, den Namen auszusprechen. Resa nahm sie in den Arm. Roxane aber stand nur da und starrte in den dunklen Stollen, aus dem Meggie gekommen war. Dann stieß sie sie plötzlich aus dem Weg, drängte sich an ihr vorbei und verschwand in der Dunkelheit. Resa lief ihr nach, ohne Meggies Hand loszulassen. Roxane war ihnen nur ein paar Schritte voraus. Sie trat auf den Saum ihres Kleides, fiel hin, raffte sich wieder auf und lief weiter. Immer schneller. Aber sie kam trotzdem zu spät.

Resa stolperte fast in Roxane hinein, so angewurzelt war sie am Eingang des Stollens stehen geblieben, in dem Farid lag. An der Wand brannte ihr Name, in feurigen Lettern, und die Weißen Frauen waren noch da. Sie zogen die bleichen Hände aus Staubfingers Brust, als hätten sie ihm das Herz herausgerissen. Vielleicht war Roxane das Letzte, was Staubfinger sah. Vielleicht sah er aber auch noch, wie Farid sich regte, bevor er selbst fiel, ebenso lautlos, wie die Weißen Frauen verschwanden.

Ja. Farid regte sich – wie jemand, der zu lang und zu tief geschlafen hatte. Mit verschleiertem Blick setzte er sich auf, nicht ahnend, wer da hinter ihm plötzlich so reglos dalag. Selbst als Roxane sich an ihm vorbeidrängte, drehte er sich nicht um. Er blickte nur ins Leere, als wären da Bilder, die niemand sonst sah.

Meggie ging zögernd auf ihn zu, wie auf einen Fremden. Sie wusste nicht, was sie fühlen sollte. Sie wusste nicht, was sie denken sollte. Roxane aber stand neben Staubfinger, die Hand so fest auf den Mund gepresst, als müsste sie ihren Schmerz zurückhalten. An der Stollenwand brannte immer noch ihr Name, als hätte er schon ewig dort gestanden, aber sie beachtete die feurigen Buchstaben nicht. Ohne ein Wort sank sie auf die Knie, bettete Staubfingers Kopf in ihren Schoß und beugte sich über ihn, bis ihr schwarzes Haar sein Gesicht umgab wie ein Schleier.

Farid aber saß immer noch wie betäubt da. Erst als Meggie vor ihm stand, schien er sie zu bemerken. »Meggie?«, murmelte er mit schwerer Zunge.

Es konnte nicht sein. Er war wirklich zurück. Farid. Plötzlich schmeckte sein Name nicht mehr nach Schmerz. Er streckte ihr die Hand entgegen, und sie griff danach, so hastig, als müsste sie ihn festhalten, damit er nicht wieder fortging, so weit fort. War Staubfinger jetzt dort? Wie warm sein Gesicht wieder war. Sie kniete sich neben ihn und schlang die Arme um ihn, viel zu fest, spürte sein Herz gegen das ihre schlagen, so kräftig.

»Meggie!« Er sah so erleichtert aus, als wäre er aus einem schlimmen Traum erwacht. Sogar ein Lächeln stahl sich auf seine Lippen. Doch dann begann Roxane hinter ihnen zu schluchzen, ganz leise, so leise, dass man es kaum hörte hinter ihrem offenen Haar – und Farid drehte sich um.

Für einen Moment schien er nicht zu begreifen, was er sah.

Dann riss er sich von Meggie los, richtete sich auf, stolperte über den Mantel, als wären seine Beine noch zu schwach zum Laufen. Auf den Knien kroch er an Staubfingers Seite und strich ihm mit ungläubigem Entsetzen über das stille Gesicht.

»Was ist passiert?« Er schrie Roxane an, als wäre sie die Ursache allen Unglücks. »Was hast du gemacht? Was hast du mit ihm gemacht?«

Meggie kniete sich neben ihn, versuchte, ihn zu besänftigen, aber er ließ es nicht zu. Er stieß ihre Hände weg und beugte sich erneut über Staubfinger, legte ihm das Ohr an die Brust, lauschte – und presste schluchzend sein Gesicht dorthin, wo kein Herz mehr schlug.

Der Schwarze Prinz kam in den Stollen, Mo war bei ihm, und hinter ihnen tauchten mehr Gesichter auf, immer mehr.

»Geht weg!«, schrie Farid sie an. »Geht alle weg! Was habt ihr mit ihm gemacht? Warum atmet er nicht? Da ist nirgends Blut, überhaupt kein Blut.«

»Niemand hat ihm etwas getan, Farid!«, flüsterte Meggie. *Du hättest ihn auch gern zurück, oder?,* hörte sie Staubfinger sagen. Immer wieder hörte sie die Worte in ihrem Kopf. »Es waren die Weißen Frauen. Wir haben sie gesehen. Er hat sie selbst gerufen.«

»Du lügst!«, fuhr Farid sie an. »Warum sollte er so etwas tun?«

Roxane aber fuhr mit dem Finger über Staubfingers Narben, so blass, als hätte sie kein Messer, sondern die Feder eines Glasmanns gezogen. »Es gibt eine Geschichte, die die Spielleute ihren Kindern erzählen«, sagte sie, ohne einen von ihnen anzusehen. »Sie handelt von einem Feuerspucker, dem die Weißen Frauen seinen Sohn nahmen. In seiner Verzweiflung fiel ihm ein, was man sich über die Weißen Frauen erzählte: dass sie das Feuer fürchten und sich zugleich nach seiner Wärme verzehren. Also beschloss er, sie mit seiner Kunst herbeizurufen und zu bitten, ihm seinen Sohn zurückzugeben. Es gelang. Er rief sie mit dem Feuer, er ließ es tanzen und singen für sie, und sie überbrachten seinen Sohn nicht dem

Tod, sondern gaben ihm das Leben zurück. Den Feuerspucker jedoch nahmen sie mit sich und er kehrte niemals zurück. Man sagt, er müsse ewig bei ihnen wohnen, bis ans Ende aller Zeit, und das Feuer für sie tanzen lassen.« Roxane griff nach Staubfingers lebloser Hand und küsste die rußigen Fingerkuppen. »Es ist nur eine Geschichte«, fuhr sie fort. »Aber er liebte es, sie zu hören. Er sagte immer, sie sei so schön, dass ein Funken Wahrheit in ihr stecken müsse. Nun hat er selbst sie wahr gemacht – und er wird nie zurückkommen. Auch wenn er es versprochen hat. Diesmal nicht.«

Es wurde eine lange Nacht.

Roxane und der Prinz hielten Wache an Staubfingers Seite, aber Farid war nach oben gestiegen, dorthin, wo der Mond sich durch schwarze Wolken schob und Nebel aufstieg von der regenfeuchten Erde. Er hatte die Wachen zur Seite gestoßen, die ihn aufhalten wollten, und sich ins Moos geworfen. Dort lag er nun, unter Mortolas giftigen Bäumen, und schluchzte – während die beiden Marder in der Dunkelheit kämpften, als hätten sie noch einen Herrn, um den sie streiten mussten.

Natürlich ging Meggie zu ihm, doch Farid schickte sie fort, und so machte sie sich auf die Suche nach Mo. Resa schlief an seiner Seite, doch Mo war wach. Er saß da und blickte in die Dunkelheit, als stünde dort eine Geschichte geschrieben, die er nicht verstand. Da war etwas Fremdes, Verschlossenes in seinem Gesicht, hart wie die Kruste über einer Wunde, aber als er sie bemerkte und ihr zulächelte, war alle Fremdheit fort.

»Komm her«, sagte er leise, und sie setzte sich zu ihm und presste das Gesicht gegen seine Schulter. »Ich will nach Hause, Mo!«, flüsterte sie.

»Nein, das willst du nicht«, flüsterte er zurück, und sie schluchzte in sein Hemd, wie sie es so oft als kleines Mädchen getan hatte. Allen Kummer hatte sie bei ihm lassen können, schon immer, so schwer er auch wog. Mo hatte ihn fortgewischt, nur indem er ihr übers Haar strich, ihr die Hand auf die Stirn legte und ihren Namen flüsterte, und so machte er es auch jetzt, an diesem traurigen Ort, in dieser traurigen Nacht. Er konnte ihn nicht fortnehmen, all den Schmerz, dafür war es einfach zu viel, aber er konnte ihn lindern, nur indem er sie festhielt. Niemand konnte das besser als er. Nicht Resa. Nicht einmal Farid.

Ja. Es war eine lange Nacht, so lang wie tausend Nächte und dunkler als alle, die Meggie je erlebt hatte. Und sie wusste nicht, wie lange sie an Mos Seite geschlafen hatte, als Farid sie plötzlich wachrüttelte. Er zog sie mit sich, fort von ihren schlafenden Eltern, in eine dunkle Ecke, die nach dem Bären des Prinzen roch.

»Meggie!«, flüsterte er und nahm ihre Hand so fest zwischen die seinen, dass es schmerzte. »Ich weiß jetzt, wie alles wieder gut wird. Du gehst zu Fenoglio! Sag ihm, er soll etwas schreiben, das Staubfinger wieder lebendig macht! Auf dich wird er hören!«

Natürlich. Sie hätte sich denken können, dass er auf diese Idee kommen würde. Er sah sie so flehend an, dass es wehtat, aber sie schüttelte den Kopf.

»Nein, Farid. Staubfinger ist tot. Fenoglio kann nichts für ihn tun. Und selbst wenn – hast du nicht gehört, was er ständig vor sich hin murmelt? Dass er nie wieder ein Wort schreiben will nach dem, was mit Cosimo passiert ist?«

Ja, Fenoglio hatte sich verändert. Meggie hatte ihn kaum erkannt, als sie ihn wiedergesehen hatte. Früher hatten sie seine Augen stets an die eines kleinen Jungen erinnert. Nun waren es die eines alten Mannes. Sein Blick war misstrauisch, unsicher, als traute er dem Boden unter seinen Füßen nicht mehr, und offenbar hielt er seit Cosimos Tod nichts mehr vom Rasieren, Kämmen oder Waschen. Nur nach dem Buch hatte er sie gefragt, dem Buch, das Mo gebunden hatte. Aber nicht einmal Meggies Auskunft, dass seine leeren Seiten tatsächlich vor dem Tod schützten, hatte ihm die Bitterkeit vom Gesicht gewischt. »Na, wunderbar!«, hatte er nur gemurmelt. »Dann ist der Natternkopf nun also unsterblich und Cosimo mausetot. Mit dieser Geschichte stimmt wirklich rein gar nichts!« Nein, Fenoglio wollte niemandem mehr helfen, nicht einmal sich selbst, aber Meggie ging trotzdem mit Farid, als er sich auf die Suche nach ihm machte.

Fenoglio hielt sich die meiste Zeit in einem der untersten Stollen auf, in dem Teil der Mine, der fast vollständig verschüttet war und in den niemand außer ihm hinabstieg. Er schlief, als sie die steile Leiter hinunterkletterten, das Fell, das die Räuber ihm gegeben hatten, bis ans Kinn gezogen, die faltige Stirn gerunzelt, als dächte er selbst im Schlaf angestrengt nach.

»Fenoglio!« Farid rüttelte ihn unsanft wach.

Der alte Mann wälzte sich mit einem Grunzen auf den Rücken, das dem Bären des Prinzen Ehre gemacht hätte, schlug die Augen auf und starrte Farid an, als sähe er sein braunes Gesicht zum allerersten Mal. »Ach, du bist es!«, brummte er schlaftrunken. »Der Junge, der von den Toten zurück ist. Auch wieder etwas, das ich nicht geschrieben habe! Was willst du? Weißt du, dass ich gerade meinen ersten guten Traum seit Tagen hatte?«

»Du musst etwas schreiben!«

»Schreiben? Ich schreibe nicht mehr. Haben wir es nicht gerade erst wieder gesehen? Da habe ich diese fabelhafte Idee mit dem Buch der Unsterblichkeit, das die Guten befreien und dem Natternkopf den Tod bringen soll. Und was passiert? Die Natter ist nun unsterblich und im Wald liegt schon wieder alles voller Leichen! Räuber, Spielleute – der Zweifinger! Tot! Warum erfinde ich sie überhaupt noch, wenn diese Geschichte sie doch nur umbringt?«

»Aber du musst ihn zurückholen!« Farids Lippen zitterten. »Du hast den Natternkopf unsterblich gemacht, warum dann nicht ihn?«

»Ah, du sprichst von Staubfinger, nicht wahr?« Fenoglio setzte sich auf und rieb sich mit einem tiefen Seufzer das Gesicht. »Ja, der ist nun auch tot, mausetot, allerdings hatte ich das bei ihm schon länger geplant, falls ihr euch erinnert. Wie auch immer, Staubfinger ist tot, du warst tot ... Minervas Mann, Cosimo, all die Jungen, die mit ihm gezogen sind ... tot! Fällt dieser Geschichte nichts anderes ein? Ich sage dir eins, mein Junge. Ich bin nicht länger ihr Verfasser. Nein! Der Tod ist es, der Sensenmann, der Kalte König, nenn ihn, wie du willst. Es ist sein Tanz, und egal, was ich schreibe, er nimmt meine Worte und macht sie sich zu Dienern!«

»Unsinn!« Farid wischte die Tränen nicht einmal mehr fort, die ihm übers Gesicht liefen. »Du musst ihn zurückholen. Es war ja gar nicht sein Tod, es war meiner! Lass ihn wieder atmen! Es sind doch nur ein paar Worte, schließlich hast du dasselbe auch für Cosimo getan und für Zauberzunge.«

»Also Moment mal, Meggies Vater war noch nicht tot«, stellte Fenoglio nüchtern fest. »Und was Cosimo betrifft, der sah nur aus wie Cosimo, wie oft soll ich dir das noch erklären? Meggie und ich haben ihn nagelneu erschaffen, was leider furchtbar schiefging.

Nein!« Er griff in seinen Gürtel, zog etwas heraus, das einem Taschentuch glich, und schnäuzte sich geräuschvoll die Nase. »Dies ist keine Geschichte, in der die Toten auferstehen! Gut, ich gebe zu, ich habe die Unsterblichkeit ins Spiel gebracht, aber das ist immer noch etwas anderes, als die Toten zurückzuholen! Nein! Es bleibt dabei. Wenn hier erst mal einer tot ist, dann bleibt er auch tot! Das gilt in dieser Welt ebenso wie in der, aus der ich stamme. Staubfinger hat diese Regel für dich sehr geschickt umgangen. Vielleicht habe ich selbst die sentimentale Geschichte geschrieben, die ihn auf die Idee brachte … ich erinnere mich nicht, aber nun gut. Lücken gibt es immer und er hat für dein Leben mit dem seinen bezahlt. Das war von jeher der einzige Handel, den der Tod akzeptiert. Ja, wer hätte das gedacht? Ausgerechnet Staubfinger schließt einen hergelaufenen Jungen so sehr ins Herz, dass er schließlich für ihn stirbt. Ich gebe zu, die Idee ist viel besser als die mit dem Marder, aber sie stammt nicht von mir! O nein! Wenn du jemanden suchst, dem du die Schuld geben kannst, fass dir an die eigene Nase, denn eins steht fest, mein Junge«, und mit diesen Worten stieß er Farid den Finger grob gegen die schmale Brust, »*du* gehörst nicht in diese Geschichte! Und wenn du es dir nicht in den Kopf gesetzt hättest, dich in sie hineinzumogeln, würde Staubfinger wohl noch leben …«

Farid schlug ihm die braune Faust mitten ins Gesicht.

»Wie kannst du so etwas sagen?«, fuhr Meggie Fenoglio an, während Farid schluchzend die Arme um sie schlang. »Er hat Staubfinger in der Mühle gerettet! Seit er hier ist, hat er ihn beschützt –«

»Ja, ja, schon gut!«, brummte Fenoglio und betastete seine schmerzende Nase. »Ich bin ein herzloser alter Mann, ich weiß.

Aber auch wenn du es mir nicht glaubst – ich habe mich abscheulich gefühlt, als ich Staubfinger da liegen sah. Und dann Roxanes Weinen, furchtbar, ganz furchtbar. All die Verwundeten, all die Toten ... Nein, Meggie, die Worte gehorchen mir schon lange nicht mehr. Sie tun es nur, wenn es ihnen passt. Wie Schlangen haben sie sich gegen mich gewandt.«

»Genau. Du bist ein Stümper, ein elender Stümper!« Farid machte sich von Meggie los. »Nichts verstehst du von deinem Handwerk! Aber ein anderer tut es. Der, der Staubfinger hergebracht hat. Orpheus. Er wird ihn schon zurückholen, du wirst sehen. Schreib ihn her! Das wenigstens wirst du doch können! Ja, schreib Orpheus her, sofort, oder ... oder ... ich erzähl dem Natternkopf, dass du ihn töten wolltest ... ich sag allen Frauen in Ombra, dass sie deinetwegen keine Männer mehr haben ... ich, ich ...«

Mit geballten Fäusten stand er da, zitternd vor Wut und Verzweiflung. Der alte Mann aber blickte ihn nur an. Dann kam er mühsam auf die Füße. »Weißt du was, mein Junge?«, sagte er und brachte sein Gesicht ganz nah an das von Farid heran. »Hättest du mich nett gebeten, dann hätte ich es vielleicht versucht, aber so nicht. O nein! Fenoglio will gebeten, nicht bedroht werden. So viel Stolz ist mir noch geblieben.«

Daraufhin wollte Farid erneut auf ihn losgehen, doch Meggie hielt ihn zurück. »Fenoglio, hör auf!«, fuhr sie den alten Mann an. »Er ist verzweifelt, siehst du das nicht?«

»Verzweifelt? Na und? Ich bin auch verzweifelt!«, gab Fenoglio zurück. »Meine Geschichte ertrinkt im Unglück und die hier –«, er hielt ihr seine Hände entgegen, »– wollen nicht mehr schreiben! Ich habe Angst vor den Worten, Meggie! Früher waren sie Honig, nun sind sie Gift, pures Gift! Aber was ist ein Dichter, der die

Worte nicht mehr liebt? Was bin ich noch? Diese Geschichte frisst mich, sie zermalmt mich, mich, ihren Schöpfer!«

»Hol Orpheus!« Meggie hörte, wie sehr Farid sich Mühe gab, seine Stimme zu beherrschen, alle Wut daraus zu verbannen. »Hol ihn her und lass ihn für dich schreiben! Lehr ihn, was du kannst, so wie Staubfinger mich alles gelehrt hat! Lass ihn für dich die richtigen Worte finden. Er liebt deine Geschichte, er hat es Staubfinger selbst erzählt! Er hat dir sogar einen Brief geschrieben, als er ein Junge war.«

»Tatsächlich?« Für einen Moment klang Fenoglios Stimme fast wieder nach seinem alten neugierigen Ich.

»Ja, er bewundert dich! Er hält diese Geschichte für die beste von allen, das hat er selbst gesagt!«

»So, hat er?« Fenoglio klang geschmeichelt. »Nun, sie ist wirklich nicht schlecht. Das heißt, sie war nicht schlecht.« Nachdenklich blickte er Farid an. »Ein Schüler. Ein Schüler für Fenoglio«, murmelte er. »Ein Dichterlehrling. Hm. Orpheus ...« Er sprach den Namen aus, als müsste er ihn erst kosten. »Der einzige Dichter, der sich je mit dem Tod maß ... passend.«

Farid blickte ihn so hoffnungsvoll an, dass es Meggie erneut das Herz zerschnitt.

Fenoglio aber lächelte, auch wenn es ein trauriges Lächeln war. »Sieh ihn dir an, Meggie!«, sagte er. »Der Junge beherrscht denselben flehenden Blick, mit dem meine Enkel alles von mir bekommen konnten. Sieht er dich auf dieselbe Art an, wenn er etwas von dir will?«

Meggie spürte, wie sie rot wurde. Fenoglio ersparte ihr die Antwort. »Du weißt, dass wir Meggies Hilfe brauchen werden, nicht wahr?«, fragte er Farid.

»Wenn du schreibst, werd ich lesen«, sagte sie. Und den Mann in diese Geschichte holen, der Mortola geholfen hat, meinen Vater herzubringen und ihn fast zu töten, setzte Meggie in Gedanken hinzu. Sie versuchte, nicht daran zu denken, was Mo zu diesem Handel sagen würde.

Fenoglio aber schien bereits nach Worten zu suchen, den richtigen Worten – solchen, die ihn nicht verraten und betrügen würden. »Nun gut«, murmelte er abwesend. »Machen wir uns ein letztes Mal an die Arbeit, aber woher soll ich Papier oder Tinte nehmen? Von einer Feder und einem hilfreichen Glasmann ganz zu schweigen. Der arme Rosenquarz sitzt schließlich immer noch in Ombra.«

»Ich habe Papier«, sagte Meggie, »und auch einen Stift.«

»Das ist sehr schön«, sagte Fenoglio, als sie ihm das Notizbuch in den Schoß legte. »Hat dein Vater das gebunden?«

Meggie nickte

»Es sind Seiten herausgerissen!«

»Ja, für eine Nachricht an meine Mutter und für den Brief, den ich dir geschickt habe. Den Brief, den Wolkentänzer dir gebracht hat.«

»Oh. Ja. Der.« Fenoglio sah für einen Augenblick furchtbar müde aus. »Bücher mit leeren Seiten«, murmelte er. »Sie scheinen eine zunehmend große Rolle in dieser Geschichte zu spielen, nicht wahr?« Dann bat er Meggie, ihn mit Farid allein zu lassen, damit er ihm von Orpheus erzählte. »Ehrlich gesagt«, raunte er Meggie zu, »glaube ich, dass er seine Fähigkeiten maßlos überschätzt! Was hat dieser Orpheus schon geschafft? Er hat meine Worte neu aneinandergereiht, das ist alles. Trotzdem gebe ich zu, dass ich neugierig auf ihn bin. Es gehört eine Portion Größenwahn dazu, sich Orpheus zu nennen, und Größenwahn ist ein interessanter Charakterzug.«

Der Meinung war Meggie nicht, aber es war zu spät, ihr Versprechen zurückzunehmen. Sie würde erneut lesen. Diesmal für Farid. Sie schlich sich zurück zu ihren Eltern, legte den Kopf auf Mos Brust und schlief ein, den Schlag seines Herzens im Ohr. Die Worte hatten ihn gerettet, warum sollten sie nicht dasselbe für Staubfinger tun können? Auch wenn er weit, weit fortgegangen war … Herrschten die Worte in dieser Welt nicht sogar über das Land des Schweigens?

Der Eichelhäher

Die Welt existierte, um gelesen zu werden. Und ich las sie.
Lynn Sharon Schwartz, Ruined by Reading

Resa und Meggie schliefen, als Mo aufwachte, aber ihm war, als könnte er nicht einen Augenblick länger atmen zwischen all den Steinen und Toten. Die Männer, die den Eingang der Mine bewachten, begrüßten ihn mit einem Kopfnicken, als er zu ihnen hinaufgestiegen kam. Durch den Spalt, der nach draußen führte, sickerte blass der Morgen, er roch nach Rosmarin, nach Thymian und den Beeren an Mortolas giftigen Bäumen. Es verwirrte Mos Sinne immer aufs Neue, wie sich in Fenoglios Welt das Vertraute mit dem Fremden mischte – und dass das Fremde ihm sogar oft als das Echtere erschien.

Die Wachtposten waren nicht die Einzigen, die Mo am Eingang der Mine antraf. Fünf weitere Männer lehnten an den Stollenwänden, unter ihnen auch der Schnapper und der Schwarze Prinz selbst.

»Ah, sieh an, der meistgesuchte Räuber zwischen Ombra und dem Meer!«, raunte der Schnapper, als Mo zu ihnen trat. Wie ein fremdartiges Tier musterten sie ihn, über das sie schon die seltsamsten Geschichten gehört hatten, und Mo fühlte sich mehr denn je wie ein Schauspieler, der eine Bühne betreten hatte – mit dem unguten Gefühl, weder das Stück noch seine Rolle zu kennen.

»Ich weiß nicht, wie es euch geht«, sagte der Schnapper mit einem Blick in die Runde. »Aber ich dachte immer, den Eichelhäher hätte sich irgendein Dichter ausgedacht. Und dass der Einzige, der vielleicht Anspruch auf die Federmaske erheben könnte, unser Schwarzer Prinz wäre, auch wenn er nicht ganz der Beschreibung in den Liedern entspricht. Als es hieß, der Eichelhäher sitze in der Nachtburg gefangen, dachte ich, sie wollten nur wieder irgendeinen armen Hund hängen, der zufällig eine Narbe am Arm hat. Aber dann –«, er musterte Mo so ausführlich, als messe er ihn an jeder Zeile, die er je über den Eichelhäher gehört hatte, »– hab ich dich kämpfen sehen im Wald … *und sein Schwert fährt zwischen sie wie die Nadel in die Seiten …* heißt es nicht so in einem der Lieder? Treffend beschrieben, o ja!«

O ja, Schnapper?, dachte Mo. Was, wenn ich dir sagen würde, dass der Eichelhäher tatsächlich von einem Dichter erfunden wurde – ebenso wie du?

Wie verstohlen sie ihn alle musterten.

»Wir müssen fort«, sagte der Prinz in das Schweigen hinein. »Sie durchkämmen den Wald bis hinunter ans Meer. Zwei unserer Verstecke haben sie schon ausgeräuchert, auf die Mine sind sie wohl nur deshalb noch nicht gestoßen, weil sie uns nicht so dicht vor ihrer Haustür vermuten.« Der Bär grunzte, als machte er sich lustig über die Dummheit der Gepanzerten. Die graue Schnauze im schwarzen Pelzgesicht, die kleinen Augen, bernsteinschlau – schon im Buch hatte der Bär Mo sehr gefallen, nur etwas größer hatte er ihn sich vorgestellt. »Heute Nacht bringt die Hälfte von uns die Verletzten zum Dachsbau«, fuhr der Schwarze Prinz fort, »die anderen gehen mit mir und Roxane nach Ombra.«

»Und wo geht *er* hin?« Der Schnapper sah Mo an.

Sie alle sahen ihn an. Mo spürte ihre Blicke wie Finger auf der Haut. Blicke voll Hoffnung, aber worauf? Was hatten sie über ihn gehört? Erzählte man schon Geschichten über das, was auf der Nachtburg geschehen war?

»Er muss fort von hier, was sonst? Weit fort!« Der Prinz zupfte dem Bären ein welkes Blatt aus dem Fell. »Der Natternkopf wird nach ihm suchen, auch wenn er überall verbreiten lässt, dass Mortola für den Überfall im Wald verantwortlich war.« Er nickte einem mageren Jungen zu, mindestens einen Kopf kleiner als Meggie, der zwischen den Männern stand. »Wiederhol, was die Ausrufer in deinem Dorf verkündet haben.«

»*Dies*«, begann der Junge mit stockender Stimme, »*ist das Versprechen des Natternkopfes: ›Sollte sich der Eichelhäher jemals wieder auf dieser Seite des Waldes zeigen, dann wird er den langsamsten Tod sterben, den die Henker der Nachtburg je beschert haben. Und dem, der ihn gefangen nimmt, wird sein Gewicht in Silber ausbezahlt.‹*«

»Na, dann fang besser schon mal an zu hungern, Eichelhäher«, spottete der Schnapper, aber keiner der anderen lachte.

»Hast du ihn wirklich unsterblich gemacht?« Es war der Junge, der die Frage stellte.

Der Schnapper lachte laut auf. »Hört euch den Kleinen an. Bestimmt glaubst du auch, dass der Prinz fliegen kann, was?«

Aber der Junge beachtete ihn nicht. Er sah immer noch Mo an. »Sie sagen, du kannst selbst nicht sterben«, sagte er leise. »Sie sagen, du hast dir auch so ein Buch gemacht, ein Buch mit weißen Seiten, in dem dein Tod sitzt.«

Mo musste lächeln. Wie oft hatte Meggie ihn mit so großen Augen angesehen. *Ist die Geschichte wahr, Mo? Nun sag schon.*

Sie alle warteten auf seine Antwort, selbst der Schwarze Prinz. Er sah es in ihren Gesichtern.

»O doch«, sagte er. »Ich kann sterben. Glaub mir, ich hab es ganz deutlich gespürt. Doch was den Natternkopf betrifft – ja, den habe ich wohl unsterblich gemacht. Allerdings nicht für lange.«

»Wie meinst du das?« Dem Schnapper war das Lachen längst auf dem groben Gesicht gefroren.

Aber Mo blickte nicht ihn, sondern den Schwarzen Prinzen an, als er antwortete. »Damit meine ich, dass zurzeit nichts den Natternkopf töten kann. Kein Schwert, kein Messer, keine Krankheit. Das Buch, das ich ihm gebunden habe, schützt ihn. Aber dieses Buch wird auch sein Verhängnis sein. Denn er wird daran nur wenige Wochen seine Freude haben.«

»Wieso?« Das war wieder der Junge.

Mo senkte die Stimme, als er ihm antwortete, so wie er es bei Meggie tat, wenn sie sich ein Geheimnis teilten. »Oh, es ist nicht sonderlich schwer, dafür zu sorgen, dass ein Buch nicht lange lebt, weißt du. Vor allem nicht für einen Buchbinder. Und das ist mein Handwerk, auch wenn so mancher etwas anderes denkt. Normalerweise ist es nicht meine Aufgabe, ein Buch zu töten, im Gegenteil, man ruft mich gewöhnlich, um ihr Leben zu verlängern, doch in diesem Fall musste ich es leider tun. Schließlich wollte ich nicht schuld sein, dass der Natternkopf für den Rest der Ewigkeit auf seinem Thron sitzt und sich die Zeit damit vertreibt, Spielleute aufzuhängen.«

»Dann bist du also doch ein Hexer!« Die Stimme des Schnappers klang heiser.

»Nein. Wirklich nicht«, erwiderte Mo. »Ich sag es noch einmal. Ich bin ein Buchbinder.«

Wieder starrten sie ihn an, Mo war nicht sicher, ob in den Respekt diesmal nicht auch etwas Furcht gemischt war.

»Geht jetzt!« Die Stimme des Prinzen brach die Stille. »Geht und baut die Tragen für die Verwundeten.« Sie gehorchten, aber sie alle warfen Mo einen letzten Blick zu, bevor sie davonstiefelten. Nur der Junge schenkte ihm auch ein verschämtes Lächeln.

Der Schwarze Prinz aber winkte Mo mit sich. »Ein paar Wochen«, wiederholte er, als sie in dem Stollen standen, in dem er abseits von den anderen mit dem Bären schlief. »Wie viele genau?«

Wie viele? Selbst Mo konnte das nicht genau sagen. Wenn sie vorerst nicht bemerkten, was er getan hatte, würde es schnell gehen. »Nicht allzu viele«, antwortete er.

»Und sie werden das Buch nicht retten können?«

»Nein.«

Der Prinz lächelte. Es war das erste Lächeln, das Mo auf seinem dunklen Gesicht sah. »Das sind tröstliche Neuigkeiten, Eichelhäher. Es macht mutlos, gegen einen unsterblichen Feind zu kämpfen. Aber du weißt, dass er dich nur umso gnadenloser jagen wird, wenn er bemerkt, dass du ihn betrogen hast?«

So würde es sein. Aus dem Grund hatte Mo Meggie nichts erzählt, hatte heimlich getan, was zu tun war, während sie schlief. Weil er nicht gewollt hatte, dass der Natternkopf die Angst auf ihrem Gesicht sah.

»Ich habe nicht vor, auf diese Seite des Waldes zurückzukehren«, sagte er zu dem Prinzen. »Vielleicht findet sich in der Nähe von Ombra ein gutes Versteck für uns.«

Der Prinz lächelte erneut. »Das wird sich finden«, sagte er – und musterte Mo so eindringlich, als wollte er ihm geradewegs ins Herz schauen. Versuch es!, dachte Mo. Schau mir ins Herz und sag, was du dort findest, denn ich selbst weiß es nicht mehr. Er erinnerte sich, wie er zum ersten Mal vom Schwarzen Prinzen gelesen hatte. Was für eine fabelhafte Figur!, hatte er gedacht, doch der Mann, der nun vor ihm stand, war noch wesentlich eindrucksvoller als das Bild, das die Wörter von ihm beschworen hatten. Vielleicht war er etwas kleiner. Und trauriger.

»Deine Frau sagt, du seist nicht der, für den wir dich halten«, sagte der Prinz. »Staubfinger hat dasselbe behauptet. Er hat erzählt, dass du aus demselben Land stammst, in dem er all die Jahre war, die wir ihn für tot hielten. Unterscheidet es sich sehr von diesem Ort?«

Mo musste lächeln. »O ja. Ich denke schon.«

»Wie? Sind die Menschen glücklicher?«

»Vielleicht.«

»Vielleicht? So.« Der Prinz bückte sich und hob etwas auf, das auf der Decke lag, unter der er schlief. »Ich habe vergessen, wie deine Frau dich nennt. Staubfinger hatte einen seltsamen Namen für dich: Zauberzunge. Aber Staubfinger ist tot und für alle anderen wirst du von nun an der Eichelhäher sein. Selbst mir fällt es schwer, dich anders zu nennen, nachdem ich dich im Wald habe kämpfen sehen. Und deshalb gehört das hier wohl künftig dir.«

Mo hatte die Maske noch nie gesehen, die der Prinz ihm hinhielt. Das Leder war dunkel und schartig, aber die Federn leuchteten, weiß, schwarz, gelbbraun und blau. Eichelhäherblau.

»Diese Maske ist in vielen Liedern besungen worden«, sagte der Schwarze Prinz. »Ich habe mir erlaubt, sie eine Weile zu tragen. Einige von uns haben das getan, aber nun gehört sie dir.«

Mo drehte die Maske schweigend in seinen Händen. Für einen seltsamen Moment wollte er sie überstreifen, als hätte er das schon viele Male getan. O ja, Fenoglios Worte waren mächtig, doch es waren Worte, nichts als Worte – und selbst wenn sie für ihn geschrieben waren … Jeder Schauspieler konnte sich die Rolle aussuchen, die er spielte, oder?

»Nein«, sagte Mo und reichte dem Prinzen die Maske zurück. »Der Schnapper hat recht, der Eichelhäher ist ein Hirngespinst, die Erfindung eines alten Mannes. Mein Handwerk ist nicht das Kämpfen, glaub mir.«

Der Schwarze Prinz sah ihn nachdenklich an, aber die Maske nahm er nicht zurück. »Behalte sie trotzdem«, sagte er. »Es ist eh zu gefährlich geworden, sie zu tragen. Und was dein Handwerk betrifft – keiner von uns wurde als Räuber geboren.«

Darauf sagte Mo nichts. Er blickte nur auf seine Finger. Es hatte lange gedauert, all das Blut abzuwaschen, das nach dem Kampf im Wald an ihnen geklebt hatte. Er stand immer noch da, die Maske in der Hand, ganz allein in dem dunklen Stollen, der nach längst vergessenen Toten roch, als er Meggies Stimme hinter sich hörte.

»Mo?« Besorgt blickte sie ihm ins Gesicht. »Wo warst du? Roxane will bald aufbrechen, und Resa fragt, ob wir mit ihr gehen wollen. Was sagst du?«

Ja, was sagte er? Wohin wollte er? Zurück in meine Werkstatt, dachte er. Zurück in Elinors Haus. Oder nicht? Was wollte Meggie? Er brauchte sie nur anzusehen, um die Antwort zu kennen. Natürlich. Sie wollte bleiben, des Jungen wegen, aber nicht nur deshalb. Auch Resa wollte bleiben, trotz des Kerkers, in den man sie gesteckt hatte, trotz all des Schmerzes und der Dunkelheit. Was war nur an Fenoglios Welt, dass sie das Herz mit Sehnsucht erfüllte? Spürte er es nicht selbst? Wie ein schnell wirkendes süßes Gift …

»Was sagst du, Mo?« Meggie griff nach seiner Hand. Wie groß sie geworden war!

»Was ich sage?« Er lauschte, als könnte er, wenn er nur genau hinhörte, die Buchstaben in den Stollenwänden flüstern hören oder im Gewebe der Decke, unter der der Schwarze Prinz schlief. Aber alles, was er hörte, war seine eigene Stimme: »Wie gefällt es dir, wenn ich sage ... Zeig mir die Feen, Meggie. Und die Nixen. Und den Buchmaler auf der Burg von Ombra. Lass uns herausfinden, wie fein seine Pinsel wirklich sind.«

Gefährliche Worte. Aber Meggie umarmte ihn so heftig, wie sie es als kleines Mädchen zuletzt getan hatte.

Farids Hoffnung

Und nun war er tot und seine Seele ins Sonnenlose Land geflüchtet.
Philip Reeve, Großstadtjagd

Als die Wachen kurz vor Sonnenuntergang schon zum zweiten Mal Alarm schlugen, befahl der Schwarze Prinz allen, tief in die Stollen hinabzusteigen, dorthin, wo Wasser in den engen Gängen stand und man glaubte, die Erde atmen zu hören. Aber einer kam nicht mit. Fenoglio. Als der Prinz Entwarnung gab und Meggie mit den anderen wieder hinaufstieg, die Füße nass, das Herz immer noch voll Angst, kam Fenoglio auf sie zu und zog sie mit sich. Mo sprach zum Glück gerade mit Resa und bemerkte es nicht.

»Hier. Aber ich garantiere für nichts«, raunte Fenoglio ihr zu, während er ihr das Notizbuch wieder in die Hand drückte. »Vermutlich ist dies ein weiterer Fehler, schwarz auf weiß, wie die anderen, aber ich bin zu müde, um darüber nachzudenken. Füttere sie, die verfluchte Geschichte, füttere sie mit neuen Worten, ich werd nicht zuhören. Ich leg mich schlafen. Das war endgültig das Letzte, was ich in meinem Leben geschrieben habe.«

Füttere sie.

Farid schlug vor, dass Meggie dort las, wo Staubfinger und er geschlafen hatten. Staubfingers Rucksack lag noch neben seiner Decke, die beiden Marder hatten sich links und rechts davon zusammengerollt. Farid hockte sich zwischen sie und presste den

Rucksack an seine Brust, als klopfte Staubfingers Herz darin. Erwartungsvoll sah er Meggie an, aber sie schwieg. Blickte auf die Buchstaben und schwieg. Fenoglios Schrift verschwamm ihr vor den Augen, als sträubte sie sich zum ersten Mal, von ihr gelesen zu werden.

»Meggie?« Farid sah sie immer noch an. Es war so viel Traurigkeit in seinen Augen, so viel Verzweiflung. Für ihn, dachte sie. Nur für ihn – und kniete sich auf die Decke, unter der Staubfinger geschlafen hatte.

Schon bei den ersten Worten spürte sie, dass Fenoglio seine Sache wieder einmal gut gemacht hatte. Sie spürte es wie Atem auf ihrem Gesicht. Die Buchstaben lebten. Die Geschichte lebte. Sie wollte wachsen mit diesen Worten. Sie wollte es! Hatte Fenoglio dasselbe gespürt, als er sie niederschrieb?

»*Eines Tages, als der Tod wieder einmal reichlich Beute gemacht hatte*«, begann Meggie, und es war ihr fast, als lese sie in einem vertrauten Buch, das sie eben erst zur Seite gelegt hatte, »*beschloss Fenoglio, der große Dichter, nicht mehr zu schreiben. Er war der Worte müde und ihrer Macht der Verführung. Er war es leid, dass sie ihn betrogen und verhöhnten und schwiegen, wenn sie hätten sprechen sollen. Also rief er einen anderen, jünger als er, Orpheus mit Namen – geschickt mit den Buchstaben, auch wenn er sie noch nicht so meisterlich zu setzen verstand wie Fenoglio selbst –, und beschloss, ihn in seiner Kunst zu unterweisen, wie jeder Meister es irgendwann tut. Für eine Weile sollte Orpheus an seiner statt mit den Worten spielen, mit ihnen verführen und lügen, schaffen und zerstören, vertreiben und zurückholen – während Fenoglio darauf wartete, dass die Müdigkeit verging, dass die Lust an den Buchstaben erneut in ihm erwachte und er Orpheus zurückschicken würde in die Welt, aus der er ihn gerufen hatte, um seine Geschichte am Leben zu erhalten mit frischen, unverbrauchten Worten.«*

Meggies Stimme verklang. Sie hallte unter der Erde, als hätte sie einen Schatten. Und als die Stille sich gerade breitmachte, hörte man Schritte.

Schritte auf dem feuchten Stein.

Wieder allein

Hope is the thing with feathers …
Emily Dickinson, Hope

Orpheus verschwand direkt vor Elinors Augen. Sie stand nur ein paar Schritte von ihm entfernt, die Flasche Wein in der Hand, nach der er verlangt hatte, als er sich einfach in Luft auflöste, ach was, in weniger als Luft, in gar nichts – so, als wäre er nie da gewesen, als hätte sie ihn nur geträumt. Die Flasche rutschte ihr aus der Hand, fiel auf die Holzbohlen der Bibliothek und zersprang zwischen den aufgeschlagenen Büchern, die Orpheus dort zurückgelassen hatte.

Der Hund begann zu heulen, so abscheulich, dass Darius aus der Küche herbeistürmte. Der Schrankmann trat ihm nicht in den Weg. Er starrte nur auf den Platz, an dem Orpheus eben noch gestanden hatte. Mit bebender Stimme hatte er von einem Blatt abgelesen, das gleich vor ihm auf einer von Elinors Vitrinen gelegen hatte, und dabei *Tintenherz* gegen die Brust gedrückt, als könnte er das Buch auf die Art zwingen, ihn endlich aufzunehmen. Elinor war wie versteinert stehen geblieben, als sie begriff, was er erneut versuchte, zum hundertsten, ach was, zum tausendsten Mal. Vielleicht kommen sie ja für ihn heraus, hatte sie gedacht, wenigstens einer von ihnen! Meggie, Resa, Mortimer, jeder der drei Namen schmeckte so bitter auf der Zunge, bitter wie alles Verlorene … Aber nun war Orpheus fort und keiner der drei war zurückgekehrt. Nur der verdammte Hund hörte einfach nicht auf zu heulen.

»Er hat es geschafft«, flüsterte Elinor. »Darius, er hat es geschafft! Er ist drüben ... sie sind alle drüben. Nur wir nicht!«

Für einen Augenblick überkam sie unendliches Selbstmitleid. Da stand sie, Elinor Loredan, inmitten all ihrer Bücher, und sie ließen sie nicht ein, nicht eins von ihnen. Verschlossene Türen, die sie lockten, ihr das Herz mit Sehnsucht füllten und sie dann doch nur bis an die Schwelle treten ließen. Verfluchte, dreimal verfluchte herzlose Dinger! Voll leerer Versprechungen, voll falscher Verlockungen, ewig hungrig machend, aber niemals satt, niemals!

Elinor, das hast du aber schon ganz anders gesehen!, dachte sie, während sie sich die Tränen aus den Augen wischte. Nun, und wenn? War sie nicht alt genug, ihre Meinung zu ändern, eine alte Liebe zu begraben, die sie elend betrogen hatte? Sie hatten sie nicht eingelassen. Alle anderen steckten nun zwischen den Seiten, nur sie nicht! Arme Elinor, arme einsame Elinor! Sie schluchzte so laut auf, dass sie sich die Hand auf den Mund presste.

Darius warf ihr einen mitfühlenden Blick zu und trat zögernd an ihre Seite. Zum Glück war wenigstens er noch bei ihr. Aber helfen konnte er ihr auch nicht. Ich will zu ihnen!, dachte sie verzweifelt. Sie sind meine Familie: Resa und Meggie und Mortimer. Ich will den Weglosen Wald sehen und wieder eine Fee auf der Hand spüren, ich will dem Schwarzen Prinzen begegnen, selbst wenn ich dafür seinen Bären riechen muss, ich will hören, wie Staubfinger mit dem Feuer redet, auch wenn ich ihn immer noch nicht leiden kann! Ich will, ich will, ich will ...

»Oh, Darius!«, schluchzte Elinor. »Warum hat der verfluchte Kerl mich nicht mitgenommen?« Aber Darius sah sie nur an mit seinen weisen Eulenaugen.

»He, wo ist er hin? Der Bastard hatte noch Schulden bei mir!« Der Schrankmann trat an die Stelle, an der Orpheus verschwunden war, und sah sich um, als könnte er sich irgendwo zwischen den Regalbrettern versteckt haben. »Verdammt, was bildet er sich ein, einfach so zu verschwinden?« Der Schrankmann bückte sich und hob ein Blatt Papier auf.

Das Blatt, von dem Orpheus gelesen hatte! Hatte er das Buch mitgenommen, aber die Worte zurückgelassen, die ihm die Tür geöffnet hatten? Dann war doch noch nicht alles verloren …

Entschlossen riss Elinor dem Schrankmann das Blatt aus der Hand. »Geben Sie das her!«, fuhr sie ihn an und presste das Stück Papier gegen ihre Brust, so wie Orpheus es mit dem Buch getan hatte. Das Gesicht des Schrankmanns verfinsterte sich. Zwei sehr unterschiedliche Gefühle schienen darauf miteinander zu streiten: Ärger über Elinors Frechheit und Angst vor den Buchstaben, die sie so leidenschaftlich gegen ihre Brust presste. Für einen Moment war Elinor nicht sicher, welches die Oberhand gewinnen würde. Darius trat hinter sie, als hätte er allen Ernstes vor, sie notfalls zu verteidigen, aber zum Glück hellte Zuckers Gesicht sich wieder auf, und er begann zu lachen.

»Nun sieh sich einer die an!«, spottete er. »Was willst du mit dem Wisch, Bücherfresserin? Willst du dich auch in Luft auflösen wie Orpheus und die Elster und deine beiden Freunde? Bitte, tu dir keinen Zwang an, aber vorher will ich den Lohn, den Orpheus und die Alte mir noch schulden!« Und damit sah er sich in Elinors Bibliothek um, als gäbe es darin vielleicht doch irgendetwas, das als Bezahlung taugen könnte.

»Dein Lohn, natürlich, ich verstehe!«, sagte Elinor hastig und zog ihn auf die Tür zu. »Ich habe in meinem Zimmer noch etwas

Geld versteckt. Darius, du weißt, wo es ist. Gib ihm alles, was noch da ist. Hauptsache, er verschwindet.«

Darius blickte wenig begeistert drein, aber Zucker lächelte so breit, dass man jeden seiner schlechten Zähne sah. »Na, bitte! Das klingt doch endlich mal vernünftig!«, grunzte er und stapfte Darius nach, der ihn schicksalsergeben in Elinors Zimmer führte.

Elinor aber blieb in ihrer Bibliothek zurück.

Wie still es plötzlich darin war. Orpheus hatte tatsächlich alle Gestalten, die er aus ihren Büchern herausgelesen hatte, auch wieder zurückgeschickt. Nur sein Hund war noch da und beschnupperte mit hängendem Schwanz die Stelle, an der vor wenigen Augenblicken noch sein Herr gestanden hatte.

»So leer!«, murmelte Elinor. »So leer.« Und fühlte sich entsetzlich verlassen. Fast noch mehr als an dem Tag, an dem die Elster Mortimer und Resa mitgenommen hatte. Das Buch war fort, in dem sie alle verschwunden waren. Es war fort. Was geschah mit einem Buch, das in der eigenen Geschichte verschwand?

Ach, vergiss das Buch, Elinor!, dachte sie, während ihr eine Träne die Nase hinunterlief. Wie willst du sie nun jemals wiederfinden?

Orpheus' Worte. Sie verschwammen ihr vor den Augen, als sie auf das Papier starrte. Ja, sie mussten ihn hinübergebracht haben, was sonst? Behutsam öffnete sie die Glasvitrine, auf der das Blatt gelegen hatte, bevor Orpheus verschwand, nahm das Buch heraus, das darin lag – eine wunderbar illustrierte Ausgabe von Andersens Märchen, mit Widmung des Autors! –, und legte das Blatt an seine Stelle.

Ein neuer Dichter

Freude am Schreiben,
Möglichkeit des Erhaltens,
Rache der sterblichen Hand.
Wislawa Szymborska,
Freude am Schreiben

Orpheus war zuerst kaum zu sehen in den Schatten, die den Stollen füllten. Zögernd trat er in das Licht der Öllampe, bei deren Schein Meggie gelesen hatte. Es schien ihr, als schöbe er etwas unter seine Jacke, aber sie konnte nicht erkennen, was. Vielleicht ein Buch.

»Orpheus!« Farid sprang auf ihn zu, Staubfingers Rucksack immer noch im Arm.

Also war er es tatsächlich. Orpheus. Meggie hatte ihn sich so anders vorgestellt, so viel … beeindruckender. Dies hier war bloß ein etwas zu stämmiger, noch recht junger Mann in einem schlecht sitzenden Anzug. Verdutzt stand er da, als hätte er seine Zunge verschluckt, musterte Meggie, den Stollen, durch den er gekommen war, und schließlich Farid, der völlig vergessen zu haben schien, dass der Mann, den er mit so strahlendem Lächeln begrüßte, ihn bei ihrer letzten Begegnung bestohlen und an Basta verraten hatte. Orpheus schien Farid nicht einmal zu erkennen, aber als er es schließlich doch tat, ließ ihn das immerhin seine Stimme wiederfinden.

»Staubfingers Junge? Wie kommst du denn hierher?«, fragte er.

Und, ja, Meggie musste es zugeben: Seine Stimme war eindrucksvoll, sehr viel eindrucksvoller als sein Gesicht. »Nun ja, egal. Dies muss die Tintenwelt sein! Ich wusste, dass ich es kann! Ich wusste es!« Ein selbstverliebtes Lächeln machte sich auf seinem Gesicht breit. Gwin fuhr fauchend hoch, als er ihm fast auf den Schwanz trat, doch Orpheus bemerkte den Marder nicht einmal. »Fantastisch!«, murmelte er, während er mit der flachen Hand über die Stollenwände strich. »Das ist vermutlich einer der Gänge, die unter der Burg von Ombra zu den Fürstengräbern führen.«

»Nein, ist es nicht«, stellte Meggie mit kalter Stimme fest. Orpheus – Mortolas Helfer, zauberzüngiger Verräter. Wie leer sein rundes Gesicht aussah. Kein Wunder, dachte sie voll Abscheu, während sie sich von Staubfingers Schlafstelle erhob. Er hatte kein Gewissen, kein Mitleid, kein Herz. Warum hatte sie ihn hergeholt? Als ob es nicht schon genug von seiner Sorte hier gab. Für Farid, antwortete ihr Herz, für Farid ...

»Wie geht es Elinor und Darius? Wenn du ihnen etwas angetan hast –!« Meggie sprach den Satz nicht zu Ende. Ja, was dann?

Orpheus drehte sich so überrascht um, als hätte er sie bisher gar nicht bemerkt. »Elinor und Darius? Ach, bist du etwa dieses Mädchen, das sich angeblich auch selbst hergelesen hat?« Sein Blick wurde wachsam. Offenbar war ihm eingefallen, was er mit ihren Eltern gemacht hatte.

»Mein Vater ist fast gestorben wegen dir!« Meggie ärgerte sich, dass ihre Stimme zitterte.

Orpheus wurde rot wie ein junges Mädchen, ob vor Ärger oder Verlegenheit, hätte Meggie nicht sagen können, aber was immer es war – er fing sich schnell. »Nun, was kann ich dafür, dass Mortola noch eine Rechnung mit ihm offen hatte?«, entgegnete er. »Und wie ich deinen Worten entnehme, lebt er ja noch. Also kein Grund zur Aufregung, oder?« Mit einem Achselzucken drehte er Meggie den Rücken zu. »Seltsam!«, murmelte er mit einem Blick auf das Geröll am Ende des Stollens, die schmalen Leitern, die Stützbalken. »Klärt mich bitte auf. Wo bin ich hier gelandet? Das sieht ja fast nach einer Mine aus, ich habe nichts gelesen über eine Mine ...«

»Es ist egal, was du gelesen hast. *Ich* habe dich hergeholt!«

Meggies Stimme klang so scharf, dass Farid ihr einen besorgten Blick zuwarf.

»Du?« Orpheus drehte sich um und musterte sie mit solcher Herablassung, dass Meggie das Blut ins Gesicht schoss. »Du weißt offenbar nicht, mit wem du sprichst. Aber was rede ich überhaupt mit euch? Ich bin es leid, mir diesen trostlosen Stollen anzusehen. Wo sind die Feen? Die Gepanzerten? Die Spielleute ...« Unsanft stieß er Meggie zur Seite, hastete zu der Leiter, die nach oben führte, aber Farid sprang ihm in den Weg.

»Du bleibst, wo du bist, Käsekopf!«, fuhr er ihn an. »Willst du wissen, warum du hier bist? Wegen Staubfinger.«

»Ach?« Orpheus ließ ein spöttisches Lachen hören. »Hast du ihn etwa noch nicht gefunden? Nun, vielleicht will er nicht gefunden werden, schon gar nicht von einem so hartnäckigen Bürschchen wie dir –«

»Er ist tot«, unterbrach Farid ihn barsch. »Staubfinger ist tot, und Meggie hat dich nur hergelesen, damit du ihn zurückschreibst!«

»Sie – hat – mich – nicht – hergelesen! Wie oft soll ich das noch erklären?« Orpheus wollte wieder auf die Leiter zu, aber Farid griff nur wortlos nach seiner Hand und zog ihn mit sich. Dorthin, wo Staubfinger war.

Roxane hatte seinen Mantel vor den Stollen gehängt, in dem er lag. Sie und Resa hatten brennende Kerzen um ihn herumgestellt, tanzendes Feuer statt der Blumen, die man anderen Toten an die Seite legte.

»Grundgütiger!«, stieß Orpheus hervor. »Tot! Er ist tatsächlich tot! Aber das ist ja furchtbar!« Erstaunt sah Meggie, dass ihm Tränen in den Augen standen. Mit zitternden Fingern klaubte er sich die beschlagene Brille von der Nase und wischte sie mit einem Jackenzipfel blank. Dann trat er zögernd auf Staubfinger zu, bückte sich und berührte seine Hand.

»Kalt!«, flüsterte er und wich zurück. Mit tränenverschleiertem Blick sah er Farid an. »War es Basta? Nun sag schon! Nein, warte, wie war das noch? War Basta überhaupt dabei? *Eine Bande von Capricorns Männern*, ja, so hieß es, sie wollten den Marder töten, und er versuchte, ihn zu retten! Die Augen hab ich mir aus dem Kopf geweint, als ich das Kapitel las, hab das Buch an die Wand geworfen! Und nun komm ich her, komme endlich hierher und –«, er rang nach Atem. »Ich hab ihn doch nur zurückgebracht, weil ich glaubte, er wäre jetzt sicher hier! O Gott. Ogottogott. Tot!« Orpheus schluchzte auf – und verstummte. Erneut beugte er sich über Staubfingers Körper. »Moment mal! *Erstochen. Erstochen* heißt es in dem Buch! Wo ist die Wunde? *Erstochen wegen des Marders*, ja, so hieß es.« Abrupt drehte er sich um und starrte Gwin an, der auf Farids Schultern hockte und ihn anzischte. »Er hat den Marder zurückgelassen. Er hat ihn zurückgelassen, ebenso wie dich. Wie ist es da möglich, dass –«

Farid schwieg. Er tat Meggie so leid, doch als sie die Hand nach ihm ausstreckte, wich er zurück.

»Was macht der Marder hier? Nun sag schon. Hast du deine

Zunge verschluckt?« Orpheus' schöne Stimme bekam einen metallenen Klang.

»Er ist nicht wegen Gwin gestorben«, flüsterte Farid.

»Ach nein? Weswegen dann?«

Diesmal zog Farid die Hand nicht zurück, als Meggie danach griff. Aber bevor er Orpheus antworten konnte, erklang eine andere Stimme hinter ihnen.

»Wer ist das? Was sucht ein Fremder hier?«

Orpheus fuhr wie ertappt herum. Roxane stand da, Resa an ihrer Seite. »Roxane!«, flüsterte Orpheus. »Die schöne Spielfrau.« Er rückte verlegen die Brille zurecht und verbeugte sich. »Darf ich mich vorstellen? Mein Name ist Orpheus. Ich war ein ... ein Freund von Staubfinger. Ja, ich denke, das könnte man so sagen.«

»Meggie!«, sagte Resa mit stockender Stimme. »Wie kommt er hierher?«

Meggie verbarg das Notizbuch mit Fenoglios Worten unwillkürlich hinter dem Rücken.

»Wie geht es Elinor?«, fuhr Resa Orpheus an. »Und Darius? Was hast du mit ihnen gemacht?«

»Gar nichts!«, erwiderte Orpheus, dem in seiner Verwirrung offenbar gar nicht auffiel, dass die Frau, die nur mit ihren Fingern hatte sprechen können, wieder eine Stimme hatte. »Im Gegenteil. Ich habe mir alle Mühe gegeben, ihnen ein etwas entspannteres Verhältnis zu Büchern beizubringen. Wie aufgespießte Käfer halten sie sie, jedes an seinem Platz, zurück in die Zelle! Dabei wollen sie Luft zwischen den Seiten spüren und die Finger eines Lesers, der ihnen zärtlich über den –«

Roxane nahm Staubfingers Mantel von dem Balken, über den

sie ihn gehängt hatte. »Du siehst nicht aus wie ein Freund von Staubfinger«, unterbrach sie Orpheus. »Aber wenn du dich von ihm verabschieden willst, dann tue es jetzt, denn ich werde ihn mitnehmen.«

»Mitnehmen? Was redest du da?« Farid stellte sich ihr in den Weg. »Orpheus ist hier, um ihn zurückzuholen!«

»Geh mir aus den Augen!«, fuhr Roxane ihn an. »Schon als ich dich zum ersten Mal auf meinen Hof kommen sah, wusste ich, dass du Unglück bringst. *Du* solltest tot sein, nicht er. So ist es und so bleibt es.«

Farid wich zurück, als hätte Roxane ihn geschlagen. Widerstandslos ließ er sich zur Seite schieben und stand da, mit hängenden Schultern, während sie sich über Staubfinger beugte.

Meggie fiel nichts ein, was ihn hätte trösten können, doch ihre Mutter kniete sich neben Roxane. »Hör zu!«, sagte sie mit leiser Stimme zu ihr. »Staubfinger hat Farid von den Toten zurückgeholt, indem er die Worte einer Geschichte wahr gemacht hat. Worte, Roxane! Sie lassen in dieser Welt seltsame Dinge geschehen und Orpheus versteht sehr viel von ihnen!«

»O ja, das tue ich!« Orpheus trat hastig an Roxanes Seite. »Ich habe ihm eine Tür aus Worten gezimmert, damit er zu dir zurückkehren konnte, hat er dir das nie erzählt?«

Roxane blickte ihn ungläubig an, aber der Zauber seiner Stimme wirkte auch bei ihr.

»Ja, glaub mir, das war ich!«, fuhr Orpheus fort. »Und ich werde ihm auch etwas schreiben, das ihn von den Toten zurückbringt. Ich werde Worte finden, so köstlich und betörend wie der Duft einer Lilie, Worte, die den Tod betäuben und ihm die kalten Finger öffnen, mit denen er sich sein warmes Herz gegriffen hat!« Ein

Lächeln verklärte sein Gesicht, als entzückte ihn schon jetzt seine kommende Größe.

Roxane aber schüttelte den Kopf, als wollte sie sich vom Zauber seiner Stimme befreien, und blies die Kerzen aus, die um Staubfinger herumstanden.

»Jetzt verstehe ich«, sagte sie, während sie Staubfingers Mantel über ihn breitete. »Du bist ein Zauberer. Ich bin nur ein einziges Mal zu einem Zauberer gegangen, nachdem unsere jüngste Tochter gestorben war. Wer zu Zauberern geht, ist verzweifelt, und das wissen sie. Sie leben von falschen Hoffnungen wie Raben vom toten Fleisch. Seine Versprechungen klangen genauso wunderbar wie deine. Er versprach mir, wonach ich am verzweifeltsten verlangte. So machen sie es alle. Sie versprechen zurückzuholen, was man für alle Zeit verloren hat: ein Kind, einen Freund – oder einen Mann.« Sie zog Staubfinger den Mantel über das stille Gesicht. »Ich werde solchen Versprechen nie wieder glauben. Sie machen den Schmerz nur schlimmer. Ich werde ihn mit zurück nach Ombra nehmen und dort einen Ort finden, an dem ihn niemand stört, nicht der Natternkopf, nicht die Wölfe, nicht einmal die Feen. Und er wird noch aussehen, als schliefe er, wenn meine Haare längst weiß sind, denn von der Nessel weiß ich, wie man es anfängt, den Körper zu bewahren, selbst wenn die Seele längst fort ist.«

»Du wirst es mir sagen, oder?« Farids Stimme zitterte, als wüsste er Roxanes Antwort bereits. »Du wirst mir sagen, wo du ihn hinbringst.«

»Nein«, antwortete Roxane. »Dir zuallerletzt.«

Wohin?

Der Riese lehnte sich auf seinem Stuhl zurück. »Ein paar Geschichten hast du noch übrig«, sagte er. »Ich kann sie auf deiner Haut riechen.«
Brian Patten, The Story Giant

Farid sah zu, wie sie die Verletzten im Schutz der Nacht auf die Trage legten. Die Verletzten und die Toten. Gleich sechs Räuber standen zwischen den Bäumen, lauschend auf jedes Geräusch, das Gefahr verheißen könnte. Nur die Spitzen der Silbertürme waren in der Ferne zu sehen, hell vom Licht der Sterne, und doch war es ihnen allen, als könnte der Natternkopf sie sehen. Könnte es spüren oben in seiner Burg, wie sie mit leisen Sohlen über seinen Hügel schlichen. Wer konnte sagen, was alles der Natternkopf nun vermochte? Nun, da er unsterblich war und unbesiegbar wie der Tod selbst?

Doch die Nacht blieb still, still wie Staubfinger, den der Bär des Schwarzen Prinzen zurück nach Ombra ziehen sollte. Auch Meggie würde fürs Erste dorthin zurückkehren, auf die andere Seite des Waldes, mit Zauberzunge und ihrer Mutter. Der Schwarze Prinz hatte ihnen von einem Dorf erzählt, zu arm und fernab jeder Straße gelegen, um irgendeinen Fürsten zu interessieren. Dort oder auf einem der umliegenden Höfe wollte der Prinz sie verstecken.

Sollte er mit ihnen gehen?

Farid sah, wie Meggie zu ihm herüberblickte. Sie stand bei ihrer

Mutter und den anderen Frauen. Zauberzunge stand mit den Räubern zusammen, das Schwert am Gürtel, mit dem er angeblich Basta getötet hatte – und nicht nur ihn. Fast ein Dutzend Männer sollten durch seine Hand gestorben sein, so hatte Farid es gleich von mehreren Räubern gehört. Kaum zu glauben. Damals, in den Hügeln bei Capricorns Dorf, hatte Zauberzunge nicht mal eine Amsel töten wollen, als sie sich zusammen versteckt hatten, geschweige denn einen Menschen. Andererseits – wodurch hatte er selbst das Töten gelernt? Die Antwort war nicht schwer. Durch Angst und Zorn. Nun, davon gab es wahrlich genug in dieser Geschichte.

Auch Roxane stand bei den Räubern. Sie kehrte Farid den Rücken zu, sobald sie seinen Blick bemerkte. Sie behandelte ihn wie Luft – als wäre er nie unter die Lebenden zurückgekehrt, als wäre er nur ein Geist, ein böser Geist, der das Herz ihres Mannes gefressen hatte. »Wie war es, tot zu sein, Farid?«, hatte Meggie ihn gefragt, aber er erinnerte sich nicht. Vielleicht wollte er sich auch nur nicht erinnern.

Orpheus stand kaum zwei Schritte entfernt von ihm, fröstelnd in dem dünnen Hemd, das er trug. Der Prinz hatte ihm befohlen, seinen hellen Anzug gegen einen dunklen Umhang und wollene Hosen einzutauschen. Aber trotz der Kleider sah er immer noch aus wie ein Kuckuck zwischen Sperlingen. Fenoglio beobachtete ihn so misstrauisch wie ein alter Kater einen jungen Streuner, der sich in sein Revier geschlichen hatte.

»Er sieht aus wie ein Dummkopf!« Fenoglio hatte Meggie die Worte so laut zugeraunt, dass jeder sie hören konnte. »Schau ihn dir doch nur an. Ein Milchgesicht, weiß nichts vom Leben, wie soll er da schreiben können? Vermutlich wäre es am besten, ihn gleich zurückzuschaffen, aber was soll's? Die elende Geschichte ist ohnehin nicht mehr zu retten.«

Vermutlich hatte er recht. Aber warum hatte er auch nicht selbst versucht, Staubfinger zurückzuschreiben? Lag ihm denn gar nichts an denen, die er erschaffen hatte? Schob er sie nur herum wie Figuren in einem Schachspiel und freute sich an ihren Schmerzen?

Farid ballte die Fäuste in hilflosem Zorn. Ich hätte es versucht!, dachte er. Hundertmal, tausendmal, für den Rest meines Lebens. Aber er konnte die seltsamen kleinen Zeichen ja nicht mal lesen! Die Handvoll, die Staubfinger ihm beigebracht hatte, würde kaum ausreichen, um ihn von dort zurückzuholen, wo er jetzt war. Selbst wenn er seinen Namen mit Feuer an die Mauern der Nachtburg schrieb, Staubfingers Gesicht würde weiter so schrecklich still bleiben, wie er es zuletzt gesehen hatte.

Nein. Nur Orpheus konnte es versuchen. Aber er hatte noch nicht ein Wort geschrieben, seit Meggie ihn hergelesen hatte. Dumm dastehen tat er – oder ging auf und ab, auf und ab, während die Räuber ihn misstrauisch musterten. Auch Zauberzunge warf ihm wenig freundliche Blicke zu. Er war blass geworden, als er Orpheus wiedergesehen hatte. Für einen Moment hatte Farid gedacht, er würde sich den Käsekopf greifen und windelweich schlagen, aber Meggie hatte ihn schnell beim Arm genommen und mit sich gezogen. Was die beiden miteinander gesprochen hatten – sie hatte nichts darüber erzählt. Sie hatte gewusst, dass ihr Vater es nicht gutheißen würde, wenn sie Orpheus herlas, und dennoch hatte sie es getan. Für ihn. Interessierte Orpheus das? O nein. Er tat immer noch, als hätte seine eigene Stimme und nicht Meggies ihn hergebracht. Aufgeblasener, dreimal verfluchter Hundesohn!

»Farid? Hast du dich entschieden?« Er fuhr aus seinen düsteren Gedanken. Meggie stand vor ihm. »Du kommst mit uns, ja? Resa sagt, du kannst bei uns bleiben, so lange du willst, und Mo hat auch nichts dagegen.«

Zauberzunge stand immer noch bei den Räubern, er sprach mit dem Schwarzen Prinzen. Farid sah, wie Orpheus die zwei beobachtete. Dann begann er erneut, auf und ab zu gehen, rieb sich die Stirn, murmelte vor sich hin, als redete er mit sich selbst. Wie ein Verrückter, dachte Farid. Ich hab meine Hoffnung auf einen Verrückten gesetzt!

»Warte hier.« Er ließ Meggie stehen und lief zu Orpheus hinüber. »Ich hab mich entschieden. Ich werd mit Meggie gehen!«, sagte er barsch. »Und du kannst bleiben, wo du willst.«

Der Käsekopf rückte sich die Brille zurecht. »Was redest du da? Ich komme selbstverständlich mit! Ich will mir Ombra ansehen, den Weglosen Wald, die Burg des Speckfürsten.« Er blickte den Hügel hinauf. »Die Nachtburg hätte ich natürlich auch gern gesehen, aber nach dem, was hier vorgefallen ist, scheint es wohl nicht der richtige Zeitpunkt. Nun ja, es ist gerade mein erster Tag hier … Hast du den Natternkopf schon gesehen? Ist er sehr Furcht einflößend? Diese schuppigen Silbersäulen würde ich schon gern mal sehen …«

»Du bist nicht hier, um dir alles anzusehen!« Farids Stimme überschlug sich fast vor Zorn. Was bildete der Käsekopf sich ein? Wie konnte er dastehen und sich umsehen, als wäre er auf einer Vergnügungsreise, während Staubfinger bald in irgendeiner finsteren Gruft liegen würde oder wo immer sonst Roxane ihn hinbringen wollte!

»Ach nein?« Orpheus' rundes Gesicht verfinsterte sich. »In was für einem Ton redest du mit mir? Ich tue, was ich will. Glaubst du, ich bin endlich an dem Ort, an dem ich immer sein wollte, nur um mich von einem Rotzbengel herumkommandieren zu lassen? Denkst du, man kann Worte einfach aus der leeren Luft pflücken? Hier geht es um den Tod, du Milchbart! Es kann Monate dauern, bis ich den richtigen Einfall habe. Einfälle kann man nicht herbeirufen, nicht mal mit Feuer – und wir brauchen einen genialen, einen göttlichen Einfall. Was bedeutet –«, Orpheus betrachtete seine Fingernägel; sie waren abgebissen, bis aufs Fleisch seiner kräftigen Finger, »– dass ich einen Diener brauche! Oder willst du, dass ich meine Zeit darauf verschwende, meine Kleider zu waschen und mir etwas zu essen zu beschaffen?«

Der Hund. Der verfluchte Hund. »Also gut. Ich werde dein Diener sein«, Farid brachte die Worte nur mühsam über die Lippen, »wenn du ihn zurückholst.«

»Hervorragend!« Orpheus lächelte. »Dann besorg mir fürs Erste etwas zu essen. Wie es aussieht, liegt vor uns ein unappetitlich langer Fußmarsch.«

Zu essen. Farid biss die Zähne zusammen, aber er gehorchte, natürlich. Er hätte das Silber von den Türmen der Nachtburg gekratzt, um Staubfinger wieder zum Atmen zu bringen.

»Farid? Was ist nun? Kommst du mit uns?« Meggie trat ihm in den Weg, als er an ihr vorbeilief, in den Taschen Brot und gedörrtes Fleisch für den Käsekopf.

»Ja! Ja, wir kommen mit euch!« Er schlang ihr die Arme um den Hals, aber erst, als er sah, dass Zauberzunge ihnen den Rücken zukehrte. Bei Vätern wusste man nie. »Ich werde ihn retten, Meggie!«, flüsterte er ihr ins Ohr. »Ich hole Staubfinger zurück. Diese Geschichte wird ein gutes Ende haben. Ich schwöre es.«

Das Reich des
Speckfürsten
Ombra
Roxanes
Hof
Der Weglose
Wald
Geheimes
Lager
Gasthaus
der
Spielleute
Gasthaus an der
Grenze
Das Reich des
Natternkopfs
Capricorns
Festung
Nachtburg
Mäusemühle
Siechenhaus
N
Die Tintenwelt

Wer ist wer?

Tintenherz

Im ersten Teil:

Meggie

Tochter von Mo und Resa; kann ebenso wie ihr Vater beim Vorlesen Figuren aus Büchern lebendig werden lassen, sie »herauslesen«. Meggie und ihre Eltern wohnen seit einiger Zeit bei Elinor, Meggies Großtante.

Meggie hat seit ihren Abenteuern in Capricorns Dorf einen Wunsch: Sie möchte schreiben können wie Fenoglio, damit sie weiterhin Figuren aus Büchern herauslesen, sie mit den richtigen Worten aber auch wieder zurückschicken kann.

Mortimer Folchart, genannt Mo oder Zauberzunge

Buchbinder, »Bücherarzt«, wie seine Tochter ihn nennt. Er kann, wie Meggie sagt, »Bilder in die Luft malen nur mit seiner Stimme«. Mo hat Capricorn, Basta und Staubfinger aus ihrem Buch gelesen und erleben müssen, wie seine Frau Resa in demselben Buch verschwand. Er meidet es seither, laut vorzulesen.

Resa (Theresa)

Mos Frau, Meggies Mutter und die Lieblingsnichte von Elinor. Hat mehrere Jahre in der Tintenwelt verbracht. Wurde von Darius wieder herausgelesen; dabei verlor sie ihre Stimme. Danach jahrelang Magd von Mortola und Capricorn; lernte dort Staubfinger kennen und brachte ihm das Lesen und Schreiben bei.

Elinor Loredan

Resas Tante, Meggies Großtante; Büchersammlerin – auch Bücherfresserin genannt. Sie hat viele Jahre die Gesellschaft von Büchern der von Menschen vorgezogen. Doch inzwischen hat sie nicht nur Meggie, Mo und Resa in ihrem Haus aufgenommen, sondern auch den Vorleser Darius samt einer Schar von Feen, Kobolden und Glasmännern.

Fenoglio

Dichter, Geschichtenerzähler; er hat das Buch geschrieben, um das sich alles dreht – »Tintenherz« –, und hat auch die dazugehörige Tintenwelt erfunden. Basta, Staubfinger und Capricorn stammen aus diesem Buch – und auch die Worte, mit denen Mo Capricorn tötete und Meggie den Schatten herbeilas, waren von Fenoglio geschrieben. Der Autor verschwand dafür in derselben Nacht in seiner eigenen Geschichte.

Staubfinger

Wird auch Feuertänzer genannt, lebte unfreiwillig zehn Jahre lang in unserer Welt, weil Mo ihn aus seiner Geschichte gelesen hatte. Die drei langen Narben in seinem Gesicht verdankt er Bastas Messer. Ohne seinen zahmen Marder Gwin ist Staubfinger nie anzutreffen. Er stiehlt Mo am Ende von *Tintenherz* das Buch, aus dem er stammt und in das er immer noch verzweifelt zurückzukehren versucht. Für diesen Wunsch hat Staubfinger sich sogar mit Capricorn, seinem alten Feind, eingelassen und Mo und Meggie an ihn verraten. Außerdem hat er Mo jahrelang verschwiegen, wo seine verschwundene Frau war, und auch Resa nie von Meggie und Mo erzählt – aus Rache für das, was Mos Stimme ihm genommen hatte (und vielleicht auch, weil er in Resa verliebt war).

Gwin

Gehörnter Marder, Begleiter von Staubfinger. Fenoglio hatte ihm eigentlich eine böse Rolle zugedacht: In der ursprünglichen Fassung von »Tintenherz« sollte Staubfinger beim Versuch, Gwin vor Capricorns Männern zu retten, ums Leben kommen.

Farid

Dieser arabische Junge wurde von Mo versehentlich aus »1001 Nacht« herausgelesen; erfahren im Anschleichen, Stehlen, Ausspionieren, Fesseln und noch so einigen anderen Räuberkünsten. Aber auch gelehriger Schüler von Staubfinger und ihm treu ergeben.

Capricorn

Anführer einer Bande von Brandstiftern und Erpressern, wurde von Mo aus dem »Tintenherz« herausgelesen. Machte fast zehn Jahre lang Jagd auf den Vorleser, um durch dessen Künste seine eigene Macht und seinen Reichtum zu mehren. Wollte außerdem alle Exemplare des »Tintenherz«-Buches vernichten, um zu verhindern, dass ihn jemals wieder ein Vorleser in die Tintenwelt hinüberlas. Deshalb hielt er auch Meggie gefangen und zwang sie, den Schatten, seinen alten tödlichen Diener, in unsere Welt zu lesen. Capricorn wurde schließlich getötet, mithilfe des Schattens, Fenoglios Worten und Mos Stimme.

Mortola

Auch die Elster genannt. Capricorns Mutter, Giftmischerin und jahrelang Herrin von Meggies Mutter. Wurde von ihrem Sohn immer als seine Haushälterin ausgegeben, weil er sich für ihre (und seine) niedrige Herkunft schämte. Mortola aber ist intelligenter – und leider auch bösartiger – als mancher fürstliche Bösewicht in dieser Geschichte.

Basta

Einer der ergebensten Handlanger von Capricorn. Sehr abergläubisch und verliebt in sein Messer, ohne das man ihn niemals antrifft. Basta hat Staubfinger einst das Gesicht zerschnitten. Sollte von Capricorn dem Schatten zum Fraß vorgeworfen werden, weil er Staubfinger aus dessen Kerkern entkommen ließ. Capricorns Tod rettete zunächst auch Basta. Er entkam sogar Fenoglios neuen Worten, die viele von Capricorns Männern verschwinden ließen – vielleicht, weil er zu der Zeit der Gefangene seines Herrn war, vielleicht aber auch (das meint er selbst), weil seine alte Geschichte immer noch so viel Sehnsucht nach ihm hat, dass sie ihn einfach nicht umkommen lässt.

Darius

Capricorns ehemaliger Vorleser, von Basta Stolperzunge genannt. Er hilft Elinor in ihrer Bibliothek. Da er beim Vorlesen oftmals große Angst hatte, waren die Figuren, die er aus Büchern herauslas, meistens auf irgendeine Weise verstümmelt (z. B. Resa, die stumm wurde).

Tintenblut

Dazu kommen im zweiten Teil:

Aus unserer Welt

Orpheus	Dichter und Vorleser, von Farid auch Käsekopf genannt
Cerberus	Orpheus' Hund
Zucker	auch der Schrank; dient Mortola und später Orpheus

Aus der Tintenwelt

SPIELLEUTE (das Bunte Volk)

Wolkentänzer	ehemaliger Seiltänzer, jetzt Bote; Freund von Staubfinger
der Schwarze Prinz	Messerwerfer, Bärenfreund, König der Spielleute, Staubfingers bester Freund
der Bär	Schwarzbär, von seinem Leben als Tanzbär vom Schwarzen Prinzen erlöst
der Rußvogel	Feuerspucker
Baptista	Schauspieler, Maskenmacher, entstellt von Pockennarben
der Starke Mann	Spielmann, der Eisen biegen und mehrere Männer auf einmal hochheben kann

IM WEGLOSEN WALD

Nixen	leben in den Tümpeln des Weglosen Waldes
blaue Feen	nach denen hat sich Staubfinger die ganzen Jahre seiner Verbannung in unsere Welt gesehnt
Feuerelfen	stellen den Honig her, durch den man die Sprache des Feuers lernen kann
die Weißen Frauen	Dienerinnen des Todes
der Eichelhäher	von Fenoglio erfundener legendärer Räuber, der wie einstmals Robin Hood die Fürsten ärgern und dem einfachen Volk helfen soll

IN OMBRA

Minerva	Fenoglios Wirtin
Despina	Minervas Tochter
Ivo	Minervas Sohn
Rosenquarz	Fenoglios Glasmann

AUF DER BURG VON OMBRA

der Speckfürst	Herr über Burg und Stadt Ombra; seit dem Tod seines Sohnes Cosimo auch Fürst der Seufzer genannt
Cosimo	auch Cosimo der Schöne genannt; verstorbener Sohn des Speckfürsten
Tullio	pelzgesichtiger Page des Speckfürsten
Violante	auch Violante die Hässliche genannt; Tochter des Natternkopfes und Witwe von Cosimo dem Schönen
Jacopo	Sohn von Cosimo und Violante
Balbulus	Illuminator; von Violante als »Mitgift« nach Ombra gebracht
Brianna	Dienerin von Violante; Tochter von Roxane und Staubfinger
Anselmo	Torwächter

AUF ROXANES HOF

Roxane	Frau von Staubfinger; früher Spielfrau, dann sesshaft geworden; baut Heilkräuter an und ist eine anerkannte Heilerin
Jehan	Sohn Roxanes von ihrem zweiten, inzwischen verstorbenen Mann
Schleicher	gehörnter Marder
Rosanna	jüngere Tochter von Staubfinger und Roxane

IM GEHEIMEN LAGER

der Zweifinger	Spielmann, guter Flötenspieler, obwohl er an einer Hand nur noch zwei Finger hat
die Krummfingrige	ältere Spielfrau, ist dagegen, dass die Spielleute Mo und Resa im Geheimen Lager verbergen
Benedicta	fast blinde Spielfrau

Mina	schwangere Spielfrau
die Nessel	Heilerin

sowie mehrere namenlose Spielleute

IM GASTHAUS IM WEGLOSEN WALD

der Wirt	berüchtigt für seine Kochkünste und bekannt als Spion des Natternkopfes
das Moosweibchen	Heilerin

IN DER MÄUSE-MÜHLE

der Müller	Nachfolger des Müllers, der einst ein Widersacher des Natternkopfes war
der Sohn des Müllers	blass vor Angst. Warum nur?

IM SIECHENHAUS

Schleierkauz	Bader; hat für Staubfinger gesorgt, als dieser noch ein Kind war
Bella	alte Heilerin, kennt Staubfinger schon fast ebenso lange wie der Schleierkauz
Carla	Mädchen, das im Siechenhaus hilft

AUF DER NACHTBURG

der Natternkopf	auch Silberfürst genannt, der grausamste Fürst der Tintenwelt
die fünfte Frau des Natternkopfes	hat dem Natternkopf schon zwei Töchter geschenkt, ist wieder schwanger, diesmal, wie der Natternkopf hofft, endlich mit einem Sohn
der Schlitzer	einer der Brandstifter Capricorns; arbeitet jetzt für den Natternkopf
der Pfeifer	auch Silbernase genannt; ehemals Capricorns Spielmann, der seine finsteren Lieder jetzt für den Natternkopf singt
der Brandfuchs	Capricorns Nachfolger, nun Herold des Natternkopfes
Taddeo	Bibliothekar der Nachtburg
die Gepanzerten	Soldaten des Natternkopfes

IM DACHSBAU

der Schnapper	Räuber, Anhänger des Schwarzen Prinzen

TIERE

Gwin	gehörnter Marder
Schleicher	jüngerer gehörnter Marder
Cerberus	der Hund von Orpheus
Bär	gehört dem Schwarzen Prinzen

Inhalt

Quellenverzeichnis

ALMOND, David: *Zeit des Mondes,* Seite 131
Aus dem Englischen von Martin und Johanna Walser
Die Originalausgabe erschien 1998 unter dem Titel »Skellig« bei Hodder Children's Books, London
© 1998 David Almond
Die deutsche Erstausgabe erschien 1999 im Ravensburger Buchverlag
© 1999 für die deutsche Textfassung Ravensburger Buchverlag Otto Maier GmbH
Lizenzausgabe als Ravensburger Taschenbuch Band 52198, erschienen 2002

AMICHAI, Yehuda: *My Father,* Seite 350
Aus: ders., *Isi-Bongo 2 Nr. 1* (January 1997), transl. into English by Azila Talid Reizenberger
© by Azila Talid Reizenberger
© der Übersetzung aus dem Englischen: Cornelia Funke, Hamburg 2005

BARKER, Clive: *Abarat,* Seiten 221, 427, 582
Aus: ders., *Abarat,* HarperCollins, New York / N. Y. 2002
© 2002 by Clive Barker
Eine deutsche Ausgabe erschien im Heyne Verlag, München 2004

BARRIE, James M.: *Peter Pan,* Seite 121
Aus dem Englischen von Bernd Wilms
© der Übersetzung: Cecilie Dressler Verlag GmbH & Co. KG, Hamburg 1988

BAUM, L. Frank: *Der Zauberer von Oz,* Seite 136
Aus dem Englischen von Alfred Könner
© der Übersetzung: NordSüd Verlag AG, Gossau / Zürich / Schweiz

BROWN, Sterling A.: *Thoughts of Death*, Seite 553
Aus: *The Collected Poems of Sterling A. Brown*,
ed. by Michael S. Harper, New York / N. Y. 1932
© John L. Dennis, Chevy Chase / MD
© der Übersetzung aus dem Englischen: Cornelia Funke, Hamburg 2005

BURNETT, Frances Eliza Hodgson: *A little Princess*, Seite 586
© der Zitat-Übersetzung aus dem Englischen:
Cecilie Dressler Verlag GmbH & Co. KG, Hamburg 2005

CHINESISCHES SPRICHWORT, Seite 393
zitiert nach: *Von den Wohltaten der Weißen und der Schwarzen Kunst*,
hrsg. von H. G. Schwieger, Wiesbaden 1987

CHUAN, XI: *Books*, Seite 253
aus: *New Generation. Poems from China Today*, transl. into English
by Wang Ping and Murat Nemet-Jejat,
© hangingloosepress, New York / N. Y. 1999
© der Übersetzung aus dem Englischen: Cornelia Funke, Hamburg 2005

CLAUDIUS, Matthias: *Abendlied*, Seite 169, und *Kriegslied*, Seite 595
zitiert nach: *Deutsche Lyrik*, hrsg. von Hanspeter Brode,
Frankfurt am Main 1996

COOPER, James Fenimore: *Der letzte Mohikaner*, Seite 185
aus: ders., *Der Lederstrumpf*
Aus dem Englischen von Christian August Fischer
© der Übersetzung: Verlag Heinrich Ellermann GmbH, Hamburg 1992

CORNFORD, Frances: *The Watch*, Seite 258
aus: dies., *Collected Poems*, New York / N. Y. 1954
© by Trustees of the Mrs Frances Crofts Cornford Deceased Will Trust

CROSSLEY-HOLLAND, Kevin: *Artus. Der magische Spiegel*, Seite 147
Aus dem Englischen von Alexandra Ernst
© Verlag Urachhaus, Stuttgart 2001

DAHL, Roald: *Hexen hexen,* Seite 279
Aus dem Englischen von Sybil Gräfin Schönfeldt
© 1986 by Rowohlt Verlag GmbH, Reinbek bei Hamburg

DICAMILLO, Kate: *Despereaux – Von einem, der auszog das Fürchten zu verlernen,* Seite 486
Aus dem Englischen von Sabine Ludwig
© für die deutschsprachige Ausgabe: 2004 Deutscher Taschenbuchverlag GmbH & Co. KG, München
Die deutsche Erstausgabe erschien 2004 im Cecilie Dressler Verlag, Hamburg

DICKINSON, Emily: *Hope,* Seite 692
zitiert nach: *The Collected Poems of Emily Dickinson,* New York 2003

EICHENDORFF, Joseph Freiherr von: *Wünschelrute,* Seite 534
zitiert nach: *Deutsche Lyrik,* hrsg. von Hanspeter Brode, Frankfurt am Main 1996

FAIZ, Faiz Ahmed: *The Love I Gave You Once,* Seite 342
aus: *An Elusive Dawn. Selections from the Poetry of Faiz Ahmed Faiz,* transl. into English by Mahbub ul Haq, published by Center of Social Sciences and Humanities, University Grants Commission, Islamabad 1985
© 1985 by Dr. Mahbub ul Haq. All rights reserved
© der Übersetzung aus dem Englischen: Cornelia Funke, Hamburg 2005

FROUD, Brian / LEE, Allan: *Faeries,* Seite 326
© Harry N. Abrams Inc., New York / N. Y. 2002
© der Übersetzung aus dem Englischen: Cornelia Funke, Hamburg 2005

GIBRAN, Khalil: *Der Prophet,* Seiten 205, 544
Aus dem Englischen von Ditte und Giovanni Bandini
© 2002 Deutscher Taschenbuchverlag GmbH & Co. KG, München

HEINE, Heinrich: *König David,* Seite 301, *Belsazar,* Seite 564, *Walküren,* Seite 598
zitiert nach: ders., *Gedichte,* München 1969

IBBOTSON, Eva: *Das Geheimnis der siebten Hexe,* Seite 447
Aus dem Englischen von Sabine Ludwig
© der deutschen Ausgabe: Cecilie Dressler Verlag GmbH & Co. KG, Hamburg 2002

ITALIENISCHE VOLKSMÄRCHEN: *Der König im Korbe,* Seite 230, und *Das Land, wo man nie stirbt,* Seite 657
Aus dem Italienischen von Felix Karlinger
© Eugen Diederichs Verlag, München 1993

JACCOTTET, Philippe: *Parlet,* Seite 508
aus: ders., *Chant d'en bas*
© Editions Gallimard, Paris 1994
© der deutschen Übersetzung: Marie-Claude Auger 2005

KASCHNITZ, Marie Luise: *Ein Gedicht,* Seite 9
aus: dies., *Überallnie. Ausgewählte Gedichte 1928–1965*
© 1965 Claassen Verlag in der Ullstein Buchverlage GmbH, Berlin

KIPLING, Rudyard: *Wie der Leopard zu seinen Flecken kam,* Seite 26
aus: ders., *Geschichten vom allerliebsten Liebling*
Aus dem Englischen von Irmela Brender
© der Übersetzung: Cecilie Dressler Verlag GmbH & Co. KG, Hamburg 1994

KONGEHL, Michael: *Gedicht über die Weiße Kunst,* Seite 603
zitiert nach: *Von den Wohltaten der Weißen und der Schwarzen Kunst,* hrsg. von H. G. Schwieger, Wiesbaden 1987

KRÜSS, James: *Das Feuer,* Seite 440
aus: ders., *Der wohltemperierte Leierkasten,* München 2001
© James Krüss / C. Bertelsmann Jugendbuch Verlag, ein Unternehmen der Verlagsgruppe Random House GmbH, München 2001

KÜHN, Dieter: *Der Parzival des Wolfram von Eschenbach,* Seite 328
© Deutscher Klassiker Verlag, Frankfurt am Main 1993

LEE, Harper: *Wer die Nachtigall stört,* Seite 413
Aus dem Englischen von Claire Malignon
© 1962 by Rowohlt Verlag GmbH, Reinbek bei Hamburg

LINDGREN, Astrid: *Die Brüder Löwenherz,* Seite 473
Aus dem Schwedischen von Anna-Liese Kornitzky
© Verlag Friedrich Oetinger GmbH, Hamburg 1974

LONGFELLOW, Henry Wadsworth: *The Day is done,* Seite 318
zitiert nach: *A Child's Anthology of Poetry,* ed. by Elizabeth Hauge Sword and Victoria Flournoy McCarthy, Hopewell / N. Y. 1995

LONGLEY, Michael: *Wüsste ich …,* Seite 7
zitiert nach: *Staying Alive. Real Poems for Unreal Times,* ed. by Neil Astley, New York / N. Y. 2003
© der Übersetzung aus dem Englischen: Cornelia Funke, Hamburg 2005

MONSTERBERG, Elimar von: *Der Spielmann,* Seite 96
aus: Margit Bachfischer, *Musiker, Gaukler und Vaganten. Spielmannskunst im Mittelalter*
© 1998 Battenberg Verlag, Weltbild Ratgeber Verlage GmbH & Co. KG, München

MURONG, Xi: *Poetry's Value,* Seite 251
aus: *Anthology of Modern Chinese Poetry,* ed. by Michelle Yeh, London 1992
© 1992 by Yale University Press, London
© der Übersetzung aus dem Englischen: Cornelia Funke, Hamburg 2005

NERUDA, Pablo: *Die Tote,* Seite 195
aus: ders., *Liebesgedichte,* in der Übersetzung aus dem Spanischen von Fritz Vogelsang
Originalcopyright © by Pablo Neruda
© der deutschen Ausgabe: Luchterhand Literaturverlag, ein Unternehmen der Verlagsgruppe Random House GmbH, München 2002

PEAKE, Mervyn: *Gormenghast, Erstes Buch: Der junge Titus,* Seite 374
Aus dem Englischen von Annette Charpentier
© J. G. Cotta'sche Buchhandlung Nachfolger GmbH, gegr. 1659,
Verlag Klett-Cotta, Stuttgart 1982

PERGAUD, Louis: *Der Krieg der Knöpfe,* Seite 52
Aus dem Französischen von Gerda von Uslar
© 1964 by Rowohlt Verlag GmbH, Reinbek bei Hamburg

PULLMAN, Philip: *Das magische Messer,* Seite 36
Aus dem Englischen von Wolfram Ströle und Andrea Kann
© Carlsen Verlag GmbH, Hamburg 1997

PULLMAN, Philip: *Der goldene Kompass,* Seiten 86 und 156
Aus dem Englischen von Wolfram Ströle und Andrea Kann
© Carlsen Verlag GmbH, Hamburg 1996

REEVE, Philip: *Großstadtjagd,* Seite 689
Aus dem Englischen von Anja Hansen-Schmidt
© Beltz & Gelberg, Weinheim 2003

RIDLEY, Philip: *Dakota Pink,* Seite 68
Aus dem Englischen von Sigrid Ruschmeier
Originalcopyright © 1989 by Philip Ridley
© der deutschen Ausgabe: Fischer Taschenbuch Verlag GmbH,
Frankfurt am Main 1995

RILKE, Rainer Maria: *Improvisationen aus dem Capreser Winter (III),*
Seite 469 und *Kindheit,* Seite 337
zitiert nach: ders., *Werke in drei Bänden, Band II Gedichte,*
Übertragungen und *Band I Gedicht-Zyklen,* Frankfurt am Main 1966

ROWLING, Joanne K.: *Harry Potter und der Stein der Weisen,*
Seiten 549 und 638
Aus dem Englischen von Klaus Fritz
Originalcopyright © J. K. Rowling 1997
© alle deutschen Rechte bei Carlsen Verlag GmbH, Hamburg 1998

SCHWARTZ, Lynn Sharon: *Ruined by Reading*, Seite 681
aus: dies., *Ruined by Reading: A Life in Books*, Boston 1996
Copyright © 1996 by Lynn Sharon Schwartz
© der Übersetzung aus dem Englischen: Cornelia Funke, Hamburg 2005

SHAKESPEARE, William: *Sonett*, Seite 459
zitiert nach: ders., *Die Sonette, englisch-deutsch*, Aus dem Englischen übersetzt und mit einem Nachwort von Hanno Helbling
© Manesse Verlag, Zürich 1983, Seite 256

SHAKESPEARE, William: *Der Sturm*, Seite 493
zitiert nach: ders., *Der Sturm*, Erster Akt, 2. Szene
Aus dem Englischen von Frank Günther
© 2000 by Hartmann & Stauffacher GmbH, Verlag für Bühne, Film, Funk und Fernsehen, Köln

SHAKESPEARE, William: *Romeo und Julia*, Seite 634
zitiert nach: ders., *Romeo und Julia*, Erster Akt, 4. Szene
Aus dem Englischen von Frank Günther
© 2000 by Hartmann & Stauffacher GmbH, Verlag für Bühne, Film, Funk und Fernsehen, Köln

SHELLEY, Percy Bysshe: *An Elegy on the Death of John Keats*, Seite 235 und 236
aus: ders., *Adonais: An Elegy on the Death of John Keats*, Vers VIII
© der Übersetzung aus dem Englischen: Andreas Steinhöfel, Berlin 2005

SPINELLI, Jerry: *East End, West End und dazwischen Maniac Magee*, Seite 177
Aus dem Englischen von Andreas Steinhöfel
© der deutschen Ausgabe: Cecilie Dressler Verlag GmbH & Co. KG, Hamburg 2000

SPUFFORD, Francis: *The Child that Books Built*, Seiten 361 und 574
© Faber & Faber, London 2002
© der Übersetzung aus dem Englischen: Cornelia Funke, Hamburg 2005

STEVENS, Wallace: *All the Preludes to Felicity,* Seite 237
aus: ders., *Collected Poetry,* ed. by Frank Kermode and Joan Richardson, p. 289: *The Pure Good of Theory: All the Preludes to Felicity,* Library of America, New York / N. Y. 1997

STEVENSON, Robert Louis: *Der schwarze Pfeil,* Seite 630
Aus dem Englischen von Rudolf Schaller

STEWART, Paul: *Twig im Auge des Sturms,* Seite 431
Aus dem Englischen von Wolfram Ströle

SZYMBORSKA, Wislawa: *Freude am Schreiben,* Seiten 528 und 696
aus: dies., *Deshalb leben wir. Gedichte,* übertragen aus dem Polnischen u. hrsg. von Karl Dedecius

TRAKL, Georg: *Nachts,* Seite 665, und *De profundis,* Seite 522
aus: ders., *Dichtungen und Briefe,* hrsg. von Walther Killy und Hans Szklenar, 5. Auflage

TWAIN, Mark: *Die Abenteuer des Tom Sawyer,* Seite 19
Aus dem Englischen von Ulrich Johannsen

VILLON, François: *Die Ballade vom kleinen Florestan,* Seite 296, und *Die Ballade von den Galgenbrüdern,* Seite 621
aus: ders., *Die lasterhaften Balladen und Lieder des François Villon,* Nachdichtung von Paul Zech

WHITE, T. H.: *Der König auf Camelot,* Teil I / Teil II, Seiten 409 und 450
Aus dem Englischen von Rudolf Rocholl

ZAFÓN, Carlos Ruiz: *Der Schatten des Windes,* Seite 111
Aus dem Spanischen von Peter Schwaar

Der Verlag bedankt sich bei allen Inhabern von Rechten für die Abdruckgenehmigungen.

Inhalt und Reihenfolge der Copyright-Angaben in diesem Verzeichnis wurden nach den Vorgaben der Rechteinhaber gestaltet.

Die Rechtschreibung der Zitate folgt den Originalausgaben.

Danksagung

Es besteht ja immer noch der Irrglaube bei manchem Leser, dass ein Buch fertig sei, wenn das letzte Wort geschrieben ist. Aber warum dauert es dann fast noch ein Jahr, bis aus einem Manuskript ein Buch geworden ist? Weil es lektoriert werden muss, illustriert, korrigiert, gedruckt, gebunden … Ein Buch ist keineswegs nur das Werk des Autors, es würde ein sehr fehlerhaftes und nicht sehr ansehnliches Ding ohne die Hilfe vieler anderer, für die ich mich an dieser Stelle bedanken möchte.

Mein erster Dank gilt meiner Lektorin Ursula Heckel. Sie war auch diesmal die Erste, die sich durch die Stapel von Manuskriptseiten arbeiten musste, die ich im Verlag abgab. Zwei dicke Ordner voller eng bedruckter Seiten! Und auf jeder einzelnen Seite galt es, nach Fehlern zu suchen, nach Widersprüchen, sprachlichen Holprigkeiten – ohne sich dabei ganz von der Geschichte verschlucken zu lassen.

Mein zweiter Dank gilt der Herstellerin des Cecilie Dressler Verlages, Martina Petersen, die ihre Arbeit mit Leidenschaft und Sachverstand macht. Die Probleme der Einbandgestaltung von *Tintenherz* und *Tintenblut* wären ohne ihre Hilfe kaum lösbar gewesen. Und sie hat es auch diesmal wieder geschafft, dass ich mir für meine Geschichte keine schönere Buchform hätte vorstellen können. Vielen, vielen Dank dafür.

Mein drittes Dankeschön gilt einer Buchbinderin: Anke Metz erzählte mir über die Kunst der Buchrestauration alles, was ich für dieses Buch wissen musste. Und als die Geschichte schließlich fertig geschrieben war, prüfte sie noch einmal die Stellen, in denen es um die Kunst geht, die sie selbst seit vielen Jahren so meisterlich betreibt. Mo und ich danken viele, viele Male!

Es gibt noch viele, die ein Dankeschön verdienen – Katja Muissus zum Beispiel, die die Werbung des Cecilie Dressler Verlages optisch gestaltet und deren Werbemittel für mein Buch so wunderschön geworden sind; die Korrekturleser Jutta Kirchner und Udo Bender, die viele Stunden geopfert haben, um mit Akribie und Sachverstand möglichst auch noch den letzten Satzfehler zu finden; die Drucker, Buchbinder und überhaupt alle Mitarbeiter des Cecilie Dressler

Verlages, auch wenn ihre Namen hier nicht einzeln aufgelistet sind, weil daraus fast ein weiteres Buch werden würde.

Wenn das Buch dann endlich fertig ist, ist die Arbeit aber noch lange nicht getan – ich bedanke mich vielmals bei Frauke Wedler-Zinn, der Pressefrau des Cecilie Dressler Verlages, die aus anstrengender Pressearbeit ein Vergnügen macht, bei Judith Kaiser, die Frauke dabei unterstützt, bei allen Vertretern meines Verlages, die das Buch in die Buchhandlungen tragen werden UND bei dem letzten, aber sicherlich nicht unwichtigsten Glied der Kette: Ein großes tintenschwarzes Dankeschön an all die Buchhändler, die dieses Buch dorthin bringen, wo es erst zu atmen beginnt – in die Hände der Leser!

Es grüßt … aus Los Angeles,
Cornelia Funke

GRANADA **1492**

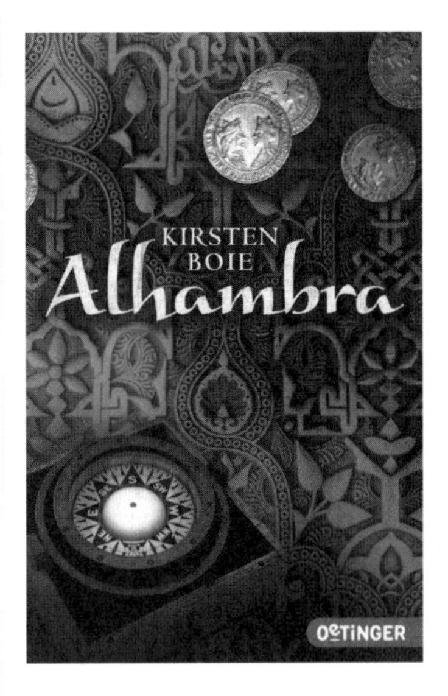

Kirsten Boie
Alhambra
432 Seiten I ab 12 Jahren
ISBN 978-3-8415-0020-5

Während einer Sprachreise, die Boston mit seinem Sprachkurs in Granada verbringt, findet er sich auf rätselhafte Weise plötzlich im Jahr 1492 wieder. Dort wird es für ihn lebensgefährlich. Seine Rückkehr hängt nicht nur davon ab, ob er den Schlüssel zur Gegenwart findet, sondern auch von der Entdeckung Amerikas.